『十四五』时期国家重点图书出版专项规划

中国考古发掘报告提要

汉代卷（下册）

刘庆柱◎总主编

丁晓山◎主编

中国文史出版社

湖北省

武汉市

1015.武昌县金口发现东汉铜镜

作　者：杨锦新

出　处：《江汉考古》1983 年第 3 期

在宣传贯彻《中华人民共和国文物保护法》的过程中，武昌县金口退休职工宋伯雅，将自己保存 10 多年的铜镜上交县文物部门。这面铜镜是 1970 年金水农场平整土地时发现的，同时出土的还有 1 把铁刀。简报配以照片予以介绍。

据介绍，铜镜面为乳钉神兽纹带，直径 19 厘米，有铭文 1 字。镜边作斜缘，镜面微弧，镜通体光润鉴人。器表呈灰青色，简报初步鉴定为东汉前期器物。

今有清华大学汉镜文化研究课题组编《汉镜文化研究》（北京大学出版社 2013 年版）上下两册，上册为研究文章，下册为图片。

1016.新洲城关近郊东汉合葬墓

作　者：程欣人

出　处：《江汉考古》1983 年第 4 期

新洲县火葬场位于城关东南 2 公里许的公路北边，紧邻东程湾。这一带地势较高，旧有一些大坟堆。1975 年春，县民政局筹建火葬场平整地基时推平了一些坟堆，并发现许多几何形花纹砖。当年 3 月，考古人员对已暴露的 2 座古墓进行了清理发掘。

据介绍，这两座并列的古墓，皆为东西向，中间有过道互通，都有前室（甬道）、中室（享堂）与后室（棺室）。早期曾被盗，仅存铜矛 1 件、铜钱 3 枚、灰陶灶 1 件、灰陶熏盖 1 件、灰陶平底碗 1 件、硬陶罐 1 件、铜钉 1 件。葬具、尸骨腐朽不存。简报推断为东汉时期夫妇合葬墓。

1017.武汉市葛店化工厂东汉墓清理简报

作　者：武汉市文物管理处　周厚强

出　处：《考古》1986年第1期

1980年8月中旬，武汉市葛店化工厂在修建宿舍挖房基时，于地下1米左右处发现古墓1座。考古人员进行了发掘和清理。简报分为：一、墓葬形制，二、随葬器物，三、结束语，共三个部分。有照片。

据介绍，葛店化工厂位于武汉市东郊，距市中心约30公里。古墓在化工厂内的1个高冈上。清理时，墓上堆土已被铲平。墓室除顶部砖少有塌陷外，大都保存完好。墓室分为甬道、棺室、耳室几个部分。墓顶为券顶，墓底铺砖呈"人"字形。棺具已烂，尸骨无存，但有零星的锈蚀棺钉。在棺室左边有一耳室，券顶。古墓未受破坏，故随葬器物大都保存完好，出土20余件，有陶器、瓷器、漆器、铜器、银器等。陶瓷器均放于耳室内，漆器和铜器、银器均放于棺室内，畜圈紧贴棺室后壁。此墓年代当属东汉晚期。

简报指出，蝙蝠柿蒂纹镜上所刻记的"王府吏李翕镜广四寸八分重十两"的字迹，是这次清理工作中的重要收获，它不仅为我们提供了墓主及其身份的信息，更重要的是为我们研究汉时的计量单位提供了实物资料。

1018.京九铁路（黄陂段）考古调查

作　者：湖北省文物考古研究所、武汉市考古工作队、黄陂县文化馆　付守平、
　　　　黄　锂

出　处：《江汉考古》1993年第3期

1992年11月上旬至中旬，考古人员对京九铁路联络线黄陂段沿线进行了全面的考古调查，共发现古文化遗址4处，文物采集点7处，墓葬群2处。为这一地区古文化遗存和古文化的研究增添了新的材料。调查发现的4处遗址为六银庙、神土地、大屋畈、五里墩遗址。墓葬群是朱家寨、茅屋店2处。4处遗址的情况较清楚，简报分为：一、六银庙遗址，二、神土地遗址，三、大屋畈遗址，四、五里墩遗址，五、小结，共五个部分。有手绘图。

据介绍，这次京九铁路工程黄陂段考古调查发现的4处遗址中以六银庙、大屋畈2处遗址较为丰富，2遗址上采集的器物皆可分为早、晚两期。简报推断：早期的年代为新石器时代晚期的龙山文化阶段；晚期遗存特点普遍见于黄陂金盆店、随州庙台子、阳逻香炉山诸西周遗址，年代大致在西周中晚期；神土地遗址为汉代遗存；20世纪80年代采集的五里墩遗址石器为新石器时代中期遗物。

1019.1992年辛冲汉墓群发掘简报

作　者：武汉市博物馆、新洲县文管所　雷兴军、方　勃
出　处：《江汉考古》1996年第4期

辛冲汉墓群主要分布在今天的武汉市新洲县辛冲镇北部,西距新洲县城约4公里。为了配合106国道至举水河新桥的连线公路及当地百姓的建房施工,1992年2月至7月,考古人员对施工范围内的古代墓葬进行了抢救性清理,共发掘汉代墓葬16座,获得了一批珍贵的文物资料。简报分为:一、墓葬形制,二、随葬器物,三、结语,共三个部分并配以手绘图,介绍了有代表性的3座墓葬。

据介绍,这三座墓葬出土的大批陶器、铜器,以及数量可观的硬、釉陶器,皆具有强烈的时代特征和地方特色,反映出几种不同的文化因素在本地区的融合。时代为西汉早期、西汉晚期。M207、M209的墓主人应为平民,M401的墓主人应为接近县令的官员或拥有中等产业的地主或商人。

1020.武汉市新洲技校汉墓发掘简报

作　者：武汉市新洲县文物管理所、武汉市博物馆　雷兴军、黄传馨
出　处：《江汉考古》1998年第3期

从新洲县城关往东约3公里,到达一片低矮丘陵岗地,在这里东西约3公里、南北约5公里的范围内,经调查有高大封土堆的汉墓就达70余座,已经发掘的中小型汉墓已达200余座。1997年新洲县技校在这里动土建设新校舍,为配合施工,又抢救性发掘汉墓19座。简报分为:一、M27,二、M1,共两个部分,先行介绍了其中的两座,有手绘图、拓片。

据介绍,M27为1座长方形竖穴土坑墓,1椁1棺,随葬品24件,简报推断为西汉初期墓。M1平面呈长方形,随葬品有铜钱、铜镜、铁矛、釉陶器等17件,为东汉早期墓。

1021.武汉江夏区庙山东汉墓的清理

作　者：武汉市文物考古研究所、江夏区文物管理所　祁金刚、李永康等
出　处：《考古》2005年第5期

2000年6～11月,为配合武汉药业科技园建设,考古人员在湖北省武汉市江夏区庙山村西谭湾梅亭山进行考古勘探和抢救性发掘工作。这次考古勘探共发现东汉、

六朝、明清古墓 11 座。大部分墓葬在早年平整土地时遭到毁坏,只有两座东汉时期的大型砖室墓保存较好,编号 M1、M11。简报分为:一、墓葬形制,二、随葬器物,三、结语,共三个部分。有照片、手绘图。

据介绍,M1 位于梅亭山西南部,为砖砌多室墓,平面呈"中"字形。由墓道、墓门、甬道、前室及其北侧侧室和南侧双耳室、后室组成,方向 290°。M11 平面呈"亚"字形,由墓道、墓门、甬道及其两侧耳室、中室及其东侧双侧室和西侧双侧室、双后室组成。出土遗物主要有陶器、瓷器、铜器、铁器等以及大量铜钱。

简报将这两座墓的年代均定为东汉晚期。随葬品中,M1 出土的 1 方"司金司马"铜印值得注意。在南方地区出土东汉铜印还是较少见的。这方铜印从文字上分析,应为官印,但史料记载不详。张舜徽先生编《三国志辞典》中有"司金中郎将""司金都尉"条目,皆为官名。西汉盐铁官属大司农,东汉属郡县。曹魏于太祖曹操时始置司金中郎将、司金都尉,秩比 2000 石,主管冶铁事。蜀亦置,主典农具和兵器。司金司马同属此类官职。此印因史籍、年谱均未著录,难以确切考证。推断年代当为东汉时期,也可能为东吴初期。

另外,M1、M11 出土铜钱 2000 余枚。西汉五铢约占 40%,东汉五铢约占 40% 以上。货泉、大泉五十、布泉等王莽时期的货币较少。还有较薄的东汉晚期五铢,包括剪边五铢、模制剪边五铢、綖环五铢。东汉晚期随葬的粗劣五铢,数量极滥,常达数百枚,甚至数千枚,西汉五铢和新莽钱也时有发现。这与东汉末年的经济崩溃,货币陷入无政府状态的情形有关。

黄石市

1022.大冶黄文村东汉墓清理简报

作　者:黄石市博物馆　曲　毅

出　处:《江汉考古》1986 年第 3 期

湖北大冶县金湖乡黄文村,位于县城西 5 公里处。1980 年 11 月 21 日,该村村民在村后台地挖地基时,发现 2 座残砖室墓。据村民反映,台地原是村后两小山丘相连的土脊,当时曾挖出了大量花纹砖。至今村后地表露头的这种残砖随处可见。这 2 座墓的上部也是当时被挖掉的,现 2 墓的墓底距地表仅 1.1 米。编号分别为黄文 M1 和黄文 M2。简报分为:一、墓葬形制,二、出土器物,三、小结,共三个部分。有手绘图。

据介绍，2 墓上部早年被破坏，尸骨、棺椁俱无，所出器物残碎零乱。有青瓷罐、陶罐、陶井、陶仓、铜镜、铜钱等。两墓的时代，简报推断为东汉晚期。

1023.湖北省大冶市草王嘴城西汉城址调查简报

作　者：湖北省文物考古研究所

出　处：《江汉考古》2006 年第 3 期

为配合武汉至九江铁路提速工程建设，2003 年 6 月至 2004 年 4 月，考古人员在对铁路穿过的大冶市五里界城进行考古调查、勘探和发掘的同时，还对该市境内的草王嘴城进行了调查。通过对草王嘴城调查资料的整理，认为草王嘴城为西汉时期的城址，与五里界城是历时性关系。其主要功能是当时采矿、冶炼生产过程中的管理、仓储、转运中心。简报分为：一、城垣与城壕，二、城内文化堆积，三、遗物，共三个部分。有手绘图。

据介绍，草王嘴城位于大冶市城区西郊的金湖街道办事处栖儒工作片田境村四、五组，东距大冶市区约 6.5 公里，东南距铜绿山古矿冶遗址约 2.7 公里。草王嘴城于 1984 年文物普查时发现，大冶县博物馆当即发表一则短讯对城址进行了报道。1985 年，大冶县人民政府公布为文物保护单位。1992 年 12 月 16 日，湖北省人民政府公布为湖北省文物保护单位。通过调查，采集的遗物以西汉时期为主。简报认为草王嘴城建筑于西汉以前，使用于西汉早中期。

简报称，通过对草王嘴城、五里界城及周围遗址、鄂王城考古资料的对比研究，可初步判定大冶境内的五里界城、鄂王城、草王嘴城分别为春秋、战国和西汉不同时代的城址。3 座城址都与采矿和冶炼密切相关，其主要功能是当时当地的采矿、冶炼生产过程中的管理、仓储、转运中心。

草王嘴古城遗址位于大冶县城关西北约 9 公里的金湖乡田境生产队。城址呈不规则长方形，南北向。城内地势西南面高于东北面。城垣除局部被破坏和塌陷外，保存较好，且高出地面 3 ~ 9 米。城垣为灰褐色泥土夯筑而成，宽约 12 米，夯层为 13 ~ 14 厘米。据初步勘察，城垣周长 945 米，城内总面积约 55000 平方米，城址内文化堆积极为丰富，出土有东周时期的筒瓦、板瓦、瓦当等。在城址的周围还出土了一批陶器和铜器，如陶豆、陶罐、陶网坠和青铜剑、铜箭镞、铜壶等，在城址的南面还发现有古陶井和多处古墓葬以及大量的炉渣。

今有张继海先生《汉代城市社会》（社会科学文献出版社 2006 年版）一书，可参阅。

襄樊市

1024.光化五座坟西汉墓

作　者：湖北省博物馆

出　处：《考古学报》1976 年第 2 期

"五座坟"在湖北省光化县东南约 12 公里处，它是汉水东面的白莲公社青山大队辖内丘陵岗地西缘的 1 处小土岗。清《光化县志·陵墓》载："五座坟在县治南乡，高大如丘陵，土人耕于其侧，时得古铜炉鼎。"说明这里过去曾有高大的封土冢堆，"五座坟"或因此而得名。由于冢墓曾屡遭盗掘，加以长期的自然变化，现在只残存一些不甚明显的土冢。1973 年 11 月，当地村民在五座坟岗上施工，挖出一批汉代遗物，当即将这批遗物送交县文化部门。同年 12 月进行发掘，历时 1 个月。简报配以照片，介绍了相关情况。

据介绍，五座坟的 7 座汉墓都是长方形土坑竖穴式木椁墓，其中 4 号、5 号墓还带有竖穴式墓道。墓坑填五花土，除 2 号墓坑稍小外，其余墓口长度都在 4 米以上。因配合施工，墓底深度大多不明，仅知 3 号墓深 11.3 米。墓底设椁室。椁室上下四周，除 3 号墓全部填塞白膏泥以外，其余 6 座都是内填（紧贴椁室）木炭，木炭外边再填塞白膏泥。出土时，木炭都已成粉末。椁室由长条方木构成，下承垫木。椁室内放木棺，棺内外髹黑漆。出土时，木椁、木棺大多腐朽倒塌。其中以 3 号墓椁室保存较好，内部作楼房式结构，棺放于楼上，棺底用 8 匹木马承托，形式特殊，极为罕见。6 号墓墓底上分设 2 椁室，也是过去少见的。详情见文末"墓葬举例"。骨架均已腐朽，除 6 号墓设 2 椁室，椁室内各置 1 棺，似为合葬外，其余均为单人葬。随葬品放椁室内和棺内，有铜器、陶器、漆器、木器、铁器、玉器以及竹简、丝织品、粮食、水果。漆器、木器、竹简、丝织品和粮食、水果已部分腐朽，其他大体完好。3 号墓随葬品最多，达 700 多件。主要铜器有鼎、钫、壶、镜，陶器有鼎、壶、瓮，漆木竹器有卮、奁、梳篦、车、马、俑，以及带漆鞘的铁剑。

简报推断年代可分两组，一组为西汉武帝前，一组为西汉武帝时或稍晚。

据《史记·萧相国世家》，西汉开国功臣萧何封为酂侯，食邑于南阳先酂县，约在今光化县境。

1025.襄阳出土汉绿釉陶楼

作　者：张光忠

出　处：《文物》1979 年第 2 期

1977 年 10 月，在襄阳县伙牌公社张元大队发现的东汉砖室墓中，出土 1 座绿釉陶楼。简报配以照片予以介绍。

简报介绍，该陶楼出于墓室头厢的东南角，通高 56 厘米、宽 28 厘米。共分二层，上层门口有守门人，周围有栏杆。栏杆外的屋面上有蛇、龟等动物。在两汉时期的陶楼中，这种造型是较别致的。

1026.湖北襄阳擂鼓台一号墓发掘简报

作　者：襄阳地区博物馆　王少泉

出　处：《考古》1982 年第 2 期

擂鼓台一号墓位于襄阳南门外凤凰山山腰的小岗上，地势较高。1978 年 4 月，某单位的五七砖瓦厂在挖土中发现此墓的填土和石块，立即停工。7 月中旬，考古人员对这座墓进行了清理发掘，7 月下旬结束，田野发掘共 10 天。简报分为：一、墓葬形制，二、随葬器物，三、结语，共三个部分。有照片、手绘图。

据介绍，这座墓为长方形竖穴土坑墓，没有墓道。墓口、墓坑的大部分被破坏。据砖瓦厂的施工人员回忆：墓坑上原有 2 米多高的封土堆。葬具为 1 椁 2 棺，出土有 1 套仿铜的陶礼器、铜镜、铜剑、众多漆木器等计 80 多件随葬品。墓主人应为西汉早期县丞一级官吏。

简报称，这座墓在填土中铺有两层大石块，这种积石墓在中原地区曾多见，但在湖北省却罕见，它对探讨湖北与中原地区在西汉早期墓葬的关系，有一定意义。这座墓的漆器，线条勾勒交错、流畅不滞，花纹图案瑰丽。彩绘漆衣陶器的发现，反映当时漆器的广泛使用。值得特别提出的是彩绘人物画的漆圆奁盒，人体比例准确，形象逼真，反映了西汉早期的绘画艺术已经达到很高的水平了。

1027.湖北襄樊出土一件东汉铜镜

作　者：范　平

出　处：《文物》1992 年第 12 期

1989 年 1 月，湖北省襄樊市北郊发现 1 座东汉墓群，随葬器物有 1 件东汉龙虎纹镜。简报配以拓片予以介绍。

简报介绍，该镜直径18.8厘米。镜面微凸。圆纽，圆纽座。镜背纹饰分三区，内区为虎、龙纹，中区有7枚柿蒂乳钉，间饰神兽纹，外区饰龙纹一周，由一圈齿纹与镜缘隔开。镜缘宽2.2厘米，对称排列4枚五铢钱纹，间饰神兽纹。

1028.湖北襄樊市两座东汉墓发掘

作　者：襄樊市博物馆　黄尚明
出　处：《考古》1993年第5期

1986年11月，襄樊市人造毛皮厂在樊城高庄路东侧修建宿舍楼时，发现2座砖墓。分别编号为M1、M2。M2位于M1东50米。简报分为：一、墓葬形制，二、随葬器物，三、结语，共三个部分。有手绘图。

据介绍，M1由甬道、前室、后室呈梯级构成，可能为穹窿顶。前后室之间以右侧门相通。甬道、前室放置随葬品，后室置棺，棺木已朽，残留有红色漆片。人骨架2具，因水位高，漂散各处，1个头骨紧靠后室后壁，保存完整，仰面，后室中部为散乱的肢骨，南部中间有1个头骨，已破碎。此墓为夫妻合葬墓。M2为单室墓，前接短甬道。可能为穹窿顶。墓室东部放置随葬品，中部放棺，棺已朽乱，残剩许多红色漆皮。人骨架两具，亦因水位较高之故，骨骼主要漂集在东壁附近，与器物混在一处，东壁南北部各有1个头骨，面皆朝下，周围有零散的四肢骨。此墓亦为夫妻合葬墓。因建房清基挖掘较深，土已取走，两墓墓道情况不明。2墓出土器物24件，分陶器和铜器两类。其中陶器21件。有仓、灶、瓮、罐、磨、雄、猪圈、耳杯、碗、盘、釜等。另有铜碗、铜泡、铜钱等。

两墓的年代，简报认为是东汉前期。

1029.湖北襄樊市区东汉墓发掘简报

作　者：襄樊市博物馆
出　处：《考古与文物》1993年第4期

1988年5月，财政部鄂西北办事处拟在襄樊市樊城建华路南修办公大楼，在此钻探出1座砖室墓，并于6月2日开始发掘。简报分为：一、墓室结构，二、随葬器物，三、结语，共三个部分。有手绘图。

据介绍，该墓距地表约1.2米。墓葬由墓道、甬道、正室和东西耳室构成。南北长8.76米、东西宽11.12米。葬具、人骨已朽。出土有瓷器2件、陶器21件及银器、钱币等。简报推断为东汉墓葬。

1030.湖北谷城马铃沟东汉砖室墓发掘简报

作　者：谷城县博物馆　汤雨林、李广安
出　处：《江汉考古》1993 年第 2 期

1987 年 11 月下旬，谷城县城关镇老军山村居民在马铃沟挖橘树窝时发现 1 座砖室墓，考古人员前往清理。此墓位于县城西南 5 公里的汉水西岸马铃沟北坡上。这里西连山峦起伏的老军山，东至汉水约 100 米，南距马铃沟约 30 米。襄阳至谷城的公路从墓葬东侧沿汉水南北穿过。简报分为：一、墓葬形制及随葬品位置，二、出土器物，三、结语，共三个部分。有手绘图。

据介绍，此墓随葬品组合为东汉习见的鼎、壶、罐、仓、灶、井、猪、狗、鸡等。陶鼎的盖已由西汉时的圆鼓形演变为圆锥形，鼎足已由"熊足"取代了"人面足"，还出土有东汉早期开始盛行的无足仓等，这些都体现了东汉早期的特点。从墓葬形制和器物组合及形态上分析，简报推断此墓的时代应属于东汉早期或稍晚。

1031.襄樊市真武山西汉墓葬

作　者：湖北省文物考古研究所　张昌平
出　处：《江汉考古》1993 年第 4 期

襄樊市位于汉江中游的河谷地带，地理位置极为优越，这里北近南阳盆地，东接随枣走廊，南通江汉平原。真武山西汉墓地位于市区之西的汉江冲积平原上，北距汉江约 1000 米，其南为荆山山脉的北缘，距离最近的真武山不过 300 米，墓地也因此命名。这里行政区划隶属于襄樊市襄城区檀溪村。1988 年在基本建设工程中首先发现这里是 1 处堆积丰富的周代遗址，1989 年 10 月至 1990 年 7 月进行正式发掘，除获得西周时期大批遗物外，还清理墓葬 14 座（编号 M1 ～ M14），其中 M1、M5、M7、M8 为宋、明时期墓葬，M11 因无随葬品而不能判定其时代，其余 9 座均为西汉时期墓葬。简报分为：一、墓葬形制，二、随葬品，三、结语，共三个部分。有手绘图、照片。

据介绍，9 座西汉墓均未见纪年材料，相互间亦无打破关系，依据随葬品组合及器形综合因素，简报推断：这批汉墓的年代可推断在西汉前期，其中 M10 之鼎、盒略具战国晚期楚器遗风，其时代或可早至西汉之初。墓主身份相当低。

简报称，与湖北地区其他西汉前期小型汉墓相比，真武山西汉墓也存在某些特殊因素。在器类上一般地区多见以陶礼器为主如鼎、盒、壶的组合形式，但真武山汉墓这种情况只有两例，器物组合以罐、灶最常见，特别是这里墓葬凡是出陶器的，则必有灶，且其形制如出一模，是为这批墓葬的一大突出现象。另外陶器器形如陶鼎盖纽作实心圆纽，也较为特殊。

1032.枣阳市车架厂古墓清理简报

作　者：枣阳市博物馆　徐正国、包宗成
出　处：《江汉考古》1994 年第 4 期

湖北省汽车车架厂坐落在枣阳市区沙河南岸约 1 公里处，东西紧邻穿越市区的汉（口）孟（家楼）公路。1992 年 11 月，枣阳市"湖北汽车车架厂"在扩建厂房取土施工中挖至地表 1.5 米处发现大量经过砌筑有序的砖石建筑，厂方立即报告了枣阳市博物馆，经勘探为 1 座古墓，该墓位于车架厂宿舍西一片低洼的堰塘中，地势西高东低。为此，市博物馆组织人力合同襄樊市博物馆对该墓进行抢了救性的发掘清理。简报分为：一、墓葬形制，二、随葬物品，三、结语，共三个部分。有手绘图、拓片。

据介绍，该墓虽早年被盗扰，但从中出土的大量陶质生活用器、模型器为判定其年代提供了依据，特别是"五铢""大泉五十""小泉直一""大布黄千"铜钱以及刻有"大布黄千"布钱图案及钱文砖的出土，更为判定其年代提供了更直接的依据。简报推断该墓的年代为王莽新朝与东汉早期，墓主人生前属于贵族阶层。

1033.湖北老河口市出土汉代空心画像砖

作　者：老河口市博物馆　杨　柳
出　处：《考古》1996 年第 3 期

1988 年 10 月，考古人员在老河口市北郊变电站基建工地进行抢救性发掘时清理 1 座残墓。该墓除墓道保存尚好外余均已被破坏，墓中出土了 2 件小陶鸡模型和一批画像砖。其中 4 件大型空心画像砖为本地区首次见到。简报配以拓片予以介绍。

据介绍，这 4 方大型空心画像砖均立于门额下，画面朝外一字排开。4 方画像砖为长方形空心砖，制作不精，画像内容、规格均相同。画像内容大致可分为三部分。上部：最上方是一展翅奋飞的大鸟，周围有祥云环绕；其下有鹿拉着载有仙人的云气车在奔驰。中部：上端有一仙树，树枝上有鸟嬉戏于枝头；右侧树下有一朱雀，翅尾弯弯上翘，与回望的鸟头呈相顾状；左侧树下朱雀则翅尾紧收，目视右侧；树下为一门阙，门阙为重檐庑殿顶，檐下设栌斗；下层檐顶右侧立有仙鹤，双翅收于胸前，左侧仙鹿正回首远眺；上层檐下卧一灵兽；门阙正中立一捧盾门吏，戴冠着

Han Dai Juan

长袍，盾面饰叶脉纹；其左侧为一持棨戟的门吏，亦戴冠着长袍。下部：一棵大树与虎交错构成的图像。整个画像的左右两侧施以菱形纹带，宽约 1.5 厘米。根据画像砖的形制及画像内容。并参考同出的小陶鸡模型，可知这 4 方画像砖时代为东汉。

1034.湖北襄樊市岘山汉墓清理简报

作　者：襄樊市博物馆　高尚琴
出　处：《考古》1996 年第 5 期

1989 年 6 月，襄樊至沙市公路扩建至岘山段时，在施工区发现有 7 座墓葬，考古人员进行了抢救性发掘。简报分为：一、墓葬形制，二、随葬器物，三、结语，共三个部分。有手绘图。

据介绍，岘山位于襄阳古城南约 3.3 公里处，清理的 7 座墓分别编号为岘山 M1～M7。除 1 座（M7）为宋墓，暂不叙述外，其余 6 座汉墓可分为 3 种：1 是长方形砖室墓（M1），2 是长方形砖土合构墓（M5），3 是长方形土坑竖穴墓（M2～M4、M6），这 6 座墓都受到不同程度的破坏。M3 为西汉早期墓，墓主应为贵族，出土玉印上"赵臣" 2 字或为墓主姓名。M1、M5 为王莽时墓，墓主身份应相当于中小贵族或低级官吏。而 M2、M4、M6 形制较小，出土器物数量也不多，墓主当为一般平民。

1035.老河口市百花山西汉墓清理简报

作　者：老河口市博物馆　符德明、艾志忠、潘兆麟
出　处：《江汉考古》1996 年第 3 期

百花山又名马头山，为一座东西走向的小山丘，海拔高度 142 米。西距老河口市区 2 公里，山之西南方为平坦的汉水冲积平原。1994 年 10 月，考古人员在市民政局百花山公墓基建工地进行文物钻探时发现几座小型古墓。墓葬已遭到不同程度的破坏，部分随葬陶器暴露在外。考古人员进行了抢救性发掘，共清理西汉墓葬 5 座。简报分为"墓葬形制""随葬器物""结语"，共三个部分予以介绍，有手绘图。

据介绍，5 墓均为长方形岩坑竖穴墓，M3、M5 保存较好。5 墓均不见棺木痕迹，仅发现零星残骨。M1、M3 墓底北部发现人牙痕迹，M4 坑底南部发现伸直状腿骨痕迹。从现存迹象推测：5 墓头向北，均为直肢葬。有无棺木不详，但从墓坑大小分析，即使有棺木，也应为单棺。遗物以陶器为主。

据简报推断，百花山 5 墓中，M1、M2、M3、M5 的年代可定为西汉早期，M4 的年代为西汉中期。

1036.老河口市杨寨东汉墓清理简报

作 者：老河口市博物馆　符德明、潘兆麟
出 处：《江汉考古》1996 年第 4 期

1993 年 7 月，考古人员在杨寨村配合林立山钢木制品公司基建进行文物钻探时发现 6 座墓葬。同年 9 月对这批墓葬进行了抢救性发掘，共清理东汉砖室墓 5 座（M1～M5），明清土坑墓 1 座（M6）。简报分为：一、地理位置，二、墓葬形制，三、随葬器物，四、结语，共四个部分。有手绘图、照片。

据介绍，杨寨村位于老河口市酂阳办事处境内，北距老河口市区 1 公里，西距汉江河道 2 公里。林立山钢木制品公司建于杨寨村东北，正处于汉（口）十（堰）公路与市郊三环路交叉的西南角。五墓均用小砖砌成。由于早年在墓地取土，墓葬受到严重的破坏。墓坑、墓道无存，墓顶被揭，部分墓壁已毁至生土，M4 破坏最甚。清理时仅存一堆残砖。简报推断此五墓应为东汉晚期墓。

据介绍，5 墓形状、大小各异，反映出墓主不同的身份。M2 规格最高，有前室、侧室、后 3 室，随葬品也较丰富，墓主身份约为中等地主阶层。M1 位于 M2 之北 2 米，与 M2 并列，除无侧室外，余均同 M2，推测 2 墓应有一定关系，M1 墓主身份略低于 M2。M3 为单室墓，规格较小，随葬品不多，墓主身份应为一般地主阶层。M5 规格最小，仅用小砖砌成窄小的盒形棺，且无随葬品，可见身份较低，应为一般平民。

1037.湖北襄樊市毛纺厂汉墓清理简报

作 者：襄樊市博物馆　曾宪敏
出 处：《考古》1997 年第 12 期

襄樊市毛纺厂位于襄樊市樊城区汉江路北段东侧，南邻松鹤路，北毗长汉路，东为长虹生活小区。1988 年 11 月，市毛纺厂卫生所在拆旧建新挖墙基过程中挖出多块花纹砖，考古人员对此地进行了勘察，发现该处为 1 座墓地，于是进行了抢救性发掘，共清理出 5 座墓葬。简报分为：一、墓葬形制，二、出土遗物，三、结语，共三个部分。有手绘图、拓片。

据介绍，发掘的 5 座墓，大小形制基本相同，随葬品的种类及形制亦相近。随葬器物以陶器为主，西汉中期以后大量出现的模型明器在这几座墓中亦有相当数量，种类较多，不仅仓、灶、井的组合形式存在，并且还有磨、圈以及猪、鸡、鸭等。各墓均出土五铢钱。简报推断 5 座墓的时代应为西汉晚期。5 座墓规模不大，时代接

近，墓主应属同一阶层，且地位不高，可能为一般庶民或小地主。

简报称，这批墓的发掘恰好填补了襄阳城附近仅见西汉早、中期及末期而未见晚期墓葬的空白，为研究该区整个西汉墓葬的形制及其延续性，全面恢复此段历史提供了较为宝贵的实物资料。

1038.襄樊长虹南路汉墓清理简报

作　　者：襄樊市考古队　刘江声
出　　处：《江汉考古》1999 年第 4 期

长虹南路汉墓位于市纺织机械厂家属区内，西距长虹南路约 50 米，北距市烟厂专用铁路约 100 米。1988 年 7 月，市纺织机械厂在兴建宿舍楼时发现墓葬 2 座，分别编号 M1、M2。考古人员进行了抢救性发掘。简报分为：一、墓葬形制，二、随葬器物，三、小结，共三个部分。有手绘图。

据介绍，2 座墓上部均遭到破坏。为长方形土坑竖穴墓，有椁、棺痕迹，人骨已朽。2 墓共出随葬器物 32 件（枚），除 13 枚铜"五铢"外，其余全为陶器。陶器以泥质灰陶为主，泥质褐陶次之，个别为硬陶。大多素面，少量饰绳纹，个别饰瓦楞纹。器类有鼎、盒、壶、瓮、瓿、碗、博山炉、仓、灶、井等。两墓的时代，简报推断为西汉晚期前段。

1039.襄阳竹条汉代墓葬、窑址发掘

作　　者：湖北省文物考古研究所、襄阳县文物管理处　熊北生
出　　处：《江汉考古》2000 年第 1 期

襄阳县竹条镇位于襄樊市区西北约 10 公里处，西南距汉水约 0.5 公里，北距襄渝铁路约 5 公里，汉十公路从这里通过。竹条墓群正位于竹条镇街区，墓地长约 1.5 公里，宽约 1 公里。其东约 8 公里有邓城遗址，再向东有余岗墓地。遗址在文物普查时发现，1999 年 4 ～ 5 月，为配合当地工程建设进行了勘探、发掘。共发掘清理汉代小型砖室墓 8 座，出土有陶器、铁器、铜钱等随葬物品；揭露汉代砖窑遗址处，并结合勘探弄清了窑址在此范围内的布局情况。窑址包括 3 座砖窑遗迹、3 处砖场和 2 个较深的土坑。简报分为"墓葬""窑址""结语"，共三个部分予以介绍，有手绘图、拓片。

据介绍，8 座汉墓均为带斜坡墓道的小型砖室墓。出土有陶制明器、铜钱、铜弩机、铁环首刀等。时代从西汉晚期至东汉晚期不等。应与墓地有着密切关系。窑址生产

出来的砖正好用于墓地建墓，窑址也许就是因为墓地的需要而起造和存在的。如此，则从某种意义上讲，窑址可视如墓地的附属设施。

1040.南漳城关东汉墓清理简报

作　　者：南漳县博物馆　孙义宏
出　　处：《江汉考古》2000年第2期

1998年11月28日，南漳县城关镇花石桥村七组发现1座古墓，县博物馆人员闻讯赶往现场时，20余件器物已被村民取出。考古人员当即将移出的23件器物收集运回保管，并组织人员对墓葬作了进一步清理。

墓葬位于县城东边一条南北走向的黄沙石岗西坡上，岗梁高出平地约15米，东部为连绵起伏的沙石土岗，西北地势平缓，为农耕地与城区建筑，村民房屋顺岗而建，北距216国道150米。1988年4月，县邮电局在墓葬东北约300米处征地平整土场时，曾发现2座小型汉代砖室墓（编号M1、M2）。此次清理的这座墓葬，编号M3。另据村民反映，近年在岗地开荒时，也曾多次挖出带有绳纹的墓砖，由此表明，该岗地应为一处汉代墓地。关于M3的清理情况，简报分为：一、墓葬形制，二、随葬器物，三、对该墓时代的几点认识，共三个部分。有手绘图。

据介绍，墓葬为长方形双室砖石墓，出土遗物有墓砖及铜钱等。简报根据墓葬形制及随葬器物综合分析，该墓至迟在东汉早期已开始建造，其下葬年代应相距不远。

1041.襄樊团山卞营墓地第二次发掘

作　　者：襄樊市考古队　王先福、刘江声
出　　处：《江汉考古》2000年第2期

卞营墓群位于襄樊市高新技术产业开发区团山镇邓城村卞营东侧，北靠邓城大道。该处为汉水北岸冲积平原，地势平坦。1999年4～7月，襄樊供电局在该地进行农业综合开发过程中发现墓葬4座，并经文物勘探又发现墓葬10座。随后，考古人员对这批墓葬进行了抢救性发掘，共清理墓葬14座。分别编号M3～M16，它们分属于3个不同时代：其中东周墓葬4座，汉墓8座，唐墓2座。简报分为：一、东周墓葬，二、汉墓，三、唐墓，四、小结，共四个部分。有手绘图。

据介绍，东周墓均为长方形土坑竖穴墓，其中3座为单棺单椁，1座为单棺，人骨均不存。简报推断为春秋晚期至战国早期墓。汉墓出土有铜钱、陶制冥器等。简报推断为西汉末年至东汉初年墓。唐墓仅出土 1 件瓷罐。简报推断时代为唐代早期。简报称，从调查情况看，该地墓葬分布密集，时代跨度较大，是邓城以东、樊城以前的 1 处较大型墓地。

1042.襄樊彭岗汉墓群发掘简报

作　者：襄樊市考古队　王先福
出　处：《江汉考古》2000 年第 2 期

1996 年 10 月，襄樊供电局在樊城北部金岗小区征地兴建邮政处理中心，经考古钻探，探出墓葬多座并进行了发掘，共清理墓葬 16 座（编号为 96XPM111～M126），其中汉墓 14 座、明墓 1 座、清墓 1 座。简报分为：一、墓葬形制，二、随葬器物，三、结语，共三个部分，先行介绍 14 座汉墓，有手绘图。

据介绍，该墓群位于襄樊市樊城区余岗乡彭岗村南，北侧为彭岗东周墓群，分布着不同时代的众多墓葬。这 14 座墓葬可分为两种形制，一种为长方形土坑竖穴墓，共 8 座。其中 3 座口大底小，5 座口底同大。1 座设熟土二层台。一种为长方形单室砖墓，共 6 座。其中 2 座带斜坡墓道，均遭破坏。墓壁基本为条砖错缝叠砌，顶均残，横行或直行铺地砖。除 2 座墓仅从棺椁腐痕可分辨出葬具为单椁单棺外，余均不明，人骨架均已不存，葬式不清。随葬品多置于墓室内一侧。随葬品有陶器、铜币等。时代从西汉中期至西汉晚期不等。这批墓葬的规模不大，且大小基本相同，组合、器类差别不大，墓主当为普通的庶民。

1043.湖北枣阳市沙河南岸汉墓的清理

作　者：枣阳市博物馆　徐正国、包宗成、姜　波
出　处：《考古》2001 年第 6 期

1992 年 11 月，枣阳市湖北汽车车架厂在扩建厂房施工中，挖至距地表深 1.5 米时，发现大量经过砌筑的墓砖。经上级文物主管部门同意，枣阳市博物馆与襄樊市博物馆联合对其进行了抢救性清理发掘。有关清理情况，简报配以手绘图予以介绍。

据介绍，湖北汽车车架厂坐落在横穿枣阳市区的沙河南岸约 1 公里处，东邻穿越市区的汉（口）孟（家楼）公路。墓葬（编号为 92M3）位于车架厂职工宿舍西面的一片低洼的堰塘中。该墓为砖石结构，棺室内人骨腐朽无存，葬式不明，但有木质葬具痕迹。该墓早年被盗，随葬品主要是陶器和钱币。从墓葬形制结构、器物组

合和出土的"新莽"钱币分析，简报推断该墓时代定为西汉晚期至东汉早期较为合适。墓主人当属贵族或豪强地主阶层。

1044.湖北老河口市柴店岗两汉墓葬

作　者：老河口市博物馆　符德明
出　处：《考古》2001 年第 7 期

柴店岗位于老河口市区东南约25 公里处，东与襄阳县交界，西临汉江，为汉江中游东岸的二级台地。汉（口）丹（江口）铁路、207 国道从台地穿过。20 世纪80 年代初期，柴店岗村在207 国道东侧取土建砖窑时就发现有汉代墓葬。1987 年文物普查时，在砖厂北面发现面积约50 万平方米的"柴店岗汉代遗址"。1997 年3 月，砖场取土断面上又暴露出8 座汉代墓葬，考古人员对8 座墓葬进行了抢救性清理。简报分为：一、墓葬形制，二、随葬器物，三、结语，共三个部分。有手绘图。

据介绍，根据墓葬形制、随葬器物组合及器物的形制特征，这批墓葬可分为两期。西汉墓为土坑竖穴墓，陶器以泥质灰陶为主。新莽至东汉墓除土坑墓外开始出现简单的砖室墓，随葬器物变为以泥质红陶为主，并出现釉陶。这些特征与江汉地区的两汉墓葬基本相同，较为特殊的是随葬陶器的 6 座墓都出土了陶双耳罐，这应是一种地域特征。根据这批墓葬的规格及随葬品的数量，简报判断这批墓葬墓主身份应为一般平民或小地主，墓葬的年代应为新莽至东汉早期。

简报称，这些墓葬的发掘，将为汉代南北文化的交融及江汉流域汉墓的研究提供新的资料。

1045.湖北省老河口市北岗东汉墓发掘简报

作　者：老河口市博物馆　徐昌寅
出　处：《江汉考古》2004 年第 2 期

北岗位于老河口市以北约 22 公里的纪洪镇纪洪村境内，是 1 处汉代中小型墓葬地。2002 年 2 月，考古人员对其中两座破坏严重的墓葬进行了清理，出土了大批的东汉时期文物。简报分为：一、墓葬形制，二、随葬器物，三、结语，共分三个部分。有拓片、手绘图。

据介绍，2000 年 2 月 21 日，当地村民进行农田改造时发现两座砖室墓并进行了盗掘。考古人员进行了清理并追回了 10 余件文物。据村民反映，20 世纪七八十年代，当地多次发现过同类砖室墓。简报认为此地应为 1 处汉代中小型墓地。

简报称，北岗 2 座墓葬曾几经被盗掘破坏，尸骨、棺椁俱无，所出随葬器物残碎零乱。2 墓方向相反，但 2 墓形制相同，墓砖规格、纹饰一致，随葬器物形制基本类似且 2 墓相距仅 32 米，故 2 墓应为一先一后下葬，相隔时间不会太长。

简报推断两墓的时代为东汉晚期，其中 1 墓的墓主人据砖上铭文，应为 1 位张姓文人。

1046.老河口市柴店岗砖厂汉代窑址清理简报

作　者：老河口市博物馆　符德明、艾志忠
出　处：《江汉考古》2004 年第 4 期

1999 年，老河口市博物馆配合柴店岗砖厂取土，抢救清理了 1 座西汉中晚期陶窑。窑为半地穴式建筑，3 个烟囱，主要由窑前室、火门、火膛、窑床等构成。窑室东部低洼地堆积有丰富的窑内废弃物，主要有日用陶器、丧葬用陶、生产工具、建筑用陶等。此窑应为专门烧制日用陶器、丧葬用陶及建筑用陶的民营私窑。简报分为：一、地层堆积，二、遗迹，三、出土遗物，四、结语，共四个部分。有拓片、手绘图。

据介绍，发掘地点位于老河口市仙人渡镇柴店岗村中部，北距老河口市区 25 公里，南临汉江。共发现窑址 1 座，堆积窑内废弃物的灰坑 1 处。该窑的建造年代，简报推断为西汉中期，窑址约在西汉晚期废弃。所用燃料为木柴。

1047.老河口市孔家营一号东汉墓清理简报

作　者：老河口市博物馆　符德明
出　处：《江汉考古》2005 年第 3 期

孔家营一号墓位于老河口市北郊孔家营村李家沟北岸，2000 年 3 月为配合汉江王甫洲电站蓄水工程，考古人员抢救性清理了该墓，出土了鼎、罐、磨、井等汉代陶器。简报分为：一、墓葬形制，二、随葬器物，三、结语，共三个部分。有手绘图。

据介绍，M1 为长方形砖室墓，单室，券顶。无墓门、墓道、甬道、侧室等。简报推断为东汉初年墓。墓内有 2 具棺木，从棺内人骨特征分析大致判断为男、女各一，因此应为夫妻同穴合葬。G2 棺髹漆，棺内男性头骨、口腔、鼻腔、耳孔内置玉（蝉）、塞等殓具，显然为墓主。墓内随葬品组合完整，品种丰富，制作精致，可见墓主身份不是一般平民，可能属中小地主阶层。

简报称，孔家营一号东汉墓形制清楚，随葬品未经盗扰，组合完整，丧葬习俗鲜明，为汉水流域少见，它的发现为汉水流域汉代葬俗的研究提供了新的重要资料。

1048.湖北襄阳余岗墓地 M714 发掘简报

作　者：襄阳市文物考古研究所　梁　超等
出　处：《文物》2013 年第 7 期

余岗墓地位于湖北省襄阳市团山镇余岗村所在的一条东北至西南走向的低矮岗地上，西距古邓城城址约 1500 米。该墓地为邓城外围 1 处重要的东周、秦汉时期的墓地，1987 年以来先后发掘春秋至东汉时期墓葬 700 余座，以中小型竖穴土坑墓为主，有少量砖室墓，出土各类器物 3000 余件，已基本建立起了该墓地本时段的考古序列。2009 年 2～5 月，为配合某项目建设，在余岗墓地东北部清理出战国至西汉时期竖穴土坑墓葬 108 座（编号 M648～M755）。其中 M714 位于发掘区的东北部，出土器物较为特殊，除了 1 套陶礼器加日用器组合外，还随葬了 1 套形制丰富多样的制陶工具，为襄阳地区首次发现。简报分"墓葬形制""出土器物"和"结语"三个部分加以介绍，配有照片和手绘图。

简报判定该墓年代为西汉中期前段，即武帝元狩五年（前 118 年）至后元二年（前 87 年）。

简报指出，M714 除了完整的仿铜陶礼器加日用器组合外，还出土了 1 套制陶工具——陶拍和瓦当、鼎耳、鼎足范模，其陶拍大小、形制各不相同，用途也不一样，生动地展示了当时制陶方法以及专业化程度。M714 的墓主应该是当时 1 个工匠或者管理工匠的低级官吏。该墓的发掘，为我们研究当时经济、技术水平以及了解当时手工制造业的状况提供了重要的实物资料。

十堰市

1049.均县城南土桥镇清理了古墓一座

作　者：陈恒树
出　处：《文物》1959 年第 11 期

长江流域文物考古队湖北分队，于 1959 年 1～4 月份，在均县城南土桥镇北面 7.5 公里处的吕家村后清理了双家东汉（或稍后）的墓 1 座。两家南北相连，长约 70 米、东西宽约 50 米，清理的是靠北面的 1 座。简报配以照片予以介绍。

据介绍，该墓是砖室墓，方向正南北，墓室结构分墓门、前过道、前室、后过道、后室 5 部分。前室紧靠右壁有 1 棺床，后室左右侧均有 1 棺床，墓内有骨架 7 具。前室 4 具，2 具并列于棺床上，另 2 具并列于左侧铺地砖上，后过道前端靠左侧 1 具。后室骨架已腐，根据棺痕及碎骨来判断，也应为 2 具。此墓遭过数次盗掘，扰乱严重。随葬物多已破碎，看不出器形，经修复后，计有：灰陶瓮、红陶瓮、双耳陶罐，红陶无釉平底奁，红胎、外涂黑和绿等色釉的陶壶等。在清理封土时，发现有石桌 1 张。距墓门约 4 米处，有长方形石祭台 1 面。

1050.湖北郧县砖瓦厂的两座东汉墓

作　者：湖北省博物馆　梁　柱
出　处：《江汉考古》1986 年第 2 期

郧县砖瓦厂位于该县县城东部约 500 米，是一处东临汉江的高坡地，唐时称为马檀山。过去在这里曾发现唐濮王墓。1984 年底，该厂扩建窑场，用推土机平整土地时又发现了一批古墓葬。1985 年 3 月 24 ~ 28 日，考古人员清理了其中 2 座东汉墓，编号为 M3、M4。简报分为：一、墓葬形制，二、随葬器物，三、结语，共三个部分。有手绘图等。

据介绍，这 2 座墓均为东西向，一前一后，相距仅 2.3 米。都是券顶单室的单砖墓，由墓室、甬道、墓门、斜坡墓道组成。这 2 座墓首尾相邻而葬，其墓主可能同属一个家族。由于现存地表已经被推土机推过，2 墓的上部情况不明。从随葬品来看，2 墓的下葬年代似略有先后。如 M4 出土有薄壁的红陶瓮，剪轮五铢的磨去程度较小等，所以 M4 比 M3 略显得稍早。简报初步认为，M4 约属东汉晚期，M3 可能到了东汉末期。

1051.竹山县城发现一批窖藏王莽时期的货币

作　者：王善才
出　处：《江汉考古》1992 年第 1 期

1989 年春，竹山县黄沙乡募缘村八组农民在挖掘一旧房基工程中，挖出 1 件陶罐。后将罐子打破后，才发现里面装的是小铜片。经送有关人员鉴定，知系王莽时期所铸的钱币"货布"。简报配以拓片予以介绍。

据介绍，此批货币保存较好，只有少许锈蚀，钱币上的阳文"货布"2 字较清晰。遗憾的是，盛钱币的那件陶罐未保存下来，陶罐的形制特点不清，窖藏埋于地下的时间不明。但这批"货布"能保存如此完好，且为数较多，是有一定的史料价值。

今有宋叙五先生《西汉货币史》（香港中文大学出版社 2002 年版）一书，可参阅。

1052.湖北郧西县老观庙汉墓的清理

作　　者：郧阳地区博物馆　祝恒富、王　毅
出　　处：《考古》1999 年第 7 期

老观庙汉墓位于湖北省郧西县羊尾镇老观庙村二组（又名白石滩）的坡地上。1992 年冬，郧阳地区博物馆（现十堰市博物馆）在配合《文物法》的宣传活动中，发现了这处古墓群，同时在该村农民张显庭的新建房基中发现 3 座已遭破坏的墓葬，考古人员对此进行了抢救性发掘。3 座墓的编号为 M1 ~ M3。由于 M1 破坏严重，简报配以手绘图予以介绍 M2、M3 的情况。

据介绍，M2 墓葬为土坑竖穴墓，共出土随葬品 51 件，按质地有陶器、铜器、铁器 3 种，简报推断 M2 的时代应为西汉中期前后。M3 为土洞墓，有墓道。平面呈凸字形，墓内出土遗物 10 件，其中 5 件属随葬品，另 5 件为填土内的遗物，M3 时代应比 M2 晚，简报推断在两汉之际或更晚一些。

1053.湖北竹山县博物馆收藏的一件西汉金带扣

作　　者：十堰市博物馆、竹山县博物馆　杨海莉、李　强
出　　处：《文物》2010 年第 9 期

1975 年 11 月，湖北省十堰市竹山县城关村民在进行坡地改梯田挖土时，发现了 1 件黄金饰物。根据现场情况和人们介绍，确认此处为 1 座古墓，但由于放炮作业，墓葬已被炸毁。经鉴定，出土的黄金饰物为 1 件金带扣，藏于竹山县文化馆（现为博物馆）。后被国家文物局文物鉴定委员会专家鉴定为一级文物。简报配有照片。

据介绍，此金带扣形制规整，工艺精湛，造型精美，简报推断其时代应为西汉。

简报称，西汉时期，诸侯势盛，因谋反、叛乱被诛或流放者屡有所见。十堰地区历史悠久，特别是十堰房陵（今房县）、上庸（今竹山县）是秦汉时期重要的流放地。竹山县古属上庸，此地出土如此造型精美、制作精良的金带扣，不可能是一般的民间物品，应该与当时流放的贵族有关。

1054.湖北郧县上宝盖遗址 2010 年发掘简报

作　　者：复旦大学文物与博物馆学系、湖北省文物局南水北调办公室　潘碧华、
　　　　　高蒙河、王太一

出　　处：《江汉考古》2013 年第 4 期

郧县上宝盖遗址在 2010 年度出土了丰富的汉代文化遗存，揭露了大面积瓦片堆积，其中出土的"锡倉"封泥为探讨汉代锡县地望问题、研究汉水流域城镇建制变迁提供了新线索。同时，此次发掘也发现了少量新石器时代和东周时期的文化遗存。简报分为：一、地层堆积，二、新石器时代遗存，三、东周时期遗存，四、汉代遗存，五、结语，共五个部分。有手绘图。

据介绍，上宝盖遗址位于郧县县城以西约 33 公里处，隶属于湖北省十堰市郧县五峰乡安城沟村二组，坐落在汉江南岸。1994 年发现，2006、2009 年曾进行过 2 次发掘，2010 年为第 3 次发掘。遗存以汉代为主。陶器有盆、瓮、罐、甑、缸、豆、器盖、器座、纺轮、网坠、瓦当及其模具，和数量众多的瓦片。具体年代为西汉至新莽、东汉两个阶段。大量瓦片堆积似是某种官署建筑遭废弃后产生的垃圾遗存。简报怀疑此地为汉代锡县粮仓所在地。

荆州市

1055.湖北江陵凤凰山西汉墓发掘简报

作　　者：长江流域第二期文物考古工作人员训练班

出　　处：《文物》1974 年第 6 期

1973 年 9 月中旬至 11 月中旬，长江流域规划办公室考古队举办了第二期文物考古工作人员训练班。参加该班的有 7 省市学员 80 余人，在湖北江陵楚故都纪南城内进行田野考古发掘的实习，发掘了 9 座西汉早期的土坑木椁墓，发现了一批记载西汉的赋税、徭役、借贷、商业等有关经济方面的竹简和木牍。一起出土的还有一些比较珍贵的文物。

据介绍，凤凰山位于楚纪南城内，紧靠故城南城垣，是一处比附近地面稍高的小山丘。这一带墓葬分布比较密集，这次发掘的 9 座墓彼此很相近，没有互相打破关系的现象，其棺椁形制与器物组合，虽有大小与多少之不同，但基本上是相近的。尤其是八、九、十号 3 座，一个紧挨一个，棺椁形制和随葬器物的花纹也基本相同；

竹简、木牍的文字也为同一风格。它们当属于同一个时代，不会相距很远。这批墓葬出土的漆器数量大、种类多，还出土了许多陶器和相当数量的铜器，其中也不乏早期作品。所以作为墓葬断代的有力证据是九号和十号出土了有纪年的木牍，简报推断这批墓的时代，大约就在西汉文帝到景帝时期。

简报称，此次西汉墓的发掘，是近年来我国文物考古方面的又一次重要收获。

1056.湖北江陵凤凰山一六八号汉墓发掘简报

作　者：纪南城凤凰山一六八号汉墓发掘整理组
出　处：《文物》1975 年第 9 期

1975 年上半年，考古人员在湖北省江陵县的楚故都纪南城内发掘了凤凰山一六八号汉墓，发现了 500 多件珍贵的历史文物和 1 具保存相当完整的男尸。这对于研究西汉初期的政治、经济、文化以及医药、防腐技术等方面，都具有重要意义。简报分为"墓葬形制""随葬器物""年代及墓主身份""结语"等几个部分予以介绍，有照片等。

据介绍，此墓为带墓道的竖穴土坑墓，1 椁 2 棺。男尸为仰身直肢，经检测年龄为 55 岁左右。出土遗物中漆器 160 件、木器 120 件，还有陶器、铜器、玉器等总计 500 余件。据出土竹牍，此墓年代为汉元帝初元十三年（前 46 年）。墓主为南郡江陵县西乡市阳里人，叫遂少言，为九等爵五大夫。同刊同期有钟志成先生论此墓出土的一套文书工具的文章及《关于凤凰山一六八号汉墓座谈纪要》等文，可参阅。

1057.江陵凤凰山一六七号汉墓发掘简报

作　者：凤凰山一六七号汉墓发掘整理小组
出　处：《考古》1976 年第 10 期

1975 年 10～11 月，在湖北江陵楚纪南故城内，又发掘了 1 座西汉初期的墓葬凤凰山一六七号墓。简报分为"墓葬形制""随葬器物""结语"，共三个部分予以介绍，有照片。

据介绍，此墓为无墓道的土坑木椁墓，1 椁 1 棺，椁室四周有青灰泥。出土有 74 根木简，计 1 卷。内容为遣策，隶体墨书，记有随葬品名称。出土有双隶俑、铜器、仿铜陶器、丝麻织品等。还有 1 把丈量土地的步弓。该墓的年代，简报推断为西汉文、景时期。

同刊同期有《凤凰山一六七号汉墓遣策考释》一文，可参阅。

1058.江陵郢阳内出土王莽时期文物

作　者：刘彬徽

出　处：《江汉考古》1980 年第 2 期

湖北省江陵县城（即荆州城）东北 3 公里处的郢城遗址，城址平面近正方形，南北长约 1500 米，东西宽 1000 余米，面积约 7 平方里。城内主要种植水稻，现属纪南公社郢城大队。

1965 年春，生产队在城址内东北部的地里挖坑积肥，发现了铜钱等古代文物。考古人员闻讯赶赴现场察看。除铜钱外，坑内还有铜镜一面及残损的铜弩机头 1 个。简报配以拓片予以介绍。

据介绍，取出的铜钱，均为西汉末王莽时期铜钱，共有 1254 枚，其中"货泉"最多，达 1192 枚，其他有"大泉五十" 12 枚、"货币" 48 枚、"大布黄千" 2 枚，简报认为坑内铜钱应是当时居民之窖藏物。铜镜为王莽时期的昭明镜，有铭文。该城的年代，简报认为就现有考古资料分析，还难以断定，只能留待今后考古工作去解决。

1059.沙市东郊汉墓清理简报

作　者：沙市博物馆　彭锦华

出　处：《江汉考古》1982 年第 2 期

1979 年 10 月，沙市纸箱厂在市东郊的周梁玉桥搞基建时发现了一批汉代墓葬，考古人员前往清理。这次共发掘汉墓 4 座，依次编号为 1～4。简报分为：一、墓葬形制，二、随葬器物，三、结语，共三个部分。有手绘图。

据介绍，1 号墓为长方形竖穴土坑墓，无墓道。2、3、4 号墓为砖室墓。出土遗物有陶器、钱币等。简报推断，土坑墓的时代为西汉中晚期，3 座砖室墓的时代为东汉中期。

1060.江陵张家山三座汉墓出土大批竹简

作　者：荆州地区博物馆　卫　斯

出　处：《文物》1985 年第 1 期

湖北江陵张家山，东南距江陵县城约 1.5 公里，东北距故楚都纪南城约 3.5 公里，现为江陵砖瓦厂所辖。1983 年 12 月至 1984 年 1 月，荆州地区博物馆配合砖瓦厂取土工程清理了 3 座西汉初年的古墓（编号 M247、M249、M258），出土了一批具有时代特征的随葬品，最为难得的是出土竹简 1000 枚。简报分为：一、墓葬形制，二、出土遗物，三、年代及其他，共三部分。有手绘图、照片。

据介绍，江陵张家山 3 座汉墓均为长方形土坑竖穴墓，没有墓道。椁室四壁均为木板垒砌，椁室中头箱、边箱与棺室之间设门窗，棺皆作长方盒状。3 座汉墓中有两座出土了铜器，数量多，品种全。表明在西汉初年，以青铜器为随葬器的现象在中小墓中尚占一定比例，另还出土有陶器、漆器等。3 墓所出的竹简，内容极为丰富，为研究西汉的政治、经济、法律、文化及医学、历法等学术专题，提供了珍贵的文字资料。简报推断江陵张家山 3 座墓的年代上限为西汉初年，下限不会晚于景帝。

1061.江陵张家山汉墓出土大批珍贵竹简

作　者：荆州博物馆　彭　浩
出　处：《江汉考古》1985 年第 2 期

1983 年 12 月至 1984 年 1 月考古人员在江陵张家山配合工程发掘了 3 座小型汉墓，出土了一批珍贵的竹简，共 1000 余支，竹简长 30～33 厘米，宽 0.6～0.7 厘米，各简之间用三道缀线相连。文字书于竹黄一面，书题记于竹青一面。各简字数多少不一，多者有 40 余字，全部竹简共 4 万余字。出土时竹简已经散乱，部分残断较甚。经初步整理和研究，得知这批竹简的内容十分丰富，具有极其重要的科学价值，可与闻名中外的云梦秦简相媲美。根据墓中所出历谱记载，它们大约是西汉早期汉高祖至汉文帝时的遗物，按其内容分作以下九类：1. 律令，2.《奏谳书》，3.《盖庐》，4.《算数书》，5.《脉书》，6.《引书》，7. 历谱，8. 日书，9. 遣策。

简报介绍说，律令是张家山汉简的主要组成部分，共 500 余支。简背书题为《二年律令》，包括有 20 余种律名。律名单独写在 1 支简上，不与律文相连，其中有《行书律》《縣律》《置吏律》《效律》《金布律》《均输律》《传食律》《津关令》等。从律文的内容来看，还包含有盗、贼和其他有关内容。与有关的文献相对照，可知这次发现的律令包括了汉律的主体部分，但不是全部的律文。就其整体而言，它比云梦秦律的内容要更为充实和完整，大大丰富了我们对汉律的认识。

《奏谳书》共有简 200 多支，书题在简背。奏谳是汉代治狱的一种制度。凡县道官治狱所见疑难案件须上报至郡断决，所不能决者移送廷尉（中央政府掌管刑辟的官员），廷尉所不能决者，奏闻皇帝裁决。《奏谳书》是这种疑难案例的选编，共选入 20 多件案例，其中大部分是西汉初期的。

《盖庐》一书共 50 余简。盖庐（阖闾）是春秋时期吴国国君。此书以吴王盖庐与申胥问答的形式记述了申胥的军事思想。申胥即伍子胥，原为楚臣，因受楚平王逼迫投奔吴国，吴封之申地，因名申胥。其他如数学著作《算数书》、医学著作《脉书》等，也均具有极高的文献价值。

1062.江陵张家山两座汉墓出土大批竹简

作　　者：荆州博物馆　院文清等

出　　处：《文物》1992 年第 9 期

江陵张家山是一条东西走向的岗地，多网纹红土和灰黄黏土，现为江陵砖瓦厂的取土场。东距荆州城 2 公里，南 0.5 公里即为长江冲积平原。北面地势渐高，是一片起伏不平的岗地。张家山岗地上分布着相当密集的东周、秦、汉墓群。为配合砖瓦厂取土工程，自 20 世纪 50 年代以来，省、地、县文物部门在这里多次进行考古发掘，出土了多批重要文物。尤其重要的是 1984 年冬季发掘的 3 座西汉早期墓葬，出土了一大批珍贵的汉代竹简，引起了学术界的广泛关注。1985 年秋和 1988 年初，荆州博物馆先后发掘清理了张家山 M127、M136 另 2 座汉墓，再次出土一批竹简。新发现的竹简保存情况较好，数量大，其内容比前 3 座墓发现的竹简更为丰富。简报分为：一、墓葬形制，二、出土器物，三、墓葬年代及墓主身份，共三个部分并配以照片，先行介绍其中的 M127、M136 这 2 座汉墓。

据介绍，M127、M136 位于张家山西端的北部，2 座墓相距仅 10 余米，四周分布着较为密集的东周楚墓及秦汉墓葬，东面 400～600 米就是 1984 年冬发掘的 3 座汉墓。M127、M136 这 2 墓皆为长方形土坑竖穴木椁墓，均 1 椁 1 棺。出土有铜器、木器、漆皮陶器、木器、陶器等 170 多件。据简报推断，M127 的下葬时间应在汉惠帝时期，M136 的下葬时间应不晚于汉文帝前元十三年（前 167 年），2 墓墓主生前均有一定地位。简报指出，M127、M136 这 2 座汉墓均为西汉早期中型墓，墓中出土的大批内容丰富、保存较好的汉简，为研究汉初的政治、经济及文化、艺术诸方面提供了珍贵的资料。

1063.东汉和平二年的一件铜斗

作　　者：王毓彤

出　　处：《文物》1992 年第 9 期

1981 年 5 月中旬，湖北省江陵城草市唐家山挖鱼塘取土时，发现 1 座东汉晚期的砖室墓。墓长约 3.4 米、宽约 1.5 米。券顶残塌，无底砖，棺木烂成泥色。出土 1 件铜斗，伴出的还有陶灶、陶罐及五铢铜钱等。

据介绍，铜斗外表呈黄灰色。圆形，直口，直腹，下部弧收，平底。腹部焊一绹纹攀，攀衔一环形握手。腹部饰凹弦纹 16 周，底内中间铸一直行阳文"和平二年堂狼造"，两旁各焊接东汉五铢铜钱 3 枚。简报推断此铜斗为东汉时期遗物。

今有王彦辉先生《张家山汉简〈二年律令〉与汉代社会研究》（中华书局 2010 年版）一书可参阅。

1064.江陵高台 18 号墓发掘报告

作　　者：湖北省荆州市地区博物馆　张万高
出　　处：《文物》1993 年第 8 期

湖北省江陵县高台墓地位于楚故都纪南城东墙外约 100 米处，是江陵地区继凤凰山之后发现的又 1 处秦汉时期的贵族墓地。近年来，为配合湖北省宜（昌）黄（石）公路建设工程，考古人员在宜黄公路江陵段的高台取土场先后发掘清理了 30 余座秦汉墓葬，出土了一大批珍贵文物。简报分为：一、墓葬结构，二、随葬器物，三、木牍文字，四、结语，共四个部分并配以照片予以介绍。

据介绍，M18 所出木牍上记有"七年十月丙子朔庚子"字样，是这批墓中唯一 1 座有确切纪年的墓葬。位于高台墓地的中部，为 1 座土坑竖穴木椁墓。墓壁平整光滑，坑内填土上部为褐黄色五花土，近椁部分及椁室四周颜色泛青。葬具为 1 椁 1 棺，棺作长方匣形，外髹黑漆，内髹朱漆。墙板、挡板与棺盖作子母口扣合，榫结部位再拴以长条形木楔；墙板与底板之间以木楔拴牢。棺底之下因杂物、泥土填塞而与椁底之间形成空隙。墓内共出土陶器、漆木器 30 余件，主要放置于边厢内，头箱只是放置梳、篦、木俑等物。简报推断该墓的时代为西汉早期墓葬，墓主身份为中小地主。

简报称，此墓的发掘，对认识江陵及其周边地区秦汉墓葬所反映的文化现象及其年代关系具有一定的作用。木牍的文字内容，对分析汉初的算赋政策、人口迁徙等问题也具有一定的意义。

1065.江陵凤凰山一六八号汉墓

作　　者：湖北省文物考古研究所　陈振裕等
出　　处：《考古学报》1993 年第 4 期

凤凰山在春秋战国时期楚故都纪南城的东南隅，南距江陵县城关（即荆州城）约 5 公里，属江陵县纪南乡。凤凰山岗地的南端连接纪南城的南城垣，西北部靠近楚国的宫殿区，襄（阳）沙（市）公路自北而南穿过它的中部。1973 年秋，长江流域第二期文物考古工作人员训练班学员在凤凰山墓地实习，发掘了9座西汉木椁墓。发掘简报见《文物》1974年第6期。1974年，考古人员对整个凤凰山墓地进行普遍探查，发现自秦汉以来的古墓葬180余座。1975年3月，成立湖北省纪南城文物保护与考古发掘工作领导小组，举办亦工亦农文物考古训练班。训练班的学员和湖北、湖南、北京、长江流域规划办公室文物考古队的文物考古工作者，先后在凤凰山发掘，共发掘秦汉木椁墓20余座。本文报道的168号西汉墓，是其中的1座。简报分为：一、前言，二、墓葬形制，三、随葬器物，四、竹牍、竹简，五、尸体，六、下葬年月和死者，七、结语，共七个部分。有照片、拓片、手绘图。

据介绍，凤凰山168号墓，位于山岗的中部偏东，北边是167号汉墓，南边是169号汉墓，3墓紧邻并列。发掘前，墓地上是一片桐树林，没有明显的封土堆，只是比周围地面略微隆起。据当地百姓说，墓上原来是有封土的，后来因平整土地被削平。发掘前估计到168号墓的重要性，所以专门成立"凤凰山168号墓发掘小组"，具体领导发掘工作。发掘工作自1975年3月30日至6月20日，历时82天。整个发掘工作分三步进行：第一步，发掘墓坑与墓道的填土；第二步，清理椁室头厢与边厢里的器物；第三步，起吊内外棺，运回室内清理，并对尸体进行解剖。已发表发掘简报（见《文物》1975年9期），因时间仓促，简报未能全面报道。经多年来的整理研究，现在把全部资料和初步研究报道出来。

简报称，随葬器物563件，包括竹牍1枚，竹简66枚。男墓主生前患有9种疾病，系急性穿膜性腹炎并全身广泛性出血而死，汉族，AB型。下葬时间应是汉文帝前元十三年（前167年）五月十三日。应有五大夫的爵位。名"遂"，江陵市阳里人。此墓的发掘，也为研究西汉前期五大夫这个等级的墓葬提供了典型的资料。

除了已往谈及的一些收获外，本简报又补充了以下几点收获：

其一，此墓出土漆器165件，生活实用器的器类基本齐全，制作精工，绝大多数保存完好，花纹的线条勾勒交错，图案优美，彩绘的色泽艳丽如新。它们是湖北省西汉前期迄今发现的数量最多、保存最好的一批精美漆器，也是研究我国西汉文景时期的一批纪年漆器。这批漆器的胎骨全是木胎。它们的制作方法，一方面是继承秦代木胎漆器的研制、挖制和卷制等制法，以及木胎制成后的髹漆、描绘花纹，漆器上的烙印与针刻文字，等等；另一方面则在秦代的基础上有所发展。圆盘、奁、卮、樽等圆形或圆筒状的漆器，一般已采用镟制的新工艺，既美观又提高了功效。钿器的数量也略有增多。这些漆器的造型，表明实用与美观结合的掌握已日趋成熟。容积较大的圆形器、椭圆形器，省工、省料又较为实用。这批漆器上的漆画，有许多堪称为艺术珍品。不仅花纹图案优美，而且依据器皿的造型进行巧妙的设计。还有不少烙印文字，其中"素""饱""草"等烙印文字，是这个时期素工、鲍工和造工在制作漆器时所烙上的戳印，反映了当时漆器制作已有多道工序与"物勒工名"的产品责任制。不少漆器上烙印"成市""市府"，说明它们是四川成都市府管辖的漆工产品，由此也反映了当时漆器产品已有较强的商品性。

其二，这座墓出土竹质天平衡杆与铜砝码各1件，但未见铜盘，不是完整的1套天平衡器。同时有半两铜钱101枚。在天平衡杆的正、背面和下侧面有墨书文字42字，标明它是为"市阳市人婴家"而制作的"称钱衡"，并记有汉文帝时期的有关律令。墓中虽未见作为砝码的法钱，但所出一件铜砝码重10.75克。据《汉书·律历志》记载："一龠容千二百黍，重十二铢，两之为两。二十四铢为两。十六两为斤。三十斤为钧。四钧为石。"依据秦国高奴铜权1斤重为256.25克的实测重量进行换算，这个铜砝码重为秦汉时期的十六铢。显然是为了称量四铢半两铜钱而取其正倍数的。那么，汉文帝五年（前175年）更铸的四铢半两铜钱，本身已表明其重量为四铢，为什么还要用官家颁发的称钱衡来计量铜钱的重量呢？据《汉书·食货志》，自汉文帝五年在民间放铸四铢钱后，因铸钱有利可图，当时许多地主、农民都弃农铸钱，或杂以铅铁，或轻重不一，造成了市场与货币制度的紊乱。贾谊上谏铸钱书，提出了关于铸钱的7条建议。从这件天平衡杆的墨书文字以及1969年在西安征集的一件铸有"第十一重四两"的法钱砝码，可见当时汉文帝并没有采纳贾谊的建议。但是，当时为了解决既要允许民间私铸四铢半两铜钱，又要维护汉文帝"更铸四铢钱"的标准重量，即解决新的钱币制度的铸造与通行之间的矛盾，西汉政府采取了一项重要措施：规定法钱砝码和制定标准的算钱衡器，明订法令，当作一项政令在全国范围内推行。竹质天平衡杆和铜砝码的发现，为研究汉文帝时期的货币制度提供了重要的实物资料。

其三，老年男尸的发现是这次发掘的重要收获之一。老年男尸外观保存基本完整，大小关节均可活动，全身皮肤及软组织尚有良好的弹性；内脏外形完整，连最易腐败和溶解的甲状腺也保存正常外形和体积，这是继长沙马王堆1号汉墓女尸发现后的又一重要发现。它对于研究我国古代在防腐技术方面所达到的高度水平，具有重要意义。病理检查获知，墓主生前患有胃溃疡并发穿孔、胆石症及慢性胆囊炎，以及血吸虫等多种寄生虫病，也为研究我国的病理学史提供了宝贵的实物资料。

1066.纪南城毛家园新莽东汉墓

作　者：湖北省文物考古研究所　杨定爱、韩楚文

出　处：《江汉考古》1994年第4期

毛家园坐落在纪南城内东南角，西与凤凰山相邻，现隶属纪南乡松柏村六组，是一高出四周1～1.5米的战国时期椭圆形夯土台基。1985年纪南城内的松柏村在

该处打井时发现了 1 座西汉木椁墓（编号 M1），即上报纪南城工作站，考古人员前往清理发掘。在发掘 M1 的同时，发现并发掘了新莽时期的木、砖结构墓（M5）和东汉砖室墓（M4）各 1 座（M2、M3 为明墓）。简报分为：一、M5，二、M4，三、小结，共三个部分。有手绘图、拓片。

据介绍，M5 只出王莽时期的"小泉五十"铜钱。该墓为木、砖混合结构，就湖北地区的一般情况而言，西汉盛行土坑木椁墓，东汉流行砖室墓，从这个演变规律而言，该墓是其演变的中间环节，有着承上启下的作用。简报推断 M5 的年代在新莽时期，M4 的年代为东汉前期。

1067.湖北沙市李家台遗址发掘简报

作　者：沙市博物馆　彭锦华

出　处：《考古》1995 年第 3 期

李家台遗址位于湖北沙市立新乡同心村八组，东离鼓湖渠约 2 公里，西距十号路 600 米，南与周梁玉桥遗址相距 2.5 公里。遗址为考古人员于 1986 年 7 月在配合荆沙铁路工程的文物勘探中所发现。同年 11 月进行考古发掘。简报分为：一、地层堆积，二、遗迹和遗物，三、结语，共三个部分。有手绘图。

据介绍，李家台遗址遗存可分两期。早期发现有 2 座灰坑，出土有陶片、红烧土、木炭灰、猪牙等。简报推断为二里头晚期至二里岗期的文化遗存。李家台晚期遗物主要为陶器、陶砖，简报推断年代为汉代。

1068.湖北荆沙市瓦坟园西汉墓发掘简报

作　者：荆州博物馆　刘德银

出　处：《考古》1995 年第 11 期

瓦坟园墓地位于湖北省荆沙市荆州镇邓北村三组一座东西向的小土岗上，南距古邓城北垣 400 余米，西北距楚故都纪南城约 3 公里。1991 年 9 ～ 10 月，为配合宜（昌）黄（石）公路江陵段施工取土，对墓地进行了发掘，共发掘 4 座大、中型土坑木椁墓，依次编号为 M1 ～ M4。简报分为：一、墓葬分布与墓葬形制，二、随葬器物，三、时代及墓主身份，共三个部分。有手绘图。

据介绍，此次发掘的 4 座墓葬，大致呈正方形分布，四墓紧邻，墓葬之间距离最近的仅有 5 米。墓葬分为南北两排，北排西侧为 1 号墓，东侧为 2 号墓；南排西侧为 4 号墓，东侧为 3 号墓。四座墓均为竖穴土坑木椁墓，墓上原有高大的封土堆，平整土地时已被毁掉。出土遗物有陶器、铜器、铜印、漆木竹器、玉石器、水晶珠及彩绘木棺、钱币等。简报推断这四座墓的时代大致在西汉晚期至东汉初年。

简报称，瓦坟园四座汉墓墓坑均带有长方形斜坡墓道；椁室长在4米以上，结构复杂；随葬器物种类繁多。无论是墓坑还是椁室，均大于邻近地区同时代墓。4号墓棺床木板底面阴刻"王□□市□君□官"等字，该墓地南距汉代古郢城北垣仅有400余米，这里的"市郢"所指应该即是"市郢"的富豪贵族，其爵位大致相当于五大夫以上等级。1、3号墓墓主等级身份也应与之接近。2号墓墓坑、棺椁较前者要小，墓主等级身份或应略低于前者。

1069.江陵纪南城南垣东门外一号东汉墓

作　者：杨权喜
出　处：《江汉考古》1997年第3期

1975年纪南城大规模勘察与发掘期间，在纪南城南垣东门外的安家岔邮电所西侧现代窑台上发现了东汉砖室墓。当年6月，考古人员进行了清理发掘。简报分为：一、墓葬形制，二、随葬器物，三、结语，共三个部分。有手绘图。

据介绍，墓葬有盗洞，局部墓砖已倒塌。墓室平面呈"凸"字形，券顶，墓口距地表深0.5米。墓室全长8.32米、最宽处3.1米、最高处3米，分墓门、前室和后室3个部分，是1座较大型的东汉砖室墓。前室尚存有部分随葬品。

1070.湖北荆州纪南松柏汉墓发掘简报

作　者：荆州博物馆　杨开勇、朱江松等
出　处：《文物》2008年第4期

2004年底，湖北省荆州市荆州区纪南镇松柏村六组村民在清除鱼塘淤泥时发现了几座古墓葬，荆州博物馆进行了抢救性发掘，清理了4座汉墓（编号为M1～M4）、2口东周水井（编号为J1、J2）。简报分为：一、墓地位置与墓葬形制，二、随葬器物，三、结语，共三个部分，配以照片、手绘图，先行介绍M1的发掘情况。

据介绍，该墓为长方形竖穴土坑墓，曾经盗扰，但仍出土有陶器、漆木器、木牍、木简等。简报推断年代为西汉武帝时期。

简报指出，此次发掘出土的随葬器物较丰富，出土的木牍、木简上的文字材料，内容丰富，为研究西汉时期的政治、经济、文化等提供了重要的史料，具有较高的学术研究价值。

1071.湖北荆州谢家桥一号汉墓发掘简报

作　者：荆州博物馆　王明钦、杨开勇等
出　处：《文物》2009 年第 4 期

2007 年 11 月中旬，湖北省荆州市沙市区关沮乡清河村的 1 座古墓遭到盗掘，被护墓人员发现并及时报告公安部门进行了阻止。荆州博物馆于 2007 年 11 月 20 ～ 30 日对该墓（编号为谢家桥一号汉墓）进行了抢救性考古发掘。简报分为：一、墓地位置与墓葬形制，二、随葬器物，三、结语，共三个部分。有彩照、手绘图。

据介绍，该墓为长方形竖穴土坑木椁墓。该墓出土了大量的陶器、铜器、铁器、漆木器、竹器、丝织品、简牍等 489 件，其中竹简 208 枚、竹牍 3 枚。据竹牍记载，该墓下葬于西汉吕后五年十一月二十八日（前 184 年 12 月 26 日）。明确的纪年以及棺椁形制、随葬器物等，为西汉墓葬的断代研究提供了准确的标尺。

简报指出，谢家桥一号汉墓规模较大，形制特殊，保存完好，文物精美，为同时期墓葬所罕见，其学术价值主要体现在以下几个方面：

其一，该墓出土了许多精品文物，如以丝织品封口绑扎的彩绘陶器，以棕绳连接木塞封口的铜蒜头壶，以丝带捆缚的成捆漆耳杯、盘，造型生动的各类木俑和车马，用途各异、盛以各种食物的竹笥、篓，棺两端的木婴，纹饰华美、做工精细的丝织荒帷，数十个不同质地、造型的丝织囊，保存完好、字迹清晰的竹简牍，数百块各种质地及颜色的丝织物残片等，为考古学、历史学、古文字学、纺织学等学科的研究提供了珍贵的实物资料。

其二，竹简、竹牍的内容除了遣策和告地书外，还记载有其他内容，如棺椁的形制、尺寸及名称；墓主人有 4 子 1 女，4 子的爵分别是：昌为五大夫（汉爵第九级），贞、竖为大夫（汉爵第五级），乙为不更（汉爵第四级）。这些为研究西汉初期的棺椁制度、名物制度、丧葬习俗及书法艺术等提供了重要的实物资料。

其三，明确的纪年，为西汉墓葬断代研究提供了精确的标尺。

1072.湖北荆州高台墓地 M46 发掘简报

作　者：荆州博物馆　李　亮
出　处：《江汉考古》2014 年第 5 期

2009 年 1 月，楚纪南故城遗址外的高台秦汉墓地边缘某鱼塘垮塌暴露出 1 座古墓葬，考古人员对其（编号为荆州高台墓地 M46）进行了抢救性发掘。简报分为：一、地理位置与墓葬形制，二、随葬器物，三、结语，共三个部分。有彩照、手绘图。

据介绍，高台墓地为长方形竖穴土坑墓，残存随葬器物计陶器 11 件，出土了 9 块木牍，另有少量漆木器残片；木牍记录了一笔两次收钱账目，可能为收费账簿。简报推断墓葬年代应为西汉后期后段，即元狩五年（前 118 年）以前的武帝初年。

简报称，荆州高台 M46 的发掘，丰富了高台秦汉墓地的考古学资料，随葬器物的时代特征明显，木牍数量较多且内容独特，对荆州西汉时期的政治、经济、文化等研究有较重要的学术价值。

宜昌市

1073.枝江县发现西汉早期木椁墓

作　　者：黄凤春

出　　处：《江汉考古》1980 年第 2 期

1974 年 3 月，位于长江北岸的枝江县砖瓦厂在高达 8 米的黄土丘（当地人称为九龙坡）下面发现 1 座木椁墓，随后省、地、县组织人力，对此墓进行了清理。此墓虽遭破坏，但仍出土了一批有价值的西汉早期文物。

据介绍，此墓为土坑竖穴木椁墓，葬具系 1 棺 1 椁，出土文物经整理大体可见形制的有 92 件（不计残片）。除上述能辨出形制的器物外，还出有竹席、稻谷（陶仓内取出）、枣核、梨核等。根据墓葬形制和出土器物组合及纹饰和风格，简报初步推断此墓的年代应属西汉早期。

简报称，漆衣彩绘陶壶的出土，说明漆器制造业已有了新的发展。大量奴婢俑的出土，也反映了汉代奴婢俑的存在，为研究汉代官私奴婢提供了资料。

1074.湖北枝江县出土王莽时期铜砝码

作　　者：枝江县文化馆

出　　处：《文物》1982 年第 1 期

1981 年 2 月，在枝江县问安公社黄土岗，距地表约 1 米深处，发现 5 件王莽时期铜砝码，器形似算珠，大小不一。简报配以照片、拓片予以介绍。

简报称，1 号和 2 号砝码，简报有铭文全文；3 号和 4 号砝码有铭文，但不清楚；5 号砝码无铭文。出土地点周围没有发现其他遗物，似为窖藏。

1075.1978 年宜昌前坪汉墓发掘简报

作　者：宜昌地区博物馆　卢德佩
出　处：《考古》1985 年第 5 期

宜昌市前坪是战国至东汉时代的古墓地。为配合葛洲坝水利工程的进程，1978 年 7～10 月，宜昌地区文物工作队（1981 年改为宜昌地区博物馆）在前坪朱家包等地发掘了 20 座古代墓葬。由于前后工作的连续，墓号是连续的，为 M91～M110。

这 20 座墓葬，经过整理、研究，大体上可以划分为西汉、东汉两个不同时期。西汉墓 18 座，其中西汉早期墓占多数；东汉墓 2 座。简报分为"西汉墓""东汉墓"两个部分并配以手绘图、照片予以介绍。

据介绍，西汉墓是一批中小型墓葬，均为岩坑墓，墓壁甚陡。根据墓坑形状和随葬器物的组合，可分为长方形窄坑墓 13 座、带墓道方形坑墓 2 座、长方形宽坑墓 3 座，18 座墓共出土 402 件器物，简报推断其时代为西汉后期。

东汉墓 2 座，M109 为长方形砖室墓，随葬有铜器、银器、铁器、陶器等 39 件，简报推断该墓时代为东汉中期或中期偏晚。M110 为长方形竖穴岩坑墓，由墓室和墓道两部分组成，随葬器物有铜器、铁器、陶器、五铢钱等，简报推断此墓时代应为东汉中期偏晚，也晚于 M109 墓。

1076.宜昌市前、后坪古墓 1981 年发掘简报

作　者：宜昌市文管处、湖北省博物馆　朱俊英、陈夏涛
出　处：《江汉考古》1985 年第 2 期

为了做好长江葛洲坝库区的文物保护与考古发掘工作，1981 年 5 月 4 日至 6 月 15 日，考古人员对淹没区的 6 座古墓进行了清理发掘。这 6 座墓葬位于宜昌市北郊的前坪、后坪大队境内，前坪、后坪遗址曾进行过 4 次发掘。这是第 5 次发掘。简报分为：一、后坪战国墓，二、前坪东汉墓，共两个部分。有手绘图。

据介绍，3 座战国墓（M2、M3、M4），均为沙岩竖穴木椁墓。棺椁上都有白膏泥，白膏泥上有夹杂着鹅卵石的五花土。随葬品有陶器等 23 件。3 座东汉墓（M111、M112、M113）出土有陶器、铜镜等。M111 为东汉初年墓，M112 为东汉末期墓，M113 为东汉中期墓。

简报称，通过这次对宜昌市前坪、后坪古墓的发掘，为我们研究长江三峡出口处战国至东汉时期人们在此活动的历史以及地理状况提供了又一批实物资料。

1077.当阳金坡东汉墓清理简报

作　者：宜昌地区博物馆　王家德

出　处：《江汉考古》1986 年第 4 期

考古人员于 1984 年春在当阳县镇头山配合基建工程进行抢救性的考古发掘工作时，发现了 1 座砖室墓葬，进行了正式发掘。编号为金坡 M1。

简报分为：一、墓葬位置及砖室结构，二、残存遗物，三、小结，共三个部分。有照片、手绘图。

据介绍，金坡 M1 位于当阳草埠湖农场五分场金坡大队。此地靠近江汉平原西部边缘地段，墓为长方形圆券顶单室墓，未见封土、甬道，葬具、人骨已朽，仅有头骨及数枚牙齿。有 1 个早期盗洞。残存遗物有陶井、陶灶、青瓷四系罐、铜镜、货币等。

简报推断时代为东汉时期。

1078.湖北宜都县刘家屋场东汉墓

作　者：宜昌地区博物馆、宜都县文化馆　卢德佩、赵德祥

出　处：《考古》1987 年第 10 期

刘家屋场为一处高约10 米、呈南北向的岗地，东距陆（城）枝（城）公路约50 米，隶属湖北省宜都县陆城镇解放村四组。1986 年6 月中旬，宜都县政府在此修建城南路时，发现一批砖室墓。考古人员于同年6 月29 日至7 月15 日进行了发掘。共发掘5 座墓葬。1985 年7 月，陆城镇政府在岗地南部修建办公大楼时，考古人员曾配合工程清理了11 座墓葬，故这5 座墓葬的编号为M12～M16。

简报分为：一、墓葬形制及分类，二、出土器物，三、几点认识，共三个部分。有手绘图、照片。

据介绍，这批墓葬均为砖室墓，根据墓室形制特点，可分为两类：一为单室墓，计 3 座（M12～M14）；二为双室墓，计 2 座（M14、M16）。出土有铜器、铁器、钱币、银器等。这批墓葬应属同一时期的墓葬。M14 出土的"永平十八年"砖文，是这批墓葬断代的重要依据。"永平十八年"是东汉明帝刘庄的永平年号最后的一年，即公元 75 年（其他"永平"年号都没有十八年）。

简报推测这批墓葬的时代为东汉前期，其墓主人身份应为中小地主阶层。

1079.湖北宜都陆城发现一座东汉墓

作　者：宜昌地区博物馆、宜都县文化馆　杨　华
出　处：《考古》1988 年第 10 期

1985 年 7 月，宜都县陆城在建房推土时，在县城西南约 0.7 公里处发现了 1 座东汉时期的墓葬。宜昌地区博物馆与宜都县文化馆立即组成了发掘清理小组，自 7 月 12 日开始至 8 月 2 日止清理完毕。

墓地地势略高于周围地平面，据当地群众反映，这座古墓原是一高约 4 米的土包子，后被挖为平地，估计这一土包子就是原来的封土堆。这座墓葬的情况，简报配以手绘图、照片、拓片予以介绍。

据介绍，该墓为长方形竖穴券顶砖室墓。墓葬由前、中、后 3 个室组成，墓内棺木及人骨都已腐朽殆尽，为夫妻合葬墓。随葬器物主要是青瓷器，另有陶器、铜器、金银首饰、印章、钱币等。简报从出土器物形状、纹饰、铜钱推断，这一座墓葬的时代很可能是东汉晚期。墓中出土了 1 枚代表墓主人身份的"偏将军印章"，偏将军之官名据有关史料记载应为汉代至三国时期的武职官衔。据《三国志·蜀书》记载，此职地位甚高。

1080.湖北宜都刘家老屋六号汉墓

作　者：宜昌地区博物馆　杜国柱
出　处：《考古》1989 年第 7 期

刘家老屋六号汉墓，位于湖北省宜都县陆城镇南郊。1985 年 7 月中旬对该墓进行了清理。这里分布的古代墓葬数量较多，当属 1 处分布较密集、规模较大的古代墓葬群。简报配以手绘图将六号墓葬情况予以介绍。

据介绍，墓葬分甬道、前室和后室 3 个部分。M6 随葬器物 16 件，其中铁刀 3 件、镜 1 件、少量铜钱，余皆为陶器。依据出土的器物组合及墓葬形制等特点，六号墓所属时代比较清楚，简报推断当为东汉晚期墓葬。

1081.宜都陆城发掘的一座西汉墓葬简报

作　　者：宜昌地区博物馆、宜都县文化馆　杨　华

出　　处：《江汉考古》1989 年第 2 期

1985 年夏，宜都县陆城镇在修房推土时发现了 1 座西汉时期的古墓，考古人员进行了发掘。简报配以手绘图予以介绍。

据介绍，此为 1 处有 1000 余座墓葬的古墓葬地。发现的西汉古墓为长方形露天竖穴土坑墓，葬具、人骨已朽。随葬品以陶器为主，其次为铜器、铁器、漆木器，共计 33 件。器物组合为鼎、盒、壶、罐、仓、灶、井。该墓的时代，简报推断为西汉晚期。

1082.湖北当阳半月东汉墓发掘简报

作　　者：宜昌地区博物馆、当阳市博物馆　卢德佩等

出　　处：《文物》1991 年第 12 期

1986 年 12 月，湖北省当阳市半月镇半月中学修建教学楼时发现 2 座东汉墓。2 墓西北距紫盖寺 6 公里，地区博物馆和当阳市博物馆接到报告后联合进行了调查，并于次年 1～3 月进行了清理。简报分为：一、1 号墓，二、2 号墓，三、结语，共三个部分并配以拓片和照片予以介绍。

据介绍，1 号墓为砖室墓，经仔细拼对修复，共复原 9 件陶器，均为泥质陶；2 号墓出土的有陶罐、陶鼎、陶灶、陶井、陶仓和吊瓶。简报推断：1 号墓的时代应属东汉中期或偏晚，2 号墓时代定为东汉初期为宜；2 号墓墓主身份属中小地主阶级，1 号墓墓主身份又明显高于 2 号墓墓主，可能属于大地主阶级。

简报称，所出画像砖以车马出行、乐舞宴饮、高大的门阙等为主要内容，这些资料对研究当阳地区汉代历史无疑具有重要价值。砖上画像造型生动，雕刻艺术精湛，是珍贵的艺术资料。

1083.枝江姚家港出土的东汉画像砖

作　　者：黄道华

出　　处：《江汉考古》1991 年第 1 期

1974 年 3 月，姚家港古墓发掘小组在当地交管站院内征集到 6 块画像砖。后来又征集到 1 件残块。据调查，这批画像砖同出 1 座砖室墓中，曾被用来砌水池，致

使部分画面漫漶不清。该砖均为灰陶，模制。制作时，砖内外用细泥，中间填塞小块生土。砖背面为平行细绳纹。画面内容共五种。简报配图予以介绍。

据介绍，计有导车、主车、宾主拜谒、乐舞等内容，为东汉画像砖所常见。简报认为应属东汉晚期遗存。画面中两座单孔裸拱桥值得重视，为研究我国建桥史提供了史料。

1084.秭归新县城发现窖藏铜器

作　　者：谭传旺、周　昊
出　　处：《江汉考古》1997 年第 1 期

1995 年 6 月 25 日，湖北省秭归县茅坪镇徐家冲村八组农民李顺英在秭归新县城楚风路取土时发现文物，考古人员前往清理。简报配以手绘图予以介绍。

据介绍，计铜洗 2 件、铜镳斗 1 件、铜熨斗 1 件。从发掘现场看应为窖藏。简报推断年代为东汉，此批文物后入藏县屈原纪念馆。

1085.湖北当阳市郑家大坡东汉画像石墓

作　　者：宜昌市博物馆　卢德佩
出　　处：《考古》1999 年第 1 期

1993 年 11 月，当阳市高店村在郑家大坡平整土地时发现 1 座古代砖室墓并及时上报。考古人员于 1994 年 3 月 20 ～ 28 日，对此墓进行了抢救性清理工作。简报配以手绘图、照片、拓片予以介绍。

据介绍，郑家大坡属当阳市河溶镇高店村二组，南距汉宜公路 2.5 公里，东 1.5 公里与荆门市交界。经调查勘探，此地共发现 5 座东汉时期的墓葬。此次发掘的为 2 号墓，位于郑家大坡的中部。该墓平面呈葫芦形，早期被盗，所剩随葬器物较少，共复原 11 件陶容器和明器。简报推测，该墓应属于东汉时期墓葬。

简报称，该墓呈葫芦状，形制特殊，在鄂西地区尚属首次发现，虽然早年被盗掘，出土器物不多，但其中的画像石资料在宜昌市较少见，无疑为研究东汉墓葬形制和我国古代画像石刻艺术提供了珍贵的实物资料。

1086.秭归坟堰湾与谭家河遗址发掘简报

作　者：湖北省文物考古研究所
出　处：《江汉考古》2001 年第 3 期

坟堰湾与谭家河遗址是长江西陵峡区隔江相望的 2 处古遗址，坟堰湾遗址位于秭归泄滩乡八斗柑橘场，在西陵峡的左岸；谭家河遗址位于秭归沙镇溪镇范家坪村二组，在西陵峡的右岸。2 处遗址濒临长江边，均在当时设计中的三峡库区淹没水位线下。为配合三峡大坝二期工程建设，考古人员于 1998 年 10 ～ 12 月对上述 2 处遗址进行了抢救性发掘。简报分为：一、坟堰湾遗址，二、谭家河遗址，三、结语，共三个部分。有手绘图。

据介绍，2 处遗址是以汉文化遗存为主的遗址，出土的大量板瓦、筒瓦表明这里应有汉代建筑遗址。坟堰湾还出土有商代遗物。谭家河则出土有当地 1 位叫"张年"的小人物的铜印。

荆门市

1087.荆门市瓦岗山西汉墓

作　者：荆门市博物馆　崔仁义、刘祖信
出　处：《江汉考古》1986 年第 1 期

瓦岗山位于荆门市十里铺镇南约 5 公里，四方铺乡约 0.5 公里处，襄沙公路贯穿其南北，行政区划现属十镇四方乡。1985 年 3 月，改建襄沙公路的民工在瓦岗山发现文物，考古人员前往调查并对已遭破坏的 2 座古墓进行了清理。简报分为：一、墓葬形制，二、随葬器物，三、结语，共三个部分。有照片、手绘图。

据介绍，M1、M2 这 2 墓相距 20 米，M1 为土坑竖穴墓，葬具、人骨已朽，发现有青膏泥。M2 也为土坑竖穴墓，已被施工所毁，未见青膏泥。这 2 座墓的葬具均为 1 棺 1 椁，设有头厢、边厢与棺室。随葬品均放入头厢、边厢。出土遗物以 M1 为主，有铁器、仿铜陶礼器、钱币等。M1 的时代应为西汉武帝初期，M2 为昭帝时。关于墓主的身份，2 墓的葬具为 1 棺 1 椁，同时随葬有反映地主阶级财富的陶仓、错金带钩等物，简报推断：其墓主属于地主阶层。

1088.荆门十里九堰东汉墓

作　　者：荆门市博物馆　王传富
出　　处：《江汉考古》1987 年第 3 期

1985 年 4 月 28 ～ 30 日，考古人员在配合襄（樊）岳（庙）公路改建工程中，于荆门十里九堰乡果园场清理了 2 座汉墓，编号为九堰 M1 和 M2。简报分为：一、墓葬形制，二、随葬器物，三、结语，共三个部分。有手绘图、照片。

据介绍，九堰 M1、M2 在清理前，封土及墓的顶部都被破坏，仅残存墓壁和墓底，均为小型单室券顶砖墓，平底。葬具、人骨均已朽不存。随葬器物出土不多，但种类较全：陶器有 13 件，瓷器 1 件，铜器 8 件，铁器 1 件，五铢钱 264 枚，"大泉五十" 1 枚。器物一般置于墓室的两侧或四隅。据简报推断，M1 为东汉中期桓帝时期墓，M2 为东汉后期墓。M1 与 M2 均为小型墓葬，墓主人应属于中小地主阶层。但 M1 不仅在墓葬规模上，而且在随葬品的种类及数量上都有别于 M2，特别是 M1 出土有 1 件保存完好、刃部锋利、制作细致的铜剑，这说明死者生前身份应高于 M2 的墓主人。

1089.荆门市玉皇阁东汉墓

作　　者：荆门市博物馆　李　平、黄文进
出　　处：《江汉考古》1990 年第 4 期

玉皇阁东汉墓位于荆门市南郊，现属掇刀石办事处双泉村。东临荆（门）潜（江）公路，南距沈集镇 20 公里，西距襄（樊）沙（市）公路 2 公里，北距荆门市约 7 公里。新拓宽的荆潜公路正通过该墓墓顶。1989 年 1 月，民工扩建公路时发现有古墓，考古人员进行了抢救性发掘。简报分为：一、墓葬形制，二、随葬器物，三、结语，共三个部分。有照片、手绘图。

据介绍，该墓为带墓道的砖室墓，残存有高 3.2 米、直径 17 米的封土堆。出土随葬品 257 件。简报推断时代为东汉初期。

从墓葬规模和出土器物的数量分析，墓主生前属于贵族阶层。铜礼器在墓中仍有反映，与墓主通达的礼制有关。大量的陶器多施绿釉，而且极易脱落，说明专为下葬而设，隆重的葬礼反映在器物的制作和数量上。铜质车马器和伞零件的出土，显示了墓主生前具有较高的社会地位。而铜行灯、铁剑等的出土可能与墓主生前所从事的社会活动相关联。

简报称，西汉末年，国家战乱不止，生产力的发展受到了极大的限制。东汉初期，社会经济逐步得到恢复，从而促进了新兴地主庄园经济的迅速发展。墓中出土的陶楼、陶猪圈、陶仓、陶磨等生活明器正是这一历史过程的具体反映。

1090.湖北荆门子陵岗遗址调查

作　　者：李兆华、高　山、王传富
出　　处：《考古》1993 年第 11 期

1982 年 3 月，考古人员根据有关严子陵的传说，在荆门城北 15 公里的古地名子陵岗调查出 1 处规模宏大的汉代遗址。1984 年 4 月，子陵镇在此进行兴厂建房和扩展街道等工程，致使大片汉代文化遗存被破坏。为此，考古人员进行了重点调查并采集了一大批遗物。同年 11 月，将其列为市第一批重点文物保护单位。近年来，在实行办理文物动土许可证制度后，又配合一些工程进行了勘探调查，采集了一批遗物。简报分为：一、地层堆积，二、文化遗物，三、结语，共三个部分。有手绘图等。

据介绍，遗址分布范围较大，东西长约 1000 米，南北宽约 600 米，总面积约 60 万平方米。通过多次调查，采集的遗物较多，但绝大部分为陶器，其次是铁器和个别铜器。该遗址的年代，简报推断为西汉早期至东汉晚期。据当地传说，子陵岗因严子陵而得名。严子陵（又名严光），东汉初隐士，会稽余姚人，少与刘秀同窗，后改名隐居。根据实地调查，子陵岗遗址从规模上看已初具 1 座小城镇规模，但四周没有城墙，只是地势低洼，且又三面环水。从遗址的文化内涵看，西汉早期似为遗址的兴起阶段，东汉初年似为遗址的鼎盛阶段，东汉后期似为遗址的衰败阶段。子陵岗遗址的兴起应该没有政治背景。

1091.荆门市子陵黄家坡两汉墓发掘简报

作　　者：荆门市文物考古研究所
出　　处：《江汉考古》2007 年第 2 期

为配合荆门市宝源集团木业有限公司厂房建设，考古人员对该工程范围内用地进行了考古勘探。二期扩建工程中考古发掘了 8 座两汉墓，这批墓葬的发掘丰富了该地区的两汉文化研究资料。简报分为：一、西汉墓，二、东汉墓，三、小结，共三个部分。有手绘图。

黄家坡位于湖北省荆门市东宝区子陵镇子陵村。该坡地为南北走向，四面呈缓坡状，南连接子陵岗，北邻建泉水库，207 国道经坡地东部穿过。2002 年曾发掘了

60座汉代墓葬，2004年进行了第2次发掘，计发掘西汉墓4座、东汉墓4座。出土遗物有陶器、铜镜、铜饰件等。

1092.湖北荆门十里铺土公台西汉墓发掘简报

作　者：湖北省文物考古研究所、荆门市博物馆　田桂萍、黄文进
出　处：《江汉考古》2008年第3期

土公台墓地位于湖北省荆门市沙洋县十里铺镇王场村八组一南北向的岗地上，墓地西北距十里铺镇约4公里，南距楚古都纪南城约15公里，东面紧邻鲍河。为配合襄荆高速公路的建设，考古人员于2000年对土公台墓地进行了勘探和发掘，在路基通过的地段发掘西汉土坑墓21座，出土铜器、铁器、石器和陶器384件（套），漆器全部腐烂无存，未能知道确切的器类和件数。

简报分为：一、墓葬形制；二、随葬器物；三、结语，共三个部分予以介绍，有手绘图。

据介绍，此次发掘的21座墓葬，为小型竖穴土坑木椁（木棺）墓，随葬器物384件，以灰陶为主（35件）。21座墓随葬品的型式分为三组，三组随葬器物中都有相同的组合。简报推断年代属西汉时期，且年代相去不远。21座墓墓主身份无等级差别，只是财产略有贫富。

鄂州市

1093.湖北鄂城发现古井

作　者：鄂钢基建指挥部文物小组、鄂城县博物馆
出　处：《考古》1978年第5期

1977年8月25日，在湖北省鄂城钢铁厂基建工程中发现1口古代水井。该古井位于鄂城县城关西南部约1公里的西山西麓，这是1口竖穴土井。井内出土遗物有铜器、铁器、陶器、瓷器、竹器、木器等计95件，基本比较完整的有24件，简报配以手绘图予以介绍。

据介绍，根据出土器物及铭文分析，简报推断该井应为东汉初期所掘，到三国初期废弃，使用近200年时间，是确凿无疑的。简报称，该井反映了武昌（鄂城）的历史地望。

1094.湖北鄂城县新庙瓦窑嘴窑址调查

作　者：熊亚云、丁堂华

出　处：《考古》1983 年第 3 期

新庙，在鄂城县东南隅约 5 公里许。瓦窑嘴窑址位于新庙公社境内司徒大队西南 0.5 公里处的葫芦嘴、泥湫地里，统称瓦窑嘴。从窑址遗物分布的范围看，整个窑场面积约 19800 平方米。1979 年 3 月上旬，考古人员在此地作了调查，由于窑址的地面大都是田地，故未能进行试掘，只从地表和地层的部分断面进行观察，发现窑炉痕迹 3 处，采集了一部分窑具和器物标本。简报配以手绘图等予以介绍。

据介绍，遗物有陶片、瓷器、窑具等。该窑址的年代，简报推断为东汉晚期至三国早期。

孝感市

1095.湖北云梦西汉墓发掘简报

作　者：湖北省博物馆、孝感地区文教局、云梦县文化馆汉墓发掘组

出　处：《文物》1973 年第 9 期

湖北省云梦县城关西南角的大坟头，发现 1 座西汉木椁墓，即大坟头一号西汉墓。大坟头比附近平地高约 5 米，南北长 350 米，东西宽约 100 米。一号墓在高地的西南部，西北距云梦火车站约 300 米，西距汉（口）襄（阳）铁路约 100 米。自 1970 年以来，伍姓公社肖李大队在此取土，发现了一号墓的第一层椁盖板，考古人员于 1972 年 12 月进行了清理发掘。简报分为四个部分予以介绍，有手绘图等。

据介绍，此墓为竖穴墓，木椁室周围填满白膏泥，出土有铜器 18 件及陶器、漆木器、玉器、玉印等。从出土器物上的文字看，该墓的年代为西汉早期。这座墓出土文物保存之好，是湖北省过去发现的西汉墓中所少见的，其中有许多珍贵的历史文物，如彩绘漆盘、彩绘漆圆盒、圆仓盒、漆盂、耳杯盒、六博局、木俑和木马等大量精美的漆木器 100 多件，以及竹筒、漆衣陶坛和丝织物，尤其是书写有 217 个字的木方和大量的针刻字与烙印文字等，都是湖北省的首次发现。这批珍贵历史文物的出土，为研究西汉时期湖北地区的历史情况，提供了重要的实物资料。

1096.云梦出土东汉陶楼

作　者：云梦县文化馆文物工作组　张泽栋
出　处：《江汉考古》1982 年第 1 期

1979 年 4 月，在云梦周田发掘了 1 座东汉晚期的砖室墓，出土了随葬器物 30 余件。其中绝大多数为陶质模型明器，如楼、井、仓、灶、磨、碓、鸭、狗等；其次是生活用具，如四系青瓷罐、方枚半元乳神兽镜、陶勺、陶耳杯、陶案、陶壶等；还出土了弩机、刮刀等兵器。尤为重要的是这座墓出土了 1 件作为地主庄园组成部分的建筑模型器——陶楼。这座陶楼的建筑结构新颖，造型完美，是目前少见的出土文物，其建筑工艺颇费匠心。恰似 1 座宫廷建筑，价值不可低估。它的发现，对于我们研究古代建筑艺术，反映本时期豪强地主庄园经济的发展，无疑是 1 件不可多得的实物资料。简报分为：一、陶楼前重建筑结构，二、陶楼后重建筑结构，三、附加建筑——哨棚建筑结构，共三个部分。有图。

据介绍，周田发现的这座陶楼其质地为细泥红陶，通体涂一薄层青黄釉，它的建筑形式为重檐庑殿式。整体建筑分前后两重。前重分上下两层，后重分望楼、炊间、厕间、猪圈、院落五个部分。在主体建筑的前面设有一座附加建筑——哨棚。这座陶楼的建筑布局分为前后两重。前重上下二层为客堂与宿舍，后重为瞭望楼、厨房、厕所、猪圈、院落等，它们二者之间既是有计划的分隔，又是有机的、合理的相互联系，适宜于人类生活居住。值得注意的是，这座陶楼的后重设立了 1 座高出整个建筑部分一层的望楼建筑，另外在陶楼的前重左次间的前面设立 1 座哨棚及左次间设置一狗洞。这种森严的防护建筑，把整个陶楼组成了一座堡垒式的住宅区。这充分地反映了东汉末年，豪强地主各霸一方，妄图以"重堂高阁"来阻挡农民起义的暴风骤雨。因此，这一堡垒式的居住建筑正反映了这一时期的历史特点。

1097.湖北云梦痳痳墩一号墓清理简报

作　者：云梦县博物馆　徐桥华、张泽栋、蔡先启
出　处：《考古》1984 年第 7 期

痳痳墩位于云梦城关西郊的周田大队，南距睡虎地墓地约 2 公里，北距军民港水渠 120 米左右。1965 年，云梦县对该座土墩进行了地面调查，初步确定该土墩为 1 座砖室墓葬。1979 年 3 月 27 日至 4 月 5 日，对痳痳墩古墓葬进行了清理发掘工作，编号为痳痳墩 M1。简报分为：一、墓葬形制，二、随葬器物，三、结语，共三个部分。有照片。

据介绍，瘌痢墩 M1 为 3 室券顶砖墓，由甬道、前室、后室、耳室 4 个部分组成。耳室连接在前室的东侧，葬式不明。墓内共出土器物 27 件。以釉陶模型明器为主，青瓷、铜器次之。瘌痢墩一号墓的下葬年代，简报推断当在东汉末期，最迟不会晚于公元 3 世纪初。

简报称，瘌痢墩一号墓出土了 1 座造型精细、布局严谨的楼阁，是反映这一历史阶段的实物见证。不仅如此，它的发现为我国建筑史的研究也提供了珍贵的资料。

1098.汉川南河汉墓清理简报

作　　者：汉川县文化馆　张远栋
出　　处：《江汉考古》1984 年第 4 期

汉川县南河公社位于县城南 25 公里，地处汉南丘陵地带。当地百姓在农田基本建设中，相继发现一些两汉时期的铜钱、铜镜、花纹砖等文物。1979 年 3～4 月，考古人员赴当地进行调查和清理，历时 2 个月，发现这个公社的卜省山、天鹅冲、姜岭、何大、南河渡等近 10 个大队的范围内均有一些暴露在外或已经破坏的砖室墓，整个墓区长达 3 公里，但尤以卜省山、天鹅冲 2 大队（居卜省山周围）较多，考古人员将暴露在外而又亟待发掘的残存墓清理了 6 座。简报分为：一、墓葬的位置及形制，二、随葬器物，三、结语，共三个部分。有手绘图。

据介绍，6 墓早年均被盗扰。大体可分为单室墓、双室墓、多室墓。随葬品有铜镜、货币、陶器、釉陶器等。其中 M1、M2、M4、M5、草厅 M1 这 5 座墓为东汉中后期墓，M3 年代比此 5 墓要早一些。6 墓主人，应为地主官吏。

1099.云梦罩子墩一号墓清理简报

作　　者：云梦县博物馆
出　　处：《江汉考古》1990 年第 2 期

罩子墩一号墓位于云梦城关东郊，"楚王城"古城址东侧的一条西高东低的岗地上。1982 年，考古人员配合城关砖瓦厂取土工程，发掘了这座墓葬。简报分为：一、墓葬形制，二、随葬器物，三、结语，共三个部分。有手绘图、照片。

据介绍，罩子墩一号墓为多室券顶砖室墓，墓上有高大的封土堆，墓室由甬道、前室、后室、耳室 4 个部分组成。葬具、人骨已朽。墓内共出土器物 9 件。分模型器、青瓷、陶器 3 种，主要器形有：壶、坛、罐、盒、井、灶等。简报推断为东汉末期墓。

1100.云梦县楚王城汉墓发掘简报

作　者：孝感市博物馆、云梦县博物馆　汪艳明
出　处：《江汉考古》1997年第3期

1996年元月，考古人员在配合云梦县城基建工程中发现了1座汉代砖室墓。简报分为：一、墓葬结构，二、随葬器物，三、结语，共三个部分。有手绘图。

据介绍，发掘地点位于楚王城东区的弹药库以东约150米处。该墓是1座砖室墓，由墓道、墓门、前室和3后室共6部分组成。随葬器物以陶器为主，共17件。其次为铜器，7件（可修复的4件）。再次为铁器，4件（只能看出器形的2件）。除此之外，还有铜质五铢钱300余枚。

该墓的时代，简报推断为东汉前期。

1101.湖北云梦睡虎地M77发掘简报

作　者：湖北省文物考古研究所、云梦县博物馆　熊北生、蔡　丹
出　处：《江汉考古》2008年第4期

2006年11月，汉丹铁路某施工队为加固铁路路基，在云梦睡虎地发现1座西汉墓葬。湖北省文物考古研究所和云梦县博物馆联合对该墓进行了抢救性发掘，清理出土漆木器、陶器等共计37件，特别重要的是出土了一批内容丰富的西汉简牍。简报分为：一、墓葬形制，二、随葬器物，三、结语，共三个部分。有手绘图、照片。

据介绍，M77墓圹为长方形竖穴土坑，随葬器物共计37件。根据随葬器特点，结合墓葬简牍上的纪年内容，简报推断M77的时代应为西汉文帝末年至景帝时期。

黄冈市

1102.湖北黄州太平寺西汉墓发掘

作　者：黄州古墓发掘队　王善才、吴晓松
出　处：《江汉考古》1983年第4期

1981年冬，湖北黄冈县黄州公社群英大队在平整土地时，发现一批古墓。经调查，属竖穴岩坑墓。1982年夏，对这批岩坑墓进行了清理发掘。简报分为：一、墓葬结构，

二、随葬器物，三、结语，共三个部分。有手绘图。

据介绍，这处墓地位于黄州北约10公里的太平寺附近，南距禹王城（邾城）约2公里。共清理岩坑墓6座，编号为太M1、M2、M3、M4、M5和M6。其中M1最大，残存封土约2米高。M1为双棺，其他为单棺，M1葬式可辨认为仰身直肢，其他人骨无存。6座墓共出土随葬品160余件，其中M1出土60余件。6墓可分两组：第一组（M2、M3、M4、M5）为西汉早期墓，第二组（M1、M6）为西汉中期以后墓。

1103.湖北蕲春茅草山西汉墓

作　者：湖北省京九铁路考古队、黄冈市博物馆　吴晓松、洪　刚等

出　处：《考古学报》1998年第4期

茅草山位于湖北省蕲春县漕河镇枫树林村，西距蕲春县城2公里，在蕲春罗州城东南约2.5公里处，西北距长江支流蕲水河3公里，南邻柳子岗——界岭公路300米，东北是一片逶迤相连的丘陵与岗地，正处在京九铁路蕲春火车站范围内，北距火车站主车道35米。1993年9月至1994年11月，考古人员对蕲春火车站范围内的茅草山、陈家大地、对面山、鼓儿山等五个墓地进行了发掘。简报分为：一、墓葬形制，二、随葬器物，三、结语，共三个部分。公布了茅草山西汉墓的全部资料，有照片、手绘图。

据介绍，此次在茅草山共发掘古代墓葬27座，其中西汉墓24座，均为长方形岩坑竖穴墓，随葬器物有陶器395件、铜器1件、钱币380枚。这批墓葬的年代，从西汉早期前段（高祖至吕后时期）、西汉早期后段（文、景帝时期）、武帝时期不等。墓主人可分3类：第1类墓室面积在6平方米以上，随葬陶礼器6套以上，墓主估计为西汉县丞以下地方官吏或经济实力与之相近的地主；第2类墓室面积在3～4平方米之间，随葬陶礼器3～5套，墓主估计为地方乡官或较富裕的百姓；第3类墓室面积在3平方米以下，随葬陶礼器1～3套，墓主身份应是有一定经济能力的平民。

1104.湖北黄州汪家冲西汉墓葬

作　者：湖北省文物考古研究所、黄冈市博物馆、黄州博物馆　黄凤春、
　　　　　洪　刚、刘　焰

出　处：《江汉考古》1998年第2期

黄州汪家冲西汉墓葬位于黄冈市黄州区北约5公里的禹王街办事处，北距禹王

城（郏城）约 0.5 公里。1991 年底，黄州在兴建黄（州）团（凤）公路工程中发现大批墓葬，考古人员对工程范围内已暴露的墓葬进行了抢救性发掘。发掘工作从 1992 年 3 月 1 日起至 5 月 30 日止，历时 3 个月，在汪家冲墓地长 200 米、宽 15 米的范围内共发掘墓葬 90 座。经过整理，其中除 18 座空墓外，东周楚墓 55 座，西汉墓 17 座。简报分为：一、墓葬形制，二、随葬品，三、结语，共三个部分。先行介绍了 17 座西汉墓葬，有手绘图。

据介绍，17 座西汉墓除 2 座已遭破坏外，15 座均为小型长方形土坑竖穴墓。所有墓葬皆未见封土堆。墓葬开口皆在耕土层下，墓坑四壁均经修整。墓口一般大于墓底，葬具腐朽无存。仅 1 座墓（M66）可见 1 棺 1 椁痕迹。部分墓葬可见排列有序的铁棺钉。人骨皆已朽，葬式不明。随葬品置于墓底一侧或一端，共计 116 件，主要为陶器。简报将这批西汉墓分为两组：第一组的年代为西汉初年，第二组的年代在汉武帝元狩五年（前 118 年）或稍后。

1105.湖北蕲春县陈家大地西汉墓

作　者：黄冈市博物馆　吴晓松、洪　刚
出　处：《考古》1999 年第 5 期

蕲春县位于湖北省东部，陈家大地汉墓群在县城（漕河镇）东约 2 公里处，在汉置蕲春县城故址（罗州城）东南约 2.3 公里处，正处在京九铁路蕲春火车站范围内。1993 年 9 月至 1994 年 11 月，为配合京九铁路建设，考古人员对蕲春火车站范围内的陈家大地等 4 个汉代墓地进行了发掘。陈家大地是一个平面呈不规则椭圆形的山岗，总面积约 2 万平方米。墓葬分布在山岗的西部，在这里共发掘汉代墓葬 18 座，其中西汉墓 3 座，编号为 M1、M15、M17。仅就这 3 座西汉墓葬的资料，简报分为：一、墓葬形制，二、随葬器物，三、结语，共三个部分。有手绘图、拓片。

据介绍，根据对出土陶器、铜器的分析排比，并把它们同中原、湖南、湖北及其他地区的汉墓资料进行类比，简报推断：3 座墓葬的时代在西汉后期；陈家大地 M15 墓主是等级低于"五大夫"的官吏，M1 墓主人的身份只是有一定经济收入的平民，M17 墓主应为一般平民。

1106.湖北蕲春县对面山西汉墓

作　　者：黄冈市博物馆　吴晓松、洪　刚
出　　处：《考古》1997年第5期

对面山西汉古墓群位于湖北省蕲春县漕河镇东约2公里处，距汉置蕲春县城故址（罗州城）东南约2.5公里，正处在京九铁路蕲春火车站范围内。1993年9月至1994年11月，为配合京九铁路建设，考古人员对蕲春火车站范围内的对面山等4个汉代墓地进行了发掘。

对面山墓地西汉墓的资料，简报分为：一、墓葬概况，二、随葬器物，三、结语，共三个部分。有手绘图。

据介绍，对面山墓地总面积约1万平方米。在此共发掘古墓葬12座。其中西汉墓5座，均分布在山岗西北部，排列紧凑且有序。对面山5座西汉墓，均为长方形岩坑竖穴小型墓，葬具腐朽无存，人骨架腐烂。随葬器均为陶器，5座墓中共出土陶器84件。

根据各墓中主要器物组合与形态特征分析，简报推断这5座墓的年代属西汉早期，约相当于西汉文帝、景帝期间。

1107.湖北蕲春枫树林东汉墓

作　　者：湖北京九铁路考古队、黄冈市博物馆　吴晓松、刘松山等
出　　处：《考古学报》1999年第2期

为配合京九铁路建设，湖北省文物考古研究所、黄冈市博物馆和蕲春县博物馆联合组成京九铁路考古队，于1993年9月至1994年11月对蕲春县漕河镇枫树林汉墓群进行了抢救性发掘，发现汉墓69座，其中西汉墓49座、东汉墓20座。简报分为：一、地理环境，二、墓葬，三、随葬器物，四、分期与年代，共四个部分。先行介绍其中20座东汉墓材料，西汉墓已另行介绍。有照片、手绘图。

据介绍，蕲春枫树林东汉墓分布于该县漕河镇枫树林村余家湾（茅草山）北部约100米的陈家大地和东部约200米的对面山两座山岗上，京九铁路蕲春火车站建于此地。墓地西南距柳界公路100米，西北距罗州古城遗址约2500米。20座东汉墓共出土随葬器物478件，以陶器为大宗。

简报将这20座东汉墓分为4期：第1期2座（陈M16、M5），均为单室墓，简报推断年代为新莽末年至东汉光武帝建武十六年（40年）以前；第2期7座（陈M2～M4、M9～M12），以单室墓为主，出土遗物较多，简报推断年代为东汉建

武十六年（40年）以后至明帝永平十八年（75年）以前；第3期4座（陈M8，对M3～5），以双室墓为主，简报推断年代为明帝末年至顺帝前期；第4期3座（陈M7、M18、对M1），均为多室墓，简报推断年代为顺帝后期至灵帝中平三年（186年）以前。

1108.湖北蕲春县枫树林汉代水井的清理

作　者：黄冈市博物馆　刘松山
出　处：《考古》2003年第7期

1994年6月，为配合京九铁路建设，考古人员在蕲春枫树林汉墓群中发掘了1口水井。水井开凿于山坡上，其上部已在铁路施工中被毁。简报配以手绘图予以介绍。

据介绍，水井系先凿坑，后用预制的陶井圈叠砌而成，呈筒形，井内出土遗物共9件。此井的建造和使用年代，简报推断大致在西汉末年至东汉早期。另枫树林汉墓分布在相邻的4座山包上，此水井建在北面陈家大地墓地较平缓的南坡，井内废弃堆积中有大量陶瓦。而陈家大地18座墓中有15座分布较集中且年代为西汉末年至东汉早期（黄冈市博物馆发掘资料，待刊），这与水井的年代相同。因此，简报推测该水井可能与此墓地相关。

1109.湖北黄冈市对面墩东汉墓地发掘简报

作　者：湖北省文物考古研究所、黄冈市博物馆、黄州区博物馆　田桂萍、吴晓松、
　　　　刘　焰
出　处：《考古》2012年第3期

2002年11月至2003年1月，考古人员对位于黄州区龙王山村的对面墩墓地进行了抢救性发掘。清理了东汉时期的土圹砖室墓3座，编号M1～M3；出土陶器、青瓷器、铜器、铁器、金器、玉器等各类遗物共161件（套）。其中，M1的规模较大，墓室结构保存较完整，虽然被盗，仍出土有遗物141件（套）。简报分为：一、M1，二、M2，三、M3，四、结语，共四个部分。有彩照、拓片、手绘图。

据介绍，M1为带双耳室的前后双室墓，规模较大，墓室结构基本完整；M2为带侧室和排水沟的横前堂双后室墓；M3为带耳室的单室墓。3座墓共出土陶器、青瓷器、铜器、铁器、金器、玉器等各类遗物161件（套）。简报推断，对面墩M1、M3的时代相近，为东汉晚期；M2可能稍晚，时代应为东汉末年。

咸宁市

1110.崇阳县台山乡出土东汉墓葬器物

作　者： 崇阳县文化馆　刘三保
出　处：《江汉考古》1985 年第 4 期

1983 年 12 月上旬，崇阳县台山乡柏树大队农民在柳家排屋后左侧山上挖窑基时发现 1 座券顶砖室墓，出土有陶器、铜器、铁器等随葬品多件。墓葬形制现已破坏，墓砖全被用来砌成窑膛墙壁。简报分为：一、陶器；二、铜器；三、铁器；四、钱币，共四个部分。有照片。

据介绍，计有陶罐 2 件、陶壶 1 件、铜镜 1 件、铁三足架 1 件、铜钱 77 枚。简报据随葬品推断该墓的时代为东汉。

随州市

1111.湖北随县塔儿塆古城岗发现汉墓

作　者： 湖北省文物管理委员会　陈恒树
出　处：《考古》1966 年第 3 期

1964 年 11 月和 1965 年 3 月，考古人员在随县调查和清理墓葬时，在万店区的塔儿塆、厉山区的古城岗收集到一批文物。简报配以照片、手绘图予以介绍。

据介绍，塔儿塆在县城北偏东约 17.5 公里。1965 年 2 月间，当地人发现了这座汉墓，并将墓砖拆除。经过现场了解和调查得知，该墓是 1 座墓顶高出地表的"中"字形砖室墓。出土遗物有 50 余件，并有大量铜钱，但考古人员仅收集到陶器、铜器、铁器、石器 14 件。古城岗在县城西偏北约 22.5 公里处，1964 年 10 月中旬，考古人员在这里清理了 1 座汉墓。该墓为"T"字形砖室墓，出土遗物也已散失，考古人员仅收集到 15 件。

1112.随州安居镇汉墓

作　者：随州市博物馆　左得田
出　处：《江汉考古》1987 年第 1 期

1985 年 8 月下旬，随州市安居镇棉花采购站兴建消防水池时，发现了 1 座古墓葬。民工将部分文物从墓中取出，并把青铜器卖给了废品收购部。该镇业余文物工作爱好者吴仕华先生发现后，立即报告，考古人员追回了全部文物并清理了残墓。简报配以照片、手绘图予以介绍。

据介绍，墓葬东距随州城 20 公里。封土已不存，遭破坏严重。从民工提供情况看来，此墓由前堂和后室两部分组成。前堂系砖室券顶，平面呈长方形，长 3.9 米，宽 2.2 米。墓底平铺一层长方形绳纹砖。墓葬保存不好，葬具、尸骨均已腐朽，葬式不明，仅在后室发现朱红色漆皮少许，可能为朽棺残物。墓中随葬器物除铜钱外共 70 余件，其中陶器 60 余件。主要有鼎、壶、罐、瓮、灶、井、甑、仓、狗、鸭、鹅、猪圈等。另有五铢钱 378 枚。简报推断此墓的时代为西汉晚期。

1113.湖北随州市城北西汉墓

作　者：随州市博物馆　左得田等
出　处：《文物》1989 年第 8 期

1982 年 1 月，随州市市直单位在青年文化宫院内植树时，发现了古代陶器。考古人员前往调查，发现了 1 座墓葬，并进行了清理。简报配以手绘图、照片予以介绍。

据介绍，青年文化宫位于随州城北门外，西靠㶏水，东接汉丹铁路，距市中心约 1 公里。墓葬为长方形竖穴土坑式，东西向，无墓道。木椁已朽，未见木棺及尸骨痕迹。随葬器物多置于椁室南部。以陶器为主，均为泥、褐陶，火候较高，轮制，多饰弦纹和绳纹，个别器物有彩绘。此外，还出土了郢爰、残破铜器等，共计 20 余件。简报推断该墓年代为西汉早期。

1114.湖北随州东城区东汉墓发掘报告

作　者：王善才、王世振
出　处：《文物》1993 年第 7 期

1990 年 3 月下旬，湖北随州市石油公司东风油库在改建工程中发现 1 座砖室墓（编号为 M1），考古人员进行了清理发掘。简报分为：一、墓葬位置及形制，二、出土遗物，三、结语，共三个部分。有照片、拓片、手绘图。

据介绍，墓葬位于随州市东城区八角楼岗地最高处，约比周围平地高出5～6米。东距信（阳）随（州）公路20米，西距汉丹铁路约100米，西南距甬道口约200米。墓室砖砌，券顶，规模较大。从前至后，由甬道、前室、右耳室、中室和后室组成，中室为左右两室并列而成。2中室与后室之间均有券顶形甬道。墓室全长8.9米，最高2.4米。此墓虽被盗，但仍出土了较多的生活用具及少量铜器、铁器，特别是还出土了仓、址、井、碓、磨、猪圈等陶明器和鸡、狗、猪等陶制动物模型，以及带"君"字的墓砖等，墓主无疑应是1个封建大地主或仕宦豪富。该墓的年代，简报推断为东汉中期。

1115.湖北随州西城区东汉墓发掘报告

作　者：王善才、王世振
出　处：《文物》1993年第7期

1990年4月，湖北随州市干休管理所在修建老干部活动中心大楼的工程过程中，发现1座砖室墓，并出土了一些陶俑和陶制生活用具。简报分为：一、墓葬位置及形制，二、出土器物，三、结语，共三个部分并配以拓片和照片予以介绍。

据介绍，墓葬位于随州市西城区戒烟堂古城垣南垣中段，东距干休所30余米。墓葬周围及填土内可见到东周文化遗存。此墓为券顶砖室墓，由甬道、享堂和棺室组成，平面呈"中"字形。墓葬早年被盗，陶器多被打破。经修复，尚存陶制生活用具13件、陶明器8件、陶俑4件、陶动物模型7件，瓷器、铜器、琉璃器各1件和铜钱20余枚。此墓的年代，简报推断为东汉末期。

简报称，墓主人生前不仅经济实力较雄厚，而且也具有一定的政治地位，很可能是一个门阀世族地主或仕宦豪强地主。

1116.湖北随州市义地岗东汉墓清理报告

作　者：随州市考古队　余　霜、王　红
出　处：《江汉考古》1996年第1期

1994年8月下旬，随州市施工中发现2座砖室墓，考古人员配合工程进行了清理发掘。简报分为：一、墓葬位置及形制，二、随葬品，三、结语，共三个部分予以介绍。有手绘图、拓片。

据介绍，墓葬位于随州市东城区义地岗北端。北距青年路约700米，东距市火葬场约800米，西南离八角楼学校约500米。墓葬上部被推土机推掉，墓室暴露在外。

两墓并列，均为岩圹砖室墓，由墓道和墓室组成。墓道位于墓室东面，为斜坡式。出土遗物有陶器、铜器、铁器、钱币、玉石器等。两墓时代，简报推断为东汉中期，M1 略晚于 M2。至于墓主人身份，这 2 墓均属小型墓葬，随葬品多为陶器及模型明器，墓主应属汉代中小地主阶层；2 墓并列而葬，2 墓主应属同一家族。

1117.随州市孔家坡墓地 M8 发掘简报

作　者：湖北省文物考古研究所、随州市文物局　张昌平等

出　处：《文物》2001 年第 9 期

孔家坡墓地位于随州市北郊 2 公里处，这里是一条南北走向的岗地，现为孔家坡砖瓦厂取土场，过去砖瓦厂在生产中曾发现有墓葬。自 1999 年底以来，考古人员对墓地进行了勘探与发掘，发现并发掘墓葬 16 座。2000 年 3 月，在发掘中 M8 出土一批竹简及木牍。简报分为：一、墓葬形制，二、随葬器物，共两个部分，配以彩照、手绘图，先行介绍了 M8 的发掘情况。

据介绍，M8 为土坑竖穴墓，1 椁 1 棺，墓主骨架腐朽无存。出土器物 59 件（套），其中包括陶器、铜器、漆器、木器等，有的器物上还刻有铭文。竹简出土时分为 2 堆，字迹清楚，书写工整，内容有日书及历谱。木牍 4 枚为遣策，记载了时间、墓主、随葬品清单等，所载与出土遗物基本吻合。但下葬时间不详。该墓时代，简报推断为西汉早期。

恩施州

1118.巴东发现东汉纪年墓

作　者：恩施地区文物工作队　张明达

出　处：《江汉考古》1980 年第 1 期

恩施地区博物馆于 1978 ～ 1979 年在巴东县官渡公社和车上公社清理发掘了 14 座古墓（从战国中期至宋），其中东汉墓 7 座，与贵州兴仪、兴仁汉墓在形制上完全相同。

据介绍，此墓位于官渡公社三峡大队第一生产队，在长江与西瀼溪交会的三角地带，前临长江，后依大山；左为西瀼溪，右是巫峡。由前至后逐渐高斜，形成河旁台地。此墓是砖室墓，还有"永元十三年三月黄雅南"阳文砖。棺和骨全部腐烂，

棺灰痕迹尚清晰，随葬品有剑把小铜环 4 个，还有大量五铢钱。从二棺放置情况和随葬品情况来看，简报怀疑是主妾合葬墓。此墓有可能是妾为夫殉，简报推断墓中主人应是黄雅南。

简报称，湖北省境内除房县外，很少出土东汉纪年墓。巴东县发现东汉和帝永元十三年（101 年）的纪年墓，是值得重视的。

1119.湖北省巴东县孔包汉墓发掘报告

作　者：中山大学人类学系、湖北省文物局三峡办　郭立新
出　处：《四川文物》2003 年第 6 期

2002 年底，考古人员对湖北省巴东县沿渡河镇孔包汉墓进行抢救性发掘，共发现并清理 3 座"凸"字形券顶石室东汉晚期墓葬，均为多人单室家族合葬墓。出土大型陶质容器、铜镜、带钩、铜钱、手镯、指环等 40 余件（组）。简报分为：一、一号墓，二、二号墓，三、三号墓，四、结语，共四个部分。有照片、拓片、手绘图。

据介绍，这 3 座墓均为东汉晚期墓，均为单室葬多人的家族合葬墓。不同于中原地区的多室葬多人的家族合葬墓，这一葬俗，应该是峡江地区东汉、三国、西晋时的地方葬俗。

同刊同期有李法军先生《湖北省巴东县孔包汉墓人骨鉴定》一文，可参阅。

仙桃市

1120.湖北沔阳出土的汉代铜镜

作　者：姚高悟
出　处：《文物》1989 年第 5 期

湖北省沔阳县博物馆收藏的 8 件汉代铜镜，均系沔阳县近 10 年在农田基本建设中出土。简报配以拓片和照片予以介绍。

据介绍，铜镜分别为：四神规矩镜 2 件、昭明镜 1 件、连弧纹镜 1 件、神兽镜 2 件、神人禽兽画像镜 1 件、初平元年镜 1 件。

简报指出，四神规矩镜、昭明镜、连弧纹镜，应属西汉；神兽镜、神人禽兽画像镜和初平元年镜，应是东汉铜镜。其中"初平元年"镜铭标出铜镜系汉献帝初平元年（190 年）制造，尤为汉代纪年镜中佳作，弥足珍贵。

潜江市

天门市

神农架林区

1121.神农架松柏东汉墓清理简报

作　者：神农架文化馆　周学森
出　处：《江汉考古》1990 年第 1 期

1989 年 9 月 12 日，神农架林区劳动服务公司建筑队工人在神农架林区所在地——松柏镇沿河路整修公路边沟时，挖出一些古砖断块，考古人员发现该处为一古代砖室墓葬。该墓葬位于松（柏）宜（昌）公路干线上，即神农架林区松柏镇沿河路中段，南距青杨河 100 米。墓葬正处于公路北侧的边沟处，往北延伸至土产公司宿舍，南至公路中心。考古人员进行了抢救性发掘。简报分为：一、墓葬的形制，二、出土器物，三、结语，共三个部分。有照片、手绘图。

据介绍，该墓早期被盗过，顶部已坍塌，但仍可看出是单室砖室墓，平面呈"凸"字形。简报推断为汉墓。过去一般认为，神农架地处偏僻，为原始森林区，近现代有人居住的地区亦交通闭塞，有关史料记载神农架开发较晚，唐代开始才有人类活动，清代才有较大的开发。关于唐代以前的人类活动，除了民间传说，一直没有找到可靠的依据。松柏汉墓的发现，填补了这一时期的历史空白，为研究神农架早期人类活动提供了重要资料。

1122.神农架大坪东汉墓清理简报

作　者：神农架文物管理所　周学森
出　处：《江汉考古》1993 年第 3 期

1991 年 4 月，神农架林区阳日镇大坪村 1 处山坡崩塌，露出 1 座古代砖墓。不久，大坪村农民又在 1 处农田中挖出古砖。考古人员赶到现场，发现是 2 座砖室残墓。

2 座残墓位于大坪村西部，东北距阳日镇 4 公里，东南距关门河 1.5 公里。由于墓室已崩塌并暴露在外，考古人员对其进行了抢救性清理。简报分为：一、墓葬形制，二、出土器物，三、小结，共三个部分。有手绘图、照片。

据介绍，2 座墓编号 M1、M2，两墓相距 500 米。M1 和 M2 的建造方法，墓砖纹饰和尺寸基本一样，根据墓葬形制和出土器物，2 座墓属于同一时代，与 1989 年发现的松柏东汉墓类似，虽出土西汉时期的半两钱和王莽时期的大泉五十与货泉，但大多为东汉时期的大五铢钱，还有桓帝、灵帝的四出五铢钱。这两座墓葬的时代，简报推断应属东汉晚期。

简报称，墓中出土的银器、铜器和部分钱币在神农架还是首次发现，为研究神农架的汉代历史提供了可贵的实物资料。

湖南省

长沙市

1123.长沙出土的三座大型木椁墓

作　者：湖南省文物管理委员会　吴铭生、戴亚东等

出　处：《考古学报》1957 年第 1 期

1953 年夏至 1954 年秋，考古人员在长沙市郊的仰天湖、左家公山、杨家湾三个工地发掘了 3 座大型木椁墓。简报分为：一、54·长·左 15 号墓，二、54·长·杨 6 号墓，三、53·长·仰第 25 号墓，四、初步意见，共四个部分。有照片。

据介绍，仰天湖 25 号墓曾 2 次被盗，其他 2 座墓都很完整。尤其是左家公山 15 号墓保存更好。出土遗物中值得注意的有毛笔、楚简。

3 墓的年代，简报推断杨家湾 6 号墓为战国晚期至西汉初期之间，左家公山 15 号墓、仰天湖 25 号墓为战国晚期。

1124.长沙北郊东汉墓中出土的铜尺

作　者：罗　张

出　处：《考古》1959 年第 12 期

1959 年 4 月，考古人员在长沙北郊刘家冲清理了 1 座东汉砖室墓。墓的券顶及墓壁已残破，墓室分前后两室。简报配以照片予以介绍。

据介绍，随葬品大部分放在前室。值得注意的是，墓中出土铜尺 1 件。此外，还有铜镜、银饰、料珠、铁刀、陶器等出土。

该墓的年代，简报推断为东汉晚期。

1125.长沙楚墓

作　者：湖南省博物馆　文道义等
出　处：《考古学报》1959 年第 1 期

　　长沙在 2000 多年以前，便成为楚国的重要城邑，因而埋葬古代墓葬很多。1949年以来，仅湖南文管会所清理的楚墓便有 1000 余座。这些楚墓的分布地区除西郊因湘水的阻隔较为稀少外，东郊、南郊、北郊都散布着很多。墓葬的位置多在郊区丘陵地带的山脊或斜坡上面。简报分为：一、前言，二、墓葬形制，三、文化遗物，四、年代推断，五、结语，共五个部分。介绍了长沙东南郊的一部分楚墓，有彩照等。

　　据介绍，自 1952 年起，考古人员便配合基建工程进行长沙东南郊古墓的清理工作。截至 1956 年上半年度，共清理了楚墓 209 座。其中，黄泥坑 52 座，子弹库 35 座，月亮山 52 座，左家公山 31 座，瘿家湾 22 座，麻园岭、识字岭各 8 座，出土文物达1290 件。这 209 座墓葬虽然只占长沙已发掘的楚墓总数的五分之一，但就墓葬形制及出土文物来说，它们反映了长沙这一地区楚文物的基本面貌，使我们能看到距今2000 多年以前长沙楚文化的一般情况，从而为考古研究工作提供了丰富的资料。这里，只能把已发掘的楚墓材料选择重点的和参酌有关的报道出来。简报认为，这批长沙楚墓的年代下限，至迟可能到西汉。

　　简报分别介绍了这批楚墓中出土的陶器、铁器、金银器、漆木器、丝织品、琉璃器以及货币等。特别指出长沙楚墓中发现的毛笔和竹简，毛笔为兔毫竹管，竹简为所谓的"遣册"，即记载随葬器物的清单，是用墨写的，字体为篆体。兵器上的铭文，字体为鸟篆，多少带有装饰的意思。

1126.长沙五里牌古墓葬清理简报

作　者：湖南省博物馆　罗　张
出　处：《文物》1960 年第 3 期

1959 年 8 月 24 日至 11 月 6 日，考古人员在市东区自老中心点附近的社园庵、李家老屋至荫塘湾一带，配合兴修五一路延长线工地，清理了古墓葬 15 座。简报配以照片予以介绍。

　　据介绍，这次清理的古墓葬有战国墓 3 座、西汉墓 5 座、新莽墓 1 座、东汉墓 2座、宋墓 1 座。宋墓暂未介绍。西汉墓中漆床、带剑鞘的铜剑以往未见。出土的金锭、金饰、玛瑙珠饰、铁戟、铜牌饰等均为罕见。东汉墓属东汉前期墓，其中西汉墓随葬品大多为西汉墓中常见之物，且多已破碎，无法复原。

1127.长沙砂子塘西汉墓发掘简报

作　者：湖南省博物馆　高至喜、张中一
出　处：《文物》1963年第2期

1961年6月下旬，考古人员在长沙市南郊砂子塘，清理发掘了一座西汉木椁墓（编号为61·长·砂·M01）。该墓虽经过1941和1947年2次盗掘，随葬器物大都被劫走。但此次发掘，仍获得很精美的漆绘外棺和43件墨写隶书的木封沉匣等珍贵文物。简报分为：一、墓葬形制，二、随葬器物，三、墓的年代及墓主人考，共三个部分。有照片。

据介绍，砂子塘在长沙南门外约1～1.5公里处，尚存高约7米的封土。有墓道，棺椁分为外椁、内椁、外棺、内棺，木料为杉木。上可见盗墓者凿毁痕迹。劫余遗物有漆器、木器、陶器等，又有与《礼记·内则》所载大致相同的食品、蔬菜、果实36种。简报推断为西汉文帝时期，墓主人很可能是长沙靖王吴著，此人死于汉武帝后元七年（前157年）。据简报，参加此次发掘工作的一位工作人员，曾参加过1941年的盗掘，据他回忆，此墓的随葬品比长沙其他被盗墓要多，但没有发现金器、银器、铁器。

1128.长沙东郊两汉墓简介

作　者：周世荣
出　处：《考古》1963年第12期

1955年冬天，湖南省文物管理委员会在长沙东郊清理了两汉墓共14座，后因忙于其他工作而将材料积压，没有及时整理。简报将这些材料配以照片、手绘图予以介绍。

据介绍，在东郊发掘的墓葬有燕子嘴与皇坟堆2处，2处仅隔一水，相距500米左右。

皇坟堆清理西汉墓1座，长方形土坑竖穴。随葬品为西汉墓常见的陶鼎、盒、壶、罐、瓿、釜及石壁等。

燕子嘴清理了西汉墓10座，东汉墓3座。西汉墓皆土圹，出土了不少滑石器，其中有石璧5件，石镜4面，石弹丸2套，石印2颗，石方块（算筹？）1套，石环1件，石带钩2件。陶器以坛为主，计有100件。这里值得注意的是10号墓出土的1件石镜，不仅图案奇特，而且四周刻有稀见的铭文；另外5号墓填土中还发现河卵石磨制而成的斧与钻状器。东汉墓3座皆被盗扰，但出土遗物仍然不少。2号墓出土的红胎无釉三足钵形器等值得注意。

1129.长沙南郊砂子塘汉墓

作　者：湖南省博物馆　张欣如
出　处：《考古》1965 年第 3 期

1967 年 5 月，考古人员在长沙南郊砂子塘清理了 2 座汉墓：1 座为西汉墓（墓 2），另 1 座为东汉墓（墓 1）。简报分为：一、西汉墓（墓 2），二、东汉墓（墓 1），共两个部分。有拓片、手绘图。

据介绍，西汉墓为长方形土坑竖穴墓，葬具及死者骨架均已腐朽无痕。随葬品大都分布在前室和后室的后部。均为滑石器和陶器，共 124 件。陶器均系泥质灰陶，火候较低，出土时多成残片，无法复原。滑石器数量较多，保存较完整，制作精巧，是长沙汉墓中很少见的。该墓的年代，简报推断为西汉前期或稍晚。

东汉墓仅存下部，平面呈长方形，砖室。分前、后 2 室，后室墓底高于前室，前室铺地砖横直平铺，后室平铺成"人"字形。四壁为单砖平砌，可能为拱顶。随葬品大部放置在前室，已有部分被破坏。出土遗物共 24 件，大部为红胎绿釉陶器。还有铜镜、银戒指、料珠、五铢钱。该墓的年代，简报推断为东汉中期或接近晚期。

1130.长沙汤家岭西汉墓清理报告

作　者：湖南省博物馆　单先进
出　处：《考古》1966 年第 4 期

汤家岭位于长沙小吴门外 1.5 公里余，在袁家岭与五里牌之间，地势较周围略高。历年来，考古人员曾先后在这里清理了一些古墓葬。1963 年 9 月 10 日，又在该地发现了 1 座汉墓，编号为 63·长·汤·M1。简报分为：一、墓葬形制，二、随葬器物，三、结语，共三个部分。有手绘图等。

据介绍，该墓是 1 座土坑竖穴墓，出土有铜器、漆器、陶器、铁器、金饼、松石、玛瑙珠等 60 余件。根据出土的铭文器物，知墓主叫张端君，年代应在西汉宣帝、元帝时期。

1131.长沙马王堆二、三号汉墓发掘简报

作　者：湖南省博物馆、中国科学院考古研究所
出　处：《文物》1974 年第 7 期

1973 年 11 月至 1974 年初，考古人员对长沙马王堆二、三号汉墓进行了发掘。

简报分为"二号墓""三号墓""结语",共三个部分予以介绍,有照片等。

据介绍,二号墓早于一号墓。二号墓出土的"长沙丞相""軑侯之印"和"利苍"三颗印章,是马王堆为利苍一家墓地的确证。据《史记·惠景间侯者年表》和《汉书·高惠高后文功臣表》的记载,利苍是汉惠帝二年(前 193 年)被封为軑侯的,死于吕后二年(前 186 年),由此可知此墓距今 2160 年,墓主应为利苍。而一号墓的墓主人,则是利苍的妻子,她比丈夫晚死了 20 余年。据三号墓出土的木牍及带铭文的漆器,三号墓的年代为公元前 168 年。墓主人为 1 名 30 多岁的男性,应为一号墓、二号墓利苍夫妇之子。二、三号墓尸体保存均不如一号墓。

1132.马王堆三号汉墓出土的铁口木臿

作　者：文　保

出　处：《文物》1974 年第 11 期

长沙马王堆一、二、三号汉墓都有很厚的封土和又大又深的墓坑,当时,挖掘那么多的土,用的是什么工具呢?这次在三号墓的填土中发现 1 件铁口木臿和 1 个竹筐,使我们看到了当时劳动人民就是用这样简陋的工具修筑了规模巨大的坟墓。简报配以照片予以介绍。

据介绍,臿,就是我们今天所说的锹,是一种重要的起土工具。这件臿的臿柄和臿面(木叶)系用一块整料制成,铁口经鉴定为铸铁,工具的器形和制作都合乎科学原理。竹筐出土时半边残,材料为毛竹青篾。简报称,这件西汉初年的铁口木臿在长沙的发现,说明铁器在诸国得到大规模发展,秦始皇统一中国后,这种情况更有了进一步的发展。

1133.马王堆二、三号汉墓发掘的主要收获

作　者：中国科学院考古研究所写作小组、湖南省博物馆写作小组

出　处：《考古》1975 年第 1 期

长沙马王堆汉墓,是我国考古工作的重要发现之一。一号汉墓的发掘,曾经引起国内外的广泛注意。当该墓的正式发掘报告完成以后,经过充分的准备,考古人员于 1973 年 11 月至 1974 年年初,继续对二、三号汉墓进行了发掘。新发现的考古资料,增进了我们对这个墓地的认识,使墓葬的年代、墓主人和保存原因等问题得到进一步的明确。特别是三号墓出土的大批帛书,以及简牍、帛画、乐器、丝织品等许多珍贵文物,为研究西汉初期的儒法斗争和整个的阶级斗争形势,为研究当时

科学技术和经济文化的发展，提供了丰富的资料。二、三号汉墓的发掘简报和帛书的初步整理情况，已在《文物》上陆续发表。本简报根据已有的研究成果，评述这次发掘的主要收获，有照片。

据介绍，马王堆一号汉墓发掘后，关于墓主人身份是有不同看法的，而二号汉墓出土的 3 颗印章证实，马王堆确为第一代轪侯、长沙丞相利苍及其家属的墓地。一号墓与轪侯墓并列，死者自应是轪侯的妻子。而地层关系上稍早于一号墓的三号墓，死者当是利苍的儿子。三号墓出土的记事木牍表明，该墓下葬于汉文帝初元十二年（前 168 年），上距文献记载的利苍年——吕后二年（前 186 年），前后相距近 20 年的时间。这样，马王堆的三座汉墓，就是现已发掘的西汉初期墓葬中，唯一具体年代清楚、死者见于史书记载的墓地，从而为汉初这个重要历史时期考古资料的研究，提供了可靠的断代标尺。这是马王堆二、三号汉墓发掘的最大收获之一。简报还扼要介绍了二、三号汉墓出土的帛书、漆器、帛画、遣策、丝织品等珍贵文物。

1134.马王堆三号汉墓出土驻军图整理简报

作　者：马王堆汉墓帛书整理小组
出　处：《文物》1976 年第 1 期

马王堆三号汉墓出土的第 2 幅地图是驻军图。它原来被折叠放置在漆盒内，由于渗入水分，使帛片粘连在一起，出土时已断裂为 28 片，其中有 4 片严重残损。参加驻军图的拼复工作的国家测绘总局测绘研究所、地图出版社和湖南省博物馆的工作人员与故宫博物院修复厂工人密切配合，利用照片，反复对照原件仔细分析，积累对拼图有用的材料，经过几个月的努力，克服了不少困难，使这幅驻军图得以拼接复原。简报分为三个部分予以介绍。

简报介绍说，根据《史记》《汉书》记载，秦始皇于公元前 221 年统一天下后，分全国为 36 郡，接着发兵攻百越，又增设闽中、南海、桂林、象郡，并任命赵佗为南海龙川令。公元前 207 年（秦二世元年），赵佗自立为南越王。汉高祖刘邦统一全国后，对赵佗采取了暂时容忍的办法，并于公元前 196 年，正式立他为南越王。终刘邦之世，汉朝中央并没有来得及用武力削平赵佗的割据势力。然而赵佗并不以此为满足，公元前 181 年，以吕后禁南越关市铁器为借口，公然自立为帝，"发兵干边，为寇不止"。汉朝中央政权为了消灭割据势力，坚决派将军隆虑侯周灶前往抗击。不久，吕后去世，文帝改变了斗争策略，采取在武力之后继以安抚的办法。这时赵佗迫于威力，乃请求罢两将军，他自己则去帝号称臣。此后四十年来没有发生过大的战争。这张驻军图产生的年代应在汉文帝初年，即文帝答应赵佗提出的请罢两将军、去帝称臣之后，为了防范赵佗再生事端，在调走大部队后，乃于长沙南境驻军防守。该图出自三号墓，说明三号墓的墓主人很可能是长沙国的主将。

1135.长沙咸家湖西汉曹嬛墓

作　者：长沙市文化局文物组　肖　湘、黄纲正
出　处：《文物》1979 年第 3 期

湖南长沙市岳麓山公社咸家湖大队，有 3 座略呈品字形的小山丘——陡壁山。1974 年，在陡壁山发现了 1 座西汉墓。当年 12 月至次年 1 月，考古人员对该墓进行了发掘。因出土 "曹嬛" 印 2 方、"姜嬛" 印 1 方，便将该墓定名为长沙咸家湖西汉曹嬛墓。简报分四个部分予以介绍，有手绘图、照片。

据介绍，曹嬛墓建在陡壁山顶，以山为陵，是 1 座带墓道的大型岩坑竖穴木椁墓。墓坑内发现黄肠题凑。该墓早年被盗，在墓顶偏北处有 2 个盗洞，在其中 1 个盗洞的扰土中，发现唐代瓷碗残片。葬具为 3 重棺，曹嬛墓以黄心柏木为椁，椁外垒木，并隔有小曲室。这种葬制，简报认为似属 "便房，黄肠题凑" 类型。曹嬛墓出土随葬品共计 300 余件，简报推断曹嬛墓应属西汉时期墓葬。简报认为曹嬛生前地位不低，其人很可能是诸侯王的近亲或妻妾。

1136.长沙金塘坡东汉墓发掘简报

作　者：湖南省博物馆　单先进
出　处：《考古》1979 年第 5 期

金塘坡古墓地位于长沙市北 30 公里，捞刀河（湘江支流）的南岸，是 1 座紧靠河边、高出河床 25 米的小土丘。土丘作弯曲形。今属长沙县望新公社石子大队水渡坪生产队。1978 年初某基建工程动土时发现古墓葬，从 2 月 15 日至 3 月 20 日共清理战国墓 17 座，东汉墓 8 座。简报分为：一、墓葬形制，二、随葬器物，三、结语，共三个部分予以介绍其中的东汉墓，有手绘图。

据介绍，东汉墓分布在土丘的北边，近靠河旁，大多保存完整。其中 M12 和 M13，M18 和 M19、M20，M1 和东边被盗掘的 1 座墓，3 组墓相近，各自方向一致，且紧相邻，可能为近亲墓。除 1 座为土坑竖穴墓外，其余均为砖室墓。葬具、尸体已朽。从遗迹看，应为 1 人 1 棺，M20、M13 可能为夫妇葬。女左男右，符合汉代尊右的礼俗。出土遗物有铜镜、五铢钱、铁剑、铁刀等。这批墓葬的年代，简报推断为东汉中期。

1137.长沙象鼻嘴一号西汉墓

作　者：湖南省博物馆　单先进、熊传新等

出　处：《考古学报》1981 年第 1 期

象鼻嘴位于长沙市湘江西岸溁湾镇北约 2 公里。它是 1 座高出湘江水平面 40 多米、自然形成的椭圆形山头。山头北高南低，距湘江河岸约 1 公里，东边偏北有低洼的铜盆湖，南临咸嘉湖，西边和西北边有扇子山、陡壁山和狮子山。1974 年长沙市第二木工厂等单位，在陡壁山、象鼻嘴两个山头施工，发现有古墓的迹象。经实地调查，确知陡壁山、象鼻嘴、扇子山、狮子山都有大型汉墓，附近的丘陵地段上也有中小型墓葬。1974 年 12 月至 1975 年 1 月，发掘了陡壁山西汉墓（发掘报告已发表于《文物》1979 年第 3 期）。1978 年 9 月至 11 月，发掘象鼻嘴西汉墓。简报分为：一、坟墓，二、题凑与棺椁木结构，三、随葬品，四、结语，共四个部分予以介绍，有照片、手绘图。

据介绍，此墓为长方形竖穴岩坑墓，由封土、墓道、墓坑和墓室四部分构成。封土在 1974 年基建施工时，已被挖去。墓道宽 4.6 米，距墓室 1.75 米处的墓道壁两边，发现相对的"偶人"各 1 个，"偶人"已朽塌，估计为木制，高约 65 厘米，形象不明。墓室为"黄肠题凑"，由甬道、题凑、外棺、前室、外回廊、内回廊、棺室和套棺组成。该墓曾被盗，出土有劫后的陶器、丝织品、玉器等。该墓的年代，简报推断为西汉文帝至景帝时期。简报猜测墓主人为长沙靖王吴著。

简报指出，象鼻嘴一号西汉墓是 1 座规模宏大的西汉墓。尽管木质葬具已坍塌，保存的完整器物不多，但该墓的发掘对研究我国古代"黄肠题凑"葬具和葬制，仍是十分重要的资料。

1138.长沙西郊桐梓坡汉墓

作　者：长沙市文物工作队　宋少华等

出　处：《考古学报》1986 年第 1 期

桐梓坡位于长沙市西郊银盆岭区，地处湘江西岸。桐梓坡一带以前未经大规模开发，基本上保持原来的地貌，有些墓葬的封土至今尚完好地保存。1979 年 9 月至 1983 年 3 月为配合基本建设，考古人员在长沙市西郊的桐梓坡、银盆岭、茶子山等地发掘了一批西汉中小型墓葬。发掘墓葬共计 95 座。其中桐梓坡 71 座、银盆岭 9 座、茶子山 15 座，出土器物共计 1021 件（不包括泥币）。银盆岭墓地紧邻桐梓坡，中间仅隔一条公路，实属一区。茶子山位于桐梓坡东北约 2.5 公里，距离稍远，但因墓葬形制和随葬器物与前 2 处地方大致相同，故将 3 处墓葬的资料合在一起整理，分别在墓号前加桐、银、茶字，以示区别。简报分为：一、墓葬形制，二、随葬器物，三、分期与年代，四、结语，共四个部分予以介绍，有照片、手绘图。

据介绍，发掘的 95 座墓葬，形制除桐 71 外，其余均为土坑竖穴墓。有的墓葬仍保存封土，封土经夯筑，形状呈圆包形。墓坑内填土及封土均为五花土，填土内常夹有大颗卵石。墓口至墓底深一般为 2～4 米。坑壁经人工修整，光滑平整。墓葬形制以无墓道的长方形竖穴墓最多。随葬器物以陶礼器最多，也有日常生活用具。铜器、铁器、玉器极少。

简报将这批墓葬分为四期，四期的年代推断如下：

第一期，战国末年、秦汉之际——西汉初年。

第二期，汉初——文景之际。

第三期，文景之际——武帝元狩五年（前 118 年）以前。

第四期，武帝元狩五年（前 118 年）以后，西汉中期。

至于墓主人，简报推测有的相当于中小贵族或低级官吏，有的就是庶民。

简报还提到，桐 71 的发掘是这次的重要收获。夯土台基的发现，为湖南历次发掘的汉墓中所仅见。此墓位置紧依长沙王陵区，对于研究陵墓制度或有重要的参考价值。

1139.湖南长沙咸嘉湖扇子山畜俑坑

作　者：湖南师范大学　单先进

出　处：《农业考古》2001 年第 1 期

1975 年，长沙第二木工厂修进厂道路时发现 1 坑，考古人员进行了清理。简报介绍了相关情况。

据介绍，扇子山位于湘江西岸，山顶中部为 1 座西汉大墓，该坑位于扇子山西部斜坡上。清理出陶牛 6 头及残片，可识别的有牛、羊、猪、狗，共 40 余件。发现者称，各种陶动物分类堆放。畜俑坑应是山顶大墓的一部分。

1140.长沙东牌楼 7 号古井（J7）发掘简报

作　者：长沙市文物考古研究所　何旭红、何　佳、王　素、黄朴华等

出　处：《文物》2005 年第 12 期

2004 年 4～6 月，为配合城市基本建设，考古人员对位于市中心五一广场东南侧的湘浙汇商业大厦建设区域内的古井群进行了考古发掘，出土青瓷器、陶器、漆

木器等数百件。其中，在编号为 J7 的古井中清理出了一批东汉简牍。东牌楼湘浙汇商业大厦工地位于长沙市中心五一广场东南侧、黄兴路的东侧，整个工地先后发现西汉至明清时期的古井共计 35 口。

据介绍，7 号古井为日常饮用井，部分井壁已垮塌。简牍在井内堆积无序，处于饱水状态，显暗黑色。据初步统计，简牍计 426 枚，内 218 枚有字，208 枚无字。初步推断 7 号古井的使用年代为东汉桓帝至灵帝末期，废弃年代为灵帝末年至孙吴初期。简牍所见年号为东汉灵帝的建宁、熹平、光和、中平，经研究断定这批简牍的性质主要属于长沙郡和临湘县通过邮亭收发的公私文书，有木简、木牍、封检、名刺、签牌等，以封检、木牍为多。内容大致可分为 12 类：公文、私信、事目、户籍、名簿、名刺、券书、签牌、杂账、习字、其他和残简。

简报指出，7 号古井所出简牍，数量虽然不多，意义却非常重大：

首先，在以往发现的汉简中，东汉末期简牍极为少见，7 号古井所出简牍可以说填补了这一空白。

其次，这批简牍与同地出土的三国吴简，时间上可以衔接（吴简最早一枚为东汉灵帝中平二年〈185 年〉），内容上可以联系（吴简也有公文、私信、户籍、名刺、券书、签牌等），有利于综合、比较地进行研究。

当然，7 号古井的意义并不仅限于此，还体现在以下几方面：

从形制上说，提供了新的研究实物。譬如封检，用途较多，形制复杂，曾经引起研究者极大的兴趣。但从早期王国维先生开始考证，直到近年李均明、大庭脩等先生最新探讨，还是有很多问题存在争议。7 号古井一次出土如此众多的封检，以及内置的公文和私信，无疑为封检形制的研究提供了新的实物。

从内容上说，提供了新的研究课题。譬如户籍，在此之前，从未见过汉代严格意义上的户籍样本，7 号古井出土的户籍，为汉代户籍的研究提供了新的课题。又譬如，在此之前，从未见过民事诉讼允许"私了"的法律和例证，7 号古井出土的"大男李建与精张诤田自相和从书"，为古代民事诉讼的研究提供了新的课题。

从书法上说，提供了新的研究素材。东汉后期的书法，过去研究者只能依据汉碑和零星出土的器物题字作出描述，难以深入了解当时日常的书法状态。7 号古井所出简牍数量可观，所见书体有篆、隶、草、行、正书 5 种体势（包括一些习字），其中草、行、正书较多，而且是东汉后期地方官府书吏所写文书，从而为我们探讨那个时代的书法状况提供了一宗十分宝贵的素材。不仅如此，这批简牍在时段上填补了汉简书法的空白，使出土的汉简构成一个相对完整的书法资料链。向后延伸，又可与近年出土的长沙走马楼吴简、20 世纪初古楼兰遗址发现的魏晋文书联系起来研究。总之，7 号古井所出简牍对于研究汉代各体书法的演变、汉魏书法的承接关系，都具有非常重要的价值。

同刊同期发表有王素先生《长沙东牌楼东汉简牍选释》、刘涛先生《长沙东牌楼东汉简牍所见书体及书法史料价值》二文，可参阅。

1141.湖南望城凤篷岭汉墓发掘简报

作　者：长沙市文物考古研究所、望城县文物管理局　何旭红、赵晓华、马代忠、
　　　　何　佳、张景尧、师　磊、雷永利、黄朴华等

出　处：《文物》2007 年第 12 期

2005 年 12 月底，在望城县星城镇银星村 1 座名为"凤篷岭"的山上进行开发建设时，发现了 1 座大型竖穴岩坑木椁墓（编号为凤篷岭 M1）。该墓东距湘江约 2 公里，往南约 3.2 公里为西汉三石戍城址，再往南约 6 公里的咸嘉湖一带为较密集的西汉前期长沙国王陵区。2006 年 3 ～ 10 月，长沙市文物考古研究所与望城县文物管理局联合对凤篷岭 M1 进行了抢救性考古发掘。简报分为：一、墓葬形制，二、随葬器物，三、结语，共三个部分。有彩照、手绘图。

据介绍，凤篷岭 M1 为带墓道的大型竖穴岩坑木椁墓，平面呈"中"字形。在发现之前，墓葬上部已被推掉，整座墓由墓道、墓坑、题凑、椁室和套棺等组成。有两个盗洞。出土有陶器、铜器与铜钱、漆（木）器、玉器、水晶器、金器、鎏金器、银器、铁器、丝织品等。凤篷岭 M1 出土的金缕玉衣是在长沙国王陵墓葬中首次发现，说明西汉中晚期长沙国也同样实行金缕玉衣制。根据出土器物推测，墓主的下葬年代在西汉武帝元狩五年至东汉光武帝建武十三年（前 118 年～ 37 年）之间，墓主为此间某位长沙王的王后。该墓的发掘为研究汉代诸侯国王室葬制等提供了重要的考古资料。

1142.湖南长沙望城坡西汉渔阳墓发掘简报

作　者：长沙市文物考古研究所　宋少华、李鄂权等

出　处：《文物》2010 年第 4 期

望城坡古坟垸西汉渔阳墓位于长沙市湘江西岸咸嘉湖西侧，东距江边约 2.5 公里，东南距溁湾镇约 2 公里。此地为岳麓山余脉的丘陵地带，岳麓山在其南侧，四周的山丘海拔高度为 65 ～ 76 米。该墓依山临湖，地势高旷，东北与陡壁山、象鼻嘴山两座西汉早期长沙国王室墓（20 世纪 70 年代发掘）隔湖相望，相距 2 公里。1985 年在进行全国性文物普查时，发现了渔阳墓。1993 年初进行基本建设时，封土被推毁。

1993 年 2 ～ 7 月，考古人员对该墓进行了抢救性发掘。简报分为：一、墓葬形制，二、外藏坑，三、随葬器物，四、结语，共四个部分。有彩照、拓片、手绘图。

据介绍，渔阳墓陵园现存面积 1 万平方米。在墓的东、西、南面均有 1 个外藏坑，呈"品"字形。墓葬为带斜坡墓道的竖穴岩坑木椁墓，平面呈"甲"字形，由封土、墓道、墓坑、墓室四部分组成。发现有 3 个盗洞。虽经多次盗掘，但仍出土了 3000 余件随葬器物。其中漆器种类繁多，制作精美。出土的 20 余件古乐器包括五弦筑、筝、排箫、编磬等，是我国音乐史上的重大收获。该墓采用的是"题凑"葬制，而且多件漆器上有"渔阳"题记。墓主人可能是西汉早期汉皇室的 1 位公主，由于政治等方面的原因嫁给长沙王。该墓的年代，简报推断上限约在文帝时期，下限可至景帝初年。

1143.湖南长沙风盘岭汉墓发掘简报

作　者：湖南省长沙市文物考古研究所、长沙市望城区文物管理局　赵晓华、张景尧等

出　处：《文物》2013 年第 6 期

风盘岭汉墓（M1）位于湖南省长沙市望城区（原望城县）星城镇戴公庙村 15 组，东距湘江约 5 公里，南距谷山主峰约 2 公里。墓葬处于谷山北侧支脉 1 座小山丘顶部，地势高敞，山麓下东、北两面现为公路，西、南两面为农田。2008 年 5 月，当地建设水泥搅拌厂时发现此墓。同年 5 ～ 7 月，长沙市文物考古研究所与望城区文物管理局（原望城县文物管理局）联合对此墓进行了抢救性考古发掘。简报分为三个部分，有多幅黑白照片。

第一部分"墓葬形制"中介绍说，风盘岭汉墓为 1 座带斜坡墓道的竖穴岩坑墓。墓葬平面呈"甲"字形，方向 169°。在正式发掘前，墓葬封土、部分墓道及墓坑坑口等已遭到不同程度的破坏，墓葬残长 21.2 米、宽 7.6 米、深 0.1 ～ 3.65 米。整座墓葬由墓道、墓坑、题凑和木构棺椁室组成。因墓坑坑口被破坏，墓葬封土已不存，仅见墓内填土。墓内填土又可分为墓道填土和墓坑填土。平面上，2 处填土间有较明显的分界线，说明 2 处的覆土回填是分开进行的。填土中发现有 2 个盗洞。盗洞中出土有青瓷器。简报介绍说，墓室内的棺椁木枋均已朽坏，只能依据木枋朽痕判断题凑及木构棺椁室的分布及结构。题凑位于墓坑壁的内侧，除墓道下端口未见题凑朽痕外，基本围绕墓室一周，但因墓室被破坏，故这 2 处均不见题凑朽痕。题凑木枋朽痕均为长方形，长 0.9 ～ 1.05 米、宽 0.27 ～ 0.5 米。题凑木枋均垂直于墓壁摆放，部分位置可见至少两层叠置。

木构棺椁室保存情况极差，仅存极少的木枋朽痕。从墓室东北角保存的部分木枋朽痕可以看出，棺椁室底板为南北向并列放置，每根底板宽0.45～0.5米。从墓室东部残存的部分木枋朽痕可以看出，靠近题凑的内侧存在南北向的棺椁室壁板及东西向的隔板，表明题凑内侧椁室存在隔间。

出土器物的位置也反映了棺椁室的结构特点。其中，墓室中部分布有铁剑和铜熏炉，且其周围有大量漆皮残片和部分棺钉分布，可以判断为棺室所在。铁剑南侧出土铁铺首衔环，推测此处应有门，将棺室与南侧椁室（可能为前室）隔开。其他随葬器物围绕棺室西、北、东3面分布，且同类器物相对集中。墓室西部出土铜锋、"中府"铜吊饰、铜弩机部件、玉璜及大量"半两"泥钱等；墓室东北角集中出土陶器；墓室东部出土铁臿、漆卮等。结合木枋朽痕推测，在棺室西、北、东3面存在按类放置随葬器物的多个隔间。

简报认为，根据木枋朽痕和出土器物的位置可以推测，风盘岭汉墓的墓室可能为题凑环绕的前、后室（即棺室，且周围存在隔间）结构。

第二部分"出土器物"中介绍说，风盘岭汉墓出土器物有陶器、泥钱、铜器、漆器、玉器、铁器等数十件（泥钱按1件计）。现将其中部分器物简介如下。

陶器与泥钱。陶器主要分布于墓室东北部。陶器多破碎，经修复，可辨器形有鼎、锤、壶、钫、罐、坛、瓮、熏炉等，计34件。另出土泥钱数万枚。除罐为印纹硬陶外，其余多为泥质灰陶，少量为夹砂灰陶。

铜器。包括镜1件，弩机部件1件，铎2件，吊饰1件，熏炉1件及环状器1件。铜泡饰1件。

漆器。保存较差，可辨器形有卮1件。

玉器。璜1件。一端残失，余呈不规则四边形。

铁器。剑1件，铺首衔环1件，臿1件、锄1件、钉11件及残件1件。

第三部分"结语"中说，此墓时代为西汉早中期，虽曾被盗，但墓葬规格较高，为研究汉代长沙国王室墓葬提供了重要的实物资料。至于墓主，简报推断"风盘岭一号墓的墓主较可能是西汉早中期长沙国某代国王或王后"。

1144.湖南长沙五一广场东汉简牍发掘简报

作 者：湖南省长沙市文物考古研究所 黄朴华、雷永利、何 佳等
出 处：《文物》2013年第6期

该简报共分五个部分：一、地理位置及发掘概况，二、1号窖上部地层堆积及时代，三、1号窖概况，四、简牍概况，五、结语。有多幅彩照、黑白照及手绘图。

在第一部分"地理位置及发掘概况"中，简报写道，2010 年，长沙市文物考古研究所为配合长沙市地铁二号线建设，于五一广场站地下水管改迁施工中，在 1 号窖内出土了一批东汉简牍。1 号窖位于五一广场东南侧，地处长沙古城中心区域，距 2002 年走马楼西汉简牍出土点约 20 米，距 1996 年走马楼三国简牍出土点约 80 米。此窖中心点地表海拔高度为 45.11 米。

因 1 号窖是在地下水管水平横穿作业施工中发现的，对应的地表位置处于长沙市最繁忙的主干道五一路路面，发掘难度颇大。

出土遗物除了简牍外，尚有陶质建筑构件、木器等。当然，此次发掘最重要的发现，还是简牍。为此，简报列专节，予以介绍。

1 号窖内①~③层均出土简牍，据简报介绍，简牍在窖内分布不均，仅少量区域较为集中，为数十枚较集中的木牍，其余大多堆积散乱无序。简牍由于埋藏时间久远，大多出土时呈棕黑色，部分简牍出土时墨迹文字依然清晰。因发掘时采用了整块或局部整体提取的方法，目前大多尚未清洗揭剥，总数难以统计，初步推测简牍数量有"万枚"左右。简牍从材质方面区分，可分为木质及竹质两大类。形制可分为木牍、两行简、小木简、封检、封泥匣、签牌（木楬）、竹简、竹牍、削衣、异型简 10 大类，其中以木牍居多。书写面，木简大多为单面书写，少量为双面书写，而竹简均为单面书写。至于时代，就目前已整理的简文分析，初步判断这批简牍的时代主要为东汉早中期和帝至安帝时期。

简报认为，1 号窖位于东汉时期长沙府衙所在地，根据目前初步清理的简牍分析，简牍绝大多数为官文书，主要是下行文及上行文，亦见少量平行文及用于封缄文书的封检及函封、标识文书内容的楬（签牌）等。也有部分名籍及私人信函。

从内容上看，就目前初步清洗整理情况可知，该批简牍内容相当丰富，涉及当时的政治、经济、法律、军事诸多领域，都是当时使用的公文，有实效性。就行文关系而言，它主要是长沙郡及门下诸曹、临湘县及门下诸曹的下行文书，临湘县、临湘县下属诸乡、亭的上行文书，亦有与外郡县的往来文书。公文涉及地域广泛，从中可了解当时的行政区划及管理体系。所见郡名有长沙郡、南阳郡、武陵郡。县名有临湘、鄙、连道、南昌、临沅、安陆、攸、邵等。乡名见都乡、桑乡、长赖乡、南乡、南山乡、澪阳乡、中乡、小武陵乡等，这些乡大多属临湘县管辖。亭见（都乡）三门亭部、（桑乡）广亭部、（南乡）逢门亭部、（县）都亭部、磨亭部、郭亭部、靡亭部、杆亭、东门亭、伦亭部、湘中亭、小武陵亭部、沱亭部、雍亭部、长赖亭、东门亭、湘中亭、构陵亭等。里名见（都乡）利里、（南乡）匠里、逢门里、东门里、（中乡）泉阳里、竹遂里。丘名见（逢门亭）李丘、祖唐丘、方丘、枇丘、（广亭）董上丘、桥丘、（长赖亭）庐蒲丘、上解丘、（伦亭）萍丘、上辱丘、良人丘、（沱亭）

芎渚兵、（雍亭）帛租丘。又见津渡如下津、西津。从简文中各级行政划分叙述中，可探索各区划间的统属关系，说明当时不仅有乡辖里的居地划分，同时也有乡统亭、亭辖丘的区域划分，两个体系共存，许多乡、里、丘的名称也见于走马楼三国吴简，说明某些体制一直沿用至三国时期。

据简报介绍，文书的责任人或撰写者多为各级官吏，所以简文所见职官名目繁多，是研究东汉官僚体系的第一手资料。常见机构与官吏有太守府，见长沙太守府、长沙府。太守副手为丞，见长沙太守丞、长沙太守行文书事太守丞。文秘长官见府卒史。军职见中部司马、武陵大守伏波营军守司马。县级机构称"廷"，首长为令或长，见临湘令。副手为丞与尉，见丞、守丞、左尉、守右尉、攸右尉。文秘事务由令史处理。郡县门下诸曹及诸部掾，史上称谓很多，如督邮，见长沙大守中部督邮书掾、都部督邮掾，东部邮亭掾；贼曹见贼曹掾、史、贼捕掾、左部贼捕掾、右部贼捕掾、左贼兼左部劝农贼捕掾、兼贼曹史、左贼史、右贼史；功曹；尉曹；辞曹见辞曹史、兼辞曹史；奏曹见奏曹掾；户曹见户曹史；度曹掾；仓设仓曹，见左仓曹史；与司法相关者还有中部案狱掾，左部领讼掾，狱掾、狱书佐、兼狱史、狱助史；管理诸乡事务者有离乡掾；乡设有秩、啬夫，见南山乡有秩；都乡有秩、南乡有秩，由佐干等处理日常事务，见南乡佐、剧乡佐、乡干等。诸亭设长，见都亭长、东门亭长、湘中亭长、逢门亭长、广亭长等；里设正，又见正干；伍设伍长，见都伍长，亦称小伍长；邮驿单位见都邮，西津驿、楮溪邮佐等；人质拘押机构见武陵临沅保人宫。屯兵或屯田机构见屯营，又见屯长。从具体简文中可探知各机构的业务内容及官员的职权范围。

简牍中有大量与司法相关的内容，涉及刑事、民事、诉讼等。

罪名或罪行的记录。侵犯生命犯罪见杀人、格杀、劫杀、殴杀、流死（自杀或他杀）死罪，非殊死，属杀人及叛逆一类重罪。斫、把刀斫、以解刀刺、拔刀斫、射伤、殴击，属伤害罪。烧宅，属纵火罪。和奸，为通奸罪。上述犯罪皆由汉代《贼律》所规范。

侵犯他人财产或严重经济犯罪见盗、墨盗、墨发钱、夺衣钱、劫、夺田财物。通财，在部受取钱、罪狼藉、诈卖、略卖、不当得田等，属严重经济犯罪。上述犯罪皆由汉代《盗律》所规范。

其他刑事犯罪尚见亡、逃亡、墨解械去亡、取衣钱物亡等。

涉及职务犯罪者见不承用诏书、无状、职事留迟、不以盗贼责负为忧、不以征逮为意、不觉、不知情（有意或无意）、稽留、失期不言、系无罪、更相推移等，多与失职及不作为有关。

因诉讼不当而产生的罪名见巨异不相应、不相应、两相诬、两相侮辱、狡猾转相诬、自诬无检验、辞有增异、畏痛（诬）等。

诉讼执法记录。诉讼称劾、鞠，为汉代《囚律》所规范。执法行为则多由《捕律》规范，见逐、逐捕、逐召、禽、拘系、拘留、收、收系、夺收捕、系亭、手械等。调查审核见案行视、案诊视、案行、实核、实问、考问、考实、复考等。判决行为称"治决"，又见"以实附法比"等实施办法。取证担保见证、证见、任、葆任等。

刑名及行政处罚见耐、耐为司寇、司空作，免为庶人、适作、谇等。

涉及伤势检验见疾病、创等称谓。

从司法类简牍的行文亦可看出当时诉讼程序及各级机构的职权范围，这对研究东汉法制史具有重大价值。

简牍中亦屡见物品乃至土地交易的记载，涉及具体物价，如"牛肉五斤，斤直七七，鲶三斤，直钱卅；胃三斤，直卅；胡果一斗，直七五；葱五把，直七五""上马直钱四万""钱一万，以雇冢地五百六千"等。

在第五部分"结语"中，简报得出以下几点结论：

一是1号窖与以往长沙简牍出土于古水井不同，推测可能属于当时官府建筑内的储物窖，废弃后变成了堆积生活垃圾的灰坑。

二是此次出土的简牍，形制多样，最具特色的是大木牍、两行简以及各类封检。大木简尺寸较长，接近长沙三国吴简中的大木简尺寸。两行简是十分具特色的一类，两行简是每简书写2行字的宽简，宽度介于书写单行字的窄简与书写多行字的木牍之间，颇具特色，有编痕，原为多简编册，今已散乱，这类简屡见于居延汉简及敦煌汉简。封检早在2004年长沙东牌楼东汉简牍中就发现多种形制，但此次发现的A、B型封检，在长沙地区却是首次发现，其中B型封检类似中部呈圆锥火山形佉卢文木简，这为封检形制的研究，增添了新的材料。

三是此次发现，对研究书法也有意义。就简文书体而言，该批简牍大多为官文书正本，由于文书的责任人或撰写者多为各级官吏，故书体相对端正，甚少草稿。就字体而言，隶书居多，结构平正，波挑分明；也有一些笔画较粗，波磔不明显而趋于楷化的写法。草书见于名籍及批示文字，结构也相对周正，略带隶势，用笔流畅，或可称作隶草。尚有少量习字简，字体为隶书的草率写法，多重叠。

简报最后指出，以往全国各地出土的东汉早中期简牍较少，且传世史料对该时期的记载较为缺乏，此次出土纪年明确、数量众多的官府档案文书，对于弥补该时期简牍缺环以及补证史料均具有极其重要的学术价值。这批简牍数量众多，保存较好，形制规整，字迹清楚，相信随着整理工作的深入开展，还会有大量以往未知的历史信息出现。

株洲市

1145.湖南攸县发现西汉五铢钱铜范

作　者：湖南省博物馆　李孔璧
出　处：《文物》1984 年第 1 期

1977 年 8 月，攸县柏树下公社凤塔大队井边生产队发现 2 套西汉五铢钱双合铜范。形制基本一样，均长 14.2 厘米、宽 6.6 厘米，重 800 克。每套铜范由正反两块扣合而成，上有 3 枚乳状卯榫，浇注口呈三角形，通向 8 枚五铢钱。范背有两道凹槽，便于执握。

根据钱文"五"字作曲笔交叉等特点，简报判断这两套铜范大致应为西汉宣帝时的遗物。

1146.湖南茶陵县濂溪汉墓的发掘

作　者：湖南省文物考古研究所、茶陵县文化局　吴顺东
出　处：《考古》1996 年第 6 期

茶陵县火田乡濂溪村，位于乡政府驻地西南约 4 公里。这一带有以汉墓为主的古墓数百座，多分布在村南里许的窑背山地势平缓的山腰上。1985 年 8 月，考古人员对 6 座墓葬进行了发掘，历时 10 天。简报分为：一、墓葬形制，二、随葬器物，三、时代，共三个部分。有手绘图。

据介绍，此 6 墓皆为小型长方形竖穴墓。编号为 M1 ～ M6。M6 规模最大，M3 规模最小。M1 ～ M3 为单人葬，M4 ～ M6 为双人合葬。双人合葬墓墓底中间有沟，把墓室分成左右两部分。随葬器物多置于沟内。6 座墓均未经扰乱，器物基本保存完整，但人骨及葬具俱已腐朽无存。共出土随葬品 121 件，有陶器、铁器、铜器、石器。以陶器最多，铁器次之，铜器仅有 1 件铜环及 100 余枚朽坏的铜钱。

此 6 墓的时代，简报推断为西汉中晚期至东汉初年。

湘潭市

1147.湖南湘乡可心亭赵家山西汉墓

作　者：湘乡县博物馆文物工作队
出　处：《考古》1959 年第 12 期

可心亭、赵家山在湘乡县城西约 3 公里，涟水西南约 2.5 公里的地方。1958 年 8 月，考古人员发现该地有很多封土堆，认为是 1 处古墓葬群。10 月，进行清理发掘，自 10 月 22 日开始，至 12 月 10 日止，共清理了 32 座汉墓，出土物很多。其中，13 号墓是座比较大型的、出土物较丰富的西汉墓，简报先行介绍了此墓的发掘情况。

据介绍，13 号墓在 1 个较矮小的山丘上，墓上面有 1 个高 5 米左右的封土堆，墓室为长方形竖穴。随葬器物分布在墓室的左右两侧和头端，在头部的枕木沟内放 1 件铜博山炉，头部放 1 件铜镜，其余的随葬器物均放在墓室的左侧。有陶器、铜镜、滑石器等。

简报推断年代为西汉后期。

1148.湘乡西郊发现东汉墓

作　者：湘乡县博物馆　文素心
出　处：《考古》1965 年第 12 期

1960 年 2 月，考古人员在湘乡县西郊罗家坟山清理了 1 座东汉砖室墓。简报配以拓片、手绘图予以介绍。

据介绍，该墓有高 1.1 米的封土。墓分前后室，前室有拱门 2 道，后室有拱门一道，顶部起券。壁砖平铺直砌，底砖横直交错平铺，砖上有对角堆纹。随葬器物有陶器、铜器和铁器等。还有银戒指 5 只、水晶珠 5 颗、玛瑙珠 3 颗和料珠 2 颗。

从墓室结构、墓砖纹饰、铜镜及五铢钱等来看，简报推断该墓可能是东汉晚期的墓葬。

衡阳市

1149.湖南衡阳豪头山发现东汉永元十四年墓

作　者：张欣如
出　处：《文物》1977 年第 2 期

1973 年 3 月，考古人员在衡阳市西南 9 公里的豪头山清理了 5 座东汉墓，其中 1 座的墓砖上有"永元十四年"（102 年）字样。该墓的情况，简报配以照片予以介绍。

据介绍，墓为长方形券顶砖室墓。券顶已垮，墓室内塞满淤泥和乱砖。清理时在甬道上端发现有盗洞。分甬道和墓室两部分。墓内随葬器物由于被盗，仅剩残破陶器，主要有陶灶、陶坛、陶鸡制、陶屋顶、陶猪、陶井架、铁釜。

简报推断，此墓时代为东汉初期。

1150.湖南衡阳县道子坪东汉墓发掘简报

作　者：湖南省博物馆　金则恭
出　处：《文物》1981 年第 12 期

道子坪位于衡阳县城西渡镇东北边的福溪公社，湘江支流蒸水下游的东岸，距城约 15 公里，为一处丘陵地区。1976 年夏，这一地区陆续发现了许多砖室墓，为了配合农田基本建设，保护好文物，同年 11 ～ 12 月，考古人员发掘和清理了一批砖室墓。其中 76 衡道一号墓规模较大，虽已被盗，仍出土了一批珍贵的文物。简报配以拓片、照片予以介绍。

据介绍，一号墓是一座有高大土堆的砖室墓葬，该墓为一座多室砖墓，分前、中、后三室。尸骨未存，葬式不明。出土的器物有五铢钱、铜器、铁器、陶器、银器等。另外，墓中还发现残陶器和漆耳杯、漆盘残片以及朱砂等。一号墓的年代简报推断当在汉代恒、献之际。

简报称，衡阳县在西汉时属长沙国，原为承阳、重安二县。东汉时属零陵郡，并改承阳为侯国。道子坪属古承阳侯国范围之内。从一号墓前后已发掘的二号、三号汉墓来看，规模都比一号墓小，出土的器物如五铢和陶罐则与一号墓同时期。三号墓墓壁砖上有"二千石"铭文的砖，联系一号墓出土器物的情况，我们推测一号墓墓主人的身份可能是"二千石"以上的官僚。

1151.衡阳市苗圃五马归槽茅坪古墓发掘简报

作　者：衡阳市博物馆　冯玉祥

出　处：《考古》1984 年第 10 期

1981 年 9 月至 1982 年 1 月，考古人员配合基建工程，在衡阳市江东区西南面的苗圃、五马归槽、茅坪一带共清理古墓 56 座。

重点发掘区为苗圃山、五马归槽山 2 个墓地，苗圃山东与古汉城郗湖遗址接壤，五马归槽山西面临湘江。两山相望不到 0.5 公里，均为不高的小土包。在拆房复建范围内暴露出墓葬，对此进行了全部清理。

简报分为"第一类""第二类""第三类""第四类""结语"，共五个部分予以介绍，有手绘图、照片。

以上分述的 4 个类型墓葬，唯第一类形制为长条形而浅，随葬器物甚少。简报推断时代为春秋晚期。第二类墓葬在形制上比第一类略宽，不少墓出现了二层台与龛坑，个别有枕木沟，制作也较前者规整。随葬品中陶器已有一至四样，并有圜底壶、钵共存。这类墓应由第一类发展而来，其时代稍晚些。简报推断时代为战国早期。第三类在形制上承袭了第二类窄坑，但也有了不少长方形。还有的近似方形。龛坑绝迹。一般有枕木沟。一角有脚窝。随葬器物增多。简报推断时代为战国中期。第四类和第三类比较，有的宽大而没有斜坡墓道。随葬器物以鼎、盒、壶，个别有钫为组合形式，且数量也逐步增多。豆、敦绝迹，普遍出现了印纹硬陶坛、罐等器物。并与铜半两、个别泥半两共存。

简报推断时代为西汉早期。

1152.湖南耒阳发现两件东汉铜镜

作　者：何新民

出　处：《文物》1990 年第 2 期

1987 年，湖南耒阳县城关镇聂洲村农民开山取土时，发现铜镜 2 件，现由衡阳市博物馆收藏。简报配以拓片予以介绍。

据介绍，根据发现者介绍，2 件铜镜同出于一长方形坑，有铜盆、陶罐伴出。

简报称，铜镜 1 为六乳六禽镜，1 为龙虎镜。皆呈青中泛灰色，镜面微凸，光亮形体较小。其中 1 件铜镜的龙虎纹饰较为特殊。

根据器形、纹饰及伴出器物分析，简报推断为东汉遗物。

1153.湖南衡阳荆田村发现东汉墓

作　者：衡阳市文物工作队　唐先华
出　处：《考古》1991 年第 10 期

1988 年 4 月，在荆田村发现古墓葬。考古人员前往实地勘察，发现一批东汉墓葬被当地村民取砖破坏。4 月 17 日至 5 月 7 日，进行了抢救性的清理发掘。共清理墓葬 8 座（编号为 88 岳荆 M1～M8），其中土坑墓 1 座、砖室墓 7 座，出土文物 114 件。简报分为：一、地理位置及墓葬形制，二、随葬器物，三、结语，共三个部分。有手绘图。

据介绍，荆田村位于南岳区南岳镇东南方，距区政府约 7.5 公里。墓葬分布在该村谭家湾旷家山东南山坡上。墓葬方向基本一致。这里是 1 处东汉墓群，总数为 200 座以上。这次仅清理了 8 座。8 座墓葬共出土随葬器物 114 件，其中陶器 84 件、铁器 20 件、铜器 10 件。另出土铜钱 300 枚。M1 出土有"元兴元年"（105 年）纪年砖。简报认为此 8 座墓均属东汉早期或中期前段墓葬。

1154.湖南南岳万福村东汉墓

作　者：衡阳市文物工作队　向新民、陈明庆
出　处：《考古》1992 年第 5 期

1987 年 6 月，为兴建南岳加油站，在南岳镇万福村王家山破坏了一批古墓。衡阳市文物工作队闻讯后，随即派考古人员进行清理。简报分为：一、墓葬形制，二、随葬器物，三、结语，共三个部分。有手绘图、拓片。

据介绍，王家山位于南岳镇西南约 12 公里。墓葬分布于山南坡。共清理土坑墓 1 座，砖室墓 4 座。清理前，墓葬破坏严重，随葬器物有陶器、铜器、铁器共 16 件。这批残墓所出土的随葬器物，虽没有完整的组合，但与湖南各地东汉墓中习见的侈口罐、敛口罐、敞口釜、盘口釜、釜架、环首刀等的情况一致，且器物特征也基本相同，所以简报推断该墓的年代为东汉晚期。

1155.湖南衡阳市凤凰山汉墓发掘简报

作　者：衡阳市文物工作队　贺兴武、向新民、愚　如
出　处：《考古》1993 年第 3 期

1988 年 5 月，为配合基建，考古人员对衡阳市江东区凤凰山古墓葬进行了抢救

性的发掘，共发掘墓葬9座，其中西汉墓6座、东汉墓3座。墓葬位于凤凰山中部北坡。因建厂铲土，墓葬的封土堆及墓室上部已被铲平。简报分为：一、西汉墓，二、东汉墓，共两个部分予以介绍，有手绘图。后附两表，列举西汉墓、东汉墓的墓号、形制、规格、方向、随葬器物等。

据介绍，6座西汉墓（M1～M5、M8）均为长方形竖穴土坑墓。葬具、尸骨腐朽无存，葬式不明。随葬物排列有序，多置于一侧，M8置于两侧，M4置于两侧及头端，均未被扰乱。共出土随葬物130余件，其中陶器119件、铜器5件、铁器1件、滑石器1件，此外还有泥钱、泥金饼等。3座东汉墓（M6、M7、M9），均为长方形竖穴土坑墓，其中M6、M9有墓道。出土遗物有陶器、铁刀、铜钱等。简报推断3座墓为东汉早期墓，或稍后。

1156.湖南衡阳市郊新安乡东汉墓

作　者：衡阳市文物工作队　唐先华

出　处：《考古》1994年第3期

1990年12月，为了配合衡阳市烧碱厂一期工程的施工，考古人员在市郊新安乡金兰村进行了1个月的考古发掘工作。共发掘墓葬14座（编号为90郊新M1～M14），出土文物共51件。简报分为：一、地理位置与墓葬形制，二、随葬器物，三、小结，共三个部分。有手绘图、拓片。

据介绍，这批墓葬形制，虽有有甬道和无甬道之分，但均为单室；其墓壁砌法、砖的规格及纹饰，均基本相同，表明为同一时代的墓葬。但从随葬物特征分析，这批墓葬可分为同一时代的不同阶段。

M1、M6、M14这3墓，均为券顶砖室墓。M14无甬道，且保持完整。墓壁用砖纵列错缝叠砌，铺地砖砌法与本市豪头山永元十四年（102年）墓相同。3墓随葬的陶器，多为泥质灰陶，其组合形式为实用器加明器。同时M6出土的钱币均为Ⅰ式五铢。据此，简报推断，这3座墓葬的年代当属东汉早期或稍后。

M4、M13这2墓，均为砖圹墓，随葬物排列方法基本一致。但M4设有土坑墓道，且墓壁及铺地砖砌法与南岳荆田东汉墓相同，出土的陶坛与荆田Ⅱ式相同，简报推断其时代相当于东汉中期。M13墓葬形制为本地东汉晚期墓的一般特征，且出土有青瓷器，简报推断其时代相当于东汉晚期。

M2、M3为异穴合葬墓，保存完整。两墓形制、随葬物数量与器形均相同。特别是双系壶，除质地差别外，形制相似，且口部均残缺，当是有意打破后随葬的，应是同一种葬俗所致。两墓室相距5米，且M3大于M2，随葬双系壶为青瓷，M3

下葬时间当晚于 M2，但相距时间不会太久。同时 2 墓出土的 8 枚钱币中有 7 枚属 II 式。因此，简报推断 2 墓时代似为东汉晚期较为合适。

M5、M7 ~ M12 这 7 墓，均为带甬道的券顶砖室墓，虽然墓壁、铺地砖砌法不同，且甬道的长短也不相同，但基本结构形制相同，表明其时代相当或相近。这 7 座墓葬的相对年代，简报推断应为东汉晚期。

简报称，14 座东汉墓，可分为早、中、晚三期。早期 3 座（M1、M14、M6）；中期 1 座（M4）；晚期 10 座（M2 ~ M3、M5、M7 ~ M12），而 M3、M13 各出土有青瓷双系壶，其时代略晚。

1157.湖南衡阳市玄碧塘西汉墓清理简报

作　者：衡阳市文物工作队　朱建中
出　处：《考古》1995 年第 3 期

1988 年 3 月，衡阳市玄碧塘驻衡 54088 部队营房内新建办公楼，在施工中发现古墓葬，为 3 座汉墓（编号为 88 衡玄 M1 ~ M3）。简报分为：一、墓葬形制，二、随葬器物，三、结语，共三个部分。有手绘图、拓片。

据介绍，玄碧塘坐落在衡阳市南郊。3 墓呈"品"字形分布，相距约 10 米，均为土坑竖穴墓，封土无存，葬具、人骨均已朽。3 墓共出土随葬品 108 件，其中陶器 92 件，另有少量铜器、铁器、滑石器、钱币等。3 墓年代，简报认为应为西汉文帝至武帝以前时期。

1158.湖南衡阳县赤石天门山西汉墓发掘简报

作　者：衡阳市博物馆　郑均生、陈明庆
出　处：《江汉考古》2005 年第 4 期

1986 年 12 月，为配合农田水利建设，考古人员在衡阳县赤石乡东风村天门山发掘了 1 座西汉墓葬。衡阳县赤石乡天门山，西距衡阳市 40 公里。在赤石乡天门山东南 4 公里的三湖町，有西汉早期钟武县故城址。西汉初期，钟武县属长沙国。简报分为：一、墓葬形制，二、随葬器物，三、结语，共三个部分予以介绍，有手绘图。

该墓是带墓道长方形土坑竖穴墓，地表尚存 3 米高的封土堆。出土随葬器物 54 件，其中陶器 50 件，其中有 5 套陶礼器鼎、盒、壶、钫的完整组合，出土 30 件日常生活陶器，还伴出大量泥郢称、泥半两。随葬器物从侧面反映了楚国故地衡阳在西汉

早期，一方面承袭战国晚期楚国的礼制习俗，另一方面又开启西汉中晚期的封建田园经济生活新风尚。

1159.湖南衡阳市兴隆村两座东汉砖室墓

作　者：衡阳市文物处　唐先华、唐浩中、曹支邻等
出　处：《考古》2010 年第 4 期

2004 年 11 月，湖南衡阳市雁峰区华港饲料厂在修建通往西外环路的厂区公路时，发现古代青砖。经衡阳市文物处现场勘察确认，此处有两座东汉砖室墓，随后对其进行了抢救性发掘。墓葬位于衡阳市雁峰区岳屏乡兴隆村七组，东距湘江约 10 公里。M1 位于 M2 北面约 35 米，封土尚存，墓室保存完整；M2 的封土无存，券顶坍塌。简报分为：一、一号墓，二、二号墓，三、结语，共三个部分。有彩照、手绘图、拓片。

简报指出，M1、M2 的年代，应均为东汉早期。其中 M1 当为早期后段。简报提到，在衡阳市发现的东汉墓中随葬五铢钱的不少，但将五铢钱集中放在 1 件陶罐内的情况不多见。此次发掘的 M2 中，五铢钱就集中放在 1 件陶罐内。另外，M2 中还出土了 1 件陶作坊模型，其外表与陶屋模型一样，但器内放置模具与工具，为研究当时手工业的生产情况提供了参考资料。

邵阳市

1160.湖南新宁县出土汉代窖藏铜钱

作　者：杨平怀
出　处：《考古》1984 年第 12 期

1983 年春，新宁县白沙园艺场农民挖土时，发现 1 窖古铜钱，重 30 公斤。出土时，是一串串堆叠在一起的，钱绳已朽，大部分钱文清晰可辨。简报配以拓片予以介绍。

据介绍，经过清理，有六种货币。

西汉半两，直径 2.4 厘米、穿宽 0.8 厘米，平背，无内外郭。

西汉五铢，径 2.5 厘米、穿 1 厘米，背面穿、边有郭，"五"字相交，两划略向内收。

大泉五十，径 2.4 厘米、穿 0.9 厘米，正、背面有内外郭。

货泉，径 2.2 厘米、穿 0.8 厘米，正、背面有内外郭。

东汉五铢，径 2.6 厘米、穿 1 厘米，正面穿无郭，背面穿、边均有郭。

剪轮五铢，径 2 厘米、穿 1 厘米，字体与东汉五铢同，应为东汉剪轮五铢。

简报称，这批铜钱以五铢钱最多，其中又以东汉五铢居多，次为剪轮五铢、西汉五铢，最少是西汉半两。铜钱的窖藏年代，简报认为似应为东汉末年前后。

1161.湖南邵东县冷水村发现一座东汉墓

作　者：曾少华

出　处：《考古》1992 年第 10 期

1989 年 5 月间，邵东县西南约 500 米处的魏家桥乡冷水村一农民在其屋前取土制砖时，发现 1 座砖室墓。县文物干部闻讯后立即赶往现场。当时墓顶已被掀开，部分器物已被取出。墓葬清理情况，简报配以手绘图、拓片予以介绍。

据介绍，墓葬方向 210°，墓顶距地表 0.8 米，由甬道、前后墓室及耳室组成。墓砖为青灰和黄灰色，以青灰砖为主，有长方形砖和楔形砖 2 种。共出土陶器 15 件、铁器 3 件、钱币 141 枚，皆置于耳室内。该墓的时代，简报推断为东汉早期。

1162.湖南邵阳市城步花桥乡发现一座东汉墓

作　者：邵阳市文物局　申小娟等

出　处：《考古》2007 年第 10 期

1991 年 7 月，邵阳市文物工作队与城步县文物管理所对城步花桥乡杨田村的汉墓 M1 进行了抢救性发掘。简报分为：一、墓葬形制，二、随葬器物，三、结语，共三个部分予以介绍，有手绘图。

据介绍，该墓位于城步以北云山脚下的花桥乡，与武冈接壤，这里地处偏僻，人迹罕至，墓葬封土堆保存完整。圆形封土堆为平顶，底直径约 14 米、高约 3 米。土质松散，封土堆东侧自底部向上有 5 级人工堆砌的不规则石阶梯，再向上的石级被扰乱破坏。墓穴为长方形土坑，墓向正北，墓口至墓底深 5 米。填土为五花土，墓壁垂直光滑。墓道呈斜坡形，位于墓室北端。棺木已朽，长 1.8 米、宽 1 米。随葬器物有陶器、铜器、琉璃器和滑石器。

该墓的年代，简报推断为东汉早期。但该墓出土的陶器不如湘中地区那么丰富，品种也较少。在整个邵阳地区还未发现过有鼎、敦等的器物组合，此墓也未出土鼎、敦，这在湖南汉墓中是较少见的现象。滑石器是邵阳市首次发现，此墓只出土耳杯、盘、灯、璧等，制作也较粗糙，无纹饰。

1163.湖南邵东县廉桥东汉墓的发掘

作　者：邵阳市文物局　曾晓光等

出　处：《考古》2008年第8期

廉桥汉墓群位于湖南邵东县廉桥镇褚塘村和廉桥村的烟堆岭，东南距汉代昭阳侯国古城14公里，北距320国道60米，南侧为烟堆岭山岗。由于早年农田基本建设，一些砖室墓的券顶大部分遭到毁坏，墓葬未见封土痕迹。2004年，由于商业用地，考古人员于2004年9～10月进行了抢救性发掘，共发掘汉墓11座。简报分为：一、墓葬形制，二、出土遗物，三、结语，共三个部分。有手绘图。

据介绍，此次在北坡发掘汉墓10座，在西北坡发掘汉墓1座（另有5座墓葬与M11成排，因早年遭到完全破坏，调查勘探后放弃）。这些墓葬地表封土遭到破坏，墓内也均未发现人骨和棺木。墓葬均为砖室墓，有刀形券顶单室、"凸"字形券顶单室和长方形单室3种。随葬器物详见所附登记表，有的已被盗。

简报称，该地是一处大型汉墓群，此次发掘仅是整个墓群中的极少部分，简报推断年代不晚于东汉中期。

简报指出，在距廉桥镇约14公里的黄坡桥乡村有汉代昭阳侯国城址。据《汉书·王子侯表》记载，汉孝平帝元始五年（5年），在昭陵县东境置昭阳侯国，封长沙史之子、汉景帝六世孙刘赏为昭阳侯。现在的邵阳市在两汉时隶属于昭陵县，廉桥在其东面，是昭阳侯国的属地。昭阳侯城历经西汉、东汉、三国至隋代，达600余年之久，一直是当地政治、经济、文化中心。廉桥东汉墓群与昭阳侯城或有关联。邵东廉桥东汉墓群的发掘，为研究湘西南地区汉代政治、经济、文化等提供了资料，尤其对研究资水上游邵阳地区汉墓的形制与分期、随葬品的特点等，有着十分重要的意义。

岳阳市

1164.华容发现东汉墓葬和遗物

作　者：华容县文化馆　李正鑫

出　处：《江汉考古》1992年第2期

1986年3月，华容县城关镇第四小学在修草坪时发现一组东汉墓群。墓葬位于县城以北约1公里的阴咀山。考古人员清理了其中1座残墓，收集了学生挖出的遗物。简报分为：一、墓葬形制，二、出土遗物，三、结语，共三个部分。有拓片、手绘图。

据介绍，该墓为砖室墓，平面呈"凸"字形。全长4米、宽1.8米、残高0.6米。从倒塌于墓室内的楔形砖看，为券顶。清理的残墓未见随葬品。出土遗物是学生在同一地点其他墓葬中挖出的。有铜器、铁器、陶器。

简报称，华容地处湘北、长江南岸，这里发现东汉墓尚属首次。东汉末年，华容名"安南"，属武陵郡。这里发掘的东汉墓葬和出土的东汉遗物，为研究华容县城历史提供了实物资料。

常德市

1165.湖南常德南坪东汉"酉阳长"墓

作　者：湖南省博物馆　熊传新

出　处：《考古》1980年第4期

南坪位于常德市北郊，距市区约15公里，地势平坦，属于洞庭湖平原。1973年11月，农民在平整土地时，发现了古墓葬，考古人员在调查过程中，发现大小土堆70～80个，其中大部分土堆属于东汉时期的砖室墓，少部分为西汉时期的土坑墓。对7个已暴露出来的砖室墓进行了发掘和清理，其中有6个砖室墓已被盗掘或仅留墓底，出土器物不多，只有一号墓保存完整。简报分为：一、墓葬形制，二、随葬器物，三、结语，共三个部分。有拓片、手绘图。

据介绍，该墓尚保存有约2米高的封土，为双室券顶砖室墓，棺木已朽。随葬品有陶器、铜器、石印、琉璃鼻塞等计55件。应为夫妇合葬墓。石印上刻有"酉阳长印"，发现于男性死者胸部。据此，知此墓墓主应是东汉酉阳县（今永顺县南）县长。他可能是临沅人，故死后葬于临沅。该墓的年代，简报推断为东汉中期。

1166.湖南桃源大池塘东汉铜器

作　者：高至喜

出　处：《考古》1983年第7期

1975年4月初，湖南省桃源县大水田公社大池塘大队山竹湾生产队的桃水塘田塝中出土了一批东汉铜器。考古人员进行了调查，并收藏了全部出土铜器。简报配以照片予以介绍。

据介绍，从迹象看，应为窖藏。计圆壶 7 件、铜盘 1 件、铜簋 1 件、铜钟 1 件、铜方壶（已残）1 件、铜洗 11 件（其中 3 件有铭文）。简报推断为东汉铜器。

1167.湖南常德县清理西汉墓葬

作　者：常德地区文物工作队、常德县文化馆　刘廉银、宋　杰
出　处：《考古》1987 年第 5 期

1985 年 4 月，常德县灌溪乡三三砖厂员工在樟树山的山坡取土，发现大批古墓。考古人员进行了清理。简报分为：一、墓葬形制，二、出土遗物，三、结语，共三个部分。介绍了其中 M30 的发掘情况，有手绘图。

据介绍，樟树山是五里村 1 座小山岗，位于常德市西北 10 公里。樟树山的西、南、北 3 面是起伏的小山，唯有东面靠渐水是大平原。M30 正位于樟树山的东北坡上。该墓是长方形土坑墓，出土遗物有陶器、泥金饼、泥字块、泥钱、滑石器、玛瑙带钩等计 59 件。简报推断为西汉早期墓葬。该墓出土"长沙郢丞"官印，"长沙郢丞"应是死者生前官职。

今有胡琦峻先生《汉代官印选》（学苑出版社 2011 年版）一书，可参阅。

1168.湖南津市新洲镇清理两座东汉墓

作　者：津市文管所　谭远辉
出　处：《江汉考古》1991 年第 3 期

1989 年 5 月初，考古人员在津市南郊新洲镇豹鸣村七组杨家湾清理东汉砖室墓 2 座，编号"89·津·新·杨 M1、M2"（简称 M1、M2）。2 墓是当地农民挖黄土时所发现。简报配以手绘图予以介绍。

据介绍，墓葬位于新洲镇南面的舌袋岭东麓，东距澧水约 1 公里。2 墓并排而葬，方向基本一致，为东西向。M1 处南侧，M2 处北侧，间距最宽处（东端）为 1.43 米。两墓均为长方形券顶砖室墓。券顶及上部壁砖已不存，仅剩下部。M2 室内空无一物。M1、M2 这 2 墓葬具及人骨架均朽。出土器物 18 件，全出自 M1，其中陶器 15 件，仅有少量铜器、铁器。简报推断，2 墓时代为东汉前期。

1169.湖南石门出土窖藏青铜器錞于

作　者：龙西斌

出　处：《文博》1992年第4期

1989年10月，湖南省石门县雁池乡金盆村农民郑金华，在书房咀菜园掘出1块正方形的青石板，发现有窖藏铜器，立即报告了乡政府。县博物馆闻讯后，及时派人赶赴现场清理，窖穴为正方形，离地表深1.5米；发现铜錞于2件横卧窖穴中，头朝东平放，器身全用黄土填实。錞于出土处距县城西北85公里。简报配以照片予以介绍。

据介绍，两件錞于均为合范铸造，造型为肩部隆起呈圆鼓状，器身中空，腹横截面呈椭圆形。根据器形的大小、虎钮造型的不同分为两式。两件錞于应有时代先后，简报推断Ⅰ式虎钮錞于应属战国晚期作品，Ⅱ式虎钮錞于应为汉代制作。此器物应为汉代窖藏。

简报称，据考证虎钮錞于为古代巴族的军用乐器，石门县近几年共出土錞于20余件，居全国之首，这批錞于应属于军队使用的遗物，对研究少数民族人民反抗汉王朝斗争的历史，对研究古代巴族历史文化和巴族与中原文化的关系都具有重要价值。

1170.湖南桃源县出土一批东汉铜器

作　者：王英党

出　处：《考古》1993年第7期

1986年12月，湖南省桃源县兴隆街乡竹园村九组一村民烧木炭挖坑取土时，在距地面1.1米深处，发现一批铜器，考古人员前往现场调查。器物出土时集中埋在1处，摆放有序，无其他相关遗迹。因此，推测为1处窖藏。简报配以拓片、手绘图子以介绍。

据介绍，窖藏位于雪耳沟山坡上，县城西南方向48公里处。器物受自然腐蚀和人为破坏比较严重，但器形尚可辨认。计簋形器2件、甬钟1件、釜4件、盘1件、镳壶1件、壶4件。均未见铭文。简报推断这批窖藏铜器为东汉晚期遗物。

1171.湖南石门县出土窖藏錞于

作　者：石门县搏物馆　龙西斌

出　处：《考古》1994年第2期

1989年10月中旬，湖南省石门县雁池乡金盆村十组农民，在书房咀挖菜园时掘出 1 块正方形的青石板，其下发现有窖藏的铜器，考古人员赶赴现场清理，共掘出青铜錞于 2 件。简报配以照片予以介绍。

据介绍，2 件錞于均为合范铸造，肩部隆起呈圆鼓状，器身中空，腹横裁面呈椭圆形，保存较好。据湖南各地出土的古代錞于分析比较，2 件錞于应有时代先后。1 件形体高大，厚重，铸造精制，器身肩部圆凸处接近平盘，腹壁斜直内收，虎身均铸有纹饰，线条流畅。器形与四川小田溪、石门熊家岗出土的錞于相同，简报推断应属战国晚期作品。另 1 件，形体单薄，矮小，虎纽造型更加精致，与湘西吉首、石门县太子坡出土錞于相似，简报推断应为汉代作品。此器物应是汉代窖藏。

简报称，石门县近几年出土樟于 20 余件，居全国之首，对研究古代巴族的历史，以及巴族文化与中原文化的关系具有重要价值。

1172.湖南常德市东汉砖窑遗址

作　者：常德市博物馆考古部　王永彪、潘能艳
出　处：《考古》1997 年第 7 期

1992 年 10 月，考古人员在配合武陵开发区基建工程中，发现 1 座东汉烧砖窑址并进行发掘。据调查，此地原为 1 座小山岗，20 世纪 70 年代造田时被推为平地，耕地层下即为窑址。简报配以照片予以介绍。

据介绍，窑址除顶部塌陷损坏外，保存基本完好。窑体结构为操作坑、窑体、窑门、火膛、窑床。出土遗物主要有各种类型的砖，出土于塌陷的窑室内、窑床底部和封门处。窑室顶部虽已塌陷，但窑内堆积坍塌的土块，多为生土烧结后的破碎板块。窑址所在地区有大型东汉墓。简报推断，砖窑的年代当与这些墓葬年代相近，同属东汉中晚期。

1173.湖南常德市城区发现汉代砖窑

作　者：常德市文物处、常德市博物馆　龙朝彬、郑祖梅
出　处：《江汉考古》1998 年第 2 期

为配合常德市物资贸易中心大楼的修建，1994 年 7 月，考古人员进行了考古勘探和发掘，清理了汉代砖窑 1 座和宋、元、明等时代墓葬一批。简报配以手绘图先行介绍汉窑（简称 Y1）的发掘情况。

据介绍，汉窑（Y1）位于常德市城区北部、武陵路中段西侧，南距况江 800 米，居工地之西北部，与 1992 年于市区西郊发掘的另 1 座汉代砖窑（简称 Y2）相距 2.5

公里，往北和往东的大片范围内分布着数量极大的汉墓群。Y1由窑门、火膛、窑床、烟囱、窑外排水管组成。主要产品为墓砖。燃料主要为毛竹。

该砖窑时代，简报推断为东汉早期至东汉中期。

1174.湖南常德市芦山乡发现一座东汉墓

作　者：常德市文物事业管理处　龙朝彬、潘能艳、郑祖梅等
出　处：《考古》2004年第5期

1996年5月，常德市市区东郊芦山乡1座东汉墓被盗，考古人员立即配合公安部门进行了追查，追缴了被盗文物，并且对被盗墓葬进行了清理。简报分为：一、墓葬概况，二、随葬器物，三、年代及相关问题，共三个部分予以介绍，有手绘图。

据介绍，墓葬（编号简称为M1）位于常德市区东南11公里处的芦山乡台家铺村，东北距汉代索县城址12公里，西距芦山至断港头的简易公路50米，周围多为鱼塘。墓葬处地势较高，原有封土，据村民介绍，原来墓葬的封土直径达15米，高3米以上。早年在农田基本建设中被夷为平地，后来，村民挖鱼塘时，又使墓室的北部暴露出部分，村民取土时发现墓中文物并取走了其中的大部分，剩余部分被打碎填入池塘中。M1为并列的双室券顶砖室墓，大小略有差别，中间有1条用砖侧砌而成的通道。墓壁均用砖错缝平铺砌成。砖与砖之间有一层薄泥沙。在距墓壁一端1米处用砖侧砌成0.35米宽的墙，在墙与墓壁之间用2层砖铺成小平台，从而形成棺床。在距墙的一侧近0.3米的范围内没有铺地砖。墓室拱顶已毁，葬具和人骨情况不明。简报推测该墓的年代应在王莽时期至东汉初年之间。

简报称，该墓的结构独特，左右并列2室，1大1小，2室相距0.3米，中间用砖侧砌1条通道，并且在两墓壁上各留一直径0.2米左右的小孔相通，可能是墓主人之间地下往来的通道。该墓可能是夫妇合葬墓，与湖南及其他地方东汉中后期流行的同一墓内多室多人的家族合葬墓不同，应是西汉异穴合葬墓向东汉同穴多室合葬墓的过渡。

简报指出，该墓出土的部分遗物釉色均匀，但其胎质疏松，吸水性高于瓷器，釉易脱落。部分硬陶器的胎质吸水性极小，足可以与瓷器媲美，但却无釉。二者均不能称为瓷器。这正说明了芦山东汉墓出土陶器正处于陶器向瓷器的过渡时期，但尚未发展成为真正的瓷器。

1175.湖南常德南坪"汉寿左尉"墓清理简报

作　者：常德市博物馆　文　智
出　处：《江汉考古》2004 年第 4 期

　　1998 年底，考古人员为配合常德城区柳叶大道的修建，在南坪穿紫河清理了各历史时期古墓葬 80 余座，其中"汉寿左尉"墓是这批墓葬中规格最高、保存最为完整的 1 座东汉中晚期砖室墓，所出随葬器物包括陶、铜、滑石、石等质料的实用器或明器共 20 件（铜钱除外）。简报分为：一、墓葬形制，二、随葬器物，三、结语，共三个部分予以介绍。有手绘图、拓片。

　　据介绍，该墓是 1 座近东西向的"中"字形砖室墓，由甬道、前室、后室 3 部分组成。甬道、后室顶部已坍塌，但未被盗过。简报推断为东汉中晚期墓。常德在汉代属武陵郡。索县城（汉寿城）位于今常德市鼎城区断港头乡城址村，而该墓则出土有 1 枚阴刻"汉寿左尉"的滑石印章，可知该墓的时代早不过索县更名为汉寿作为荆州刺史治所之时，即公元 134 年。由此枚滑石印章和另出的 1 枚铜印章推测，墓主人生前曾先后担任过"武乡"和"汉寿左尉"之官职。

1176.湖南常德市南坪东汉墓

作　者：常德市文物管理处　文　智等
出　处：《考古》2006 年第 3 期

　　南坪岗古墓群位于常德市城区北部穿紫河地带，南距河水约 2 公里，北与梁山太阳山丘陵岗地相连。20 世纪 70 年代，为配合省道 1804 线改道工程，考古人员曾在此清理一批汉代墓葬。1998 年底，为配合常德城区柳叶大道的修建，再次在此抢救性清理了各历史时期的古代墓葬 80 余座（以汉代墓葬为主）。其中，M63 是此批墓葬中规格最高、保存较为完整的 1 座东汉砖室墓。简报分为：一、墓葬形制，二、出土遗物，三、墓葬年代，共三个部分，介绍了此墓的发掘情况，有拓片、手绘图。

　　据介绍，M63 位于南坪汉墓群保护区范围内。以往在此清理的汉代砖室墓绝大多数被盗或遭毁灭性破坏，而此墓除甬道、后室墓顶坍塌外，前室尚存部分券顶，墓内被碎砖及淤土填充，随葬品虽严重破损，但无被盗迹象。该墓是 1 座东西向的"中"字形砖室墓，由甬道、前室、后室 3 部分组成。出土遗物共 21 件，包括陶、铜和石等质料的日常用器和明器。

　　《后汉书·郡国志》载：武陵郡，汉寿故索，阳嘉三年（134 年）更名，刺史治。而该墓所出的 1 枚滑石印章阴刻有"汉寿左尉"，可知该墓的年代早不过索县更名为汉寿并做荆州刺史治所之时，即公元134年。由此枚滑石印章和另1枚铜印章推测，墓主人生前曾先后担任过"武乡"和"汉寿左尉"之官职。另外，墓葬形制、几何形花纹砖和出土陶器均具东汉中晚期之特点。4面铜镜更是属于东汉中晚期流行的镜类。因此，简报认为此墓的年代当属东汉中晚期。

1177.湖南常德市南坪汉代土墩墓群的发掘

作　者：常德博物馆　龙朝彬

出　处：《考古》2014年第1期

2010～2011年，考古人员在常德市新城区南坪乡发掘了5座封堆（D1、D2、D3、D7、D8）。简报分为：一、封堆及熟土台的结构，二、封堆熟土台内墓葬，三、D3M27，四、结语，共四个部分予以介绍。有彩照、手绘图。

据介绍，本次清理的5座封堆中，1墩1墓的D1被盗严重，埋藏性质不清楚。D2内保留的2座墓属单人葬，D3内的12座墓均为单人葬，可能属夫妻关系的D3M27与D3M29、D3M14与D3M13也为同茔异穴葬墓。D7和D8内保存完整的5座墓均为夫妻双棺同茔同穴合葬。出土的随葬品中，除少量级别较高的墓葬内有典型岭南风格的玻璃器和铜器外，其他随葬品为五铢钱、青瓷器、陶器、铁器等。5座封堆中22座土墩墓共出土遗物658件（套）。简报推断时代为汉代。

简报称，常德南坪历代发掘的土墩墓达126座，可以判定属家族独立大型封堆的至少在8座以上，有多个家族墓地，还有众多不知墓主姓名和官职的家族土墩墓群。常德南坪土墩墓群尤其是家族墓群的发掘，为研究国内乃至东亚地区秦汉时期的土墩墓提供了一批时代特征明显、墓主姓名及身份明确、葬制清晰的实物资料，也为其他地区土墩墓的判定和研究提供了新的依据。

张家界市

1178.湖南大庸东汉砖室墓

作　者：湖南省文物考古研究所、湘西自治州文物工作队、大庸市文物管理所　向桃初

出　处：《考古》1994年第12期

为配合大庸市城市基本建设，考古人员于1986年3月至1987年9月对大庸城

区内古文化遗址、古墓葬进行了调查、勘探，并先后发掘了10余个基建工地内的古遗址200平方米、古墓葬300余座，其中战国墓80余座、西汉墓49座、东汉墓53座，其余为元明时期墓葬。简报分为：一、墓葬形制，二、随葬器物，三、结语，共三个部分。

据介绍，这次清理的53座东汉墓均为砖室墓，分布于7个基建工地。大庸砖室墓墓形共分为六类，依据广州汉墓的发掘资料，属东汉前期的砖室墓10座，其中单室8座、双室和多室各1座，东汉后期的砖室墓68座，其中单室11座、双室16座、多室41座，可证明大庸东汉砖室墓的发展演变逻辑顺序为单室到双室再到多室。

根据各类墓形变化程度的大小，将六类墓形分为三个大的发展阶段，即第一阶段 I、II 类（单室），第二阶段 III、IV 类（双室），第三阶段 V、VI 类（多室及新一阶段形制的出现）。这三个阶段可以理解为墓形演变的三个时期，至少可以确定某一阶段即为该段墓形流行的主要时期。简报推断大庸这批东汉砖室墓的大致年代分别为：第一阶段 I、II 类墓相当于东汉早期，第二阶段 III、IV 类墓相当于东汉中期，第三阶段 V、VI 类墓相当于东汉晚期至东汉末。

1179.湖南桑植朱家台西汉墓

作　者：桑植县文物管理所　尚立昆
出　处：《江汉考古》1995年第4期

1988年1月，桑植县老干部局工地发现古墓。考古人员前往清理了战国墓2座、西汉墓8座。在相邻仅200米的石油公司院内清理战国、西汉墓各1座。简报分为：一、墓葬形制，二、随葬器物，三、结语，共三个部分。有手绘图。

据介绍，9座西汉墓均为中小型竖穴土坑墓，大多数建得比较粗糙。随葬器共计72件，葬具、人骨均不存。除个别墓外，大多为西汉中后期墓。M7墓主应为地主或有一定官职的官员。其他墓围绕作拱卫状，应为M7墓主的家属或亲随。随葬品等有一定地方特色。

1180.湖南桑植朱家台汉代铁器铸造作坊遗址发掘报告

作　者：张家界市文物工作队　尚　巍等
出　处：《考古学报》2003年第3期

朱家台位于桑植县城西的澧水西岸，与桑植旧城隔一水相望，属新城区。菜园田遗址紧靠澧水河沿。朱家大田遗址（包括老学堂田、庙弯田、庙弯新田），与菜园田遗址相距 150 余米。为配合基本建设工程，考古人员从 1992 年 5 月至 1995 年 8 月，先后在朱家台朱家大田和水电局菜园田发掘了两处汉代铁器铸造作坊遗址，获得了一批铸造炉具和铁器。简报分为：一、菜园田作坊遗址，二、朱家大田作坊遗址，三、结语，共三个部分。有照片、手绘图。

据介绍，两处遗址关系密切，应是同一时期的两个作坊区，或是一个作坊区的两个操作地点。年代应该相同。简报推断这两处作坊的使用年代，应是西汉晚期到东汉前期，东汉晚期两处作坊逐渐衰落。据史籍所载，桑植于汉高祖五年（前 202 年）始建充县，治所就在朱家台附近，光武帝建武二十三年(47 年)至和帝永元八年(96 年)，充县辖区内接连爆发了 4 次土家族大规模起义，两次进逼武陵郡，使刘尚全军覆没，迫死伏波将军马援于二酉山，后来刘秀派亲信宗均出使讲和才作罢。朱家台铁器作坊的废弃可能就缘于这些战乱，遗址的具体年代也应与此大致相符。简报推测，此两处作坊遗址应为官营性质。至于工艺，简报称，虽然朱家大田的熔炉已被破坏，但从整体上看，两座作坊的形制、内涵和铸造工艺都基本相同。铸造器具的原料，是经过低温处理的生铁。因未发现冶炼遗迹，无法推测生铁的成因，但铁器铸造的工艺却十分清楚。其工艺流程大致有以下 6 道工序：

（1）碎料，即将生铁料锤击成小块小团；

（2）坩埚内外敷以黄泥拌草木灰泥浆以防烧熔埚体，然后装上碎铁料；

（3）熔炉膛内放置木炭或木柴，然后放入装好铁料的坩锅；

（4）点燃柴炭，鼓风助燃加温，使铁料熔化为铁浆，并剔除杂质；

（5）安装铸范或铸模，从浇铸口浇注铁浆，冷却成型；

（6）修整、磨砺或锻锤，加工定型为成品。

简报称，产品风格有浓郁的南越文化气息。

益阳市

1181.湖南益阳市郊发现汉墓

作　者：周世荣

出　处：《考古》1959 年第 2 期

1957 年 1 月 10 日，益阳市陆贾山三里桥小学基建时发现 1 座土洞墓。考古人员在发掘时又发现其他 2 座墓。简报分为：一、西汉墓（编号 57 益陆 M003），二、东汉墓（编号 57 益陆 M001），三、三国之际的墓葬（编号 57 益陆 M003），共三个部分。有照片。

据介绍，西汉墓为带墓道长方形土坑竖穴墓，出土器物 19 件。东汉墓为长条形土坑竖穴墓，出土器物 7 件、铜钱 20 枚左右。三国之际墓为带有墓道、龛坑的土洞墓，出土遗物 14 件，有铁刀、陶罐、铜镜等。

郴州市

1182.湖南资兴新莽墓中发现大布黄千铁钱

作　者：傅举有

出　处：《文物》1981 年第 10 期

1979 年，湖南省东江水力发电工程建设指挥部文物考古工作队，在资兴发掘了新莽时期的墓葬 80 余座，其中 M264 出土 2 枚大布黄千铁钱、15 枚大泉五十、20 枚五铢钱，以及一些陶器、铜器、铁器。简报配以手绘图予以介绍。

据介绍，两枚铁钱发现于墓室的左侧，靠近中部。从位置看，入葬时似放在死者左手中。铁钱平叠，已锈结在一起。钱文互相粘连，大部分无法见到，只从未黏连在一起的地方，可见到黄字的下半部。大泉五十和大布黄千是新莽时期的货币。其中大布黄千铁钱，过去没有出土记录。大布黄千的出土铁钱，证明《汉书·食货志》所言王莽曾于建国元年（8 年）下诏发行铁钱之说有据。

1183.湖南郴州市郊东汉墓发掘简报

作　者：湖南省博物馆　傅举有

出　处：《考古》1982 年第 3 期

1976 年 2 月，考古人员在郴州市郊公社郴州烟厂的基建工地发掘了 1 座东汉砖室墓。简报配以照片、手绘图予以介绍。

据介绍，墓为东汉常见的竖穴土坑长方形券顶砖室墓。清理时，室内有约 10 厘米厚的淤泥，棺木及人骨架均已腐朽，但仍遗留不少残漆皮和朱彩。随葬器物有 50 余件，是墓主人生前使用过的实物或实物模型。有青瓷器 14 件、陶器 26 件及铁器、铜镜、铜蹬等。

简报推断该墓的年代为东汉晚期。

1184.湖南资兴东汉墓

作　　者：湖南省博物馆　傅举有等

出　　处：《考古学报》1984年第1期

1978年3月，为了配合湖南东江水电站的建设，湖南省博物馆和三三〇工程局设计院一起组织了东江水电站水淹区文物普查队，经过两个多月的普查，发现在水库淹没区的资兴县木根桥、旧市、厚玉等地有数以百计的古墓葬。1978年9月，组织了以湖南省博物馆考古部为主的湖南东江水电工程指挥部文物考古队，在上述地区进行27个月的发掘工作，共发掘春秋至唐、宋墓586座，出土文物12000余件。春秋墓和战国墓的资料已发表。简报分为：一、墓葬分布，二、墓葬形制，三、随葬器物，四、墓葬的年代与分期、定型，五、结语，共五个部分。配以照片、拓片、手绘图，介绍了这次发掘的107座东汉墓资料。西汉墓和南朝、唐、宋墓的资料将另行发表。

据介绍，此次发掘的107座东汉墓，其中土坑墓97座、砖室墓10座（又可细分为单室、前后室和三室），随葬品5873件，其中陶器2083件、铜钱2920枚。这批墓葬的年代，简报推断贯穿整个东汉，东汉早期、中期、晚期都有。

简报指出，湖南战国时为楚所征服，此前这一带为越人聚居之地。当地考古发掘证实，西周至春秋时出土器物上越人文物特点明显，战国时出土楚器、越器混杂。东汉时文化面貌已与内地基本相同，越族风俗只能是残存了。

随葬品中，铁器多达428件，且质量很好。釉陶风格几与六朝时瓷釉完全相同。这都应引起注意。此外，反映当时当地社会现实生活的模型器大量出土，从炊煮用的锅、灶、甑、釜，吃饭用的碗、盆、勺、钵，宴饮用的杯、盘、碟、壶，打水和灌溉用的井，居住的房屋，储藏粮食的仓、囷，生产用的斧、刀、锸、钻、纺轮，商业贸易用的权、砝码、钱币，打仗用的剑、戟、刀、矛，以及各种家禽、家畜，从生活领域到生产领域，几乎无所不有。其中，以纺轮、铁砍刀尤引人注目。纺轮数量多了，说明当时家纺织业的普遍和发达。铁砍刀在绝大多数墓中都有发现，这一带是五岭山区，铁砍刀是这一带砍伐种植业发达的见证。简报认为纺轮和砍刀是封建社会自然经济在这一带占绝对统治地位的反映。

1185.湖南郴州汉墓清理简报

作　　者：湖南省郴州地区文物工作队　李荆林

出　　处：《考古》1985年第8期

为配合城市基本建设，考古人员于1982～1983年清理发掘了一批汉墓及隋墓。

为整理报告的方便，考古人员对历次发掘的墓葬进行统一编号。编号为 M1 ～ M4 的清理发掘报告已在 1982 年《考古学集刊》第 2 期刊载。这次报告的编号为 M5 ～ M12。M12 为土坑竖穴墓，其他均为砖室墓。M6 ～ M9、M11 ～ M12 为汉墓，M5、M10 为隋墓。隋墓将另作报道。汉墓清理发掘情况，简报分为：一、墓葬形制，二、随葬器物，三、结语，共三个部分。有照片。

据介绍，6 座墓共出土随葬物 69 件，以陶器为主，有少量铜器、铁器。五座砖室墓的共同特点，为墓砖纹饰均为东汉墓常见的多种几何纹。M6、M7、M9、M11 4 座墓的墓砖大小、长宽大体相当。M8 墓砖种类较多，砖纹也较丰富，在 1 座墓中有这样多的墓砖纹饰是不多见的。几座砖室墓砌法亦同，均为平砖错缝叠砌，券顶。随葬器物品种和形制多相同。胎质、火候、釉色、纹饰大都接近。弦纹、方格纹、平行刻划纹尤其多。铜镜以四神规矩镜为多见。M6、M9 出土的"五铢"钱，有大小之差，简报推断 M6、M8、M9、M11 的时代为东汉早期。M7 虽无随葬器物，但形制与湖南资兴东汉墓的 M314 完全相同，且 M314 有"阳嘉二年"（133 年）铭文砖，当为汉顺帝时墓葬，M7 的年代也应与之接近。

1186.湖南西汉墓中出土陶龟、鳖

作　者：湖南省郴州地区文物工作队　龙福廷
出　处：《农业考古》1985 年第 2 期

考古人员在长沙市清理的 1 座西汉墓（83 长东水 M4）中，发现 2 件陶制水生动物，造型各异，似属 1 龟 1 鳖。陶龟胎质为泥质灰陶，长 19 厘米。陶鳖为夹砂硬陶，长 15 厘米，背面参差浅刻数组平行短纹。2 物背甲隆起，背裙微翘，昂首撑足作爬行状，造型精致，灵秀逼真，形态栩栩如生。简报配以照片予以介绍。

简报称，陶龟、鳖的出土在考古发掘中较为少见。它们的出土对了解西汉时期的葬俗，研究 2000 多年前自然界中的动物生活与演变以及与人类生活之间的关系，提供了宝贵的实物资料，同时也反映了西汉早期我国陶塑工艺的较高水平。

1187.湖南郴州清理一座新莽时期墓葬

作　者：龙福廷
出　处：《考古》1987 年第 4 期

为配合城市基本建设，郴州地区文物工作队于 1984 年 9 月在郴州市五里堆市糖果糕点厂基建工地（郴州市西南，距市区约 1.5 公里的 1 座小山丘中部），清理了 1

座新莽墓（编号84郴五M1）。简报配以拓片、手绘图予以介绍。

据介绍，该墓为一座长方形单室券顶砖室墓。封土堆已被夷平，券顶受到破坏。墓室长3米、宽2.1米。葬具已腐朽，墓室积满纯净细黄土。在墓室底部靠墓门处出土随葬器物23件，以陶器为大宗，计18件。另有铜矛、铜碗、铜钱等。该墓年代，简报推断早至新莽时期，晚到东汉早期。

1188.湖南汝城县、郴县发现一批古代青铜器

作　　者：郴州地区文物工作队　龙福廷、彭金林
出　　处：《考古》1992年第8期

文物普查期间，在汝城县、郴县发现了5件青铜器。简报配以手绘图、拓片予以介绍。

据介绍，1985年5月，汝城县城郊乡东正村一村民在平整房屋地基时在距地表约50厘米深的黑色泥土中，出土形制相同、纹饰相似的2件铜镢。2件铜镢1大1小，皆为铸件，有清晰可见的铸造气孔，器表有绿锈。此类镢是一种越式青铜农具，最早出现在西周末东周初，多数是战国时期的遗物（见陈振中《殷周的青铜镢》，《农业考古》1986年第1期161页）。

1986年2月，郴县同和乡回龙村一村民在修理田埂时发现3件铜器，大、中、小依次叠放。大件属洗，中件为锅，小件为釜。铜洗、铜锅有铭文。根据器物的造型特征、纹饰风格，与1979年在汝城县城关镇出土的"汉蜀郡成都双鱼洗"相似，简报推断应属东汉时期遗物（见鸣笙《汝城出土汉蜀郡成都双鱼洗》，《湖南考古辑刊》第三辑）。

1189.湖南资兴西汉墓

作　　者：湖南省博物馆、湖南省文物考古研究所　吴铭生、师悦菊等
出　　处：《考古学报》1995年第4期

木根桥位于湖南资兴县旧市西北，临近东江。1978～1980年，湖南省博物馆为配合资兴东江水电站的基本建设工程，组成东江文物考古工作队，在该县旧市、木根桥两地清理西汉墓256座。这次所发掘的西汉墓，绝大多数集中在旧市一带，计245座，木根桥仅有11座。据文献记载：资兴县西汉属郴县地，东汉析郴县置汉宁县，先后归长沙国及桂阳郡，汉所在旧市。唐始名资兴县，南宋绍定年间改名兴宁县，治所迁至管子壕（即今县城），民国年间复名资兴县。旧市作为县治，从东汉

至南宋有长达千年的历史。该地古墓成群，封土累累，民间称谓"九十九堆"，此次发掘的西汉墓，仅为其中一部分。简报分为：一、墓葬形制，二、出土遗物，三、墓葬分期与年代，四、结语，共四个部分予以介绍。有照片、拓片、手绘图，并附有长达几十页的登记表。

据介绍，此次发掘的256座西汉墓，均为土坑竖穴，其中仅有1座（M44）被扰乱，其余均保存完整。大部分残存封土堆的形制随墓坑形制略有差异：无墓道的墓坑，封土堆略呈半圆形；有墓道的墓坑，封土堆为长圆形，在墓道的一端略凸出。封土堆有夯层，一般残高1.5～1.6米多，最高的达6.5米（M65）。随葬器物6629件，其中陶器5905件、铜器103件、铁器427件。早期多见汉式陶礼器，后期多见实用生活用器。瘗钱之风盛行，除随葬铜钱外，还有在棺底铺五铢钱的，此种葬俗实属罕见。随葬纺轮成为当地习俗，256座墓中有184座有纺轮出土，占70%以上，可见当时家庭纺织业发达。冶铁业也颇为发达，256座墓中有218座有铁器出土，占80%以上。酿酒业盛行。出土贮酒器41件，酒瓶71件。

至于墓主的身份，简报认为，既有汉人的墓葬，同时也有越人的墓葬。从历史角度而论，秦汉统一之后，资兴已成为属地，但该地的越人仍然在此生息。汉、越两个民族杂居共处，在葬俗方面仍保存并延续着自身的传统。这种历史现象在西汉前中期一些越人墓葬中反映比较明显，而后期墓葬则趋向一致。

资兴西汉墓的具体年代，简报推断从西汉前期至东汉光武帝建武初年不等。

1190.湖南郴州飞机坪西汉墓发掘简报

作　　者：湖南师范大学历史文化学院、郴州市文物处

出　　处：《江汉考古》2014年第3期

飞机坪位于湖南省郴州市内人民路与燕泉路之间，原为民国时期的军用机场，"飞机坪"一名由此而来。1995年，在此地的北湖区政府办公楼项目施工过程中发现东汉砖室墓1座。1996年12月，在此地的筑路机械厂家属区基建工地又发现2座土坑墓，编号M1和M2，考古人员对2座墓葬进行了抢救性考古发掘。

简报分为：一、墓葬形制，二、随葬器物，三、结语，共三个部分予以介绍，有彩照、手绘图。

据介绍，飞机坪筑路机械厂家属区基建工地发现了2座土坑墓，墓葬平面呈"凸"字形，由墓道和墓室组成，其中M2较大，特点明显。

依据墓葬形制和随葬品，简报推断M1的时代为西汉中期前段，M2的时代为西汉早期。

永州市

1191.湖南零陵李家园发现新莽墓

作　者：周世荣

出　处：《考古》1964 年第 9 期

1963 年 2 月底，湖南省博物馆在零陵李家园清理了 1 座新莽墓。简报配以照片、拓片、手绘图予以介绍。

据介绍，该墓是 1 座长方形单室砖券墓。出土器物计有生产工具、货币、生活用具和模型等。生产工具仅有铁口锄 1 件。货币共 3 串，50 余枚，出土时置于后端及右侧。钱上残留有朱砂、丝织品残片及木痕。货币有"五铢"与"大泉五十"两种。生活用具有铜碗与铜"酒钅区"各 1 件。铜"酒钅区"器形略小。陶器有双耳罐 1 件，方格印纹陶罐 2 件和素面元纹灰陶罐 5 件。装奁器有铜规矩镜 1 面。陶模型有泥质灰陶筒身折沿陶井和空底方形陶灶各 1 件。简报推断此墓应属新莽时期墓。

1192.湖南零陵出土的东汉砖墓

作　者：周世荣

出　处：《考古》1964 年第 9 期

1963 年 1 月底，零陵造纸厂筑围墙时，发现废砖中杂有几何印纹汉砖。后了解到柳子庙一带有古墓，考古人员前往调查，进行清理，共清理了东汉墓 9 座。简报配以拓片、手绘图予以介绍。

据介绍，这次清理的东汉墓全部是券顶砖室墓，墓位依山势，墓无定向，只是墓口均向阳。出土有有铭文铜镜、陶器、琥珀珠、玛瑙珠、水晶珠、银戒指、瓦当、筒瓦等。

1193.湖南祁阳县出土汉代窖藏钱币

作　者：祁阳县浯溪文物管理所　杨仕衡

出　处：《考古》1987 年第 7 期

1985 年 12 月 2 日，祁阳县大忠桥镇广福村工地民工在离稻田地表 60 厘米深处，发现汉代窖藏钱币。窖口圆形，直径 30 厘米，深 40 厘米。窖壁周围呈黑色，有朽木残迹，底部平铺大块卵石，当是用木桶装置的。钱币成串旋叠，原是用麻绳串好，出土时绳子已腐成粉末，绳形明显可辨。由于锈蚀和土压的原因，大部分钱币胶结成叠，中间还夹有泥土。这些钱币共重 119.3 公斤，考古人员对其中的 9 市斤进行了整理，大小共计 1665 枚。简报配以拓片予以介绍。

据介绍，有汉文帝"半两"钱、王莽钱币、东汉"五铢"、东汉灵帝中平三年（186 年）四出五铢钱等。已对出土的这窖 100 多公斤的钱币全部作了拣选，未曾发现有东汉以后的钱文。因此，简报认为该窖藏的年限应是东汉末期。

1194.湖南祁阳县发现汉代铜镜

作　者：杨仕衡

出　处：《考古》1989 年第 4 期

1987 年 3 月，湖南祁阳浯溪文管所征集到铜镜 1 面。简报配以拓片予以介绍。

据介绍，该镜是祁阳大忠桥区胜利乡断桥农民在挖房基时发现的。铜镜重 475 克，表面呈黑漆色。背面方枚中的铭文是："潘利作竟，幽涑三商，周刻无□，配象万方，白牙禺乐，众神见容，百吉并存，服者吉羊，福佑自从，保子宜孙，位至三公，其师命长。"

1195.湖南永州市鹞子山西汉"刘彊"墓

作　者：零陵地区文物工作队　郑元日、刘华兴、王凤元

出　处：《考古》1990 年第 11 期

永州市鹞子山基建工程中发现古墓葬。考古人员清理了墓葬。

清理工作于 1984 年 8 月上旬开始，同年 9 月上旬结束，前后历经 1 个月时间。简报分为：一、墓葬形制，二、出土器物，三、结语，共三个部分。有手绘图。

据介绍，印章的出土，表明墓主即"刘彊"，其身份为零陵郡贵族之一。棺椁中虽有铜、铁刀剑各 1 套出土，但随葬品的重心所在，却是实用铜器、陶礼器和壶罐等生活用具。陶器中占半数以上的硬陶大、中、小罐堆垒左右，在汉墓中亦属少见。简报推断，墓葬年代为西汉中期。

今有王培华先生《西汉贵族的甲第与食邑》（河南人民出版社 2019 年版）一书，可参阅。

1196.湖南永州市鹞子岭二号西汉墓

作　者：湖南省文物考古研究所、永州市芝山区文物管理所　郑元日、唐青雕、
　　　　　邓少年

出　处：《考古》2001年第4期

鹞子岭位于湖南省永州市区东北2公里处，现处在永州市芝山区黄古山路、南津中路、菱角塘路所围成的三角地带（为永州监狱建材红砖厂及职工生活区）。在此区域内，由西至东分布着3座高大的封土堆，因城市建设连年取土而逐渐遭到破坏。1984年，在第一和第二封土堆之间发掘了1座中型竖穴土坑墓。据出土墓主印章铭文"刘彊"及封泥印文"臣敞"，判定该墓为西汉中期零陵郡贵族墓葬。1992年，考古人员对第3座封土堆下北面的墓葬进行了发掘，编号为92YM1（简称M1）。据墓中出土漆器铭文，确定这一区域为汉代泉陵侯家族墓地。1995年，又对与92YM1处在同1封土堆下的南面墓葬进行了发掘，编号为95YM2（，简称M2）。此墓的发掘情况，简报分为：一、墓地概况，二、墓葬形制，三、出土器物，四、结语，共四个部分。有手绘图、照片、拓片。

据介绍，从年代推算，倾侯庆薨年当为西汉，简报推定M1的墓主为第三代泉陵侯刘庆，M2与M1连冢并穴，M2出土的陶纺轮、漆木纺锭、漆粉盒以及金器、料器串饰之类表明墓主应为女性，简报推定M2的墓主为刘庆之妻。

简报称，M2虽然多次被盗，但仍出土了不少珍贵器物，所出土的漆容器中，以锥刻铭文更为引人注目，在6件漆器上共见铭文371字，其中M2：65号元延四年（前9年）漆耳杯即有铭文72字之多，实属罕见。鹞子岭M2的6件铭文漆器面世，为研究汉代手工业提供了珍贵的资料。

怀化市

1197.湖南沅陵发现一件錞于

作　者：夏湘军

出　处：《考古》1986年第8期

1984年9月，湖南省沅陵县机械施工公司在县城北丁家庙村白寺施工时发现青铜錞于1件。简报配以照片予以介绍。

据介绍，就形制而言，这件錞于和吉首出土的Ⅱ式錞于相近，整个器形较前者

轻薄，与湖南省博物馆所藏战国镎于不同。吉首镎于的时代定在东汉，简报推断此件镎于的时代亦与之相近，即东汉。

1198.湖南怀化西汉墓

作　者：怀化地区文物工作队　向开旺等
出　处：《文物》1988 年第 10 期

1960 年，湖南省博物馆文物普查组对湘黔铁路修建工程范围内进行文物调查时，在怀化县（今怀化市）盈丰村发现 1 处汉墓群，墓葬封土堆有 50 余座。1973 年怀化地委、行署所属机关从黔阳县安江镇迁到怀化县，以后在进行大规模基建时将这群墓葬封土堆推平。到 1982 年，在墓群所在地已修建了许多高大建筑物。仅在地区农业处食堂屋侧和行署会堂前侧的空坪地里发现 2 座墓葬，考古人员于 1982 年 6 月进行了清理。1984 年 10 月，怀化市政公司扩建迎丰公路，在拆除地区农业处围墙时又发现 10 座墓葬。考古人员于 1984 年 10 月和 1985 年 3 月对这 10 座墓葬进行了抢救性的发掘。在整理资料时，将墓葬重新进行了编号，编为 M1 ～ M12。其中 M2、M5 和 M6 保存较好，资料较全。其他 9 座墓葬受到不同程度的扰乱和破坏，但仍出土了大量器物。简报配以照片、手绘图予以介绍。

据介绍，西汉时，怀化属无阳、辰阳、镡成县地。此地位置偏僻，交通闭塞。

简报指出，这批墓葬均为长方形竖穴土坑墓，随葬品数量和种类都较多，特别是 M5 出土器物具有代表性。器物有陶器、铁器、滑石器等。滑石璧每墓必出，有的多达 5 件。陶器组合一般为鼎、盒、壶，伴出罐、盉及灶、井等明器。货币有泥"金饼"、泥五铢和铜五铢。简报据此推断这批墓葬的年代为西汉中晚期。认为西汉统一全国后，埋葬习俗表现出很大的共同性。但是，湘西地区既然是多民族杂居的地方，各民族生活习俗的异同不可能不反映到随葬品上。M2 和 M6 墓葬形制与其他墓葬虽无多大差别，但随葬器物有其独特的组合。如 M2 只出土陶方壶、灶、釜、甑各 1 件，不见鼎、盒、壶。M6 出土陶圆壶、盘及 3 件滑石璧，没有鼎、盒、方壶等。

简报认为，这 2 座墓葬是有别于汉民族的少数民族的墓葬，即巴人流入黔中以后为"五溪之长"时的巴人墓葬。

1199.沅陵虎溪山一号汉墓发掘简报

作　者：湖南省文物考古研究所、怀化市文物处、沅陵县博物馆　郭伟民、张
　　　　春龙等

出　处：《文物》2003 年第 1 期

虎溪山一号汉墓（简称 M1）位于湖南省沅陵县城关镇西，地处沅水左岸，沅水和酉水的交汇处。这里原应是海拔 150 米左右兀立于两水间的一座山头，为西汉沅陵侯及其家族的坟茔。以后山头及墓葬封土逐渐被夷为平地。1999 年 5 月，沅陵县政府在修建宿舍楼的工程中发现了一号汉墓。1999 年 6 ~ 9 月，考古人员进行抢救性考古发掘。简报分为：一、墓圹形制，二、棺椁结构，三、随葬器物，四、小结，共四个部分。有彩照、手绘图。

据介绍，一号汉墓为长方形竖穴土坑墓，带斜坡墓道。墓室由棺椁及耳室组成，已完全坍塌。墓葬出土陶器、漆木器、铜器、玉器、滑石器、丝织品、竹简等 1500余件（套）。其中竹简残段 1336 枚，有"黄簿"、《日书》与《美食方》。根据出土器物的铭文等资料，墓葬主人吴阳，为第一代沅侯。

简报称，战国末年，秦、楚交战，秦在此基础上设黔中郡，汉高祖五年（前 202 年），改黔中郡为武陵郡，始置沅陵县。M1 墓主人吴阳，为长沙王吴臣之子，为第一代沅陵侯，高后元年（前 187 年）受封，死于文帝后元二年（前 162 年），在位 25 年。虎溪山一号汉墓的发掘，对研究西汉时期侯一级墓葬制度，特别是异姓列侯的墓葬制度有重要意义。另外，竹简的出土提供了十分重要的文献资料。在 M1 南侧不到20 米处并列有 1 座墓葬（M2），推测应是吴阳夫人墓，尚未发掘。

娄底市

湘西州

1200.湖南保靖粟家坨西汉墓发掘简报

作　者：湘西土家族苗族自治州文物工作队　宋谋年

出　处：《考古》1985 年第 9 期

墓葬位于保靖县城西 81 公里的黄莲乡粟家坨台地。北临酉水，其水自西向东流。

台地高出河床约 50 米，南距公社社址约 250 米，东接粟家坨村寨。墓葬分布面积，东西长约 1000 米，南北宽约 500 米，平面呈不规则长方形。1982 年 8 月，对黄莲等地的古墓葬进行了 1 次调查，发现粟家坨台地是 1 个古墓葬区。同年 11 月，对墓葬区的一部分进行了发掘。共发掘了 13 座墓葬（编号 M1 ～ M13）。简报分为：一、墓葬形制，二、随葬器物，三、结语，共三个部分。有手绘图、照片。

据介绍，13 座墓均为长方形竖穴土坑墓。由于南方山区雨量充沛，泥土潮湿，墓里的人骨架和葬具已腐烂无存，墓向均以墓道和放置器物的一头为准。13 座墓共计出土遗物 147 件，多数为生活用具。其中陶器 103 件，铜器 18 件，铁器 5 件，石器 18 件。其他还出土有鎏金泡灯和朱砂及漆皮、丝绸残片。根据器形和纹饰及钱币分析，简报推断这批墓葬的时代下限不会晚至西汉末期，上限不能早于武帝元狩五年（前 118 年）。

广东省

广州市

1201.广州市龙生冈 43 号东汉木椁墓

作　者：广州市文物管理委员会　麦英豪等
出　处：《考古学报》1957 年第 1 期

1953 年 11 月 4 日，在广州东郊龙生冈修建道路工地上，发现了 1 座木椁墓。考古人员前往清理。简报分为：一、墓葬的结构形制，二、椁室内情况及葬具，三、出土遗物，四、结语，共四个部分。有照片。

据介绍，该墓为带墓道长方形竖穴墓，原有封土，平地时被削去。内有左右两棺。左棺为男性，右棺为女性。女棺先入葬，男棺后入葬。该墓年代，简报推断为新莽至东汉建初以前。出土遗物中的木船模型值得注意。另外，女棺漆匣内铜镜为半面，似反映了"来世重圆"的意愿。出土有漆器、金器、铜镜、五铢钱等。

1202.广州华侨新村西汉墓

作　者：广州市文物管理委员会　麦英豪
出　处：《考古学报》1958 年第 2 期

1955 年初，广州市人民委员会和广州市华侨事务委员会在市区东郊兴建"广州华侨新村"，建筑工程在 4 月间开始。广州市文物管理委员会派考古人员配合平土方工程，从事古墓葬的发掘工作。第 1 次发掘由 4 月 10 日开始，至 11 月中旬暂告结束，共计发掘古墓 45 座。1956 年 1 月和 1957 年 5 月先后又作了两次发掘，总计发掘了西汉至明代的墓葬共 51 座。简报只是对 40 座西汉墓配以照片予以介绍，简报目次为：

一、前言
二、墓葬分布与保存情形

三、墓葬形制

（一）土坑墓

（二）木椁墓

四、出土随葬品

（一）陶器类

（二）铜器类

（三）铁器类

（四）玉、石及其他

五、结语

据介绍，华侨新村在广州市区东郊黄花岗公园的西南面，离市区 2 公里，这里是 1 处岗峦密布的丘陵地。40 座墓葬几乎全部分布在玉子岗和蚬壳岗两处，仅 49 号墓在竹园岗的西南面岗腰间。出土有陶器、铜器、钱币、石器等。

华侨新村汉墓，简报推断属于西汉初年墓葬。简报称，广州汉陶的发展历史是从新石器时代晚期发展而来，有一脉相承的关系，表现出浓厚的地方特色。

1203.广州动物园东汉建初元年墓清理简报

作　者：广州市文物管理委员会　麦英豪等

出　处：《文物》1959 年第 11 期

广州动物园位于先烈路北段靠近沙河镇处，西距黄花岗公园 1 公里。这一带都是岗峦山地，动物园第一期施工面积约 20 公顷，范围包括麻鹰岗、骝马岗、冉蛇山、王家岭等山岗。1956 年 11 月，文管会配合平土方工程在这里清理发掘古墓，20 座。这些古墓的分布以麻鹰岗较多。其中在麻鹰岗东南面的第 2 号砖墓规模较大，且有绝对年代。简报分为：一、墓室建筑，二、墓室内外情况，三、出土遗物，共三部分。有拓片、照片。

据介绍，全墓用青灰色大型墓砖构砌，墓的平面如"中"字形，分甬道、中室和后室 3 个部分，成一条直线。此墓清理时，有盗洞，一些随葬物已被盗走。后龛内置陶屋一间，这是唯一未被移动过的。在后室后端（东面）券顶正中间，发现 1 块斧形砖，侧边刻划有"建初元年七月十四日甲寅治砖"13 个字。出土遗物有陶器、石砚、玉饰、珠饰、金饰、铜器、五铢钱，还有残铜刀和残铁刀各一块。

简报确认这座墓葬属于东汉初叶墓。

1204.广州西村西汉木椁墓简报

作　者：广州市文物管理委员会　黎　金等
出　处：《考古》1960 年第 1 期

1958 年 4 月间，考古人员在西村皇帝岗附近发现了 1 座木椁墓，即进行清理。简报分为：一、墓地情况及墓葬形制，二、随葬器物，三、墓葬年代，共三部分。有照片。

简报介绍，这墓位于山岗的中部，接近岗顶处，墓道和墓坑情况不明，棺室大木累筑，平面呈长方形。棺室分为前室、棺室、边箱、器物室 4 个部分。出土有玉管、珠饰、车马饰器等。陶器大多制作精良，具有一般较大型的规模和特点。简报推断这座墓葬的年代是西汉晚期。

1205.广州的两汉墓葬

作　者：黎　金
出　处：《文物》1961 年第 2 期

考古人员自 1953 年至 1960 年初，在广州市郊先后清理了古墓葬 660 余座。简报分为：一、西汉墓葬，二、东汉墓葬，三、两汉时期各型墓葬的年限及其演变之探讨，四、几点体会，共四个部分。先行介绍其中的两汉墓葬，有照片。

据介绍，西汉墓计 240 座，早期墓主要分布在东郊、西郊。东汉墓计 127 座，四郊都有发现。考古人员的印象是，木椁墓在西汉早期也即南越王国时期，以平底单层木椁为主；武帝以后，木椁的结构日渐复杂，大部分已演变成双层。到了东汉，单层木椁几乎绝迹，砖室墓在东汉初年已出现。广州汉墓中木椁墓多而土坑墓极少，或许与当地盛产木材、雨量较大导致土坑墓易坍塌有关。

1206.广州东郊沙河汉墓发掘简报

作　者：广州市文物管理委员会　麦英豪
出　处：《文物》1961 年第 2 期

1960 年 3 月 22 日，在广州市东郊先烈路植树时发现古墓，考古人员进行了清理发掘，证实是 1 座东汉砖室墓。简报分为三个部分予以介绍，有照片、手绘图。

据介绍，该墓由甬道、前室、棺室三部分组成，平面呈"中"字形。墓室内有 2 棺，男左女右，为夫妇合葬墓。墓砖未见确切纪年。出土有陶器、铜器、珠饰、金银器、铜钱等。简报推断此墓年代为东汉建初年间。

1207.广州磨刀坑汉代遗址调查

作　　者：广州市文物管理委员会　区　泽

出　　处：《考古》1961 年第 5 期

磨刀坑遗址是 1958 年 5 月发现的。在同年 8 月曾作了 1 次调查，1959 年 6 月又复查了 1 次。简报分为：一、第 I 号遗址，二、第 II 号遗址，三、第 III 号遗址，共三部分。有照片。

据介绍，磨刀坑在市区东北的白云山主峰之北，为白云山山脉的一道山沟。其西面是一片广阔的平原，其余 3 面都是连绵起伏的群山，沟中有一溪涧，溪面宽约 6 米，自东而西流向平原。所发现的 3 处遗址都是在山涧出口附近，2 处在北岸，1 处在南岸。第 I 号遗址在永泰村北约 300 米，为山涧出口南岸上的一个山岗。在靠近岗顶处挖有深约 1 米的壕沟一周，遗物大多在近岗顶一带，采集遗物计有石器和陶器，陶器全为碎片；第 II 号遗址在上述遗址之东约 500 米，桥眼隆岗的南面近岗脚的山坡上，遗物有陶器，亦未见有石器；第 III 号遗址在第 II 号遗址东面约 200 米的鬼叫隆岗的南坡及其基部前面的台地上。遗物与前两处遗址极相似，石器仅发现砂岩三角形砺石 1 件，另外还拾得夔纹、雷纹和编织陶片，数量极少。

简报推断，磨刀坑遗址的年代应在西汉，最迟不得晚于东汉的初期。遗址中只发现 4 件石器，推测石制工具已不占主要地位。

1208.广州三元里马鹏冈西汉墓清理简报

作　　者：广州市文物管理委员会　麦英豪

出　　处：《考古》1962 年第 10 期

三元里村位于广州市北郊，距市区约 3 公里，村前西南两面冈阜连绵，为近代墓丛葬区。自 1953 年以来，考古人员在这附近清理过不少古墓。1960 年 9 月间，在村东约半公里的马鹏冈又发现 1 座汉代木椁墓（编号北马 1 号），并钻探出古墓 20 余座。选择其中保存较好的和不同类型的 16 座作了清理，时代包括西汉、晋、唐、宋等。其中以西汉墓数量最多，资料也较为重要。简报配以手绘图等予以介绍。

据介绍，西汉墓共 11 座（编号为北马 1、2、5 ~ 9、12 ~ 15），分为土坑墓和木椁墓两种。土坑墓共 2 座，规模狭小，为广州发现的西汉墓中所罕见。坑壁作工草率，底部不平，葬具与骨架全朽无存。木椁墓共 9 座，有的已被盗。出土遗物有漆器、玉器、陶器、铁器、铜器等。以墓 1 的随葬品最多，简报推断年代为秦末汉初。

1209.广州石马村南汉墓葬清理简报

作　者：商承祚

出　处：《考古》1964 年第 6 期

石马村（墓葬清理时属番禺县）属大岭田乡，距广州沙河镇 14 公里，广州增（城）公路横经村西，群山环绕，最高的山叫石牛山，墓葬就位于该峰的山麓，其处地形微凹，故又名石窝口。墓地高出墓前的小盆地约 3 米，自墓南望，阡陌平衍。1954年 1 月，农民彭日光因建造新屋，破坏了墓的前室西壁器物箱和器物。简报分为：一、墓葬发现经过，二、墓室结构，三、墓内情况，四、随葬器物，五、墓葬特点及年代的推断，共五个部分。有照片。

据介绍，墓室是用砖砌的，分前室、过道和主室。前室已受到历次严重的破坏，建筑形式无法辨清。过道面积不大，主室发现多处盗洞。出土遗物有石器、釉瓷器、铜铁器等。简报认为此墓颇有可能是南汉贵族、大臣或宦官的墓葬。

简报称，村前有两尊石马，现位置在距离墓道 200 米以外。石马系用水成岩石雕成，与墓内石俑、过道上的长方大石为同一石质，似不会是其他墓葬的遗物。据年老的乡民说：用石马这块地来建村居住，系百年前的事；因迷信将石马移至村口，且把村名更为"石马"（《番禺县志》作"石马庄"）。

1210.广东增城金兰寺汉墓发掘报告

作　者：广东省文物管理委员会　吴振华

出　处：《考古》1966 年第 1 期

金兰寺村位于增城县城南 17 公里，属三江公社。墓葬分布在该村后龙山麓，这里是 1 处新石器时代遗址。1958 年 8 月间，考古人员对该遗址进行试掘，在第二探坑中发现 1 座土坑墓，第七探坑中发现 1 座砖室墓。1961 年 8 月间，在该遗址作第 2 次发掘，又发现砖室墓 1 座。简报分为：一、墓葬形制与结构，二、随葬器物，三、墓葬的年代，共三个部分，并配以照片、拓片、手绘图，先行介绍了发掘的 3 座汉墓。

据介绍，土坑墓 1 座（墓 1），墓的平面作"凸"形。砖室墓 2 座（墓 2、5），墓 2 呈长方形，墓 5 为"中"字形。出土遗物有陶器、铜器、银指环、五铢钱等。简报推断，墓 1 的年代，可能早到东汉前期。其余 2 座砖室墓的年代，当为东汉后期。

1211.广州淘金坑的西汉墓

作　　者：广州市文物管理处　麦英豪等

出　　处：《考古学报》1974 年第 1 期

1973 年初，考古人员为配合兴建宾馆工程，在广州市郊淘金坑进行了古墓葬的发掘。发现西汉墓 40 余座，还有不少晋到明代的残砖墓。发掘工作从 1 月 11 日至 2 月 27 日止，共选择发掘西汉墓 22 座，晋到唐的砖室墓 4 座。

简报分为"墓地情况与墓葬分布""墓葬形制""出土遗物""结语"，共四个部分，配以照片、手绘图，先行介绍了这 22 座西汉墓。

据介绍，淘金坑在市区的东北面，是一个北高南低、呈椭圆形的山岗，环市路从南面岗脚通过。发掘证明，这一带高度不大的岗峦，是南越赵氏王国的贵族官僚的葬地。这批汉墓分布在淘金坑南坡的中部以下，中部以上未有发现。这里原是育婴院所在，盖有 3 排楼房，其余空地大部分亦铺成水泥地面。这些墓都是压在中、后两排建筑物之下，但墓坑一般还留有 2～3 米的深度（前排建筑物之下亦有填沙的汉墓露出，因不作拆迁平土，故未发掘）。墓的排列很不规则，只有 3 号墓与 4 号墓，14 号墓与 15 号墓是两座并排的，当中间隔仅 1～3 米。22 号墓南北两端各被 1 座明代灰沙墓打破，26 号墓被 1 口近代水井凿穿过底，还有 18 号、20 号和 23 号三墓中的部分陶器被压坏，其余的 17 座保存完好。共出土遗物 429 件，其中陶器即有 348 件。

简报推断，年代为西汉文、景之间。墓主可能是赵氏南越国的高级贵族。

简报指出，在《史记》《汉书》的《南越传》中，有关南越王国的政治建制、经济、文化等方面情况都极为简略，或全未涉及，中华人民共和国成立后所发现的大批西汉早期南越王国墓，无疑都是研究当时本地区社会历史发展及南越王国的一些情况的重要实物资料。南越国王曾僭越称帝，其百官制度也是仿效汉廷建制的。同时，广州西汉早期墓的发掘表明，自秦统一中国以后，生产技术和文化得到迅速推广，推动了以番禺（今广州）为中心的岭南地区社会历史发展进入了一个新的阶段。仅从墓形、葬制及出土物来看，与汉文化基本一致，只是陶器的某些器形、纹饰作风仍带有浓厚的地方特点。西汉中期及其以后的墓葬，与中原地区差别更少，这当与汉廷平南越以后，广州成为南海郡治所在和岭南地区的政治、经济、文化中心这一历史条件有关，这个情况从淘金坑汉墓群中亦可得到证明。

1212.广州发现西汉南越王墓

作　者：《考古》编辑部

出　处：《考古》1983年第12期

广州西汉南越王墓位于广州市区的象岗山。1983年6月，广东省有关单位在这里建宿舍楼，削平山岗时被发现，8月开始进行发掘。

据介绍，象岗南越王墓是岭南目前已知的最大规模的墓，也是岭南汉墓中出土数量最多、收获最大的1座。其科学价值，可与满城陵山汉中山靖王墓和长沙马王堆汉轪侯墓相比拟。在全国汉墓考古工作中占有重要地位。这座墓葬构筑在象岗山的腹心深处，距岗顶深约20米。墓室分前后2部分，共6室。前部分为前室、左耳室、右耳室；后部分为后中室、后左室和后右室，3室平行纵列。墓道在前室南面，作斜坡式。墓道中填塞原坑土夹以巨石。墓室全长10.85米，最宽处12.43米。墓顶全部用大石板覆盖。前室、后中室有石门封闭。2石门及其门楣、前室四壁和顶盖石上都有朱墨彩绘的卷云纹装饰。墓室深邃阴森，俨然为一地宫。

据称，随葬器物大部分放在后中室和左、右耳室中，墓道、前室和后部左、右室也有不少。计有礼器、兵器、生产工具、生活用具、装饰品和药石等。依质料可分为青铜器、陶器、铁器、玉石器、金银器、象牙器、漆器、竹木器、丝织衣物以及其他等10多类。数量很大，目前已知的就有1000多件。有相当一部分是整块揭取，尚未打开清理。随葬器物以青铜器占多数，500多件；其次是玉器，200多件。漆木器、丝织衣物为数甚多，可惜大部分已腐朽。它们大多用竹筒或草袋包装，或用藤条、麻绳捆扎。器皿中盛放食物瓜果，出土时尚有牛骨、猪骨、鸡骨、鱼骨、鳖甲、介壳和杨梅核、枣核等。竹筒外挂墨书竹签，盛放食物的器口上置封泥匣，形同"遣策"。重要的随葬器物有铜编钟（3组，27件），石编磬（2组，18件），南越式的鼎和提筒，匈奴式浮雕斗兽纹的铜牌饰，长达3米许的铜框架大屏风，直径41厘米的人物画像镜，带托镜，各式铜枝灯，大型的铜罍、铜方炉和铁鼎，完整的铁甲，成堆的铁镞、铜镞，精美繁缛的玉佩饰、王璧、玉杯、玉带钩、玉剑具（仅殓封的就有10余套），金银带钩、银盒、银盘、银卮、珍珠、大象牙、金银扣线刻画填彩的象牙卮、砚台、印章、五色药石，各种铁兵器、铁农具和盛装于木箱中的木作铁工具。此外，还有一些暂时未认识的器物。墓中出土19枚印章，是全国汉墓中罕见的。有金印、包金铜印、玉印、象牙印、玛瑙印等多种。其中在墓主身上发现8枚，最大的1枚是龙纽金印，文曰"文帝行玺"，可确定墓主是第二代南越王。另有封泥、铭刻和陶器上的戳印文字，也为确认墓主身份提供了重要根据。

墓主置后中室，葬具为1椁1棺。骸骨、棺椁已朽，痕迹尚存。墓主着玉衣，腰间两侧佩 6 把宝剑，头部放金钩玉饰，胸前戴金玉玻璃珠串。玉衣上下铺盖数十件大玉璧，直径大多在 30 厘米左右。足端棺椁之间还堆放 100 多件仿玉的陶璧。外椁头端平叠 6 件大玉璧，玉璧下有盛满珍珠的漆盒，还有镂刻精美的角形玉杯，带铜座的高足玉杯。

值得注意的是，除墓主遗骸以外，在墓道、前室、左耳室、后左室、后右室中还发现 10 多具殉葬人的遗痕。从同出的印章、封泥、随葬遗物以及残存的骸骨牙齿推测，他们的身份应是墓主生前的姬妾、侍御和杂役徒隶，说明南越国上层统治者流行殉葬习俗。

简报指出，南越国是西汉前期岭南地区的割据政权，传五世 93 年。关于它的历史，《史记·南越列传》《汉书·南粤传》都有简明记载，但又都有很多缺项。象岗第二代南越王墓的发现，对秦汉期间岭南地区的开发和物质文化的发展、南越国历史的研究都提供了重要的实物资料，同时为探寻第一代南越王赵佗墓提供了重要线索。

1213.西汉南越王墓发掘初步报告

作　者：广州象岗汉墓发掘队

出　处：《考古》1984 年第 3 期

广州象岗山南越王墓是 1983 年 6 月发现的。同年 8 月进行发掘，10 月初发掘工作结束。简报分三个部分予以介绍，有手绘图、照片。

据介绍，南越王墓位于广州市区越秀山西边的象岗山，在今解放北路西侧。广东省政府有关单位在这里建宿舍楼，把岗顶削低 17 米，挖掘楼房地基坑时发现此墓。墓室分前后 2 部分，共 7 室。墓主置主室正中稍偏西处，葬具为 1 棺 1 椁，棺椁已朽，痕迹尚存。在墓主身上发现印章 8 枚。最大的 1 枚是龙纽金印，方形，重 148.5 克。印文阴刻篆书，文曰"文帝行玺"。这是目前所见的最大的西汉金印，又是考古发掘中唯一见到的 1 枚帝印。另 7 枚是："泰子"龟纽金印 1 枚，"泰子"覆斗纽玉印 1 枚，"赵眜"覆斗纽玉印 1 枚，"帝印"蟠龙纽玉印 1 枚，余 3 枚玉印，素面无文字。这 5 枚有印文的墓主用印，皆阴刻篆书，笔画方正，刀工刚劲。墓主系第二代南越王，就是根据这些印文确定的。随葬器物 1000 多件，大部分放在主室、后藏室和东、西耳室中，墓道、前室和东、西侧室也有不少。墓中出土的大象牙、象牙器、银器、玻璃器以及玛瑙、水晶、玻璃等多种质料的珠饰，虽然未经鉴定，但初步可以判断其中有一部分应是从中亚或南亚等地输入的。南越王国没有自己铸造的钱币，也很少使用秦汉钱币。海外贸易停留在以物易物阶段。墓中发现 10 多具殉葬人尸骸，也透露了南越王国还较多地保留旧的野蛮习俗。

1214.广州沙河顶发现一座东汉墓

作　者：广东省博物馆　尚　杰、李浪林、邱立诚

出　处：《考古》1986 年第 12 期

1984 年 4 月，在广州乐围拢排练场工地上发现了 1 座东汉时期的砖室墓。简报分为：一、墓葬结构，二、随葬器物，三、结语，共三个部分。有照片、手绘图。

据介绍，墓葬位于广州市东北郊沙河顶永福村广州乐团院内，编号为沙乐 M1，为"中"字形券顶砖室墓，墓顶已塌，葬具、人骨已朽。随葬器物残存 60 件，其中青铜器仅见铜镜一面，出土时已破碎，其余为陶器。陶胎以灰白色为主，除车的模型和灯是软陶外，其余器物均为硬陶。器形有鼎、壶、釜、碗、盂、耳杯、奁、熏炉、灯、车、匏勺、仓、井、牛圈、女俑、镇墓俑、牛、羊、猪、狗、鸡、鸭等共计 50 余件。其中牛圈、镇墓俑比较罕见。

该墓的年代，简报推断为东汉后期。

1215.南越王墓出土的青铜印花凸版

作　者：吕烈丹

出　处：《考古》1989 年第 2 期

1983 年在广州市区北部发现象岗南越王墓，经发掘后，出土了大量珍贵文物。其中有 2 件小铜器，经研究，应是用于丝织物印花的凸版。这是一个颇为重要的发现。简报配以照片予以介绍。

据介绍，这两件印花凸版，合编为 C152 号，出土于墓内西耳室中部南墙根处，其西侧就是大量丝织品。出土时通体裹丝绢。其中 1 件保存基本完好，另 1 件保存较差。

简报称，据研究，汉代这种印化纱的印制，可能是工匠手持花版，在台板上按先横后竖的次序，盖图章似的逐个打印的。南越王墓印花版套印后的单元图案为 81 毫米 ×41 毫米左右，假定印花纱幅宽为 480 毫米，则每米印花纱内约有 300 个单元图案；印 1 米织物，工匠需戳印 600 次。加上第三版小圆点纹的印制，其耗工之巨大可想而知。在南越王墓出土丝织品中，像朱绢、菱纹朱罗等织物的数目都不少，而一般丝绢更是广泛用于包裹铜器、铁器、陶器，十分靡费；而这种印花纱出土量较少，看来是王室专用，而不是社会生产，这在当时是一种不可多得的珍贵织物。

今有武汉纺织大学冯泽民先生主编的《荆楚汉绣》（武汉出版社 2012 年版）一书，可参阅。

1216.广州南越国宫署遗址 1995～1997 年发掘简报

作　者：广州市文物考古研究所、南越王宫博物馆筹建办公室　冯永驱、陈伟汉、
　　　　全　洪、李灶新等

出　处：《文物》2000 年第 9 期

1995～1997 年，广州市考古研究所在广州市中心的中山四路发掘了南越国宫署遗址，揭露出石筑蓄水池和由渠等人工园林水景，出土了大量石、砖、瓦等建筑材料以及一大批能明确遗址年代和性质的遗物和陶文、石刻。国家文物局组织有关专家学者对该遗址进行了考察和论证，一致认为这是南越国宫署遗址的部分御苑遗迹。1995 年和 1997 年的发掘分别被评为当年"全国十大考古新发现"之一。在正式发掘报告编写出版之前，先初步整理简报发表。简报分为：一、地理位置，二、发掘经过，三、地层堆积，四、重要遗迹，五、遗物，六、结语，共六个部分。有彩照、拓片、手绘图。

据介绍，南越国宫署遗址位于广州市中山四路西段，这里历来是广州的政治、经济、文化中心，现在依然是商铺林立的繁华地段。出土有铜俑像、铜钱、木辘轳、玉衣片、"中府啬夫"封泥等遗物。

简报指出，南越国宫苑建筑多效仿汉廷。南越王墓和淘金坑汉墓曾出土过"长乐宫器""长秋居室"等记有宫署名的戳印，从而表明南越国的宫室名称都仿效汉朝，番禺城内的宫室布局很有可能也是模仿汉长安的都城建制，但规模要小得多。《史记·南越列传》描述了汉军攻陷番禺城的情形："楼船将军将精卒先陷寻陕，破石门……以数万人待伏波，至番禺。会暮，楼船攻败越人，纵火烧城。"遗址中出土大量被火烧过熏黑的砖、瓦、石料，还有大量烧焦的木板、构件以及红烧土等，都与汉军纵火烧城的史实相吻合。凡此种种，都充分说明在广州市中山四路所发现的遗迹就是南越国的宫署遗址。当然，目前发现的石构建筑只是南越国宫署遗址的一个组成部分。从近年来的考古发现和调查以及现存的地理情况来看，简报认为南越国宫署的主体宫殿区可能在今儿童公园内。

1217.广州市横枝岗西汉墓的清理

作　者：广州市文物考古研究所　朱海仁

出　处：《考古》2003 年第 5 期

1997 年 9 月，接市民举报在广州市横枝岗路 95 号某工地发现古墓，考古人员调查核实后进行了抢救性发掘，共清理西汉土坑木椁墓 3 座、南朝及唐代砖室墓各 1 座。南朝墓的随葬器物仅见青瓷碗、器盖及滑石猪等，唐墓的随葬器物已荡然无存。其

中的 3 座西汉墓（编号为 97 北横 M3 ～ M5，以下简称 M3 ～ M5）的清理情况，简报分为：一、墓葬概况，二、随葬器物，三、结语，共三个部分。有手绘图。

据介绍，从墓葬形制和随葬器物分析，可以初步推断M3的年代为西汉中期，M5的年代为西汉晚期。根据以往资料，M4的墓葬形制多见于西汉后期，但出土器物的型式及组合具有较典型的西汉中期特征，所以其年代简报推断暂定为西汉中期。

1218.广州海幅寺汉代窑场遗址的发掘

作　者：广州市文物考古研究所　朱海仁等
出　处：《考古学报》2003 年第 3 期

遗址位于广州市珠江南岸同福中路北侧的海幢公园西南角。北与广州老城区隔江相望。发掘区位置相传为明清海幅寺旧地。1996 年7 月至1997 年4 月，为配合基本工程建设，广州市文物考古研究对基建工程范围内进行了考古发掘。由于工地范围在考古发掘前已施工挖桩，故考古发掘只能根据实地情况布大小不等的探方6 个。简报分工：一、地层堆积与遗迹，二、遗物，三、结语，共三个部分。有照片、手绘图。

简报初步确定海幅寺遗址一期约相当于西汉中后期，其中也有一批具有西汉早中期特征的遗物；二期约相当于东汉时期，其下限应到东汉后期。据此推测，海幅寺汉代窑场的烧造时期大约是从西汉中后期到东汉后期。简报指出，海幅寺汉代窑场堆积丰富，从西汉中后期一直延续到东汉后期，烧造产品涵盖广州地区同时期汉墓所出的大多数日用陶器种类，尤以瓮、罐、碗、盆、钵、盂等为大宗。结合该遗址的分布范围及堆积情况，简报初步推测该处为 1 个较大规模的汉代窑场，这种窑场可能由官府统一管理，窑场内应有窑炉区、作坊区、放置销售区、废料堆积区等不同功能分区。具体情况有待今后考古工作的证实。

1219.广州市南越国宫署遗址西汉木简发掘简报

作　者：广州市文物考古研究所、中国社会科学院考古研究所、南越王宫博物馆
　　　　筹建处　韩维龙、刘　瑞、莫慧旋等
出　处：《考古》2006 年第 3 期

南越国宫署遗址位于广州市老城区原儿童公园内。2002 年 9 月开始，考古人员对其进行了考古发掘。经过近 3 年的工作，已清理出多座南越国宫殿，出土大量遗物。2004 年 11 月至 2005 年 1 月，联合考古队在遗址内发掘 1 口南越国井（编号为J264），并从井中清理出百余枚南越国木简。简报分为：一、J264，二、出土建筑构件，

三、出土木简，四、结语，共四个部分。有彩照、手绘图等。

据介绍，J264 口呈圆形，井上部用扇形砖砌筑井壁，残存 15 层，平砌，略有错缝，用泥土黏结，下部用 6 节圆形陶井圈叠砌。井口距地表深 4.2 米，井深 3.08 米。井口出土了百余枚西汉木简。

简报指出，通过对木简文字的初步释读，可知简文内容主要是籍簿和法律文书，其中籍簿可能包括了出入籍（如简 099）、门籍（如简 091）和物籍（如简 068、069 和 090）。这批简中究竟包含多少种性质的文书内容，有待在完成最后释读和缀连工作后确定。

简报称，在木简清洗过程中未发现用于简间编连的编绳痕迹。通过初步释读并分析文书内容，这批木简中有一些是一事一简，也有一些应是多枚简组成一篇文书，不排除同性质的简曾经编连的可能。

简报指出，根据目前了解的情况，南越木简不管是籍簿还是法律文书，均长 25 厘米左右，相当于秦汉 1 尺 1 寸，即南越木简要比秦汉普通简长。其文书制度显然与汉制不同。从简的宽度看，南越木简一般宽 1.7～2.4 厘米，是秦汉简一般宽度（0.8 厘米）的 2～3 倍，达到了汉"两行"简的宽度，也与汉制有别。从现知南越木简看，各简字数虽不相同，但可编连成册的木简一般在 12 字左右，字大而疏朗，与以往秦汉简中同长的单简容字一般在 20～30 字甚至更多的情况完全不同。这些情况表明，南越木简比普通秦汉简长且宽，但所载字数反而少。

简报强调，这批木简的出土填补了广东地区简牍发现的空白，是南越国考古的重要突破。扩大了南越国史的研究范围，弥补了南越国史料记载的不足，具有非常重要的学术价值。

另外，简上文字大部分疏朗秀美，书写风格与湖南长沙马王堆汉墓出土简帛文书文字、山东银雀山竹简文字、湖北江陵张家山汉简文字类似，而与湖北云梦睡虎地秦简的文字有一字区别，是研究秦汉文字与书法的新资料。

深圳市

1220.深圳市南头红花园汉墓发掘简报

作　者：广东省博物馆、深圳博物馆　杨　豪、杨耀林等
出　处：《文物》1990 年第 11 期

1981 年冬，广东省博物馆会同深圳市文化局配合基建工程，于南头红花园清理

了一批两汉以及东晋、南朝、唐、宋、明、清的墓葬。简报分为：一、地理位置及墓葬结构，二、随葬器物，三、结语，共三个部分，配以照片、拓片、手绘图，先行介绍9座两汉墓葬的发掘情况。

据介绍，红花园东距深圳市20公里，西濒珠江口，南接蛇口半岛，北邻明清时期的东莞守御千户所（即南头城）。汉墓9座，包括西汉墓1座（M9）、东汉墓8座（M3～M6、M12～M15），都遭受过不同程度的盗掘。以M13～M15盗掘最为严重，结构不明，随葬品无存。9座墓的形制有长方形土坑竖穴墓、长方形砖室墓、中字形砖室墓和卜字形砖室墓4种。随葬遗物有陶器、铜器、银器、料器等计76件。另有铜钱1串，已朽蚀。其中M3出土的乘法口诀墓砖为首次发现，为研究数学史的宝贵资料。

这9座汉墓，M9的年代，简报推断为西汉中期；其余8座的年代，简报推断为东汉晚期。

简报称，秦始皇三十三年（前214年）统一岭南，设立南海、桂林和象郡。深圳属南海郡番禺县。秦王朝覆灭后，龙川令赵佗自立为南越王，深圳自然为南越国所属。汉武帝元鼎六年（前111年）置盐官凡二十八郡，其一为南海郡番禺。有学者考证，认为番禺盐官便设置于今深圳南头。三国东吴时，已在南头筑司盐都尉垒。除南头红花园发现汉墓群外，还先后在邻近的新安镇和沙井镇发现不少汉代墓葬。在新安镇铁仔山的一座东汉砖室墓中，发现3块"熹平四年"（175年）的纪年砖。这说明两汉时期，特别是东汉，这里已是南海郡（交州）经济、文化较发达的地区之一。

珠海市

汕头市

1221.广东澄海龟山汉代建筑遗址

作　者：广东省文物考古研究所、澄海市博物馆、汕头市文物管理委员会　邱立诚、吴海贵等

出　处：《文物》2004年第2期

澄海市位于广东省东部的潮汕平原，地处韩江的两个出海口之间。龟山位于澄海市西北的上华镇北陇村以东，南距澄海市约4公里，是一座孤峰。20世纪40年代，意大利学者麦兆汉在北陇村首次发现龟山遗址。1983年5月，当地考古人员再次勘

察了该遗址。1988～1992 年，考古人员对龟山遗址进行了 3 次发掘，揭露面积达 530 平方米。调查表明，在龟山山顶及其东、西、南面都有文化堆积，分布范围近 2 万平方米。其中只有南面的文化遗存保存稍好，面积为 4000 余平方米。南面山麓有人工整治的三级平台，以第三级平台最大，长 60 米、宽 20 余米。考古人员在第一级平台进行了小规模发掘，清理出一座房址（编号 F1）。在第三级平台进行了较大规模发掘，并将其分为东西两区。简报分为：一、文化堆积，二、遗址，三、遗物，四、结语，共四个部分。有照片、拓片、手绘图。

据介绍，龟山遗址应是 1 处规模较大的汉代建筑群，4 座基址中 F3 最大，平面呈"凹"字形，可能是上层的活动场所。F4、F3 用途尚不明。F1 可能是住宅。该遗址的年代，简报分为三期：一期为西汉前期后段，二期为西汉后期，三期为东汉时期。

简报指出，龟山遗址位于汉代揭阳县中部，其年代最早为南越国后段，与揭阳县最早设置的时间相吻合。因此，龟山建筑遗址的发掘，为探寻汉代揭阳县治所提供了实物资料。

韶关市

1222.广东曲江马坝的一座西汉墓

作　者：广东省文物管理委员会　徐恒彬
出　处：《考古》1964 年第 6 期

1963 年秋，马坝西南摇松岭发现两个陶瓮，知该处为 1 座土坑墓。墓作长方形，骨架及葬具均已无存，只前部偏左处残留朱红痕迹。随葬陶器 7 件，铁器 2 件。简报推断年代为西汉时期。

1223.粤北南雄发现汉墓

作　者：南雄县博物馆　雷时仲
出　处：《考古》1985 年第 11 期

1982 年 10～11 月，南雄县文物普查队在南雄县乌迳公社新田村龙口山一带发现汉墓群，清理了两座东汉墓（编号 M1、M2），获得文物 30 多件。简报分为：一、墓葬形制，二、随葬器物，三、结语，共三个部分。有手绘图、照片。

据介绍，M1 墓向 180°，平面呈"凸"字形。单室券顶砖墓，墓室结构完好。

M2墓向正180°，平面呈长方形。两座东汉墓的棺具、骨架均已腐烂。墓砖有长方形、长方刀形、长条形、正方形四种。龙口M1、M2这2座墓所出遗物，有铜器、铁器、陶器等，以陶器为主。南雄县乌迳公社新田村龙口山发现的汉墓，虽然没有发现有纪年文字的遗物和可以断代的铜钱，但将发现的10多种花纹砖（特别是五铢钱纹砖）以及已清理的2座墓葬出土的器物，与其他地区的东汉墓出土的器物对照分析，简报可以确定龙口山的两座砖室墓为东汉墓。

简报称，全国各地发现汉墓甚多，但是在粤北小北江以北的山区发现汉墓尚属首次。它弥补了南雄、始兴、翁源、佛岗等县在汉墓发现史上的空白。

1224.广东始兴县禾场岭发现东汉墓

作　者：始兴县博物馆　王晓华
出　处：《考古》1991年第1期

考古人员在配合当地百姓挖泥打砖过程中，在始兴县城东3.5公里的禾场岭，先后发现和清理了汉代墓葬5座。这些墓葬中，1座是砖室墓（M4），早年被盗，无遗物，其余4座均为土坑竖穴墓。按出土时间的先后顺序，将墓葬编号为M1～M5。M1～M3是挖泥时挖出，出土遗物已被扰乱，只采集到一些出土遗物。M5保存较为完整。简报配以照片予以介绍。

据介绍，M5是1座长方形单室墓，封土已在挖泥时铲平。葬具、人骨架已腐朽。随葬器物放置在墓室内的前后两端。有些器物出土时损坏较为严重，有些器物已无法修复。共出土43件遗物，除1件残铁器外，其余皆为陶器。该墓年代，简报推断为东汉时期。

1225.广东始兴县禾场岭西汉墓葬清理简报

作　者：广东省始兴县博物馆　王晓华
出　处：《考古与文物》1992年第2期

1985年至1986年10月，考古人员先后在瑶村坳的禾场岭发现和清理了5座汉墓。简报分为：一、墓葬形制，二、随葬器物，三、结束语，共三个部分。有拓片。

据介绍，这次清理发掘的5座汉代墓葬，除M4是1座砖室墓以后，其余4座都是土坑墓葬。这些墓葬的平面都是呈长方形的砖室墓或土坑墓。M1、M2、M3的遗物已被百姓自发取出，只能算采集。M4早年被盗，空无一物。M5较好，出土遗物40余件，以陶器为主。简报认为此批墓属西汉晚期墓。

1226.始兴瑶村坳古墓葬清理简报

作　　者： 广东省始兴县博物馆　王晓华
出　　处：《考古与文物》1992年第4期

1988年8月至10月底，考古人员配合县造纸厂扩建工程，在瑶村坳西侧的禾场岭发掘了一批古墓葬。共计17座。其中，战国墓4座、汉墓5座、南北朝墓2座、唐墓1座、宋墓5座。这次在瑶村坳清理的墓葬有两大特点：一是墓葬非常集中，相距都在1～3米之间；二是墓葬方向都与山坡的走向基本一致（坐西向东）。简报分为：一、墓葬形制，二、出土遗物，结束语，共三个部分予以介绍，有手绘图。

据介绍，这次清理的5座汉代古墓葬，都在瑶村坳禾场岭东侧的山坡上。墓葬按山坡的走向无规则地排列，方向大致上是坐西向东。除M6墓是1座平面呈"尸"形的砖室墓外，其余4座墓葬有3座平面呈长方形，1座平面是呈正方形的土坑墓葬，分别按清理的顺序编号为：始瑶M6、M9、M11、M16、M17。出土器物有陶器、铜器等。简报称，始兴瑶村坳清理的5座墓葬，除M6砖室墓稍晚为东汉时期的墓葬以外，其余四座墓葬应是西汉时期的墓葬。

简报指出，始兴县文化发达，人杰地灵，汉时属豫章郡南野县地，三国时属桂阳郡曲江县地，吴永安六年（263年）划曲江县的一部分置始兴县，甘露元年（265年）分桂阳、南海二郡置始兴郡。同时，又从始兴郡划一部分地方置斜阶县，均隶属始兴郡。始兴县地处粤北山区，是岭南通往江南的陆路交通要冲，历史上又是"兵家必争"之地。从这次发掘、清理来看，出土的大部分遗物是生活实用器，这为我们研究岭南地区西汉时期的政治、经济和社会的发展状况提供了新的实物资料。

1227.广东始兴县汉墓清理简报

作　　者： 廖晋雄
出　　处：《考古》1993年第5期

1989年7月，在广东省始兴县造纸厂扩建工程工地上，机构化施工队平整场地时掘出一批汉墓。一些遗物与山土一起被装运去填土方。考古人员到现场进行抢救性清理。野外作业由7月16日至8月31日止，共清理3座砖室墓、17座土坑墓。简报分为：一、土坑墓，二、砖室墓，三、随葬品，四、结语，共四个部分。有拓片、手绘图。

据介绍，墓地位于始兴县城东约3公里，在一座由东向西延伸、地势南高北低、高出地面约40米的小山上。编号为纸厂M1～M20，其分布范围约在长70米、宽50米、面积3500平方米的范围内。土坑墓编号为M4～M20。大部破坏严重。砖室墓编号为 M1 ～ M3。此批墓葬出土物以陶器为主。值得注意的是，M14 出土的 3 件同一式的铁矛，刃部扁而细长，尖锐，没有銎，只有与刃部一并铸成的长铁杆，用竹或木套住铁杆即成为实用兵器。这为汉代军事史的研究提供了重要资料。这批墓葬年代，简报推断为西汉晚期至东汉时期。

1228.广东始兴县刨花板厂汉墓

作　者：始兴县博物馆　廖晋雄
出　处：《考古》2000 年第 5 期

刨花板厂古墓群，位于广东省始兴县城东 3 公里的小山头上。墓地东西长 80 米、南北宽 60 米。1995 年 8 ～ 12 月，广东省始兴县刨花板厂在此动工兴建，考古人员先后在此清理了 18 座古代墓葬。7 座汉墓的资料，简报分为：一、墓葬形制，二、出土遗物，三、结语，共三个部分。有手绘图。

据介绍，墓葬形制大体分为竖穴土坑墓和砖室墓两种。其中竖穴土坑墓共 6 座，分别编号为 M1 ～ M6；砖室墓仅 1 座（M7）。大多数墓葬均受到不同程度的破坏，出土器物大致可分为铜器、铁器和陶器 3 类。庞大的墓室不见用砖砌券顶及封门，与以往本地区出土汉代砖室墓有异。从随葬品的特征来看，简报推断墓葬时代为西汉时期。

简报称，M7 砖室墓规模之大为过去本地区发掘中所未见。

佛山市

1229.广东佛山市郊澜石东汉墓发掘报告

作　者：广东省文物管理委员会　徐恒彬
出　处：《考古》1964 年第 9 期

1961 年 9 月，考古人员在佛山市西南 9 公里澜石圩后的大松岗和八仙岗各清理东汉墓 1 座。次年 5 ～ 6 月间，再次进行发掘，清理东汉墓 7 座、唐以后墓 12 座。简报分为：一、墓葬分布与形制，二、出土器物，三、结束语，共三个部分。配以手绘图等，先行介绍东汉墓葬资料，唐以后墓将另文发表。

据介绍，9 座汉墓（编号为墓 1 ～ 6、12 ～ 14）中除墓 1、6 在八仙岗外，其余都在大松岗。均为砖室墓，几乎都被盗扰，顶部都已塌陷。由封门、甬道、前室、后室组成，有的还多一侧室等，略有变化。随葬品共计 39 种，133 件。有罐、壶、小口瓶、簋、盂、鼎、釜、豆、奁、杯、钵、盆、勺、耳杯、盘、碟等陶质器皿98件，井、灶、屋、水田、船、车盖、女俑、马、牛、羊、猪、狗、鸡、鸭等陶制模型27件和石黛砚、玛瑙佩管、琉璃珠、铜镜、五铢钱等其他器物8件。其中 M14 所出"水田附船"模型、陶屋模型都很生动。"水田附船"模型表明当时珠江三角洲已经有了水田。水田旁的小船是劳动者下田乘坐或运粮载肥的农业交通工具，水田里使用了犁耕，犁作"V"形。田里有肥堆，说明当时已施用底肥。从秧苗的排列和俑的姿势看，当时已经掌握了移栽秧苗的先进技术。收割稻谷的主要工具是镰刀，但脱粒的方法似乎仍然用手搓。收与种同时进行，表明已经实行二造制。墓14出土的陶屋模型，内有进行簸米、春米、屠守、饲养和放牧的劳动者，还有携带武器的人和犬看守。

这批墓的年代，简报推断为东汉晚期。

1230.广东顺德县汉墓的调查和清理

作　者：广东省博物馆、顺德县博物馆　杨式挺、苏启昌等
出　处：《文物》1991 年第 4 期

顺德县位于珠江三角洲中部偏北，北距广州市约50公里。北、西两面与佛山市、南海县相接，东北与番禺县交界，东南和中山市接壤，西南与新会县毗邻。1963～1985 年，考古人员在此调查和清理了两汉墓葬 28 座，其中西汉墓 2 座、东汉墓 26 座。墓葬分布情况是，勒流镇沙富村 15 座，连村官山 2 座，大良镇郊猪仔岗 1 座，陈村镇西淋山 6 座，北滘镇蟹岗 4 座。采集和出土了一批陶器、铜器和装饰品等遗物。这些墓葬大多是在农田基本建设中发现的，受破坏的较多，保存完好的少。

简报分为：一、沙富村，二、官山，三、西淋山，四、猪仔岗，共四个部分。有拓片。

据介绍，顺德县汉墓中东汉墓占绝大多数，反映出东汉时广东经济的发展和人口的增加。随葬品中俑座灯、陶制屋等较为重要。

1231.广东顺德陈村汉墓的清理

作　者：广东省博物馆、顺德县博物馆　古运泉、李子文等
出　处：《文物》1991 年第 12 期

1985 年 9 月，顺德县陈村区西淋山采石场在施工中发现 1 座东汉砖室墓。县博物馆派考古人员作了清理。清理时墓室已被炸毁，地面仅见散乱的墓砖，故墓葬形制不清。出土器物 10 件。简报配以手绘图予以介绍。

据介绍，出土 10 件器物，其中 9 件为陶器，有鼎、壶、豆、托灯俑等。均为细泥陶，

胎呈米黄色或灰褐色，火候高，质地坚硬。器表多施黄绿色或黄褐色釉，但釉层均严重剥蚀。另有鼎1件。胎呈米黄色，器表施黄绿色釉。盖已失。器子口，双耳残损，折腹，平底，下附简化三兽足。陈村汉墓的年代，简报推断为东汉早期。

简报称，广州地区两汉墓葬中时有胡人形象的托灯俑发现，陈村汉墓托灯俑的出土为这方面研究增添了新的资料。

江门市

湛江市

1232.广东徐闻东汉墓——兼论汉代徐闻的地理位置和海上交通

作　者： 广东省博物馆　何纪生、吴振华
出　处： 《考古》1977年第4期

徐闻县是广东最早的县治之一，远在汉武帝元鼎六年（前111年）已经设置。它位于雷州半岛南端，南隔琼州海峡遥对海南岛。两汉时期，徐闻是我国驶往东南亚和印度洋的海船出发港，又是大陆通向海南岛的门户，在广东古代历史上曾经占有重要地位。1973年冬至1974年春，考古人员在徐闻进行了1次文物调查，并在迈陈公社华丰村、龙塘公社红坎村和附城公社槟榔塥村3地发掘了51座东汉墓。简报分为四个部分予以介绍，有手绘图。

据介绍，这次发掘的汉墓在华丰村有34座，红坎村有12座，槟榔塥村有5座。出土有铁斧、铁凿、铁刀、铜器、五铢钱等。墓主人生前地位低下，但14座墓中有珠饰出土。共出土308粒，出土20粒以上的墓仅5座。在珠饰中，有琥珀1粒，玛瑙25粒，水晶3粒，紫晶2粒，玻璃127粒，其他是银珠、古玉、玉石、青金石和檀香珠等。这种情况和广州（汉南海郡郡治）、合浦（汉合浦郡郡治）、贵县（汉郁林郡郡治）等地的东汉大墓相比，数量相差悬殊。因此简报怀疑这批珠饰出自平民小墓，很可能也是来自民间的海外贸易。

简报称，作为一个海港，徐闻的条件远不及合浦州。徐闻偏于雷州半岛南端，附近自然条件较差，无内河行驶，陆路也甚困难。汉代徐闻之所以能够成为一个海港，主要原因在于当时的海上航线行经这里。

简报指出，从《汉书·地理志》的记载看，汉代船舶还只能沿着大陆岸边行驶，

广州、合浦间的航船一定要穿越琼州海峡，徐闻正是必经之地，因而能在当时的海外交通中占有一席地位。

茂名市

1233.广东省化州县石宁村发现六艘东汉独木舟

作　者：湛江地区博物馆、化州县文化馆　阮应祺
出　处：《文物》1979年第12期

1976年9月下旬，鉴江流域发生特大洪水后，在化州县长岐公社石宁村距鉴江东堤约80米的水塘边，发现从地下冲刷出来的独木舟6艘，现保存在湛江地区博物馆，定名为"石宁独木舟"。简报配以照片予以介绍。

据介绍，在独木舟出土处周围1公里范围内，有数百株古代树头露出地表，有两人合抱大的，也有已碳化的，木质与独木舟同。这一带在古代可能是一片原始树林，独木舟可能是就地取材制成的。独木舟头部呈尖形，尾呈梯形，底呈鸡胸形，中间宽，头尾窄，两端略上翘，形状如梭，木质坚硬，出土1年以后仍很少变形。其中2号舟基本完整，3号舟最大，其余各舟残缺不全。中国科学院考古研究所对2号和3号独木舟木材标本进行放射性碳素断代测定，结果：2号舟距今1745±100年（205年±100年），3号舟距今1750±85年（200年±85年），约当东汉后期。2、3号舟同出一地，木质、形制一致，制作年代当相差不远。

简报认为，石宁独木舟是东汉后期居住在化州县的少数民族劳动人民所制作的生产、交通工具，在内河、湖塘里使用。

肇庆市

1234.广东德庆大辽山发现东汉文物

作　者：广东省博物馆　徐恒彬
出　处：《考古》1981年第4期

1975年，德庆县新墟公社大桥大队大辽生产队农民在村边大辽山掘土时挖出了一批文物。这批文物共有50多件，都出土于1座长方形土坑墓中。墓底垫一层细砂，

砂上再铺一层碎木炭，文物放置于碎木炭上，尸骨和葬具均已腐朽无存。简报配以拓片、手绘图予以介绍。

据介绍，出土陶器 19 件、铜器 11 件、石兽 1 件等。出土的松香珠值得注意。该墓年代，简报推断为东汉。

1235.广东肇庆市康乐中路七号汉墓发掘简报

作　者：广东省文物考古研究所　尚　杰等
出　处：《考古》2009 年第 11 期

2004 年 11 月，肇庆市在对市区内康乐中路改造时发现古墓葬。康乐中路位于肇庆市端州区，北为端州六路，南邻宋城西路，向南距肇庆宋城文物保护单位约 50 米。墓葬发现后，考古人员于 11 月 27 日到达现场，发现 2 座被毁坏的砖室墓。从采集到的遗物及墓砖特征分析，初步断定墓葬年代应为南朝时期。考古队随即对施工范围进行调查，发现该处应为 1 处墓地，并进行了发掘。共清理出墓葬 12 座、水井 3 口和灰坑 2 座。12 座墓葬中 4 座为土坑墓，其中 M6、M7、M9 为汉墓，M11 为宋墓；其余 8 座为砖室墓，M8 为东晋时期墓，M1～M5、M10 为南朝时期墓，M12 为唐墓。3 口水井中 J1、J2 的年代为宋代，J3 为明代。2 座灰坑均为宋代。

3 座汉墓中 M7 墓葬出土有丰富的遗物，而且墓葬中长方形生土棺床这一形制，为广东所发掘的汉墓中所少见。简报分为：一、墓葬形制，二、随葬器物，三、结语，共三个部分。有彩照、手绘图。

据介绍，该墓被盗扰严重，残片随处可见，也未见棺椁及人骨，但仍出土器物 81 件（套），分别为釉陶罐、耳杯、四耳罐、提筒、壶、鼎、簋、盆、钵、釜、灶、魁、盒、陶豆、釜、灯、井、仓、屋、铜剑、耳杯，以及滑石璧和珠饰等。年代简报推测为东汉初期。

惠州市

1236.广东博罗县福田镇东汉墓发掘简报

作　者：广东省博物馆、博罗县博物馆　龙家有
出　处：《考古》1993 年第 4 期

1988 年 4 月，博罗县福田镇 2 座东汉墓被破坏，考古人员前往清理。简报分为：一、墓葬形制，二、随葬器物，三、结语，共三个部分。有手绘图。

据介绍，墓葬位于博罗县福田镇东坑墩岭咀山东南坡，编号 M1、M2，均为券顶砖室结构。M1 平面呈"凸"字形，由封门、甬道和墓室 3 个部分组成。M2 平面呈"中"字形，由封门、甬道、前室、后室组成。2 墓葬具、人骨均朽。随葬品有陶器、铜镜等。

2 墓年代，简报推断为东汉晚期。

梅州市

1237.广东五华狮雄山汉代建筑遗址

作　者：广东省文物考古研究所、广东省博物馆、五华县博物馆　邱立诚、刘建安等

出　处：《文物》1991 年第 11 期

1982 年广东省五华县博物馆李雄坤等先生进行文物普查时，在华城镇塔岗村狮雄山采集到绳纹瓦和戳印方格纹陶片。此后，考古人员前往勘察，确定这里是 1 处汉代建筑遗存。五华县地处粤东北丘陵地带，遗址坐落于华城镇东南 2 公里的狮雄山上。经勘察，遗址面积有 1 万多平方米。有主体建筑基址，在东北最高一级的平坦台地上；西南低一级台地上发现小型建筑基址和道路遗迹。东北台地高出西南台地 3～5 米。在遗址的东南和西北也发现建筑遗存，但已被扰乱和破坏，基址已不存。1984 年至 1990 年 12 月，考古人员对遗址进行了 4 次发掘，揭露面积 768 平方米。简报分为：一、地层堆积，二、建筑遗迹，三、出土遗物，四、结语，共四个部分。有照片、拓片、手绘图。

据介绍，该遗址为南越国时期赵佗的"长乐台"，是南越国时期所谓"四台"之一。始建与使用年代为西汉前期的南越国时期，毁弃于南越国灭亡之时。

汕尾市

河源市

1238.广东龙川县佗城东汉墓清理报告

作　者：广东省文物考古研究所、龙川县博物馆　刘成基
出　处：《四川文物》2005 年第 5 期

2004 年 10 月，河源市龙川县佗城镇亨渡村亨田自然村村民建房时发现了 1 座东汉前期墓葬，考古人员进行了抢救性发掘。简报分为：一、墓葬形制，二、随葬器物，三、结语，共三个部分。有照片、手绘图。

据介绍，该墓为长方形土坑竖穴墓，葬具、人骨已朽。出土随葬器物 33 件，有陶器和铜器。其中陶器包括陶鼎、陶屋，铜器有铜镜、钱币等。这为粤东客家地区东汉文化史研究提供了实物资料。

阳江市

清远市

1239.广东连江口发现汉代遗址

作　者：梁明燊
出　处：《考古》1964 年第 8 期

连江口在粤北英德县西南约 22.5 公里的崇山峻岭之间，连江在县西与北江相汇。1962 年 10 月，考古人员到连江口地区进行了为时 2 天的考古调查，在连江口南北两岸的山岗上都发现有印纹硬陶遗存。简报配以拓片予以介绍。

简报称，以方格、米字、水波纹为组合特征的印纹硬陶文化遗存，在广东已发现了 100 余处，初步断定它们是战国至秦汉时代的遗存。这次在连江口的发现，可以断定是属于汉代的遗物。这就为研究这种印纹硬陶遗存的分期问题，提供了较为可靠的资料。

1240.广东清远出土汉代窖藏铜钱

作　者：郭宝通、黄敏强
出　处：《考古》1986年第8期

1984年1月，江口区独树乡高中垅村农民在挖土坑时，发现了1处窖藏铜钱，共100余斤，出土时铜钱放在1个铜釜内。简报配以拓片、照片予以介绍。

据介绍，高中垅村位于江口圩东南约3公里。铜钱窖藏发现在高中垅村前叫鲢鱼咀的小山岗西坡，距表土66厘米，无文化层堆积和其他共存遗物。铜釜有铭文。此次清远县江口区高中垅村出土的贮藏铜钱的铜釜，是广东省首次发现。盘口形铜釜曾在海南岛临高县出土了3件，器体较大，清远铜釜器体较小，两地铜釜的形制特点则大同小异。此类铜釜可能是日常生活中实用的炊器，简报认为这在广东汉墓中极罕见。

1241.广东英德出土一件汉末神兽镜

作　者：陈松南
出　处：《文物》1992年第8期

1985年12月，英德县浛光镇鱼嘴乡黄屋村农民在村后建房时，发现1处窖藏，出土铜镜1件，以及银手镯、珠饰、五铢钱等。现由英德县博物馆收藏。简报配以照片予以介绍。

据介绍，铜镜出土时完好无损。镜面略有弧度，呈灰黑色。半球形纽，圆纽座，座外饰连珠纹。内区以流云纹衬地，以高浮雕人像、神兽组成繁密的画面。

简报推断此镜制作年代为东汉至三国时期。

东莞市

1242.广东东莞虎门东汉墓

作　者：广东省文物考古研究所、东莞市博物馆　龙家有、崔　勇等
出　处：《文物》1991年第11期

1990年11月，广东省文物考古研究所会同东莞市博物馆对东莞市虎门镇丫纱帽山1座东汉墓进行了清理。简报配以照片予以介绍。

据介绍,此墓位于丫纱帽山东北坡。清理前因基建受到破坏。从现存情况看,此墓原是1座"亚"字形或"卜"字形砖室墓,甬道及可能有的东侧室已被推土机彻底毁坏,前室保存一小部分,后室及西侧室保存较好。后室及西侧室形制相同,平面呈长方形,墓底高出前室地面10厘米,以砂岩作底,室壁皆以单砖错缝平砌,墓顶以单砖砌券,券顶两端横放或竖放单砖。出土随葬品21件。其中有陶质日常用具和模型17件,金属器和钱币共4件。除1件银指环出于后室外,其余均出于两侧室。此墓年代,简报推断当属东汉晚期。

简报称,出土随葬品中的青铜长矛、别致的陶屋以及铁钱等,都是广东汉墓中不多见的。

中山市

潮州市

揭阳市

云浮市

广西壮族自治区

南宁市

柳州市

1243.广西柳州市九头村一号汉墓

作　者：柳州市博物馆　黄云忠、刘　文、谢崇安
出　处：《文物》1984 年第 4 期

离广西柳州市区东南约 3 公里的九头村西，有 3 座残存封土的古墓，文物普查编号为 M1、M2、M3。1982 年冬对一号墓进行了清理。简报配以拓片、手绘图予以介绍。

据介绍，此墓残存封土高约 1.5 米，为带墓道的长方形竖穴土坑墓。随葬品有陶器、铜器、铜镜、铁器、五铢钱等。该墓年代，简报推断为西汉晚期。

1244.柳州市郊东汉墓

作　者：柳州市博物馆　刘　文、黄云忠、谢崇安
出　处：《考古》1985 年第 9 期

为配合农田基本建设，柳州市博物馆人员于 1983 年 10 月，在市东南郊九头山东北面发掘了 1 座东汉初年墓。简报配以手绘图、拓片、照片予以介绍。

据介绍，该墓残存封土高约 1.4 米，直径约 10.5 米。为长方竖穴土坑墓。墓内葬具、骨架已不存，葬式不明。墓室 B 的形制略小于墓室 A，出土有装饰品、铜镜等器物，可能墓主为女性。简报推测该墓为双人合葬墓。该墓出土器物共 30 余件，多数完好，主要放置在墓室前面。该墓出土有钱币"大泉五十"，其墓葬形制与随葬的壶、井、灶、镶壶、削、纺轮等器物，在岭南地区的平乐银山岭汉墓（《平乐银山岭汉墓》，《考古学报》1978 年第 4 期）、梧州鹤头山东汉墓（《广西梧州市鹤头山东汉墓》，

《文物资料丛刊》第 4 集）、广州汉墓（《广州汉墓》，文物出版社 1981 年版）中都可以找到相似之处。因此，简报推断该墓埋葬年代当为东汉初年。

桂林市

1245.兴安县溶江公社石马坪汉墓出土一件铜鐎壶

作　者：兴安县文化馆　李铎玉
出　处：《文物》1975 年第 5 期

1974 年 3 月，广西壮族自治区兴安县溶江公社莲圹大队的农民在村北石马坪挖土时，挖出了 1 座汉墓，并出土一批文物。简报配以照片予以介绍。

据介绍，溶江公社石马坪，在兴安县城南面 22 公里，在这块方圆 3 平方公里左右的地区内，有着几百座汉晋时期的墓葬。它和灵渠秦城遗址同列为广西壮族自治区的文物保护单位。出土文物除破损的未清理外，尚有 16 件。根据出土文物，简报推断此墓葬的年代当为西汉晚期至东汉初期。

1246.平乐银山岭汉墓

作　者：广西壮族自治区文物工作队　蒋廷瑜等
出　处：《考古学报》1978 年第 4 期

平乐银山岭墓群是 1974 年 10 月至同年 12 月发掘的。这次发掘的 165 座墓中，除 1 座晋墓和 9 座因无随葬品而时代不明者外，其余 155 座分属战国和汉代，其中战国墓 110 座已在《考古学报》1978 年第 2 期上发表，本报告作为它的续篇，报道汉墓 45 座。晋墓 1 座（M140），放在本报告后面，作为附录。简报分为：一、墓葬形制，二、随葬品，三、小结，共三个部分，配有照片、手绘图。

据介绍，这 45 座墓都是竖穴土坑墓，地面大多有封土保存。墓坑内回填含锰矿砂的原坑土，经夯实。葬具有木棺，有的有椁，但棺椁都已腐朽，仅存板灰痕迹和部分铁棺钉。人骨架已朽，葬式不明。这些墓仍同战国墓一样，按构筑形制不同，分为三型：I 型是长方窄坑墓；II 型是长方宽坑墓，都无墓道；III 型是带墓道的土坑木椁墓。按墓道的形状，又分为平巷式、斜坡式、斗式、敞口式四种。出土随葬品 481 件。简报称，这批墓分为三期，计西汉前期 13 座，西汉后期 20 座，东汉前期 12 座。可以看出，西汉前期墓葬沿袭战国晚期墓葬风格，在结构形制、随葬品组合、类型上，地方色彩都比较浓厚。到西汉中期以后,这种情况就发生了变化,一部分小墓仍然保留了战国和西汉前期特点,这种现象一直延续到东汉前期,再往后地方色彩逐渐减少。

简报指出,平乐在秦属桂林郡,是秦始皇戍五岭、徙中原之民"与越杂处"的地带之一。西汉初,平乐地区名义上属长沙国,但实际上被当时割据岭南三郡的南越王赵佗所占领。汉初的长沙国和南越互相毗邻,犬牙交错,平乐正处在这两个诸侯国的边缘。长沙马王堆三号汉墓出土的帛书地图正好反映了这种历史情况。由于吕后对南越推行经济封锁,南越与长沙又经常发生武装冲突,这个地区可能有一段人烟稀少的年代。银山岭墓地这时的墓葬稀而小,随葬品贫乏,同当时这种历史条件可能是有关系的。

1247.广西恭城县牛路头发现一座东汉石室墓

作　者：广西恭城县文管所　俸　艳
出　处：《考古》1998 年第 1 期

1994 年 3 月,广西恭城瑶族自治县平安乡牛路头的农民在取土建房时,发现了1 座古墓。考古人员赶到现场进行清理。简报配以手绘图、拓片予以介绍。

据介绍,整座墓室平面呈长方形,并分为前室、后室,前室还带甬道,估计该墓早年已被盗过,经过清理,在甬道中发现 2 件青瓷罐的残片、铜钱 20 枚和铁器 2 件。简报推断恭城牛路头石室墓应是东汉晚期的墓葬。

1248.广西兴安县秦城遗址七里圩王城城址的勘探与发掘

作　者：广西壮族自治区文物工作队、兴安县博物馆　李　珍、彭长林、彭鹏程
出　处：《考古》1998 年第 11 期

秦城遗址位于兴安县城西南 20 公里的溶江镇境内,是广西建筑年代较早、保存较完好的古代城址之一。秦城又称越城,相传为秦始皇发兵戍五岭之地。但在多次的调查中均未发现秦代的遗物,在城址内所采集到的大量陶质砖瓦片和各类器物大都是汉代及汉以后的遗物,因此对城址的建筑年代有着不同的看法。为更加清楚地了解城址的时代、性质,以及城内的建筑布局、城市设施和筑城方法,以便更好地对城址进行保护和研究,考古人员从 1990 年起对秦城遗址之一的七里圩王城进行了科学的测绘、勘探与发掘。至 1996 年止,共发掘面积 331 平方米,获取了大量文化遗物,发现了建筑遗迹,使我们对秦城遗址有了初步的认识。简报分为:一、地理位置及遗址概况,二、城址的勘探,三、城墙的试掘,四、城内的地层堆积和建筑

遗迹，五、出土遗物，六、城址的时代与性质。

据介绍，王城城址在建筑形制、出土器物等方面均显示出浓厚的汉代特征，其年代简报推断属两汉时期。简报称，广西地区秦汉时期的考古资料过去多来源于墓葬，秦城遗址（王城）的勘探与发掘，从另一个方面再现了当时人类的真实生活。此次发掘不仅丰富了广西汉代考古的内容，而且为广西乃至整个岭南地区古代政治、经济、军事和建筑史的研究提供了重要的资料。

1249.广西恭城瑶族自治县栗木镇陀塘村发现汉墓

作　　者：恭城瑶族自治县文物管理所　俸　艳
出　　处：《考古》2002 年第 7 期

1991 年 5 月中旬，当地农民在恭城瑶族自治县栗木镇陀塘村 1 处山茶林岭上发现 1 座古代墓葬（编号 M1），出土了 11 件文物。考古人员赴现场进行了调查。墓葬所处的山茶林岭位于陀塘村小学东北 200 米的黄泥土岗上，南至县城约 48 公里，北距栗木镇 7 公里。岭上约 600 平方米的范围内分布有 10 多座大小不等的封土堆，是一处古墓群，此次发现的墓葬位于墓区的南面。简报分为：一、墓葬形制，二、随葬器物，三、结语，共三个部分。有手绘图。

据介绍，此墓为长方形土坑竖穴墓，墓内出土器物共 11 件，均为陶器。此墓葬的时代，简报推断应在西汉末年至东汉早期。简报称，栗木镇在县城北面，此区域内发现汉墓尚属首次，为研究当地的秦汉文化提供了实物证据。

1250.广西恭城县东寨村发现一件汉代羊角钮铜钟

作　　者：恭城县文物管理所　俸　艳
出　　处：《考古》2002 年第 9 期

1994 年 3 月，广西恭城瑶族自治县莲花乡东寨村一农民在菜园挖土时，发现 1 件汉代的羊角钮铜钟。现已收藏在县文物管理所。简报配以手绘图予以介绍。

据介绍，此钟系青铜铸造，钟身和内壁光滑无纹饰。口长径 14 厘米、短径 8.1 厘米、高 24.5 厘米，孔高 4.5 厘米、宽 1.5 厘米，重 350 克。

简报称，据考证，羊角钮铜钟是战国至西汉时期流行于我国南方和越南北部一些民族地区的一种特殊的打击乐器（见蒋廷瑜《羊角钮铜钟补述》，《广西民族研究》1989 年第 4 期）。

1251.广西兴安县界首东汉墓

作　者：李　珍、彭鹏程、左志强

出　处：《考古》2014 年第 8 期

2004 年 7 月，兴安县界首镇骨伤医院在镇政府西北部（墓群北部）建新楼时发现 1 座古墓葬。考古人员对该墓（编号 M2）进行了抢救性发掘。发掘情况简报分为：一、墓葬形制，二、随葬器物，三、结语，共三个部分。有彩照、手绘图。

据介绍，该墓规模虽然较小，但随葬品数量较丰富，种类齐全。这座墓葬中虽然未发现纪年的文字，但墓葬本身具有鲜明的时代特征。简报根据墓葬形制和出土器物推断，M2 的年代为东汉晚期。

简报称，该墓的发现对探讨汉代岭南地区的文化交流和"湘桂走廊"在汉代交通上所起的作用具有重要意义。

梧州市

1252.广西梧州市近年来出土的一批汉代文物

作　者：梧州市博物馆

出　处：《文物》1977 年第 2 期

广西壮族自治区梧州市博物馆近年来在郊区旺步、河西、大圹、铁鉴等地清理了 10 多座东汉墓葬，出土了一批历史文物。简报配以照片予以介绍。

据介绍，这些墓葬都是长方形竖穴土坑墓。所有墓室的棺椁、人骨架和衣衾均腐朽无存。共出土随葬品 396 件。包括青铜器：鼎、釜、甑、豆等，陶瓷器：屋、灶、鼎、罐等，铁器：刀、戟、灯等，漆器仅耳杯 1 件，以及滑石器、金银饰品、珍珠、玛瑙、琥珀等。此外，在清理大圹 3 号墓时，发现在铜碗和铜盘内盛有中药、豆类和柑橙种子。

简报称，这批出土文物，在冶炼、铸造、烧制、制作和雕刻方面都已达到相当高的水平；说明了秦汉以来，由于南北各民族大融合，共同开发了祖国的南方，梧州的经济、文化包括手工业艺术等也因此得到了迅速的发展，梧州成为当时我国南方繁荣的城市之一。

简报指出，这些汉代文物的出土，对于研究我国南方古代社会的生产和生活，具有重要的价值。

1253.广西藤县出土一批汉代文物

作　者：黄汉超

出　处：《文物》1981 年第 3 期

1979 年 12 月间，广西藤县胜西矿场民工挖矿时，发现古墓 1 座，砖砌。简报配以照片予以介绍。

简报介绍，出土铜镜 2 面，铜剑 1 把（长 60 厘米），铜碗 2 只，铜灯 1 盏，铜圈 1 只，五铢钱 4 枚，银手镯 3 只，银戒指 1 只，银圈 1 只，翠玉 1 粒，三脚陶鼎 2 件，陶屋 2 座，陶壶 2 只，陶灯 1 盏，滑石片 1 块，陶俑、陶犀牛及已破碎的陶器一批。从铜镜龙凤海兽的纹饰来看，简报推断这批出土文物当为汉代文物。

北海市

1254.广西合浦西汉木椁墓

作　者：广西壮族自治区文物考古写作小组

出　处：《考古》1972 年第 5 期

广西合浦汉墓在合浦县城东南郊望牛岭的顶上，距合浦县城 2 公里左右。合浦县炮竹厂于 1970 年 7 月基建时发现该墓，1971 年 10 月间进行了发掘，到同年年底顺利结束。简报分三个部分予以介绍，有照片、手绘图。

据介绍，这是 1 座土坑竖穴木椁墓，墓的规模宏大，结构复杂，土坑略呈"干"字形，分为主室、甬道、南北两耳室和墓道等部分。随葬器物共 245 件。从墓葬的规模以及某些随葬品推断，这座墓应是西汉晚期合浦地区的郡县官吏或合浦地方豪强的墓葬。简报称，这座墓的发掘，说明汉代的厚葬风气不但在中原地区的统治阶级中流行，在当时南方边郡地区的统治阶级也不例外。

1255.广西汉墓出土铁冬青

作　者：广西壮族自治区博物馆　蒋廷瑜

出　处：《农业考古》1984 年第 1 期

1975 年在广西合浦堂排的一座西汉晚期墓中，出土了 1 件錾刻着精致的锯齿纹和菱形锦纹的小铜碗，碗内装满了树叶和果子。树叶呈草绿色，叶脉清晰；果子夹在树叶中，皮、核都保存完好。这些叶、果经广西林业科学研究所鉴定，是冬青科冬青属的铁冬青。简报配以照片予以介绍。

据介绍，1976年，在广西贵县罗泊湾发掘的1座西汉初期的大墓中，发现1个有盖的小陶碗里也盛有这种铁冬青树叶。再过3年，即1979年，在发掘贵县罗泊湾另1座西汉初期的大墓时，又发现4个这样的小陶碗内都装有铁冬青树叶。看来，将铁冬青树叶放在碗里陪葬，在距今2000年前的汉代已不是偶然的现象了。铁冬青又名熊胆木，也叫红熊胆，是一种常绿乔木。它的茎、叶皆味苦，性寒，皮和叶都可作药，能清凉解渴和镇痛。据说两广地区到夏季常见在街头摆卖的清凉解渴饮料"王老吉"茶，就是用铁冬青的皮、叶加上茅草根和甘草等熬制成的。用铁冬青叶煎茶喝，还可治喉痛和风热头痛。铁冬青是夏季开花的。合浦堂排汉墓的铁冬青叶里还有果，说明该墓下葬的时间是在当年的夏末秋初，当时人很可能已懂得了铁冬青的药用价值，经常用它来制作清凉解渴的饮料。

1256.广西合浦县凸鬼岭清理两座汉墓

作　者：广西壮族自治区博物馆、合浦县博物馆　黄启善、刘焯远、张居英
出　处：《考古》1986年第9期

凸鬼岭，位于合浦县城南约2公里处，是1座低矮的土坡，是合浦县汉墓群的主要分布区域之一。近年来，这一地带逐渐被开发利用。在基建工程中，已发现了不少的汉墓。1984年9月，考古人员配合基建工程，发掘和清理了两座汉代墓葬。简报分为：一、墓葬形制，二、随葬器物，三、结语，共三个部分。有照片。

据介绍，这两座汉墓（编号M201、M202），都是长方形竖穴土坑墓。地表残留有原来的封土堆。M202的封土堆较大，高1.7米。M201的封土堆较小，高2.2米。2座墓相距22米，每座墓的封土堆下覆盖着两个并列的墓穴。同一墓中2人的下葬年代相距不远。墓室内的棺材、椁板及人骨架已腐朽变成黑泥。出土遗物有陶器、铜器、铁器、玛瑙串饰等。2墓均为夫妇合葬墓，随葬品以生活实用陶器为主。简报推断年代为西汉晚期。

简报称，这2座夫妇合葬墓有几个比较显著的特点：一是女性墓比男性墓埋葬的时间较晚。二是每一对夫妇的棺材异穴放置，但都安置于两穴之间的公共隔墙的两侧，在平面图上，2棺相互靠近。三是男性墓穴比女性墓穴大，而且随葬品也多。这在一定程度上反映了当时的社会状况。简报指出，合浦地处祖国南海北部湾畔。自汉武帝元鼎六年（前111年）设立郡县后，曾是古代广西政治、经济、文化较发达的地区之一。这次发掘的两座墓葬，出土的文物虽然不多，但墓葬的

形制、随葬品的组合等为广西汉墓的分期、族属、葬俗等方面问题的研究，提供了宝贵的资料。

1257.广西合浦县丰门岭 10 号汉墓发掘简报

作　者：合浦县博物馆　张居英

出　处：《考古》1995 年第 3 期

1986 年 4 月，考古人员配合合浦县第二麻纺厂基建工程，在该厂范围内（丰门岭），抢救性发掘了 10 多座古墓，其中最有特色的、保存得比较完整的是 M10。丰门岭在合浦县城东南郊约 2 公里，西南紧挨望牛岭，M10 位于合北公路西侧的南面，距公路约 90 米。该墓是县麻纺二厂在基建施工中平整地基时发现的。考古人员于 4 月 13日对该墓进行发掘，4 月 22 日发掘结束。简报分为：一、墓葬结构，二、随葬器物，三、结语，共三个部分。有照片。

据介绍，该墓是 1 座砖室墓，由墓道、前室和 2 个后室共 4 个部分组成。随葬品以陶器为主，共 34 件；铜器次之，11 件；铁器较少，仅发现 2 把环手刀；装饰品较丰富，有玛瑙、金银戒指、琉璃珠、水晶珠、玉玲、玉塞、玉瑱、玉猪等。玉猪等制作十分精美。陶器均是黄色硬陶，轮制，器物造型规整，胎质厚薄均匀，有一部分器物施以青黄色釉，烧制火候很高。铜器保存得比较好，有 1 件铜碗因器壁薄被锈蚀外，其他器物都比较完整。该墓的年代，简报推断为东汉早期。

1258.广西合浦县母猪岭东汉墓

作　者：广西文物工作队、合浦县博物馆

出　处：《考古》1998 年第 5 期

母猪岭位于合浦县城南约 2 公里处，地势较为平缓，山岭及其周围地区汉代墓葬分布较为集中。合浦县粮食局直属粮库以前在此建库房时曾发现过汉代墓葬。为配合直属粮库的库房建设，考古人员进行了调查和勘探，发现 6 座墓葬，编号M1 ～ M6。1991 年 7 ～ 8 月，考古人员对此进行了发掘。简报分为：一、墓葬形制，二、随葬器物，三、结语。

据介绍，这批墓葬的规模较小，属中、小型墓。出土的随葬器物不多，且多残破不全，散乱在墓内各处，种类以陶器为主，水晶、玛瑙、琥珀与琉璃珠等装饰品较多，铜器、金银器和石器较少。这批墓葬虽然没有明确的纪年，但其结构、形制和随葬器物的造型、装饰等均具有明显的时代特征。简报推断其时代应为东汉中、晚期。

1259.广西北海市盘子岭东汉墓

作　者：广西壮族自治区文物工作队　彭书琳、陈左眉
出　处：《考古》1998 年第 11 期

盘子岭位于北海中站的西部。北海中站由广西国营三合口农场管辖，是南北公路上新兴起来的一座小镇。盘子岭原是三合口农场的耕作区，地势较为平缓。1983 年，考古人员在该地进行文物调查时，发现 14 座有圆形封土堆的古墓，后被公布为县级文物保护单位。1995 年 5 月，为了配合三合口农场兴建移民住宅小区，考古人员对盘子岭进行勘探，探出古墓葬 34 座。同年 8 月，对该墓群进行了发掘，工作自 8 月 1 日起，至 9 月 25 日结束。发掘期间进行了补探，又发现古墓葬 4 座，故实际发掘 38 座墓，分别编号为 M1～37（其中 M18 为同冢异穴合葬墓，分别编号为 M18A、B）。这些墓葬主要分布在盘子岭的东部、西部与南部。简报分为：一、墓葬形制，二、随葬器物，三、结语，共三介部分，有手绘图。

据介绍，此次发掘的 38 座墓，都属于中、小型墓，出土器物共 116 件。从各个墓葬的形制结构和随葬品的造型及出土的钱币等方面推断，盘子岭墓群的年代应从东汉早期延续到东汉晚期。简报指出，墓葬中出土有大量的白泥陶器，约占出土器物的 60%，其品种之多样及数量之大，在广西尚属首次发现，在两广地区汉墓中亦很少见。

简报称，盘子岭墓群的发掘，虽然发现的都是中、小型墓葬，出土的器物也不多，但它们为北海地区汉墓的分期、族属、年代、文化内涵等方面的研究提供了初步资料，因此具有重要意义。

1260.广西合浦县九只岭东汉墓

作　者：广西壮族自治区文物工作队、合浦县博物馆　熊昭明、韦　革、
　　　　覃　芳、何安益
出　处：《考古》2003 年第 10 期

九只岭位于合浦县城南约 4 公里处，紧靠南（宁）北（海）二级公路的西侧，属国家级重点文物保护单位——合浦汉墓群的分布范围。此地原有九个较大的封土堆，当地百姓称之为"岭"，故名九只岭。2001 年 7 月，为配合基建，考古人员对其进行考古勘探，共发掘墓葬 6 座，其中明代墓葬 1 座（M1），余为东汉墓。东汉墓的发掘情况，简报分为：一、墓葬形制，二、随葬器物，三、结语，共三个部分。有手绘图、拓片。

据介绍，这次发掘的 5 座墓，属于中小型墓葬，平面形状有"中"字形、"凸"字形 2 种。从结构看，M5 属砖木合构墓，余为砖室墓。砖木合构墓在两广地区是东汉前期出现的，是木椁墓向砖室墓过渡的一种形式。简报推断，M5 属东汉前期墓，M2、M3、M4 和 M6 属东汉后期墓。

简报称，这次发掘填补了合浦汉墓乃至两广汉墓一些形制上的空白，对于东汉墓的分期与岭南历史的研究无疑大有裨益。

1261.广西合浦县禁山七星岭东汉墓葬

作　者：广西壮族自治区文物工作队　黄槐武、韦　革等
出　处：《考古》2004 年第 4 期

禁山七星岭位于合浦火车站西南 180 米，距合浦县城 5.5 公里，处在合浦县汉墓保护区内，其东面、北面约 5 公里的范围内分布有廉南、平田、杨家山、中站 4 处大的墓群。1996 年，合浦县财政局在七星岭修建食糖仓库时，在 100 亩的施工范围内发现了 11 座汉墓。同年 12 月，考古人员对这批墓葬进行了发掘，工作历时 22 天。这些墓葬分布较为密集，间距多为 30 ~ 50 米。墓上大多保存有封土，其中 M9 ~ M12 的封土已被毁；其他墓葬现存封土堆与地表的相对高度最大为 2.5 米，其上叠压有现代墓。

简报分为：一、墓葬形制，二、随葬器物，三、结语，共三个部分。有照片、手绘图。

这批墓葬均为砖室墓，有单层或双层券顶、穹隆顶等结构，平面呈"中"字形、"十"字形、"干"字形或长方形，多由前室、中室、后室及耳室等部分组成。根据墓室的平面形制可分为四类，墓中葬具和尸骨都已朽没。其中，M9 ~ M12 的规模较小，其余 7 座均较大；M4、M8 不仅规模大，而且结构复杂。随葬器物包括陶器、铜器、铁器、滑石器等。墓葬年代皆属东汉晚期。

简报称，此次发现的莲花状器造型独特，除合浦地区外，未见类似资料。M7 墓砖上拍印的三角形与圆圈纹组合的连续图案，也较为少见。自汉武帝元鼎六年（前 111 年）在此设立郡县后，合浦一直是我国对外进行文化交流和贸易的重要港口。据《汉书·地理志》，当时从徐闻、合浦出发，可到达都元（今印度尼西亚苏门答腊）、黄支（今印度南部）等地。过去合浦汉墓出土的琉璃、玛瑙、水晶、琥珀等各种佩饰品就是从海路输入的。简报认为，这里出土的莲花状器的造型可能也受到了海外佛教文化的影响。

1262.广西合浦县母猪岭汉墓的发掘

作　者：广西合浦县博物馆　张居英、陆　露等
出　处：《考古》2007 年第 2 期

为了配合广西合浦县基建工程的需要，1990～1996 年，广西合浦县博物馆先后在合浦县母猪岭（合浦平田小学及现县第四中学内）抢救性发掘墓葬 10 座，部分墓葬完全被盗空及墓葬结构被严重破坏。简报分为：一、墓葬形制，二、出土遗物，三、结语，共三个部分。先行介绍基本比较完整的 5 座墓（M1、M2、M4、M5、M6）。

据介绍，这 5 座墓可分为土坑墓和砖石墓 2 类。土坑墓均为长方形土坑墓和砖石墓 2 类。土坑墓均为长方形土坑木椁墓，砖石墓皆由墓室和墓道组成。墓内葬具和人骨已朽。随葬品以陶器为主，还有铜器、铁器、铜镜、钱币、印章、装饰品等 184 件。简报推断该墓地从西汉晚期延续到东汉后期，是一黄姓家族的墓地。

简报称，这批汉墓中，出土了一批很有特色的器物，如 M5 出土的 1 件铜灯，在合浦发掘的汉墓中从没见过，器型小巧玲珑，工艺简练，线条流畅，器底配上 3 个小乳钉足。铜碗的器壁很薄，并且经抛光处理，花纹精细，仅存小部分。樽、三足盘、簋、盒等铜器，线刻花纹繁缛，工艺精致。最值得一提的是，1 件陶屋和 3 件陶溷，如 M4 的陶屋，前面有一条很宽的走廊，走廊开二门四窗，墙及瓦面均施青绿色釉。I 式陶溷的坑穴很讲究，有踏脚，有挡盆。III 式陶溷为单体结构，上厕下圈，在合浦属首次发现。

又如，在出土的装饰物中，M4 有 1 件犬形琥珀穿饰，比较引人注目。东汉绘画中也有此类犬种形象。另外，M4 出土的铜三足盘上刻画有一匹张开双翼驰骋的天马，以往汉代的天马，只是"羽人骑天马"、马匹飞奔腾空的形象，一般认为翼马始见于唐代。在西汉时期的出土物中应当是极为罕见的。

简报指出，这批墓葬出土了大量的琉璃珠和琥珀饰件。琉璃珠共有约 6400 粒。这批出土的琉璃就有《汉书·西域传》的"黄"（浅黄）、"青"（深蓝）、"绿"、"黑"、"缥"（浅蓝）、"赭"（指色）等数种。这些出土文物，为研究我国"海上丝绸之路"始发港之一的汉代合浦港提供了有力的实物资料。

崇左市

来宾市

贺州市

1263.广西贺县金钟一号汉墓

作　　者：广西壮族自治区文物工作队、广西贺县文物管理所　蓝日勇、覃义生、
覃光荣

出　　处：《考古》1986 年第 3 期

贺县铺门公社河东大队金钟村的北面是一处高地，高地上分布有 10 余座汉墓，
其中 1 座封土特别高大，当地人依其形状习惯称"金钟"。考古人员称为金钟一号汉墓。
1979 年，当地农民在此墓的封土上开荒种植和取土建房，直接危及墓葬。1980 年 5～7
月，考古人员对该墓进行了发掘。简报分为：一、墓葬概况，二、随葬器物，三、
墓葬年代，四、墓主身份，共四个部分。有照片、手绘图。

据介绍，金钟一号汉墓是 1 座带斜坡墓道的"凸"字形土坑竖穴木椁墓。发掘
前墓上有封土堆，呈半圆形，1979 年测量时，残存高度 7.35 米。出土有铜器、玉器、
漆器、陶器等。该墓应在下葬后不久即被盗掘。简报推断金钟一号汉墓的年代属西
汉前期的后段，在岭南地区属南越王国的后期。根据墓中出土 1 枚"左夫人"玉印
推测，此墓为夫妇合葬墓，墓中的男主人生前应是属于侯王一级的人物。

1264.广西昭平东汉墓

作　　者：广西壮族自治区博物馆、昭平县文物管理所　黄启善、李兆宗等

出　　处：《考古学报》1989 年第 2 期

昭平县东汉墓，是 1963 年全区文物考古普查时发现的。其中以北陀公社的乐群、
风清等地发现最多，黄姚公社的界塘和樟木公社的大同发现较少。1963 年，自治区
博物馆曾在黄姚公社界塘大队岩头村试掘 2 座墓。1976～1978 年间，又在北陀公社
的乐群、风清两地先后发掘古墓 24 座。其中乐群村 13 座，分布在付屋岭、松树岭、
罗坪头及文机岭等地点；风清村 11 座，分布于风树岭、大坪岭一带。简报分为：一、
墓葬形制，二、随葬器物，三、结语，共三个部分。介绍了这批东汉墓的全部资料，
有照片、手绘图。

据介绍，这批东汉墓葬都是中小型墓，墓的封土堆绝大多数因年代久远、风雨
剥蚀以及人为的破坏而被夷平，很难辨认。个别墓的封土堆虽仍有残存，但其高度

已不是原来的高度。大多为土坑墓，少数为砖室墓、石室墓。随葬品以陶器为大宗。简报推断年代为东汉中期、东汉晚期。随葬品中玻璃制品似不是来自中原或自制。铜镜等系自中原输入。

今有董睿先生《汉代空心砖墓研究》（科学出版社 2019 年版）一书，可参阅。

1265.广西钟山发现西汉规矩镜

作　者：莫测境

出　处：《考古》1992 年第 9 期

1987 年 12 月，广西壮族自治区钟山县文物管理所在该县公安乡平安村征集到 1 面汉代规矩铜镜。此镜是该村农民卢永意犁地时发现的，出土时被打烂残缺。现藏于该县文物管理所。简报配以拓片予以介绍。

据介绍，铜镜直径 22.7 厘米、边缘厚 0.5 厘米。圆纽，柿蒂纹纽座。镜面微鼓。镜背、纽座外加方框，框内饰 12 个小乳钉纹，其间有 12 辰铭文。其外为一圈铭文带，铭文 63 字。简报推断铜镜时代为西汉晚期。

简报称，此镜出土地点平安村在墓群范围之内，该墓群属广西壮族自治区区级重点文物保护单位。此镜可能为墓葬遗物。

1266.广西钟山县张屋东汉墓

作　者：广西壮族自治区文物工作队、钟山县博物馆　李　珍、彭长林、李桂芳

出　处：《考古》1998 年第 11 期

张屋东汉墓群位于钟山县城西约 20 公里的燕塘镇张屋村，属广西壮族自治区文物保护单位——张屋、牛庙古墓群的一部分。1976 年和 1990 年，考古人员曾在此进行过发掘，1994 年 7 ~ 8 月，为配合燕塘镇张屋农贸市场的建设，又在墓群的南部进行了发掘，共发现并清理墓葬 23 座。简报分为：一、墓葬形制，二、随葬器物，三、结语，共三个部分。有手绘图、拓片。

据介绍，这批墓葬都是中小型墓，土坑墓占绝大多数。出土遗物共 161 件，包括陶、铜、铁、石等质料的生产工具和生活日用器，其中以陶器最多，铜器、铁器次之。简报推断这批墓葬的时代为东汉时期，土坑墓的年代要比石室墓早。

简报称，钟山在汉代时属富川县地，与平乐同属苍梧郡，且两地相邻，两处的墓葬、丧葬习俗的相似性，对研究广西的地域、族属文化将有所帮助。

玉林市

1267.广西北流铜石岭汉代冶铜遗址的试掘

作　者：广西壮族自治区文物工作队　覃彩銮
出　处：《考古》1985 年第 5 期

北流县铜石岭冶铜遗址，是考古队 1966 年在玉林地区进行文物普查时发现的。为了解遗址的内涵及其时代，先后于 1977 年冬和 1978 年春，对遗址进行了 2 次试掘。第 1 次开掘 10 米 ×1 米探沟一条；第 2 次试掘除了把原探沟扩大外，又在附近开了4 条小探沟。两次试掘揭露面积 250 平方米，发现了一批炼炉、灰坑、排水沟、鼓风管、铜锭、炉渣及陶瓷器等遗迹和遗物。以第 2 次试掘的材料为主，简报分为：一、地理环境和遗址概况，二、遗迹，三、遗物，四、几点认识，共四个部分。有手绘图、照片。

据介绍，铜石岭位于北流县民安公社北面的圭江东岸，西距县城约 13 公里，南距民安圩约 3 公里。铜石岭遗址发现的炼炉为竖形炉，其结构不及湖北铜绿山的炼炉复杂。出土的圆筒状鼓风管，质地粗糙且松散，制作方法比中原地区原始。由于遗址里尚未发现鼓风工具遗物，当时以何物、何种方法进行鼓风，目前还不清楚。简报推断，遗址的朝代应属汉代。

百色市

1268.广西西林县普驮铜鼓墓葬

作　者：广西壮族自治区文物工作队　王克荣、蒋廷瑜
出　处：《文物》1978 年第 9 期

1972 年 7 月，广西西林县八达公社普合大队普驮粮站在开辟晒场时，发现 1 处用铜鼓作葬具的"二次葬"古墓，出土了一批珍贵文物。简报配以照片等予以介绍。

据介绍，在西林县驮娘江西南岸的 1 处山坡上发现了这座墓葬。墓的形制非常特殊，墓坑略作圆形，造作不规整，直径1.5 ~ 1.7 米不等，深 2 米，在地表之下深约0.6 米处有 1 块圆形石板盖住墓口，石板下面并排放着12 块大小不等的石条，石条下

面就是铜鼓。石板和石条都是现已风化的石灰石，有的有加工痕迹。铜鼓4件是互相套合埋在地下的。随葬品一部分散布在铜鼓周围，一部分装在铜鼓内。在最内层的铜鼓内堆放骨骸。经广西医学院解剖教研室鉴定，死者是男性，25岁左右。从骨骸堆放的情况判断，应是"二次葬"。出土器物包括葬具和随葬品大小400余件，主要是铜器和玉石玛瑙器，也有铁器和一小股金丝。这些器物既反映了古代当地兄弟民族文化的独特风格，也具有明显的中原文化的特征。铜器共270余件。铜鼓，4件。作为葬具，互相套合，类似内棺外椁。该墓的时代，简报推断为西汉早期。墓主人生前应有一定身份。

河池市

钦州市

1269.广西灵山县发现东汉纪年砖

作　者：灵山县博物馆　玉永琏

出　处：《考古》1999年第4期

1995年2月，灵山县博物馆工作人员到县城东南4公里的新圩镇塘村进行文物调查时，征集到了8件东汉熹平纪年砖。简报配以拓片予以介绍。

据介绍，砖8件。灰白色，不甚坚硬。长28.5厘米、宽13.5厘米、厚5.5厘米。砖上有铭文，为隶体阳文反书。另外，数年前该馆还从古文村征集到2件熹平纪年砖，砖色紫红，砖坚硬。长28厘米、宽14厘米、厚5厘米。有铭文10字，隶体阳文反书，其余部分为素面。

简报称，以上2处的纪年砖是从当地两户农民家里发现的。据说，这些砖是分别从塘村的九都岭和古文村的桂山岭的两座古墓里搬回来的。据查，这2座古墓已于20多年前被全部破坏。

防城港市

贵港市

1270.广西贵县汉墓的清理

作　者：广西省文物管理委员会　黄增庆等
出　处：《考古学报》1957 年第 1 期

1954 年至 1955 年 5 月，考古人员在贵县城郊发掘了 129 座汉墓，出土随葬品
5017 件。简报分为：一、墓葬形制，二、葬式和葬具，三、随葬品，四、结论，共
四个部分。有照片。

据介绍，共发掘西汉墓 25 座，均为长方形竖穴墓，只有 2 座有墓道。东汉墓 104
座，其中 88 座为有墓道的长方形竖穴墓，10 座无墓道。砖室墓 16 座。出土遗物以陶
器为主，另有铜器、铁器、金银器、石器、玉器等。年代最早为西汉中叶，最晚可
能到魏晋。出土遗物中最值得注意的是西南少数民族乐器铜鼓，出土于东汉初期墓
葬。

1271.广西贵县罗泊湾一号墓发掘简报

作　者：广西壮族自治区文物工作队　蒋廷瑜等
出　处：《文物》1978 年第 9 期

罗泊湾一号墓位于西江北岸约 1 公里处，西距贵县县城 5 公里。封土高大，当
地群众称为大坡岭。1976 年 6 月下旬，贵县化肥厂扩建时，发现了此墓的墓道和陪
葬的车马坑。坑中出土了一些鎏金铜车马器，当年进行了发掘。简报分为三个部分
予以介绍，有照片、手绘图。

据介绍，这座墓规模巨大，结构复杂，封土高约 7 米、底径约 60 米。层层夯
实，土内夹有少量炭屑和竹木屑等。封土上发现石灰窑址和近代坟墓。封土下为墓
室、墓道和陪葬坑，墓室椁板下还有殉葬坑和器物坑。从墓顶到墓底深约 11 米。殉
葬坑中 1 男 6 女，女性在 13 ~ 26 岁之间。死者既有墓圹又有葬具，死者衣文绣，穿
鞋袜，并用竹席或草篾包裹，有少许随葬品，同奴隶社会的奴隶殉葬很不相同。随
葬品中有乐器、梳妆品或铁剑、木拐杖等，说明死者应是墓主人生前近幸的乐舞伎
和近身的侍从。从棺盖上刻写"胡偃"和"苏偃"来分析，他们也应是奴婢而不是
奴隶，身上也无伤痕。简报认为此墓葬的时代应属于西汉初期，在岭南地区就是南

越王割据称王的时代。从墓葬椁室的规模，棺椁、丰富的随葬器物和用7个人殉葬的情况分析，加之《兵器志》中记载随葬有甲、盾、戟、矛、弓、弩、矢等兵器，出土物中也确有铁剑、铜剑，铜镞和木制兵器柄等，墓主人可能是当地身任武职的高级官吏。

1272.东汉牛橇骑士、鹭鸟羽人纹铜鼓

作　　者：桂平县文管所　陈小波
出　　处：《文物》1982年第1期

1972年，广西桂平县江口中转站收购到1面牛橇骑士、鹭鸟羽人纹铜鼓。橇的前后基本平行，两侧是两条长木，前端用一轭木连接起来，套在水牛颈背上，尾部有一栏架，架上置一敞口篓，人骑在水牛背上。这反映了古代少数民族运载工具的特别。简报中没有此面鼓出土地点。

简报称，此类铜鼓，该县在1954年间出土了1面，其橇套在牛背上，前高后低，无人骑在牛背上。而1972年收购的这面鼓的牛橇前后平行，又有人骑在牛背上，为前所未见。

1273.广西贵县罗泊湾二号汉墓

作　　者：广西壮族自治区文物工作队　兰日勇、覃义生
出　　处：《考古》1982年第4期

贵县罗泊湾二号汉墓，西距贵县县城6公里，位于西江北岸约1公里处的1个低矮的土坡上。墓葬与1976年已发掘的一号墓，一东一西，相距里余。当地人因其地势相对较高，封土堆高大，习惯把一号墓称为大坡岭，把此墓称为二坡岭，也有称此墓为大坡岭的。1979年4～6月，考古人员对该墓进行了钻探和发掘。发掘工作历时69天。简报分为五个部分予以介绍，有手绘图等。

二号墓是1座带墓道的大型木椁墓。发掘前尚存封土，呈椭圆形，现存高度约6米，底径42米。发现有2个盗洞，估计下葬后即先后两次被盗。墓为竖穴，呈"凸"字形。二号墓的规模，仅次于同地的一号墓。墓中随葬品虽经窃盗，但仍有价值昂贵的金器、鎏金器、玉器等，这些遗物从一个侧面反映了墓主拥有财富的雄厚。特别是以人殉和木俑的发现，更是表明死者绝不是个普通官吏，而应是一个生前拥有亲近奴婢、又有专供奴役的奴隶的地方高级贵族。出土的"夫人"玉印，也可说明这一点。按照汉代制度，一般人的妻子不能称"夫人"，丈夫享有相当高的政治地

位的，方能称为"夫人"。简报认为墓主人有可能是南越赵氏王国派驻本地的相当于王侯一级官吏的配偶。二号墓的年代下限，简报认为应在汉文帝前元元年至十六年之间（即前179年～前164年）。

1274.广西贵县风流岭三十一号西汉墓清理简报

作　者：广西壮族自治区文物工作队　何乃汉、张宪文
出　处：《考古》1984年第1期

1980年7月底至9月初，经广西壮族自治区人民政府批准，工作队会同贵县文管会配合贵县西江大桥工程，在风流岭清理了1座西汉木椁墓。简报分为三个部分予以介绍。

据介绍，该墓位于贵县火车站西约3公里的贵县汽车修配厂内，属风流岭范围。风流岭一带，以前曾清理过古墓30座。这次清理的是1座规模较大的土坑木椁墓。编号为贵风M31。贵风M31，由于随葬品严重被盗，既无带纪年或供断代参考的典型遗物出土，也缺乏陶器或铜器的组合，要断定墓葬的确切年代较为困难。但墓葬的规模较大，有斜坡墓道，椁室作单层结构，这些和广州的西汉早期墓相似。过去在贵县发现的西汉早期墓，也有相同情况。于墓道旁另设车马坑，墓坑经过烘烧，这和罗泊湾一号墓的情况更为接近。墓底、椁顶铺木炭，椁外和二层台之间一层木炭、一层黄土相间填实，和《广州市东北郊西汉木椁墓发掘简报》中的第四号墓相同。从遗物看，各种饰板上的云气纹、漆器上的卷云纹和四叶柿蒂形铜饰，也是较大型的西汉墓葬中常见的纹饰和饰物。几件零碎陶器，全部出自盗洞以下充满碎木屑的西边厢内。两个残壶盖，根据其造型和纹饰特征，断定为西汉时期器物。方格纹陶罐片，两汉均普遍存在。综上所述，简报推断该墓的年代应属西汉。

简报称，贵风M31是经罗泊湾一号墓之后，发掘的又1座规模较大、结构严谨的墓葬。墓主人的身份，无疑是当时统治阶级中的一员。各种彩绘饰板的出土，是广西汉墓中的首次发现，在其他地区的同期墓葬中也较为少见，是考古研究的新资料。

1275.广西贵县北郊汉墓

作　者：广西壮族自治区文物工作队　黄自善
出　处：《考古》1985年第3期

贵县北郊汉墓群，是广西最大汉墓群之一，已陆续发掘了500余座。1978年5月，

在黎港铁路两侧，又发现了许多汉墓，考古人员共清理和发掘了19座。简报分为：一、墓葬形制，二、出土遗物，三、结语，共三个部分。有照片、拓片、手绘图。

据介绍，墓葬分木椁墓9座和砖室墓10座2类。有的墓已被盗，随葬品以陶器为主，几乎每座墓都有玛瑙、料珠等装饰品。这些玛瑙、串珠等装饰品，很可能是从海外输入。出土的铜镜，应是从中原地区输入的。年代可分东汉前期和东汉晚期两个阶段。

简报指出，贵县位于广西壮族自治区东南部的西江中游。这里自从秦始皇三十三年（前214年）设桂林郡、汉武帝元鼎六年（前111年）设郁林郡之后，一度成为广西政治、经济、文化的中心。它依靠西江这条极为方便的水路，逆水北航，过灵渠进湘水，跨长江，北达中原地区，往南水路可达广州。贵县北郊汉墓，目前依稀可辨认的尚有数百座。

简报称，这次发掘的虽然都是中小型墓葬，但出土的器物相当丰富。对于贵县汉墓的分期、族属、年代、文化内涵等方面的研究，无疑是宝贵的新材料。

1276.广西贵县罗泊湾西汉墓殉葬人骨

作　者：彭书琳、张文光、魏博源
出　处：《考古》1986年第6期

1976年秋，广西壮族自治区博物馆在贵县罗泊湾发掘了1座西汉前期的大型土坑木椁墓，在椁室底层发现7具殉葬木棺，木棺内各有人骨1具。这7具人骨在出土时除M1～M4号十分残缺之外，其他六具保存基本完好，脑颅腔内还存有脑碎块。这批骨骸因没有及时进行测量，经多年的存放，不少骨骼发生了暴裂破损，尤以肢骨更为严重，以致不能进行全面测量。可供观察和测量的成年颅骨有5个（均带下颌骨），肩胛骨6块（分属3个个体），锁骨2条（同一个体），其余变形、残缺较严重，只能测量其最大长或生理长。所有的测量方法和指数的计算均按吴汝康、吴新智编著的《人体骨骼测量方法》的规定进行。

简报分为：一、人骨的性别和年龄，二、形态观察，三、颅骨的比较，四、颅骨量和身高的估计，五、结语，共五个部分予以介绍。

据介绍，简报综合比较结果认为，罗泊湾西汉前期墓出土的殉葬人骨，无论从形态观察和测量对比，其体质特征上与华南人类型最相近，应属华南人类型，而且很可能是长期生活在当地的土著民族。

1277.广西贵港市马鞍岭东汉墓

作　　者：广西壮族自治区文物工作队　韦　江、林　强

出　　处：《考古》2002 年第 3 期

1996 年 12 月至 1997 年 1 月，考古人员在贵港市火车站新扩建的复线范围内，即当地人称之为马鞍岭的地方，发掘了 3 座东汉墓（97GMM1、97GMM2、97GMM3），出土一批遗物。

发掘情况简报分为：一、墓葬形制，二、随葬器物，三、结语，共三个部分予以介绍。有手绘图、拓片。

据介绍，从墓葬的结构和随葬品两个方面分析，简报推断 M1 的年代为东汉前期，M2、M3 的年代为东汉后期。简报称，这 3 座墓未遭破坏，墓室结构和随葬品组合保存完好，有可靠的断代标准，时代特征比较明显。这 3 座墓的发掘，为广西汉墓的分期、编年的研究提供了一个较可靠的参照系。

1278.广西贵港市孔屋岭东汉墓

作　　者：广西壮族自治区文物工作队、贵港市文物管理所　陈　文等

出　　处：《考古》2005 年第 11 期

孔屋岭位于贵港市北郊南要至梧州二级公路（在贵港，今称东北环大道）北侧的田野上，西为营建路，再远为深钉岭，四周均为平缓的旱地。这里属广西壮族自治区文物保护单位——贵县古墓葬的保护范围。1991 年 1 ~ 8 月，为配合南梧二级公路建设，广西壮族自治区文物工作队会同贵港市文物管理所在贵港市高中以东至孔屋岭的公路沿线，清理出西汉至南朝时期的墓葬 36 座。为了配合贵港市公安局新址建设，1994 年 10 ~ 11 月，这两个单位又对孔屋岭 1 座东汉墓（编号为孔 M1）进行抢救性发掘。

简报分为：一、墓葬形制，二、出土遗物，三、结语，共三个部分。先行介绍了这座东汉墓的发掘情况，有彩照、手绘图。

据介绍，1994 年发掘的孔屋岭东汉墓，是广西出土的少数未被盗的较大型砖室墓之一。该墓封土直径 31 米、残高约 2.95 米，墓葬平面为"T"字形，由墓道、甬道、前室、耳室和双后室构成，为合葬墓。出土器物以陶器为主，还有青铜器、铁器、瓷器和玉器等计 67 件。

从墓葬形制和出土器物的特点看，简报推测其年代为东汉晚期偏早。

1279.广西贵港深钉岭汉墓发掘报告

作　者：广西壮族自治区文物工作队、贵港市文物管理所　陈　文、陈左眉等
出　处：《考古学报》2006 年第 1 期

贵港市区（旧称贵城镇）为过去的贵县县城，位于广西东南部的郁江平原上，郁江经此向东流远。深钉岭位于该市城区北郊南梧二级公路（即今东北环大道）北侧，是 1 处不高的坡岭。周围地势平缓，其东为孔屋岭，西为贵港市高中，再远处为三堆岭，其中孔屋岭、三堆岭实际上是高大的汉墓封土堆。这里属广西壮族自治区文物保护单位——贵县古墓群的保护范围。1954～1956 年修筑黎湛铁路，在贵县火车站一带铁路沿线发掘汉墓 200 多座。20 世纪 80 年代，配合贵县高中等单位建设，陆续清理了上百座古墓。1991 年 1～7 月，为了配合南梧二级公路建设，在深钉岭一带发现古墓葬 40 多座，其中经正式发掘的两汉墓葬仅 20 座、南朝墓 4 座、明清墓 4 座，此外被推土机破坏的古墓葬约有 14 座。简报分为：一、墓葬形制，二、出土遗物，三、结语，共三个部分。先行介绍了这次发掘的汉墓，有彩照、手绘图。

据介绍，这次发掘的 20 座汉墓，其中竖穴土坑墓 13 座、砖室墓 7 座。这些墓葬由于埋藏不深，且密封不好，加上土壤酸性大，砖室墓又均被盗，其葬具、尸骨均已朽没。这批汉墓的年代从西汉中期早段到西汉晚期不等，个别可能晚到东汉晚期。

简报归纳了相关演变规律：

从墓葬演变情况看，在竖穴土坑墓中，墓道从平坡演变为斜坡；墓底从平演变为分前室低、后室高的两室，墓底从不铺砖发展到铺一层砖，即演变方向是从带平直墓道的平底竖穴土坑墓演变为带斜坡墓道的墓底平而不铺砖的竖穴土坑墓，再演变为带斜坡墓道的墓底铺砖且分前后室的竖穴土坑墓，然后再发展演变为前后室的砖室墓。此外带斜坡墓道的墓底平而不铺砖的竖穴土坑墓则进一步演变为单室砖室墓。当然，新的墓型出现后，旧的墓型仍存留一定的时间。西汉时期，这里的墓葬为竖穴土坑墓，至迟东汉中期以后，贵港地区的汉墓则转变为以砖室墓为主了。

从随葬品来看，B 型壶的演变均为腹由大变小，即由圆腹→扁鼓腹→垂鼓腹方向发展，鼎由圆腹→扁鼓腹→折扁腹→扁垂腹方向发展，器物的腹均越来越小。同时西汉中期以前多随葬罐、鼎、壶、钫等实用器，西汉晚期开始出现陶屋、陶灶等陶冥器，到东汉中晚期冥器种类大增，除井、屋、灶外，还有鸡、鸭、狗、猪等，反映了人们观念的转变。纹饰早期主要有方格纹，有的大罐的方格纹上还戳印圆圈纹、方框纹，一些器物还有戳点纹。晚期方格纹很少，主要是凹弦纹，还有一些水波纹、网格纹。从早期到晚期器表施褐釉或青釉的越来越多。

简报指出，此批汉墓封土堆均未见夯筑，但无论西汉墓还是东汉墓，都较注重防水，墓口的封土大都可见大量青胶泥、黑胶泥封填的现象，当是防止雨水下渗墓室的有意所为。

简报认为，贵港市旧称贵县，在汉代为布山县，为郁林郡郡治所在地，是当时这一地区重要的政治、经济、文化中心，至今仍为广西保存汉墓较为集中的地区之一。尽管近几十年发掘了大量汉墓，但由于过去的大多数发掘资料只作简讯发表，未能完整、科学地报告出来，因而本次发掘就显得尤为重要，这对研究贵港乃至岭南地区汉墓的发展序列、分期、文化内涵、葬俗以及汉文化发展史有重要的学术价值。

1280.广西贵港市孔屋岭汉墓 2009 年发掘简报

作　者：广西文物考古研究所、贵港市博物馆　谢广维、韦　江、冯桂淳、廖其坚等

出　处：《考古》2013 年第 9 期

孔屋岭位于贵港市北郊三合村一带，是广西重点文物保护单位贵港汉墓群分布较为集中的一片区域，其西面的贵港高中、深钉岭一带都曾发掘过大批汉墓。1994 年，为配合南梧二级公路（即今金港大道）建设，考古人员曾对金港大道南侧孔屋岭上的一座东汉砖室墓进行发掘。2009 年 9 月，为配合贵港市绿洲小区房地产项目建设，考古人员对位于孔屋岭上绿洲小区建设用地范围内的 3 座汉墓进行了抢救性考古发掘。简报分为：一、墓葬形制，二、出土遗物，三、结语，共三个部分予以介绍。有彩照、手绘图。

据介绍，此次发掘共清理墓葬 3 座，除 M1 为砖室墓外，其余 2 座均为竖穴土坑墓，其中 M2a、M2b 为同坟异穴合葬墓。M1 已遭盗掘和破坏，出土遗物共计 177 件（套），有陶器、铜器、铁器、铅器、银器、玉器、石器、木器，其中以陶器居多，此外在发掘过程中每座墓都曾发现大量的漆皮，推测有一定量的漆器随葬。另外还出土了一些五铢铜钱。M2 时代为西汉晚期，另两墓时代为东汉前期。

简报指出，这批墓葬的发掘，对研究贵港地区汉墓发展演变关系具有较重要的价值。另外 M1 随葬的大量青釉陶器施釉均匀，釉色莹润，为研究广西地区青瓷器的发展及汉代施釉水平的状况提供了很好的实物资料。

海南省

1281.广东临高县出土汉代青铜釜

作　者：梁明燊

出　处：《考古》1964 年第 9 期

1964 年 2 月中旬，临高县城镇信用社工作人员在城北约 5 公里的皇桐岭挖掘树根时，发现了 2 件青铜釜。简报配图予以介绍。

据发现者追述，铜釜出土时，大、小 2 器套在一起，口沿向上，大的 1 件耳部已露出地表约 10 厘米。2 件铜釜形制相同，每耳上方铸有单体小动物 2 只。有长期使用痕迹。简报推断为汉代遗物。

1282.海南岛发现汉代铜釜

作　者：广东省博物馆　杨耀林

出　处：《文物》1979 年第 4 期

1972 年 8 月间，海南行政区临高县调楼公社抱才大队渔民在建房挖地基时，发现 1 件六耳大铜釜。简报配以照片予以介绍。

简报介绍，渔民新村面临北部湾，南距临高县城约 20 公里，东距大队渔港 300 米，西距新安圩镇约 3 公里。出土地原是旧海滩，有很厚的海沙层，现已在上面盖房建屋。据发现者追述：出土时釜里填满红土和海沙，釜底垫有 1 块铜块和 4 枚铜钱，可惜都早已散失。铜釜造型奇特，凝重古朴，器作盘口、直身、平底，口沿上附 6 只环形绚纹耳，釜口沿上并铸有 1 个骑马武士和 2 头牛（部分残缺），器腹中部铸箍状纹 3 匝。全器合范铸成，外壁留有 2 道明显的合范痕迹。

此釜是 1 件炊具。简报推断，此件六耳铜釜亦当为汉代遗物。

今有《汉代青铜容器的考古学研究》（岳麓书社 2005 年版）一书，可参阅。

1283.海南陵水县发现印纹硬陶

作　者：陵水县博物馆　李居礼
出　处：《考古》1987年第3期

关于海南黎族苗族自治州陵水县的古文化遗存，广东省博物馆曾做过调查（《考古学报》1960年第2期）。1975年以来，百姓在海边开荒种树时又有新发现。考古人员曾多次前去调查，在沿海一带的吊罗山下黎族居住区，英州区的军屯坡、古楼坡、福弯，光坡区的坡尾等地都有发现。简报配以照片、拓片予以介绍。

据介绍，计有印纹硬陶瓮1件，出土于英州区福弯沙滩，高62厘米，是器形最大的1件陶瓮，发现时内有2个拳头大蚌壳。陶罐1件，出土于英州区军屯坡。另外，在陵水县沿海一带还发现了大批印纹硬陶片。印有五铢钱纹的硬陶在国内还属首见，其时代属于西汉时期。其他纹饰的陶片还有：圆点线纹，十字方格纹，水波纹，压印螺线纹，菱纹，曲线水波纹，方格波纹。

简报称，海南地区印纹硬陶的发现，为研究海南岛的历史提供了宝贵的实物资料，同时表明了海南地区文化与大陆文化的密切关系。

海口市

三亚市

三沙市

重庆市

1284.合川东汉画像石墓

作　者：重庆市博物馆、合川县文化馆、田野考古工作小组

出　处：《文物》1977 年第 2 期

1975 年 2 月，四川合川县沙坪公社濮湖四队在改土造田中发现 1 座画像石室券顶墓。该墓位于濮岩寺北面的山脊上，当地人传称"皇坟堡"，距县城 2 公里。墓向南偏东 4°，墓道已被破坏，随葬器物多被盗掘。简报分为：一、墓室结构与画像石，二、随葬器物，三、墓葬年代，共三个部分。有照片。

据介绍，墓室平面呈十字形，分墓门、前室、正室、后室 4 部分，前、正、后 3 室相通。现存随葬品多陈设于前、后室。正室除散乱的石刻座和少数陶俑外，在东西 2 段则有较多的朱漆木纹与 2 枚铁棺钉，由此推测东西两段为陈放棺椁之处，前、后室则为陈设殉葬品的地方。全墓画像石计 10 石 14 幅，主要分别刻在前、正 2 室的壁龛、横额和门柱上。出土器物有陶器、铜器、石器。简报推断此墓为汉晚期墓葬，其上限约在东汉初平三年（192 年）以后，下限约在东汉建安十九年（214 年）左右，即诸葛亮入蜀之前。

1285.四川奉节县风箱峡崖棺葬

作　者：四川省博物馆

出　处：《文物》1978 年第 7 期

崖棺葬是古代的一种地方性葬俗。夔峡、风箱峡一带高约 100 米的崖壁上，过去存放着不少木棺。由于长年风雨侵蚀，多已朽残坠落。1971 年冬，考古人员在风箱峡崖壁上仅存的 2 具残棺中，收集到一些器物。简报配以照片、手绘图予以介绍。

据介绍，仅存的 2 具残棺，都是用 1 段整木料挖凿而成。其中较大的 1 具长 2.1 米、宽 0.5～0.58 米。略小的 1 具长 1.85 米、宽 0.4～0.44 米，在较宽的一端有 1 个凸出的方孔，或便于加栓封闭。在两棺内收集到的器物有：铜剑 2 件、铜斧 1 件、

铜带钩2件、木制剑鞘1件、残玳瑁刻剑饰2件、草鞋残件、竹篾编残件、木刻残件、炭精发饰1件、半两钱1枚等。两具残棺的年代，简报推断为西汉早期。

1286.重庆市南岸区的两座西汉土坑墓

作　者：龚廷万、庄燕和
出　处：《文物》1982年第7期

1978年8月，重庆市南岸区长航疗养院内挖土石方时，出土了青铜剑等器物。重庆市博物馆随即派考古人员清理，清理过程中发现该处为2座墓葬。简报配以照片予以介绍。

据介绍，这2座墓葬位于重庆市南岸区海棠溪马鞍山山腰，编为马鞍山一号墓和二号墓。墓室已遭破坏，棺椁、尸骨均已腐朽。出土器物有：铜釜2件，铜鼎2件，铜鼎盖2件，铜勺1件（放在铜鼎内），铜甑1件，铜壶1件，铜剑1把，铜钺1柄，铜纺1件，铜罐1件，铜鉴1件，四铢半两钱1枚，伞盖小铜饰17枚，三叉形铜饰1件，红泥陶片若干。二号墓与一号墓并列，间距5米左右，棺椁尸骨已腐朽。出土器物有：铜釜1件，铜甑1件，铜鍪1件（内有铜勺1件），铜纺1件，铜鉴1件，小铜铃1件，饰花琉璃珠2粒，玉环1对，残破陶罐数件。

简报称，2座墓葬内的出土物多为炊器，其中釜、甑、鍪等的双耳为绹纹，具有西汉时期巴蜀地方铜器的特征，胎质薄，经2000多年的腐蚀，极易破碎。完整的器物有铜釜1件、铜鍪1件、铜鼎2件、铜勺1件、铜纺1件、铜剑1件、铜钺1件、蚀花琉璃珠2粒、玉环1对、小铜铃1件。两墓所出铜器，器形相似，有的器物具有西汉时期巴蜀铜器的特征。一号墓内出土西汉文帝时期的4铢半两钱，据此简报推知这两座墓葬年代，应在西汉中期。

简报指出，西汉墓在重庆市区很少发现，这两座墓没有被盗，出土器物近50件，这种情况更是少见。

1287.四川涪陵西汉土坑墓发掘简报

作　者：四川省文物管理委员会、涪陵县文化馆　范桂杰、胡昌钰
出　处：《考古》1984年第4期

1982年4月，涪陵地区针织厂在涪陵县黄溪公社点易大队三队基建时发现了1座古墓葬（编号为M1），考古人员对该墓进行了清理。M1清理结束后，在距该墓西北约15米处又清理了1座同类墓葬（编号为M2）。据访问，该地以前也发现过

此类墓。为此，简报估计该地是1处墓葬群。简报配以手绘图、照片予以介绍。

据介绍，墓区位于黄草山背斜的东南翼，长江北岸的一级阶地上，附地高出长江正常水位约40米，隔江与涪陵县城相望。M1与M2均为长方形竖穴土坑墓。墓坑顺江挖成，坑壁基本垂直，葬具已朽无存。2墓出土的器物可分为陶器、铁器、铜器、玉器等类。在这次清理的2座墓葬中，M1出土半两钱96枚，M2出土半两钱99枚。据对钱币鉴定后简报推断，2墓的时代应在西汉初年，并应早于文帝五年（前175年）。

1288.四川涪陵东汉崖墓清理简报

作　者：四川省文物管理委员会　胡玉钰、黄家祥
出　处：《考古》1984年第12期

1982年11月，涪陵县黄溪公社点易大队三队农民在北岩寺炸石建窑时发现了1座崖墓。考古人员对该墓进行了清理（编号F·H·YM1）。简报配以照片予以介绍。

据介绍，该墓凿于长江北岸，黄草山背斜东南翼的侏罗系红色砂岩中，墓向坐北朝南，隔江与涪陵县城相望。此墓平面呈"凸"字形，有墓道、甬道、墓室。随葬品有生活实用器和明器两大类，墓主人尸骨无存，出土物以瓷器、陶器为主，铜、铁器极少。这座崖墓所出各种侍俑、武俑、家禽、家畜俑以及房屋等类陶制器物，无论从种类、形体、制作技术上看，都具有东汉晚期的特征。出土钱币最晚的为东汉五铢钱，不见蜀汉直百五铢和以后的钱币。简报推断应是东汉晚期的墓葬。墓内所出青瓷器的数量之多，在四川同期、同类型的墓葬中是少见的。

简报称，从四川目前出土东汉时期的青瓷器分布情况看，多偏于川东长江两岸。所以，这批青瓷器产于四川的可能性较小，它们的产地可能在浙江。

1289.重庆市发现西汉陶井圈

作　者：重庆市博物馆　蒋万锡
出　处：《考古与文物》1984年第4期

1981年，重庆市中区环境卫生管理所在市中区姚家巷垃圾站施工中，发现灰色陶井圈。考古人员进行了清理，共得灰色陶井圈3个。井内填土中出土有一些灰陶片，可看出器形有侈口短颈鼓腹绳纹罐、翻唇长颈深腹圈足罐。简报认为这批文物应属西汉时期遗物。

据介绍，在附近一带曾先后发现古水井4口。第1次是1952年在朝天门附近发

现 1 口，未发掘，推测可能是战国时巴人所凿。第 2 次是 1961 年在小河堤城街附近发现一口，这口井的年代定为西汉时期。第 3 次是 1974 年在道门口省轮船公司打防空洞时发现一口，井壁是用一整节麻柳树挖空制成，由于体大而不易取出，也未发掘。第 4 次就是这次在姚家巷发现的。4 口古井的位置集中，时代较早，为研究重庆城市的历史发展提供了实物资料。

1290.四川巫溪荆竹坝崖葬调查清理简报

作　　者：四川大学历史系考古专业崖葬科研小组　王和平
出　　处：《考古与文物》1984 年第 6 期

四川巫溪县地处长江三峡地区，大宁河由北而南流贯全县，在巫峡西口注入长江，两岸悬崖峻峭，石灰岩裂隙发育甚好，是我国古代民族崖葬的理想场所。考古人员于 1980 年 7 ~ 8 月间，到这一地区作了 1 次有关崖葬文化的专题考古调查，对荆竹坝崖葬群进行了考察，搭梯攀崖清理了其中第 18 号棺（编号 JM18）。有关崖葬文化调查的全面情况的文章已经发表（《民族学研究》第 4 辑，民族出版社1982 年版）。简报分为：一、调查情况，二、清理简况，三、结语，共三个部分。有手绘图。

据介绍，荆竹坝南距巫溪县城 21 公里，崖葬区位于大宁河上游支流东溪河西岸。置棺崖壁坎内，高峻雄伟，河面至崖顶高约 300 米。崖壁中部内凹，上面岩石凸出，形成一道天然崖檐，使所置棺木能免遭日晒雨淋。在河对岸用望远镜观察，计有崖棺 25 具，其中完整或基本完整的 15 具。考古人员搭建梯子，清理了位置相对较低的 M18。棺木系用整木挖凿而成，出土遗物有带钩、镯等不多几种。简报推断荆竹坝 M18 的年代大致在西汉晚期。而整个崖葬群延续较外，兴盛于西汉时期，衰落于东汉初。墓主人应为濮人。

1291.重庆市黄花园发现西汉墓

作　　者：胡人朝
出　　处：《文物》1986 年第 12 期

1982 年底，地处重庆黄花园的重庆煤建石油公司在基建工程中，于离地面 2.8米深的亚黏土层中发现 1 座古代墓葬，考古人员到现场进行了清理。简报配以照片予以介绍。

据介绍，此墓出土剑、矛、镦、削刀、斧共 5 件和铜印章 1 方。剑长 50.6 厘米，矛长 23 厘米，镦长 15.3 厘米，削刀长 12.5 厘米，斧长 11.8 厘米、刃宽 6.8 厘米。铜印章印面长 2 厘米、宽 0.9 厘米，铸有"相思"阳文篆字。根据墓葬形制和出土文物判断，此墓可能是西汉早期的"巴人"墓。范晔《后汉书·南蛮西南夷列传》记载："巴郡南郡蛮，本有五姓：巴氏、樊氏、瞫氏、相氏、郑氏。皆出于武落钟离山。"相是五姓中的一姓，此墓主人可能是姓相名思，所出铜印是他的姓名印。重庆市中区出土"巴人"墓葬还是第 1 次，为研究巴氏族的历史提供了实物资料。

1292. 重庆市临江支路西汉墓

作　者：重庆市博物馆　王川平、刘豫川
出　处：《考古》1986 年第 3 期

1982 年 11 月，重庆市交电公司在市中区临江支路进行的基建工程中，接连发现古代铜器，并发现土层下敷设有大面积的木板。确定此处为西汉时代的墓地，施工区内共发现 5 座墓葬。考古人员追回了流散文物，并对墓葬进行了清理发掘。

工作从 11 月 24 日开始，陆续至 1983 年 2 月 8 日结束。5 座墓葬编号分别为 M1、M2、M3、M4、M5，因 M1、M2、M4 均有部分压于邻近民房之下，未能清理完全，所获资料以 M3、M5 为主。简报分为：一、墓地情况与地层堆积，二、墓葬结构，三、出土器物，四、结语，共四个部分。有照片、手绘图。

据介绍，墓地所在的临江支路距本市解放碑约 400 米，为闹市之区，街道两旁建筑密集。M3 规模最大，为一平面呈"凸"字形的竖穴土坑木椁墓。各墓出土有铁剑、漆器、银饰、钱币、铜器等。简报认为 M3 很可能是巴郡郡一级官吏或其家属的墓葬。这片墓地布局密集，入葬时代相差不很远，随葬品的种类及排列也颇有相同之处，或为家族墓地，其时代简报推断为西汉中后期。

1293. 重庆江北陈家馆西汉石坑墓

作　者：胡人朝
出　处：《文物》1987 年第 3 期

1980 年 12 月，重庆江北织布厂西坡工地（原江北陈家馆）在施工中发现西汉时期的石坑墓 1 座。市博物馆派考古人员前往作了清理。此墓为长方形，距地表 2 米多。墓内棺木、尸骨已朽。出土随葬品 10 余件。简报配以照片予以介绍。

简报称，出土随葬品有陶器 10 件、铜器 2 件、铜灯 1 件，五铢钱出土较多。该石坑墓的年代，简报推断为西汉晚期。

1294.重庆市水泥厂东汉岩墓

作　者：郭蜀德、王新南
出　处：《四川文物》1987 年第 2 期

1973 年 12 月，重庆市南岸水泥厂在基建施工中发现 1 座岩墓。考古人员前往清理，出土了一批东汉文物。简报配以手绘图、拓片予以介绍。

据介绍，该墓位于重庆市南岸区的台地上，濒临长江。东距海棠溪码头 0.5 公里多，与市区一水相隔。此墓修凿于红砂层中，依岩凿穴，枕山面水。四周原为后代墓区。在清理过程中，曾在附近收集到东汉羊铜灯 1 件，制作工艺甚为精巧。该墓平面呈倒"凸"字形，由甬道、前室、后室及排水沟组成。该墓早年被盗，随葬品残破厉害。器物主要放置于前室，而后室仅存少量陶片和残钱币。出土器物 85 件（钱币和残破物除外），其中陶器 80 件。该墓的年代，简报推断为东汉中期。

1295.涪陵县易家坝西汉墓发掘简报

作　者：重庆市博物馆、涪陵县文化馆　蒋万锡
出　处：《考古与文物》1990 年第 5 期

涪陵县位于四川省东部。长江南岸，四面山峦起伏，依山筑城，有小山城之称。乌江从贵州流经四川，至涪陵同长江汇合，它是贵州水上交通的咽喉。巴国就曾在涪陵建过都。中华人民共和国成立以来，曾多次在这里发现过巴人墓葬。在城南的东风农场，建涪二队在兴修农田水利挖喷灌池施工中偶然发现古墓。简报分为：一、发现经过，二、墓葬形制结构和位置，三、小结，共三个部分。有手绘图、拓片。

据介绍，1978 年 1 月涪陵县城关镇东风农场建涪二队，在瘦堡岗峦兴建农田水利工程挖喷灌池，在施工中发现古墓，考古人员根据发掘的先后顺序，编号为 M1、M2、M3、M4。涪陵在秦汉时期为枳县，枳为古之巴县。这里曾经出土过许多重要的巴蜀文物。涪陵易家坝清理的墓葬，虽盗扰严重，墓内的随葬器物分离杂乱，不能窥其全形，尸体已朽，葬式不明，但这 4 座墓葬的形制和随葬品大同小异。易家坝墓出土车舆、车辖饰件、铜炉、铜釜同《四川越西华阳村发现蜀文物》类同，出土的铜器质地造型在很大程度上有巴蜀文物特征。墓葬里使用白膏泥，在楚墓里是常见到的。绳纹陶罐是秦墓中常有的随葬品。简报推断易家坝墓均属西汉时期墓葬，且墓中出土半两钱，不出五铢钱，可见不会晚至汉武帝之后。略有先后之分，M3 稍晚至西汉中期。简报称，这批西汉墓在川东地区还是首次发现，这为研究巴蜀文化和西汉时期历史提供了新的资料。

1296.四川武隆县江口镇汉墓清理简报

作　者：四川省文物管理委员会、武隆县文化馆　陈显双
出　处：《考古与文物》1990年第6期

武隆县江口镇位于川东丘陵地带，因其地处乌江、芙蓉江两江之交会口而得名。

1982年6～8月，在江口镇之乌江、蔡家、罗洲、生基坪等地先后发现古墓，四川省文物管理委员会和武隆县文化馆联合，对已发现的古墓进行了清理。简报分为：一、蔡家村汉墓，二、坟院子汉墓，三、生基坪汉墓，四、天子坟汉墓，五、张家拐子汉墓，共五个部分。

据介绍，蔡家村汉墓位于江口镇北侧，乌江东岸，距镇约3公里。墓建在白杨坪上，村民建房时发现，1982年6月进行了清理。简报推断此墓时代为东汉中期偏晚。

坟院子汉墓位于江口镇东北，南（川）彭（水）公路东侧，距镇不足3公里。1982年春，村民挖薯窖时发现，同年7月进行清理。简报推断此墓时代为东汉中晚期。

生基坪汉墓位于乌江西岸，江口镇北约3公里处。1981年秋，村民在坪上修房挖基槽时发现古墓而停工。1982年7月进行发掘。简报推断此墓时代为东汉中期偏晚。

天子坟汉墓位于江口镇北侧，乌江西岸，与镇隔江相望，直线距离约1公里。1982年6月，乌江六组村民泽纲家之猪圈房背后的坡坎垮塌而露出此墓，7月进行清理。简报推断此墓的时代为东汉中期前后。

张家拐子汉墓位于芙蓉江北岸，江口镇东侧，1982年7月发现并进行了清理。根据墓室结构和出土物的器形特征，初步推断此墓的时代为东汉早期。

1297.重庆市枣子岚垭汉墓清理简报

作　者：林必忠、冯庆豪
出　处：《四川文物》1991年第7期

1987年1月，重庆市住宅建筑公司第七工程队在市中区枣子岚垭正街市政府参事室旁的施工中，发现古代墓葬2座。墓葬已被工人扰乱，出土器物散失、砸损严重，部分遗迹现象不清。经努力，追回部分文物。2墓依次编号为M1、M2。简报分为：一、墓葬结构，二、出土器物，三、结语，共三个部分。有照片。

据介绍，2墓均为小型砖室墓，构筑于疏松的紫红色页岩上，早年已被扰乱，墓顶已毁，墓垣残存，上部有0.5～1米厚的黄褐色黏土覆盖。墓平面呈"凸"字形，单室墓，前有墓道和陶质水管。M1与M2相距约7米，几乎处在同一水平线上。这2座墓葬虽经多次扰乱，仍然出土不少随葬品。从器物的质地分，有陶器、铜器、铁

器和铜铁复合器。其中，一号墓出土器物主要是铜器，二号墓则以陶器为大宗。简报称，2墓应为东汉中期中下层人氏墓葬，M2比M1略早。

1298.丰都名山镇汉墓清理简报

作　者：吴天清
出　处：《四川文物》1991年第3期

1990年5月，县人民医院修建挖基时发现古铜器。考古人员于5月18日进行清理。简报分为：一、基本情况，二、出土文物，三、小结，共三个部分。有照片。

据介绍，该墓位于县城名山镇中华路272号县人民医院内。这里前临长江，后靠双桂山，由于地层破坏严重无法确定墓室位置。出土的文物除1件红陶钵和1件铁釜完整外，其余皆为残片。经清理，有铜器3件，铁器1件，陶器共31件。经修复基本完好的6件，修复成形的7件，五铢钱15枚，大泉五十29枚。陶器分红陶和灰陶2种。纹饰以绳纹为主。在铜鍪中发现有长5厘米、周长2.5厘米的动物骨头1节，已被铜绿染绿，估计是祭祀用品。该墓应为新莽时墓，简报称是丰都县发现的最早的古墓。

1299.巫溪南门湾一号棺清理简报

作　者：万县地区博物馆、巫溪县文管所
出　处：《四川文物》1991年第3期

南门湾位于四川省巫溪县城厢镇南门外300米处，早在20世纪50年代即已发现有崖棺，后因崖体崩塌，1988年，考古人员对编号为NM1的崖棺进行了抢救性发掘。简报分为：一、历史沿革及地理环境，二、清理简况，三、结语，共三个部分。有照片、手绘图。

据介绍，棺木为楠木（当地称"马桑树"），内有人骨2架，随葬品有青铜剑、骨雕饰等。简报推测NM1形成的时代可能早到战国晚期，下限不超过西汉初年。两具骨架经测定，Ⅰ为男性，年龄约26～28岁；Ⅱ为女性，年龄约40岁。

1300.璧山出土汉代石棺

作　者：璧山县文化局　戴克学
出　处：《四川文物》1993年第1期

1987年，璧山县发现了汉代墓群95处，计713座各类汉墓，发现汉代画像

石棺 15 口及大批陶俑、陶器、瓷器及五铢钱等珍贵文物，在汉砖墓出土砖上还有"富贵昌宜侯王"字样。这些汉代画像石棺，是四川目前为止所发现的历史最早、文物价值最高的石刻艺术珍品之一，其画面多为人首蛇身的伏羲女娲图腾、双阙、朱雀、主人、侍从、武士、鼓乐伎、杂伎等形象。造型优美，刻工精细。其中，璧山云坪乡水井湾七号墓二号画像石棺上的双阙图，气势庄严，稳重豪华，阙顶为皇冠形，象征权力至上，棺侧壁以汉代钱币的连续图案镶边，则代表汉代石棺特征，是考证石棺历史年代的可靠依据。广普乡笙家五号墓出土的石棺上，有巧抛五铢图、三人舞蹈图、鼓乐伎吹箫伴奏图等，反映了汉代人的文化生活及其艺术水准。

简报称，20 世纪 80 年代璧山县发现的这么多汉代石棺，是继郭沫若先生于 20 世纪 30 年代在重庆沙坪坝发现一口汉棺之后，在川东南的又一重大发现。一位文物界人士说："璧山县发现东汉石棺之多，是四川之冠，当然也是全国之冠。璧山县发现汉代石棺如此之多，证明了璧山远在汉代时便已是一个人口稠密、文化经济高度发达的地区，郡县一级经济文化中心亦应在这里。"

1301.涪陵市出土汉代钱币窖藏

作　者：涪陵市文物管理所　湛川航
出　处：《四川文物》1993 年第 4 期

1987 年 2 月 5 日上午，涪陵市荔枝办事处望涪居委二组农民贺清淑，在责任地挖土时发现古币窖藏，考古人员前往现场勘察。得知窖藏在距地表35 厘米深的土坑内，1 铜洗倒扣在 1 个双耳铜釜上，釜内盛满古币。经清洗，去掉浮泥，整个窖藏古钱重39 公斤，有5 万多枚。全部运回市文管所珍藏。这批铜钱有成串的，有黏结在一起的，也有单个的。在单个钱中，发现有布纹包裹的痕迹。铜钱的锈蚀程度不同，有的较重，有的尚好。简报配以照片予以介绍。

据介绍，对出土的拣选结果，有完好钱串164 串。清理窖内15 公斤（整串除外）的单个古钱中，无文小钱占90% 以上，有字五铢也无边无郭，其他并无杂钱。简报推断，该古钱窖藏年代当在东汉献帝时期，上限应在初平元年（190 年）以后，下限最迟不晚于建安二十五年（220 年）。钱窖铜釜、铜洗与该地区东汉晚期墓出土器物有相似之处。

简报称，这是涪陵首次出土的最古老的钱币窖藏，为研究古代川江两岸地区的民族、社会、经济、历史等，提供了可靠的第一手实物资料。

1302.江津沙河发现东汉纪年崖墓

作　者：江津县文化馆、江津县金刚乡文化站　黄中纫、张荣华
出　处：《四川文物》1994 年第 4 期

1987 年文物普查时，在江津县南 90 公里的四面山原始林区的外围地带，发现了大量的崖墓。其中，最引人注目的是沙河乡水浒村长沟崖墓群。墓群前 20 米处有一条大路，山脚下有一条小溪。墓室封门是早年被打开的，现仅墓室完好，随葬品及骸骨均无存，当地农户曾在墓群一带拾到五铢钱币。简报分为：一、墓葬形制和题刻，二、结语，共两个部分。有照片。

据介绍，墓群共 3 座，编号从左至右为 M1、M2、M3，分布于长 25 米、高 8 米的砂质崖壁上。均为单室墓，顺崖凿墓。虽说没有随葬品，但 3 墓均有题记，且题记中均有纪年，为延熹二年（159 年）、延熹三年（160 年）、中平四年（187 年）。简报称有纪年的东汉崖墓并不多见，为研究东汉时期历史提供了可靠的实物资料。

1303.重庆市江北玉带山出土汉代陶俑

作　者：重庆市博物馆　林必忠、董小陈
出　处：《四川文物》1996 年第 5 期

1994 年 6 月，重庆市江北玉带山鹿角湾工地在施工中发现陶俑 5 件。考古人员前往清理。简报配以照片予以介绍。

据介绍，现场已被取土石方毁掉，除遗物外其他情况无从查考。出土的 5 件陶俑均为泥质灰陶，合模塑造，计有人物俑 1 件、陶猪 2 件、陶狗和陶鸡各 1 件。简报推断为东汉后期遗物。

1304.重庆巫山麦沱汉墓群发掘报告

作　者：重庆市文化局、湖南省文物考古研究所、巫山县文物管理所　尹检顺等
出　处：《考古学报》1999 年第 2 期

1997 年 6 月，重庆市文化局为配合三峡工程建设，抢救库区文物，主持召开了全国 30 余家文博单位参加的"三峡库区文物对口支援协调会"，同年 11 月至次年 3 月，湖南三峡考古队先后 2 次从事了麦沱墓群的调查、勘探和发掘工作，历时 3 个多月，发现墓葬 69 座。其中，被盗和被毁墓葬 31 座、新勘探墓葬 38 座。清理墓葬 19 座（7 座被盗），出土遗物 1126 件（含货币 779 枚），其中陶器 307 件全部修复。简

报分为：一、墓地概况及墓葬形制，二、出土遗物，三、墓葬分期及年代，四、结语。共四个部分，介绍了这两次勘探的情况，有照片、拓片、手绘图。

据介绍，该墓地分东、西、南3区，面积约10万平方米，墓葬逾百座，为该地区两汉时期较大墓群。墓葬分布密集，并有一定规律。形制结构多样，计有竖穴土坑、竖穴或洞穴无券砖室或石室、竖穴或洞穴有券砖室或石室、岩洞墓4类。据墓葬形制及器物组合可分四期，即西汉中期、西汉晚期、新莽前后及东汉。早在先秦至两汉时期，巫山即以"巫"为名。其地理位置重要，为历代君王所重视。麦沱距巫山县城仅数百米之遥，面积之大，墓葬之多，为研究两汉时期"巫郡"的社会及经济文化提供了典型材料。

从出土遗物看，此次发掘有以下三点尤其值得重视：

一是该墓群文化性质基本为土著文化，有部分楚裔因素。主要器物组合有罐、圈足壶、盂、盆、甑及灶等，其中又以罐为大宗器，不见鼎、盒、纺等中原习见的陶礼器。整个文化面貌与洛阳烧沟汉墓相去较远，颇具地方特色。

二是东区出土了4件刻文陶，其中M40这3件形制完全相同的盂肩部均有一针刻篆体阴文，似为"册"。另1件为M38陶灶刻文，在其火门右侧竖排3个阴文，似为"册子方"，前1字与M40盂肩文类似，只是书体不同。而M40和M38都分别有"昭明镜"和"日光镜"与各自刻文陶伴出，2墓墓主均为女性，年代又极为相近，二者是否为同一家族成员？若如此，则东区可能为一家族墓地，而"册"字则极可能为这一家族姓氏。

三是M40出土的6件陶俑，从衣着、姿态、动作等分析，似在做一套健身运动。衣着多短衣短裤，姿态逼真，有立式、坐式、弓身等，动作栩栩如生。

从墓葬形制看，东区墓葬为研究西汉中后期夫妇合葬墓的演变形式增添了新材料。西汉中后期，夫妇合葬在全国范围内普遍存在。麦沱M31和M32为西汉中期并穴合葬墓，M40为西汉晚期同穴合葬墓。二者一早一晚，反映了西汉中后期夫妇合葬墓由前期的并穴合葬转变为夫妇同穴合葬，并逐渐成为一种流行葬式的规律。

1305.四川省奉节县营盘包东汉土坑墓清理简报

作　者：吉林大学考古学系　滕铭予、赵宾福、李　言
出　处：《江汉考古》1999年第1期

1993年11～12月，考古人员对奉节县三峡工程库区的地下文物进行了全面的调查。调查过程中，在永安镇营盘包白马小学附近路旁的断崖上，发现了1座露头的土坑墓，随即进行了清理，编号为93FJ营盘包M1（简称M1）。简报分为：一、

墓葬形制与随葬器物,二、年代,共两个部分。有手绘图。

据介绍,墓葬已被施工破坏,应为1座土坑竖穴墓,未见葬具、人骨。共清理出随葬器物17件,计铜器2件、陶器14件及琉璃珠等。该墓的时代,简报推断为东汉前期。

1306.重庆合川市南屏东汉墓葬群发掘简报

作　者:重庆市博物馆、合川市文物保护管理所　王　豫
出　处:《华夏考古》2000年第2期

合川市位于重庆以北长江水系的嘉陵江、渠江、涪江汇合处。南屏汉墓分布在涪江南岸南津街南屏乡的南屏、中南、牌坊村一带,与合川城隔岸相望。经多次勘察,该范围被确定为汉代墓葬群分布区域,1992年被定为重庆市文物保护单位。这次发掘共清理10座东汉时期的砖、石结构墓葬,10余座明代石结构墓和土坑墓,以及一些清代和近现代墓葬。出土文物200多件(不包括钱币),已修复文物126件。本报告仅介绍东汉时期的8座墓葬。WM1、WM2、WM4、WM6、QM1~QM3、ZM1,分别表示合川南屏五斗丘、合川南屏圈圈坟、合川南屏嘴嘴坟的墓葬。其中98HNQM3在此次发掘前被当地文物管理所清理,文中仅介绍其墓葬形制与结构。黄泥堡的2座东汉墓已被破坏殆尽,无法着手整理。简报分为:一、墓葬形制,二、随葬器物,三、结语,共三个部分。有手绘图。

据介绍,这批墓葬不见明确纪年之物,根据它们相互之间的打破关系及墓葬建筑、随葬品几个方面分析,简报推断:WM6、QM2、QM3的年代为东汉晚期,WM4的年代为东汉晚期并且略晚于WM6,WM1的年代为东汉晚期且略晚于WM6,ZM1的年代为东汉晚期,WM2、QM1的年代为东汉晚期偏早。

1307.重庆市奉节县毛狗堆遗址第一次发掘简报

作　者:中国文物研究所、重庆市文化局、奉节县文物管理所　杨　晶、雷庭军
出　处:《江汉考古》2001年第3期

毛狗堆遗址属重庆市奉节县安坪乡三沱村,位于长江南岸的台地上,东距奉节县城永安镇约10公里。1992年发现,1993~1994年进行过复查,2000年春进行了发掘。简报分为:一、文化层堆积及遗迹,二、文化遗物,三、结语,共三个部分。有手绘图。

据介绍,毛狗堆遗址主要遗存为汉代遗存,个别遗物的年代或可延至三国蜀汉

时期。采集的遗物或可延至两晋时期。

简报指出，毛狗堆遗址面江依山，坐落于凸入江中的台地之上，地势颇为险要。虽然多遭水土流失，但残存的迹象仍能反映当时的规模。结合发掘、勘探及采集遗物分析，遗址在商代就已有人类活动，周代仍有人类于此居住，到了汉代遗址的规模进一步发展。而从数量众多的陶瓦以及形制规整的柱础等，并结合遗址之西还有规模较大的汉代墓群来看，毛狗堆遗址在汉代有可能是当地的某种小范围的区域中心。

1308.重庆万州安全墓地1998年汉墓发掘简报

作　者：重庆市文化局、陕西省考古研究所　刘呆运、张天恩、尚爱红
出　处：《文博》2001年第4期

安全墓地位于重庆市万州天城区小周镇小周村。小周村原名安全村，长江沿岸文物普查时，将安全村发现的墓地定名为安全墓地。为不发生混乱，今发掘时，仍沿用当年调查时的名称。小周村位于万州区东北方向25公里的长江北岸。发掘区在江边台地绵延约3公里，分属于小周村一组、二组、十一组3个组的范围内。1998年，考古人员于3月2日进入工地发掘，5月25日结束野外发掘工作。4个区中，共发掘汉墓8座，其中7座为砖室墓，1座为石棚墓。8座墓葬共出土文物272件，其中陶器265件、铁器2件、铜器2件、银器1件、琉璃器2件。另出土铜钱257枚。简报配以手绘图、拓片逐墓予以介绍。

据介绍，砖室墓分2种，6座为刀把形，1座为长方形，保存不好，大多只残留墓底，券顶不存。长方形单室墓一般为1墓葬1人，葬式为仰身直肢，随葬器物1套。葬具原应有木棺，因气候及土壤原因现均不存。刀把形单室砖墓一墓葬多人，葬式也均为仰身直肢，随葬器物多套，应有多个木棺，现只残留铁棺钉及棺灰痕迹。从出土遗物看，埋葬的时间稍有先后，最迟入葬的棺木，因墓室内放不下，只好埋入甬道。这应是渝东地区单墓葬多人的家族墓葬。随葬品基本为陶罐、陶壶、陶盆、陶灯、陶囷、陶碗、陶杯、陶勺、陶鸡、陶水塘等，少数墓出土陶俑，有红、灰陶2种质地。器物质地无论是釉陶、红陶或灰陶，陶质都比较差，刀把形砖室墓葬多人，葬品也大致分成几组，每组器物基本相同，只是在口沿、腹、底部略有所不同。

简报指出，此批砖室墓的年代，除M5略早一点应在东汉中期外，其他各墓均在东汉晚期。出土的1座石室墓，只存石墙，出土物只有残的榆荚五铢，其时代也应在东汉晚期，应是后期石棚墓的鼻祖。

1309.重庆万州区钟嘴东汉墓发掘简报

作　者：山东省博物馆、重庆市博物馆、重庆市文化局

出　处：《华夏考古》2004 年第 1 期

为配合三峡库区的建设工作，考古人员进行了考古发掘。发掘地点位于重庆万州区天城办事处大周镇钟嘴，是 1 处东汉墓地。2000 年 10 月，考古人员发掘了其中的砖室墓 3 座，这 3 座墓的结构较为清楚，均系合葬墓，随葬器物丰富，是重庆地区保存较好的东汉墓葬。简报分为：一、墓葬形制，二、遗物，三、结语，共三个部分。有手绘图。

据介绍，M1、M2 平面呈"凸"字形，M3 平面为"刀"字形。这批墓葬保存较好，M1、M2 器物均未被扰乱，M3 的大部分器物也未被扰乱，但因其北部被电线杆拉线基石占压，器物未能完全清理出来。除铜钱外，3 座墓共出土器物 115 件，其中陶器 113 件、铜器 2 件。3 墓的时代，简报推断为东汉时期。

1310.重庆奉节县周家坪墓地发掘简报

作　者：武汉大学历史文化学院考古系　徐承泰、熊跃泉

出　处：《江汉考古》2005 年第 2 期

奉节周家坪墓地清理的 3 座崖墓，均开凿于山岩壁上，平面呈长方形，弧顶。除 1 座残毁不明外，另 2 座都有墓道。出土遗物包括陶器、釉陶器、铜器、琉璃器、铁器、钱币等。时代约相当于东汉中期至东汉晚期。简报分为：一、一号墓，二、三号墓，三、五号墓，四、结语，共四个部分。有手绘图。

据介绍，周家坪墓地位于长江南岸，隔江与奉节县城相望。行政区划隶属于奉节县永乐镇铜桥村五组，2002 年 6～7 月进行发掘，共清理砖墓 2 座（M2、M4）、崖墓 3 座（M1、M3、M5）。砖室破坏严重，无随葬品出土，时代不明，故未予介绍。

1311.重庆云阳马沱墓地汉墓发掘简报

作　者：郑州市文物考古研究所、云阳县文物保护管理所　张建华、于宏伟、
　　　　　程红坤等

出　处：《文物》2006 年第 4 期

马沱墓地是重庆库区 1 处重要的东周至六朝时期的墓地，位于重庆市云阳县双

江镇马沱村。2001年9～12月，为配合三峡工程建设，考古人员对马沱墓地进行了考古发掘。简报分为：一、墓葬形制，二、随葬器物，三、结语，共三个部分。有照片、拓片、手绘图。

据介绍，墓地为一相对独立的台地，东、南、西3面为断崖，海拔150米。向南俯瞰长江，向北则为相对较缓的山坡地。M12位于墓地的东南部，在发掘工作开始前即被盗，盗洞内出土釉陶器及青铜器残片等。M12是1座长方形竖穴土坑墓，墓口距地表深35～40厘米。在墓内西北部和东北部，各有1个近期的盗洞。在墓室底部四角及东西两壁的中部，各有1块石板，似是有意放置。葬具为1椁1棺，已朽。骨架已朽，葬式不明。随葬品分布在椁内、棺外，有铜器、铁器、陶器、釉陶器，另有铜饰件、泡钉以及"五铢""货泉""大泉十五""大布黄千"等钱币。M12的随葬品十分丰富，虽曾被盗，但已修复和能辨出器形的器物达80余件，墓内还残留大量的无法修复的残碎陶片。该墓的年代，简报推断为新莽时期。

简报指出，M12出土的釉陶器数量多，制作精美。已修复的釉陶器就有17件，还有许多釉陶残片不能修复或者辨出器形。釉陶绝大部分施釉均匀，釉色莹润，较少脱釉，与当地西汉晚期和东汉早期的釉陶器迥然不同，堪称精品。

1312.重庆市云阳县佘家嘴发现一座西汉土坑墓

作　者：厦门大学三峡考古队、重庆市文化局　吴小平、钟礼强等
出　处：《考古》2006年第6期

佘家嘴遗址位于重庆市云阳县巴阳村。2003年9月，厦门大学三峡考古队对该遗址进行第5次发掘，其中发掘了1座西汉墓葬，编号为M22。简报分为：一、墓葬形制与随葬品，二、年代，共两部分。有手绘图。

据介绍，该墓位于佘家嘴遗址的西北面，现地表为柑橘林和耕地。墓圹平面为梯形，墓内填黄褐色五花土。发现散乱的人骨，葬具腐朽，留有一些彩色漆皮，疑为木棺。出土遗物有陶器、青铜器、铁剑等，主要分布在墓室南侧。

此墓的年代，简报认为应在西汉中期前段，具体说约在汉武帝元狩以后至太初之前（前122—前104）。

简报指出，峡江地区是两湖和四川盆地之间的主要通道，也是两地间的文化走廊，因此当地的文化面貌复杂，文化结构多元化。从此墓看，就大致包括了四种文化因素：宽方形墓、鼎、盒、壶、钫、钱币、铜镜、铁剑，均属于中原汉文化因素；鍪为巴文化器物；蒜头壶属于秦文化器物；而圆底罐目前仅在峡江地区发现，是具有鲜明地方特点的器物。总体来看，峡江地区西汉时期的文化中巴蜀和当地文化因素比较

浓厚，尤以西汉早期及以前最为强烈，同时也存在一定程度的秦文化因素；西汉中期及以后，中原汉文化因素才逐渐成为主体。

1313.重庆市长丘、青杠堡、下坝墓地发掘简报

作　者：重庆市文物考古所、四川大学考古系　林必忠、李映福
出　处：《四川文物》2006 年第 3 期

在配合乌彭电站工程淹没区酉彭段的抢救性发掘工作中，发现了 3 处东汉时期的墓葬遗址。随葬器物有陶器、铁器、石器和五铢钱等。各处墓葬早期均遭严重破坏。简报分为：一、长丘墓地，二、青杠堡墓地，三、下坝墓地，四、结语，共四个部分。有手绘图。

据介绍，长丘墓地出土熏、陶仓、圜底罐、铜釜、铜鍪、石圭等器物的时代特征明显，与长江沿岸西汉中期墓葬出土同类器物的形制基本一致。长丘墓地的年代，简报推断应在西汉中期阶段；根据青杠堡墓地砖室墓形制和出土的陶模型、铜镜、五铢钱币等器物，简报判定该墓的年代在东汉时期；下坝墓地虽然墓制残缺，但根据"凸"字形墓室结构、陶水田模型、钱币等，简报断定其年代也在东汉时期。简报称，3 处遗址所获墓葬虽然并不多，但却是乌江中游地区首次通过考古发掘获取的实物材料。

1314.巫山乌鸡沟墓地 2003 年度发掘简报

作　者：武汉市文物考古研究所、巫山县文物管理所　罗宏斌、王　浩
出　处：《江汉考古》2006 年第 4 期

乌鸡沟墓地位于重庆市巫山县城西南 10 余里的乌鸡沟一组，是 1 处汉代中小型墓地。2003 年，武汉市文物考古研究所、巫山县文物管理所对其中的 8 座墓葬进行了清理，出土了一批东汉时期文物，为研究该地区的汉代墓葬提供了一批新材料。简报分为：一、墓葬形制，二、随葬器物，三、结语，共三个部分。有照片、手绘图、拓片。

据介绍，此地远离城区，盗墓分子活动频繁，地表有不少盗洞。发掘的 8 座东汉墓中 M8 已被盗掘一空。8 墓均为土洞砖室墓，由墓室、甬道、墓道 3 部分组成。M1 ～ M7 共出土陶器、铜器、铜钱、铁刀削等 130 余件。简报推断：M4、M6 为东汉早期墓，M1 为东汉中期墓，M2、M3、M5 为东汉晚期墓。M4 的随葬器物其组合为壶、罐、碗、灶，至少有 5 套，表明该墓至少葬入 5 人，应当是 1 座家族墓葬。同一墓室葬入多人，这是东汉时期峡江地区较为普遍的埋葬习俗。

1315.重庆九龙坡陶家大竹林画像砖墓发掘简报

作　　者：重庆市文物考古所　林必贵、刘春鸿
出　　处：《四川文物》2007 年第 2 期

2004 年 1 月，为配合重庆市九龙坡区陶家镇盐（井堡）马（家岩）公路建设，考古人员在陶家镇莲丰村四社大竹林，对施工中发现的 2 座汉墓进行了抢救性清理。经清理发掘，出土画像砖 30 方，画像内容涉及生产生活、舞乐百戏、政治生活、神话传说等方面。

简报分为：一、画像砖墓清理发掘情况，二、画像砖及文字砖反映的主要内容，三、画像砖嵌砌顺序及内在联系，四、随葬品，五、结语，共五个部分。有拓片、照片、手绘图。

据介绍，该画像砖墓为平面呈"凸"字形的中型单室砖室墓，已遭严重破坏，早年还被盗过，葬具、人骨不存，劫余随葬品仅为破碎的陶器。该墓的年代，简报认为应早于东汉后期。

1316.重庆云阳旧县坪台基建筑发掘简报

作　　者：吉林省文物考古研究所、云阳县文物管理所　赵海龙、王志刚等
出　　处：《文物》2008 年第 1 期

旧县坪遗址是三峡重庆库区 1 处重要的汉代胸忍县城文化遗址，位于连接云阳新老县城公路南侧的双江镇建民村二队，西南距云阳新县城双江镇约 12 公里。自 1999 年起，发掘工作由吉林省文物考古研究所组织进行。遗址地处长江北岸临江的 1 个狭长高地之上，当地人俗称"大坪"。长江从遗址西南至东北环流东去，其东北部 E 区较平坦，是遗址 3 个台地中较大的 1 个。

简报分为：一、地层堆积，二、上层夯土台基，三、下层夯土台基，四、相关遗物，五、结语，共五个部分。有照片、拓片、手绘图。

据介绍，发现有 1 处台基建筑，保存较好，周边还出土了"汉巴郡胸忍令广汉景云"碑和一些肖形础石，应是遗址中 1 座重要建筑。简报认为应是当时的官衙。台基上共清理出房址 1 座、排水沟 1 条、窖藏 1 处，以及可能是奠基坑和墙基的残迹。其中"汉巴郡胸忍令广汉景云"碑主要是叙述景云的身世和政绩，应属德政碑，具有很高的研究和欣赏价值，是本次发掘清理工作的一大收获。

简报录有碑文全文。

1317.重庆巫山土城坡墓地 III 区东汉墓葬发掘报告

作　　者：武汉市文物考古研究所、巫山县文物管理所

出　　处：《江汉考古》2008 年第 1 期

土城坡墓地位于巫山县旧城区北部，是 1 处依山傍水的高台地。2005 年元月，考古人员对墓地台顶南部大操场及附近地区（III 区）进行发掘，发掘面积约 3571 平方米，清理古代墓葬 57 座。简报分为五个部分，配以拓片、照片、手绘图，介绍的是 III 区东汉时期 4 座墓葬的发掘材料。据介绍，巫山县县城坐落在今重庆市东部。2005 年所发掘的 4 座墓可分为 3 个时期：1 为东汉早期（M16），2 为东汉中期（M45），3 为东汉中期偏晚段或稍晚（M41、M46）。

简报称，巫山地区东汉时期墓葬，明显具有相对特殊的面貌，同时又和相关地区存在千丝万缕的联系。巫山地区墓葬主要是以空心砖和窄长方形砖为主要建材的土洞砖室墓，出土的广肩壶、盘口壶、广肩罐、双火门双眼灶等陶器，錾刻升仙图案的鎏金铜牌饰，都在其他地区不见或少见，构成特征较鲜明的汉代地方性文化因素，使巫山汉墓成为汉文化的一个地方类型。它少量出土的绳纹双耳陶罐、绳纹圆腹陶罐、方格纹印纹硬陶罐在东面宜昌、当阳等地较为常见，应该是受到该地区影响。可能和汉代巫县隶属南郡，与南郡（今荆州）、夷陵（今宜昌）等地时有往来的历史背景相合。东汉时期较为多见的陶窄肩罐、扁腹罐、釉陶熏、灯、杯和各类陶俑，更早出现并大量存在于西面万州、丰都等地。表明进入东汉后，上游地区对巫山的渗透日渐强大，为巫山地区最终被纳入渝东文化圈打下基础。

1318.重庆丰都天平丘西汉墓发掘简报

作　　者：四川大学历史文化学院考古系、重庆市文化局三峡办　乔　栋

出　　处：《考古与文物》2009 年第 2 期

天平丘墓群的抢救发掘属三峡工程 2006 年度文物保护项目，自 2007 年 5～9 月，考古人员对重庆市丰都县湛普镇燕子村天平丘墓群进行了发掘，共清理战国至南朝时期的墓葬 34 座，获得了一批重要考古资料。简报分为：一、墓葬形制，二、随葬器物，三、结语，共三个部分，配以手绘图，先行介绍其中 19 座西汉墓葬。

据介绍，19 座墓葬均为长方形或近似长方形，由于早年农田改造等原因，所有墓葬都遭到不同程度的破坏，土坑墓内几乎没有完好陶器。19 座墓共出土完整及可修复遗物 155 件（组），按质地分为陶器、铜器、铁器及玉器、石器等类，其中陶器数量最多，次为铜器，铜器、铁器皆锈蚀严重，尤以铁器为甚。简报推断为西汉时期墓葬。

1319.重庆奉节赵家湾东汉墓发掘简报

作　者：武汉大学考古学系、重庆市文化局三峡办公室　徐承泰等
出　处：《文物》2011 年第 1 期

2001 年 6 月，考古人员对重庆市奉节县赵家湾八号墓进行了清理发掘。简报分为：一、墓葬形制，二、出土遗物，三、结语，共三个部分。有照片、手绘图。

据介绍，墓葬为刀把形，由甬道和墓室构成，出土随葬器物 112 件，主要为日用陶器、陶俑及车马器等，另外还出土有玻璃珠及数百枚铜钱。根据墓葬的形制及随葬器物，简报初步判定墓葬的年代为东汉早期。

1320.重庆市忠县将军村墓群汉墓的清理

作　者：重庆市文物考古所　李大地、邹后曦等
出　处：《考古》2011 年第 1 期

将军村墓群位于重庆市忠县乌杨镇将军村长江右岸的山梁上，由枞树包、瓦厂包、王家包、花二包、黄角树包、柴林包、花坝梁、吊嘴、将军包、庙二包 10 个墓地组成。该墓群东北距忠县县城约 10 公里，西南紧邻乌杨镇，西北隔长江与邓家沱遗址相望。

该墓群于 1978 年发现。1987 年文物普查时，枞树包、将军包墓地被确认，并被分别命名为"花灯坟墓群""将军村墓群"。1994 年在对三峡库区进行文物调查时，考古人员在枞树包墓地新发现 4 座大型土冢，并对该墓地做了初步钻探和试掘，结合文献记载推断，该墓地可能是三国时期蜀汉大将严颜的家族墓群。同年，"花灯坟墓群"和"将军村墓群"分别作为三峡库区地下文物重点和一般保护项目，被纳入《三峡文物保护规划》的 A 级、D 级发掘。2001～2008 年，对重庆市忠县将军村墓群进行了考古发掘，清理汉朝至六朝墓葬共计 257 座。比较典型的 5 座汉墓中有 3 座为长方形竖穴土坑墓，2 座为砖室墓。出土遗物有陶器、铜器、铁器和铜钱等，以陶器为主。5 座汉墓年代为西汉中晚期至东汉时期。简报分为：一、墓地概况及墓葬形制，二、汉代墓葬，三、结语，共三个部分。有彩照、手绘图。

限于篇幅，简报仅就将军村墓群中 5 座汉墓（M130、M60、M107、M54、M101）进行了介绍。简报称，西汉墓葬主要为竖穴土坑墓，砖室墓至西汉末、新莽时期才出现，至东汉时期砖室墓逐渐成为主流。依次，M130、M60 为西汉时期墓葬，具体年代当为西汉中晚期；M107 年代当为新莽时期；M54、M101 均为砖室墓，墓葬年代应为东汉时期。

1321.重庆丰都县迎宾大道古墓发掘简报

作　者：重庆市文物考古所、丰都县文物管理所　白九江、李国洪、汪　伟
出　处：《华夏考古》2011 年第 1 期

重庆市丰都县迎宾大道西起丰都县长江大桥南桥头，东止于丰都县新县城，全长 6.5 千米，道路宽 16 米。为保护沿线文物，2004 年 10 月 11 ～ 12 日，考古人员在公路红线范围内共发现了 3 处汉至六朝墓群。12 月 3 ～ 20 日，对 3 处文物点进行了发掘清理。简报分为：一、转转田梁子砖室墓，二、半边桥砖室墓，三、石宝寨墓群，四、结语，共四个部分。有拓片、手绘图。

据介绍，转转田梁子砖室墓为一残墓，仅发现 1 枚铜钱、1 枚银指环。半边桥砖室墓也为残墓，未见随葬品。此两墓时代大体在东汉时期，至迟不晚于六朝。

此次发掘的主要收获在石宝寨墓群，且据老乡反映，该地有多座砖室墓，惜均被施工破坏。但由此可以观察到，石宝寨墓群是 1 处有规划的西汉晚期至东汉时期的墓群。此次发掘的两座岩坑墓，出土有铜器、陶器、铁器等。M1 为西汉末期墓。M2 为新莽时墓，下限或可到东汉初年。简报指出，石宝寨墓群的发掘对研究当时峡江地区的埋葬习俗也有一定意义。如随葬品多涂朱，罐、仓多带盖（这些罐内当时应有各种五谷杂粮及肉），墓内出土秦以来的各时代钱币等，也都值得进一步研究。

1322.重庆市涪陵区北岩 M4 发掘简报

作　者：重庆市涪陵区博物馆　周　虹、李琼波、刘　海
出　处：《四川文物》2012 年第 4 期

2002 年 4 月，考古工作者对涪陵区北岩墓群"烧灵坝"4 座岩墓进行了发掘。其中 M4 时代为东汉中期。墓室结构独特，器形较为别致，出土的釉陶器充分反映了这一区域汉代繁荣的社会经济等多方面的状况。简报分为：一、前言，二、墓葬形制，三、出土器物，共三个部分。有手绘图。

据介绍，烧灵坝山堡4 座墓皆位于山腰，坐北向南，依山傍水。该岩层为砂岩层，质地较为细腻，易开凿，故当时大都是在面对河谷的岗岭下开凿岩墓。M4 虽未发现任何葬具及人骨，但出土器物十分丰富。器物以陶器为主，还有铜器、铁器、玻璃器等。陶器主要分夹砂和泥质两大类。以泥质红陶为主，以各类釉陶器最为珍贵。

简报称，M4 出土的釉陶器充分反映了这一区域汉代繁荣的社会生活许多方面的发展状况，同时也为研究我国陶器的产生与发展，提供了宝贵的实物资料。

1323.重庆丰都县天平丘东汉墓发掘简报

作　　者：西南民族大学民族研究所、重庆市文化局三峡文物保护领导小组办公
　　　　　室、丰都县文物管理所　乔　栋等

出　　处：《华夏考古》2013 年第 3 期

天平丘墓群的抢救发掘属三峡工程 2006 年度文物保护项目，考古人员自 2007年 5 ~ 9 月，对重庆市丰都县湛普镇燕子村天平丘墓群进行了发掘，清理战国至南朝时期的墓葬 34 座，获得了一批重要考古资料。由于早年农田改造等原因，所有墓葬都受到不同程度的破坏扰乱。土坑墓内几乎没有完好陶器，砖室墓与石室墓内的遗物保存相对较好。简报分为：一、M3，二、M7，三、M9，四、M11，五、M28，六、结语，共六个部分，介绍了其中 5 座东汉墓葬。配有手绘图。

据介绍，5 座东汉墓分别为土坑墓、石室墓和砖室墓，出土了陶器、铜器、铁器等随葬品 104 件（组），为研究这一地区的古代文化提供了新的资料。

1324.重庆丰都县火地湾、林口墓地发掘简报

作　　者：重庆市文化遗产研究院、丰都县文物管理所　黄　伟、白九江、徐克诚

出　　处：《江汉考古》2013 年第 3 期

2012 年，重庆丰都火地湾、林口墓地发掘取得了重要收获，丰富了峡江地区东汉时期墓葬的考古材料。特别是林口墓地 2 号墓，随葬品丰富，出土的陶戏楼、各类俑、鎏金铜牌饰及龙虎饰、辟邪摇钱树座等，对研究该地区这一时期的丧葬习俗、升仙思想等具有重要意义。简报分为：一、火地湾墓地，二、林口墓地，三、结语，共三个部分。有手绘图。

据介绍，火地湾墓地清理汉至六朝墓葬2 座（2012HM1、HM2）。2 座墓葬均为砖室墓，形制相似，呈"凸"字形，由墓圹、甬道、墓室3 部分组成，无墓道。两墓均被盗扰，出土少量随葬器物。其时代，简报推断为东汉中期。林口墓地清理墓葬6 座，时代从东汉中期至东汉晚期不等。有的已被盗过。这批墓葬共计出土遗物130 余件。

1325.重庆涪陵点易墓地汉墓发掘简报

作　　者：山东大学历史文化学院　王　迪、惠夕平、刘善沂、方　辉

出　　处：《文物》2014 年第 10 期

点易墓地位于长江与乌江交汇口，长江北岸三四级台地上，沿江呈东西向分布，

现隶属于重庆市涪陵区江北街道办事处点易居委会。2007年3月，为配合三峡工程建设，考古人员对点易墓地进行了钻探和抢救性发掘。共发掘墓葬5座，其中2座汉代墓葬（编号M3、M4）出土遗物丰富。简报分为：一、M4，二、M3，三、结语，共三个部分。有照片、手绘图。

据介绍，2墓均为长方形竖穴土坑墓，随葬器物100余件，有陶器、铜器、玉器、铁器及石器等。结合墓中出土的釜、甑、钫、盉及鍪等铜器，简报初步推断2墓年代为西汉早期。M3出土镜架和镜饰是本次发掘的重要收获。镜背之上放置的束腰多棱木杆、2件多面体束腰木杆，应分别是铜镜的附属物、镜架。简报称，这一发现对于研究汉代铜镜的具体使用方式，特别是镜架和镜饰的形态具有重要意义。

1326.重庆市潼南县下庙儿遗址汉墓发掘简报

作　者：重庆市文化遗产研究院、潼南县文物管理所　牛英彬、邹后曦等
出　处：《四川文物》2014年第3期

2012年3~6月，考古人员对重庆市潼南县上和镇后沟村下庙儿遗址进行了考古发掘，发掘面积共计1400平方米。遗址的主体遗存可分为汉、明清时期2个大的阶段，共发掘和清理汉墓11座、明墓3座以及明清时期灰坑4座、房址1座，出土了一批汉至明清时期的陶器、瓷器、铜器、铁器等遗物。汉墓的发掘情况，简报分为：一、遗址概况，二、墓葬形制，三、出土器物，四、结语，共四个部分。有彩照、拓片、手绘图。

据介绍，本次发掘汉墓共11座，分为土坑墓和砖室墓2类；出土遗物按质料可分为陶器、铜器和铁器，其中陶器居多。根据墓葬形制和出土器物，简报将这批墓葬分为2期：第1期为西汉晚期至新莽时期，属于本期的墓葬有M6~M8、M12~M14，均为竖穴土坑墓；第2期为东汉早中期，属于本期的墓葬有M1~M4、M19，均为竖穴土圹砖室墓。

1327.重庆璧山县棺山坡东汉崖墓群

作　者：重庆市文化遗产研究院、璧山县文物管理所　范　鹏、李大地、邹后曦
出　处：《考古》2014年第9期

棺山坡崖墓群位于重庆市璧山县丁家镇铜瓦村。2009年11~12月，考古人员对该墓群进行了抢救性清理，其中M2、M4、M6破坏严重，墓室已空。简报主要将保存相对较好的M1、M3、M5的清理情况分为：一、M1，二、M3，三、M5，四、

结语，共四个部分。有彩照、手绘图。

据介绍，本文报道的 3 座墓葬皆为长墓道、双重门框、近方形的单室崖墓，此类形制的崖墓在重庆西部长江及其支流沿岸有着较为广泛的分布。简报通过类比，推断这 3 座墓葬的时代应属东汉晚期。

简报称，本次清理所见的两具石棺以丰富的画像为装饰，均使用了与升天关系密切的题材。本次发掘较完整地获取了墓葬、画像石棺及随葬品的信息，将为川渝地区汉代墓葬形制、画像及其反映的丧葬习俗等方面研究提供最新的资料。

1328.重庆市江津区烟墩岗汉代砖室墓发掘简报

作　　者：重庆市文化遗产研究院　范　鹏、李大地、邹后曦
出　　处：《四川文物》2014 年第 4 期

2013 年 6 月，考古工作者对重庆市江津区烟墩岗砖室墓实施了抢救性发掘。简报分为：一、前言，二、墓葬形式，三、随葬器物，四、结语，共四个部分予以介绍。

该墓规模较大、形制独特，出土的画像石棺在渝西长江沿岸属首次发现。该墓时代，简报推断大致在东汉晚期。该墓的发掘，为川渝地区的汉代墓葬及画像石棺研究提供了最新参考资料。

简报称，钱纹砖虽在四川地区有较多的发现，但在渝西地区尚属首次。

1329.重庆忠县两汉墓葬

作　　者：重庆师范大学历史与社会学院、北京大学考古文博学院、重庆市文化遗产研究院　杨　华、刘继东、杨　巧
出　　处：《考古》2014 年第 6 期

2006 年 5 ～ 8 月、2007 年 4 ～ 7 月，考古人员对石匣子一带的墓地进行了考古发掘，共揭露墓地面积 5500 平方米。2001 年和 2002 年，考古人员在山嘴中部进行过发掘，共清理战国至六朝时期墓葬 18 座。此次发掘墓葬 2 座，西汉墓、东汉墓各 1 座。石匣子、洞天堡墓地发掘的 11 座战国墓葬的资料已经发表。简报将保存较好的汉墓分为：一、墓地概况，二、墓葬形制及出土遗物，三、结语，共三个部分。有彩照、手绘图。

据介绍，2006 年、2007 年在石匣子、洞天堡一带清理的墓葬的时代，简报推断以战国时期居多，其次是西汉，东汉及东汉以后的墓葬不多。西汉墓的年代有早期、中期和晚期，以早期为主。墓葬多为长方形竖穴土坑墓。这批西汉墓葬中多随葬有

陶釜，简报认为不排除有的墓主人可能就是巴人后裔。从随葬器物中铁器数量增加的现象来看，这时期这一地区的冶铁业有了较大的发展。

1330.重庆市大渡口区大树林汉墓发掘简报

作　　者：重庆市文化遗产研究院、大渡口区文物管理所　孙治刚、朱寒冰、白九江等

出　　处：《四川文物》2014年第6期

大树林墓地位于重庆市大渡口区跳蹬镇石盘村西南约700米处的长江北岸三级阶地边缘。2012年5～6月，考古人员对该墓进行了抢救性发掘。简报分为：一、墓葬形制，二、出土器物，三、结语，共三个部分。有彩照、手绘图、拓片。

据介绍，大渡口区跳蹬镇石盘村大树林汉墓M1为东汉时期砖室墓，出土仿木棺式葬具陶棺1具，以及一批陶器、铜器、铁器等。

简报称，该墓出土的仿木棺式葬具陶棺丰富了四川、重庆地区汉代陶棺葬的考古材料，对研究该区域这一时期的丧葬习俗、陶棺葬的时空分布等具有重要意义，尤其是填补了长江上游泸州至重庆涪陵段陶棺葬考古发现的空白，为研究陶棺葬的时空分布提供了不可多得的实物资料。

四川省

成都市

1331.成都天迴山崖墓清理记

作　者：四川省博物馆文物工作队　刘志远
出　处：《考古学报》1958 年第 1 期

天迴山在成都北门外 10 公里的天回镇附近的川陕公路右侧，北距新都 10 公里。山峦一带布满着许多崖墓，大部分在历代都被盗掘过。民国初年和中华人民共和国成立前夕，又被当地乡民开凿很多。1957 年 2 月下旬，重庆铁路管理局工程处因工程关系，在巫家坡的半腰凿出崖墓数座。博物馆闻悉即派考古人员前往调查，并进行清理工作。简报配以照片予以介绍，简报目次为：

一、地理环境及清理经过

二、崖墓的结构

三、葬具和葬式

四、随葬品

五、结语

据介绍，巫家坡在天回镇的东北面约 1 公里的地方，是一个长条形的山坡，高出地表约 30 米。它的两侧和背面与其他山坡相连，形成一片起伏的山峦，它却正好在这片山峦的最边上，高度也逐渐低落，形成斜坡形。墓 1、墓 2 在巫家坡的南端，两墓左右相邻。墓 3 在巫家坡的北端，与墓 1、墓 2 相距约 250 米。墓 3 的左右两边还有几座未被凿开的崖墓。天回山的崖墓都是就原有的崖石钻凿而成，但在墓门和墓室结构上都少见有雕刻人物画像。3 座墓的随葬器物总共 94 件（钱币及花砖不计）。简报推断墓葬年代上限为"光和七年"（184 年），下限可能到蜀汉，但不会晚于蜀汉。

简报称，天迴山出土的这 3 座崖墓是比较典型的四川东汉晚期的崖墓，出土的石刻画像、各式陶俑及模型等艺术品，其中有过去没有出现或出现得很少的资料。

1332.成都郊区凤凰山发现西汉木椁墓

作　者：沈仲常、陆德良
出　处：《考古》1959 年第 4 期

成都北郊凤凰山 104 工地在工程中发现大型木椁墓 1 座，考古人员前往进行了清理。

据介绍，这是 1 座土坑木椁墓，木椁有外椁和内椁，外椁用较长大的楠木 32 条凑成，椁内又用 3 块木材隔成前后 2 室，即是内椁。此墓早年曾经 2 次被盗，从发掘情况看来，内椁后室内曾发现木棺残迹及人骨架，可能此墓仅埋藏 1 人。随葬品已为盗墓者扰乱，已不是原来在墓中的位置。出土陶器有井、灶、罐、钵、盆、豆等，漆器有耳杯、盘等，盘上略施彩绘。最重要的是出土了木俑 39 件，木猪 8 件，木马 1 件。这些木器在做成后都上了黑色的漆，至今尚略有痕迹可寻。这是四川近年来第 1 次在西汉墓中发现木俑。在内椁前室中发现铜印 1 方，双面有文字，一面文为"杨广成"，一面文为"杨安国"。

1333.成都凤凰山西汉木椁墓

作　者：四川省博物馆　沈仲常
出　处：《考古》1959 年第 8 期

1958 年 12 月，考古人员在成都北郊凤凰山龙家巷发现了 1 座大型木椁墓。简报分为：一、清理经过及墓内情况，二、墓室结构，三、随葬品及出土情况，四、小结，共四个部分。有照片。

据介绍，该墓为土坑木椁墓，椁分内外椁，木椁顶上及四周填有白膏泥。该墓曾 2 次被盗，似乎下葬不久即已被盗，椁室中有一堆炭灰，可能是盗墓者照明时留下的。出土有木俑 44 件、铜印 1 件（一面为"杨广成"，一面文为"杨安国"）、漆器 6 件等。简报推断该墓为西汉后期墓葬。

1334.四川焦山、魏家冲发现汉代崖墓

作　者：郭立中
出　处：《考古》1959 年第 8 期

1958 年 1 月，金堂县郊外焦山半坡上发现崖墓 2 座。两墓相距约 4 米，在同一高度上，距地平面约 3 米，但都未发现有封门砖，在发现时墓道及墓室中均填满了泥土。左墓略大于石墓，2 墓都发现人骨架，左墓 1 架，右墓 2 架平行。人骨架都依墓

顺放，头向洞口。左墓出土随葬器物有陶罐数件，五铢钱数百枚，铜釜、铜洗、铜弩机、铁剑、铁矛各1件。铁剑置于人骨架旁，钱币散在人骨架四周，铜釜在墓门附近，铁矛在墓中部靠北壁处，铜洗、弩机和陶罐等物均在墓室西北角。石墓出土物中陶器有鸡、鸭、狗、屋、钟、罐、钵各1件，俑8件。铜器有镦1件，货泉数百枚，货币3枚；铁器有剑、矛各1件。同年，在内江市西郊魏家冲一带的山顶修大水池时又发现崖墓1座。墓室距山顶约7~8米，墓道因岩崩堵塞，情况不明。岩石下压有大、小陶罐数件，罐内盛小卵石与小兽骨，墓室内有石棺1具。出土有陶器、五铢钱、银圈等。以上3处崖墓均为东汉墓，其中焦山右边一座墓最早，应为东汉初年墓。

1335.成都天回山发现三座土坑墓

作　者：四川省博物馆

出　处：《考古》1959年第8期

1958年6月，四川省博物馆在成都北郊天回山北麓清理了3座土坑墓，其中战国墓、西汉墓及东汉墓各1座。

战国墓1座，墓坑呈狭长方形，有木椁和木棺，但木板都已腐朽。人骨架已腐烂，仅存左上肢骨，根据左上肢骨的位置推测人骨架是头南脚北伸直葬的。木棺两侧出土了2块直径3厘米大小的赤铁矿，当是有意放入的。人架头前置有随葬陶器11件及绳纹圜底罐9件、四耳壶1件、矮足豆1件。在棺内出土有铜小刀、铜戈、铜剑、有肩铜斧、铜带钩各1件。这些陶器和铜器，均是四川战国晚期墓葬中常见的器物。

西汉墓1座，是近方形的土坑墓。此墓大部已毁，墓中有木棺，但已腐朽。出土有陶器、铁器、漆器等，年代为西汉晚期。

东汉墓1座，长方竖穴，木棺及人骨已朽。出土有陶器、铁剑、钱币等。简报推断年代为新莽或东汉初年。

1336.四川郫县犀浦出土的东汉残碑

作　者：谢雁翔

出　处：《文物》1974年第4期

1966年4月，四川省郫县犀浦公社农民在二门桥附近改良土壤的工程中，发现5座残墓，其中1座的墓碑及石门上均刻有文字及图像。经清理，从残留的砖壁看来，这座有文字及图像的墓是 1 座砖券墓。墓的后壁墙外，横立放着 1 块石碑作为护壁，这种形式在其他地方出土的砖券墓中也较常见，但护壁石上刻有文字的还没有发现过。简报分三个部分予以介绍，有照片。

据介绍，这块作为护壁的石碑正面、背面及两侧均有雕刻。简报录有碑文全文。知墓主叫王孝渊，死于东汉永初二年（108 年），但此碑立于永建三年（128 年），碑文反映了汉代经济方面的一些问题。

1337.成都西郊罗家碾出土西汉量器——铜斗

作 者：何国涛
出 处：《文物》1974 年第 5 期

1970 年 12 月，成都西郊罗家碾某单位在工程建设中发现铜量器 1 件，同时伴随出土的还有"五铢钱"。从钱上来鉴定，系西汉宣帝时的"五铢钱"。从出土的情况来看，应是土坑墓，简报推断这件铜量器的时代应属西汉。简报配以照片予以介绍。

据介绍，铜量器呈圆筒形状，外侧有 1 柄。因埋藏在地下多年，器形已不太规整，为了求得较精确的数据，于 1971 年 7 月 15 日请四川省计量标准处用千分尺测定，求得其容积为 2154 立方厘米。1949 年后，甘肃省古浪县黑松驿陈家河台子曾出土了东汉建武十一年（35 年）的铜斛一件，器外有"大司农平斛建武十一年正月造"铭记 1 行，其容积为 20180 立方厘米。关于此铜量器的定名问题，简报定名为"铜斗"。这件铜斗为研究汉代的量器又提供了一件实物资料。

1338.都江堰出土东汉李冰石像

作 者：四川省灌县文教局
出 处：《文物》1974 年第 7 期

都江堰位于四川灌县城西。1974 年 3 月 3 日，修建都江堰枢纽工程的民工在渠首鱼嘴附近的外江里，发现 1 座 1800 多年前的李冰石像，现已安全运到伏龙观。简报配以照片予以介绍。

据介绍，石像的出土地点，北距安澜索桥（即珠浦桥）130 米，东距外金刚堤 40 米，埋在河床面以下 4.5 米深的卵石层中。石像除个别地方碰伤稍有剥落外，基本保存完好，风化程度也不严重。李冰石像是 1 座直立全身的大型圆雕，这是四川发现的最早 1 座大型圆雕人像。在石像的两袖和衣襟上，有浅刻隶书题记 3 行。题记表明，这是东汉后期都水掾尹龙长陈壹所造的"三神石人"中的1具,是过去蜀郡守李冰的像。李冰为战国末年人,秦灭蜀后,李冰在公元前250年左右担任蜀郡守。

简报称,这座石像的发现,为我们研究都江堰的建堰情况和河道变化以及水文考古等方面,提供了重要的历史资料。和石像有关的其他文物,尚待进一步清理。

1339.都江堰又出土一躯汉代石像

作　者：四川省博物馆、灌县工农兵文化站
出　处：《文物》1975年第8期

1975年1月18日,修建都江堰水利工程的民工,在鱼嘴附近的外江中,发现了1躯持锸石人像。这是当地继1974年3月3日出土李冰石像后的又一重要发现。简报配以照片予以介绍。

据介绍,持锸石人像同李冰石像一样为灰白色砂岩琢成。从造型、手法和石质上看,显然2躯石像是同时的作品。李冰石像题记说:"建宁元年闰月戊申朔廿五日都水掾尹龙长陈壹造三神石人珍水万世焉。"根据这一题记,插锸石人像应是"三神石人"中的1个。简报据史料推断古代金刚堤上,可能建有纪念李冰等人的专祠。塑造"三神石人"的用意,应如李冰石像题记所说,是为了"珍水"("镇水")。

简报称,李冰石像与持锸石人像的出土,为研究法家的"耕战"政策,研究都江堰的变迁和生产工具的发展,提供了重要的实物资料。

1340.四川郫县东汉砖墓的石棺画像

作　者：四川省博物馆、郫县文化馆　梁文骏
出　处：《考古》1979年第6期

1973年4月,郫县新胜公社(竹瓦铺)二大队第三生产队在劳动中发现1座东汉砖室墓。考古人员前往调查。

据介绍,该墓由墓门、墓道、墓室组成,全部由花砖筑成。曾被盗,仅有摇钱树残片及石俑等。内有石棺3具。1974年3月,在距此墓1米处,又发现东汉砖墓1座,加上1972年发现的1座,在此地已发现东汉墓3座。

此墓及1974年发现的1墓,共出土石棺5具,一部分石雕甚精。简报分为5部分逐棺介绍,有照片。这5具东汉石棺,现藏于四川省博物馆。

今有《四川汉代画像砖与汉代社会》(文物出版社1983年版)一书,可参阅。

1341.四川新都县发现一批画像砖

作　者：四川省博物馆　王有鹏
出　处：《文物》1980 年第 2 期

1978 年 10 月，考古人员在新都县马家公社二大队收集到一批画像砖，共 16 块（包括残断的）。简报配以照片予以介绍。

据介绍，这批画像砖是从该大队四队一个土丘上挖出来的，考古人员在该土丘上清理了 5 座墓葬，最后认定此批画像砖出自 3 号墓。计有双骑、骆驼、吹骑、骖驾轩车、武库厨房、宴饮、莲池、薅秧耕作 8 种图案，其中骆驼等似为胡人草原情景，在川西平原似不应有。简报推断时代为东汉晚期，或许晚至蜀汉。

1342.大邑县西汉土坑墓

作　者：宋治民、王有鹏
出　处：《文物》1981 年第 12 期

1974 年 10 月，大邑县建筑材料厂粗石河瓦窑的工人，在县城西约 4 公里的敦义公社十大队的吴墩子取土时，发现铜马等文物。考古人员就地进行了发掘清理。简报配以照片、拓片予以介绍。

据介绍，这是 1 座西汉竖穴土坑墓。在墓底中间还铺砌有一行东头宽 1.2 米、西头宽 50 厘米的卵石，并从行中又向北铺砌一条较窄的卵石沟，一直伸延到墓坑外很远的地方。这条沟用三层（近墓坑处仅两层）卵石砌成，沟底部南高北低，这是为墓坑排水而砌的。此类设施，简报认为在西汉土坑墓中是罕见的。出土遗物有铜、铁、陶、漆、木、竹等器，绝大部分已残碎，尤其是陶器无法复原。简报推断这一墓葬的时代应为宣帝时期，或许稍晚点。

1343.四川大邑县马王坟汉墓

作　者：丁祖春
出　处：《考古》1980 年第 3 期

1973 年 11 月，考古人员在五龙公社盐店大队"马王坟"进行发掘，清理了 2 座东汉墓。"马王坟"位于该县城南 4 公里处，现墓的券拱已露出地表，封土现存直径 17 米、高 4.5 米。简报配以照片、拓片、手绘图予以介绍。

据介绍，M1、M2 相距 4 米，均为券顶砖室墓。M1 不仅比 M2 大，而且多 1 个墓室。2 墓均被盗，M1 仅出土 1 件铜器、1 件陶罐。M2 出土有青瓷片、陶俑、陶器、钱币等。M1 有多达 60 多块"建安元年"（196 年）纪年砖。2 墓的年代，简报推断均为东汉末年。

1344.四川成都曾家包东汉画像砖石墓

作　　者：成都市文物管理处　陈显双
出　　处：《文物》1981 年第 10 期

曾家包在成都市西郊金牛公社土桥镇西侧，距市区约 7 公里，是 1 个高约 8 米、直径约 50 米的圆形土冢，包括 2 座墓葬（M1、M2）。在清理过程中，发现盗洞 4 处，在盗洞中发现大量陶器、铜器残片。葬具已朽，仅存一些骨渣，无法确定葬式。简报配以照片、手绘图予以介绍。

据介绍，劫余的随葬品有瓷器 3 件（均残）及陶储药罐等陶器、陶俑、石俑、钱币等。另有画像石 13 块，上刻 11 幅画像。可参见《四川画像砖艺术》《四川画像砖图录》等专著。2 墓的年代，简报推断为东汉晚期。

1345.郫县出土东汉铜器

作　　者：梁文骏、潘瑞明
出　　处：《文物》1981 年第 11 期

1971 年 12 月，四川省郫县新胜公社第一大队第四生产队农民在大坟堆的东南角取土时，发现古代残墓 1 座。出土随葬物铜器多件，除铜豆外，余器均为碎片，后经修补复原。简报配以照片予以介绍。

据介绍，计出土铜马 1 件、铜俑 1 件、铜鸡 2 件、铜镦头 1 件、铜豆 2 件、铜灯 1 件、铜盘 1 件。该墓的年代，简报推断为东汉。

1346.成都市出土东汉画像砖

作　　者：成都市文物管理处　李思雄
出　　处：《考古与文物》1982 年第 1 期

1976 年 4 月中旬，成都市金堂县城厢区姚渡公社光明大队第三生产队农民在保管室下发现东汉晚期条形画像砖墓 1 座。考古人员立即前往调查研究，并于 5 月初清理完毕。简报配以拓片予以介绍。

据介绍，这座墓葬规模较大，全部用条形画像砖砌成。墓室券顶及墓底都铺有画像砖。此墓被盗多次，从清理结果看，随葬品以陶器为主，器物多已破碎。出土有陶钵1件，现藏金堂县文化馆。另外有陶房子（残）、陶摇钱树座（残）、铜镦、铜摇钱树枝残片和东汉五铢钱等物。葬具已朽，仅见棺木朽痕，砖和画像均在砖的侧面，画像内容共有7种。

简报称，从四川地区来看，这种全部用条形画像砖砌成的墓葬，是过去极少见的。这批画像砖的出土，为研究汉代文化和雕刻艺术提供了可贵的资料。

1347.四川郫县东汉墓门石刻

作　者：郫县文化馆　梁文骏
出　处：《文物》1983年第5期

1978年12月，郫县红星公社九大队五队农民在距县城西约3公里的娃娃坟取土，发现1座东汉晚期砖室墓。墓已残毁，只剩残陶镇墓兽1件，石刻墓门2扇。墓门系用黄沙石板刻制，每扇通高1.65米、宽0.7米。简报配以拓片、照片予以介绍。

据介绍，右扇墓门以中部铭文分隔上下两组图案。上部刻1幅出游图，有马1、辎车1，车内并坐1对男女，似为夫妇。马的头部上方竖刻"家产黑驹"4字。门上所刻黑驹，似指与《说文》上说的"骊马"一类名马。家产即自家饲养。古代贵族很重视自养名马。出游赴会，使用家产名马，往往显示出身份和地位。中部高12.2厘米，刻隶书铭文13行，共53字，全文如下：

故县侯守丞

杨卿耿伯

惯性修洁

丁时窈窕

才量休赫

牧伯张君

开示坐席

顾视忘宦

位不副德

年过知命

遭疾掩忽

痛哉十嗟

谁不辞世

......

下部刻铺首衔环。左扇墓门上部刻出游图。

简报称，"谁不辞世"一句似未完，不知何故未刻完。此铭文似为一别致、概括的墓志。简报推断此墓门的年代为东汉晚期。

1348.成都石羊西汉木椁墓

作　者：四川省文物管理委员会　胡昌钰
出　处：《考古与文物》1983 年第 2 期

1981 年 10 月，成都石羊公社太平砖厂在取土烧砖时，发现了 1 座木椁墓。考古人员前往清理。简报配以手绘图予以介绍。

据介绍，墓葬为长方形土坑竖穴，坑壁与木椁间有 0.4～0.7 米的空隙，填以青膏泥，包围木椁，呈椭圆形。其上为夯实的杂色填土。木椁为楠木，长 4.4 米、宽 2.8 米。椁室内有木棺 3 口，人骨仅剩残骨。随葬品仅有陶片、铜钱、铜带饰等，陶器数量颇多但很残破。未见五铢钱，故该墓的年代应在西汉武帝初年，不晚于西汉元狩五年（前 118 年）。

1349.四川大邑县出土两件东汉青瓷罐

作　者：丁祖春
出　处：《文物》1984 年第 11 期

1973 年 11 月，四川省大邑县五龙公社盐店大队 1 座有"建安元年六月造作"字砖的东汉砖室墓中，出土 2 件青瓷罐。此墓曾多次被盗，随葬器物全部打碎，两件青瓷罐是在墓底淤泥中清出后修复的。简报配以照片予以介绍。

据介绍，两件青瓷罐质量上乘，可见在建安六年（201 年）也即东汉末年时，青瓷烧制技术已达相当水平。

1350.成都凤凰山发现一座西汉木椁墓

作　者：徐鹏章
出　处：《四川文物》1984 年第 1 期

1983 年 7 月，成都凤凰山园艺场砖厂工人在生产中发现大型木椁墓 1 座，考古人员进行了清理。简报配以照片予以介绍。

据介绍,此墓椁内分上下 2 层。上层为棺室,有漆棺 2 座、人骨架 2 具。棺侧有陶坛、陶罐、陶钵、木牛、半两、铜镜等。还有漆奁盖底 7 件,上面绘有朱雀云气纹图案。棺室的下面有隔板。隔板下面,以 3 根横梁分为 4 厢。第一底厢较窄,厢内只发现铁斤 1 件。第二底厢内发现髹漆有盖陶坛、罐 17 件,内装粮食、果品、兽骨,盖上有墨书字迹,现已能看清的有"酒""甘酒""桃"等字。第三底厢内除了髹漆陶坛 2 件外,还有铁三脚架 1 件,铁釜、陶甑、陶井各 1 件,藤笥 3 件、竹笥 5 件。藤、竹笥内装有谷子等粮食。在第四底厢内,除了有 1 件髹漆残陶钵外,也有粮食及兽骨。该墓的年代,应在西汉武帝元狩五年(前 118 年)之前。

1351.郫县发现东汉铜量

作　者：梁文骏

出　处：《四川文物》1984 年第 4 期

1982 年 12 月,城关晨光供销社收购员马净将刚收到的有文字的汉代铜器 1 件上交。考古人员到这件铜器出土地点调查,了解到这件铜器是 1973 年在 1 座残汉墓内发现的。简报配以照片予以介绍。

据介绍,这件铜器呈长方形,一端带把,另一端的右底角小有缺损。器物连把共长 20 厘米。在此器的内底一端,铸有竖行的"都市平" 3 字。字体为汉隶,质朴雄肆,古意盎然。经实测,可容菜籽 0.32 斤或大米 0.39 斤。

简报推断为东汉遗物。

1352.新都马家山 22 号墓清理简报

作　者：新都县文物管理所

出　处：《四川文物》1984 年第 4 期

马家山,位于新都县城南约 9 公里,三河场东偏南约 3 公里处。1979～1980 年,考古人员曾先后在这里发掘清理了 21 座东汉时期崖墓。1982 年为配合当地的取土工程,又在这里清理了 1 座墓葬,编为新都县马家山 22 号墓(M22)。简报配以照片予以介绍。

据介绍,M22 位于 M5 之上约 2 米处,墓道、墓门已被破坏。但就现存情况而言,该墓应为由墓道、过道、墓室 3 个部分组成的单翼双室墓。两室各有陶棺 1 具(均残)。因被盗与坍塌,未见铜、铁器,仅有少量陶器,如说唱俑、执镜提鞋女俑、女坐俑等。应为东汉永平年间(58～75 年)墓葬。

1353.新都县发现汉代纪年砖画像砖墓

作　者：张德全

出　处：《四川文物》1988年第4期

考古人员在新民乡梓潼村发现汉代墓葬群。该村在新都与新繁之间，距县城西北15公里。1987年6月文物普查时，对当地人称为七星墩的几座大型土丘进行了考察。发现它们为东汉墓群，除去1座在20世纪50年代被挖平，其余6座土丘尚存。值得注意的是，这7座坟堆排列与天上北斗七星图形相同。其中1座被称为胡家墩，已被破坏，仅见长2米、宽1.3米、深1.9米的墓坑。在墓坑里发现一批汉代纪年砖、画像砖以及其他实物。还在距此不远的花台下，找到40多块汉代花边砖。简报配以照片予以介绍。

据介绍，这座早被破坏的汉墓，尚存一侧长2米、共17层的墓室砖壁。墓底铺地砖四层。在泥土中，发现许多红陶残片、青铜器残片、漆器残片，并伴有大量朱砂。经辨认，几何形陶片为陶房，圆弧形陶片为摇钱树座和陶俑，青铜器残片为摇钱树枝，均无法复原。有陶兽腿，如可复原应为高1米多的陶狗，可见汉代养狗之风。此墓墓砖排列特殊，以往未见，画像砖中轺车、西王母、斧车、棚车、叙谈、养老等内容十分新颖。有纪年，为永元元年（89年），知此墓为东汉墓葬。墓主人是何人不详。

1354.成都凤凰山西汉木椁墓

作　者：徐鹏章

出　处：《考古》1991年第5期

1983年7月4日，成都凤凰山园艺场砖厂工人在挖土时发现古墓1座。经过调查研究，初步确定为西汉木椁墓，考古人员对此墓进行清理发掘。简报分为：一、地理环境及位置，二、墓葬形制，三、椁室中器物，四、底室器物，五、结语，共五个部分。有照片、手绘图、拓片。

据介绍，成都凤凰山位于成都北郊武担山之北，成彭公路之东，近处距城2公里，远处距城4～5公里。山虽不高，因在成都广阔的平原上，突兀耸立，形似凤凰展翅于城北，所以名为凤凰山。此墓为长方形的木椁墓，分上下2层，上层为椁室，下层为底室。出土有漆器、陶器、铜镜、货币等。

简报推断此墓为西汉武帝元狩五年（前118年）以前的墓葬。

1355.成都凤凰山发现一座汉代砖室墓

作　　者：成都市博物馆　刘雨茂

出　　处：《文物》1992年第1期

1986年12月初，成都市凤凰山园艺场农工取土时发现1座古代砖室墓。考古人员前往进行了清理。简报配以拓片和照片予以介绍。

据介绍，此墓位于北距成都市约10公里处的凤凰山园艺场凤鸣村三组的高标点，编号为M1。清理时，在附近还发现2座相同的砖室墓，编号为M2、M3，但均已毁坏。此墓为长方形单室砖拱墓，砖均为素面，无棺，尸骨不存。清理前，一些陶器已被打碎，1件鎏金铜壶、1件铁刀被取出，位置不明。此外，还出土了陶器和"大泉五十""货泉"等铜钱。此墓的时代，简报推断为新莽时期。

简报称，此墓是四川地区较早的汉代砖室墓。它的发现，对四川地区汉代墓葬的研究是很有意义的。

1356.温江县出土汉代石墓门画像

作　　者：郭永棣、高　文

出　　处：《四川文物》1994年第3期

在20世纪50年代，温江县寿安乡火星村农民在种地时发现了2扇石墓门，其中1扇收藏在温江县文化馆，另1扇墓门于1992年才由温江县文物管理所运回，收藏在文物管理所。2扇墓门均高160厘米，宽70厘米。

据介绍，左墓门上刻有朱雀并有32字铭文，中有延熹七年（164年）纪年；右墓门上刻有朱雀、白虎等。简报称，这两扇墓门，不仅有装饰雕刻，还有明确纪年，有较高的艺术价值和历史价值。

1357.新津县出土两县汉代画像石棺

作　　者：新津县文管所　郑　卫

出　　处：《四川文物》1996年第5期

1994年4月8日，新津县筑路机械厂扩建厂房在平整山坡时，于地面约1米深处发现1座残墓。考古人员到施工现场组织调查并进行抢救性清理。

据介绍，该墓位于城南约2公里的水商乡县筑路机械厂内。墓葬形制结构为竖穴砖室墓。墓葬具体筑法是，在竖穴长方形平地铺砖一层，两边留有排水沟。墓两壁用素面长方形花边砖错缝平砌，在砌到第十二层砖时起券拱。券拱因已被毁坏，而无法测量高度。墓两端头和脚用砖砌封。整座墓长3.3米，宽2.8米，高1.2米（不含墓拱高度）。依据墓砖走向分析，估计墓门前原有墓道，也因早年损坏，而无法考证。此墓为夫妻合葬墓，内有2具石棺，棺上有浮雕图案，图案中比较罕见的有仙人六博图。另有一些东汉五铢钱币及摇钱树、陶俑、陶鸡残片。

该墓的时代，简报推断为东汉早期。

1358.成都青龙乡汉代砖室墓清理

作　者：李加锋
出　处：《文物》1997年第4期

1985年11月22日，成都市金牛区青龙乡机砖厂取土时掘开1座古代砖室墓，考古人员于24日派员进行了清理。简报配以照片、手绘图予以介绍。

据介绍，该墓位于青龙乡机砖厂附近的一块高地上，周围是农田，附近曾多次发现过汉墓。墓葬为单室券拱结构，墓室呈长方形，室内严重扰乱，出土物以19件陶器为主，另有少数铜器和木制品，在淤泥中有大量极破碎的卷云纹朱红漆片。尸骨严重腐朽，葬具不明。

简报推断此墓时代约为新莽时期。

1359.四川成都凤凰山出土的西汉炭化水稻及有关遗物

作　者：成都文物考古队　徐鹏章
出　处：《农业考古》1998年第3期

1983年7月4日，成都北郊凤凰山园艺场砖厂工人在砖厂内制砖取土时发现古墓1座，经过考古人员研究，初步确定为西汉木椁墓。考古人员对此墓进行清理发掘，9月中旬清理发掘结束，在此墓中发现大量炭化水稻。

简报分为：一、发现经过及地理位置，二、炭化水稻出土的周围自然环境，三、炭化水稻的年代，四、炭化水稻出土情况，五、与炭化水稻共存的餐饮具及炭化水稻有关的遗物，六、与炭化水稻生产有关的成都地区的古代遗迹及古代文物，共六个部分。

据介绍，此次出土的炭化水稻为一种较小颗粒的品种，时代应是西汉武帝前期。简报还介绍了四川出土的与水稻生产有关的农具、画像砖、水田模型等。

1360.成都市青白江区跃进村汉墓发掘简报

作　者：成都市文物考古工作队、青白江区文物管理所　谢　涛等

出　处：《文物》1999年第8期

从青白江区大同镇跃进村到金堂县清江乡、赵渡乡，有一条长10余公里的山梁，简称"壁焦梁子"。1987年文物普查时，在山梁上发现大量汉墓。1996年2月，青白江区大同镇跃进村村民在取土还耕时挖掘出木板及墓砖，并取出部分铜器。成都市文物考古工作队闻讯后，与青白江区文物管理所组成联合发掘小组，于1996年3月25日至4月20日进行了田野发掘工作。墓地为1座东西宽100米、南北长200余米的大圆土堆，土堆上部平坦。在发掘区内共有墓葬12座，其中保存较好的墓葬有9座，另3座为汉代砖室墓。简报分为：一、墓葬形制，二、随葬器物，三、结语，共三个部分，配以彩照、拓片、手绘图，先行重点介绍保存较好的9座墓葬。

据介绍，9座墓葬中竖穴土坑木椁木棺墓有6座，砖室墓有3座，编号为96CQYM1～M9。据简报推断，竖穴土坑墓的年代为西汉晚期及西汉晚期到东汉早期之间；砖室墓的年代一为东汉早期（M3），一为东汉晚期（M2）。

简报指出，青白江区汉墓出土很多田园明器，如房、田、塘等，它们是"天府之国"田园经济的写真。陶俑的头饰、服饰种类繁多，制作精美，为研究当时的风俗习惯也提供了很好的资料。人马陶灯、龟蛙斗拱座、虎熊龙凤座等器物造型精美，形象生动，在汉代墓葬中相当罕见，是汉代陶制艺术品的杰作。漆器上绘有精美的图案，充分体现了四川地区汉代漆器手工业的高度发达。

1361.成都西郊西窑村M3东汉墓发掘简报

作　者：成都市文物考古工作队　刘　骏

出　处：《四川文物》1999年第3期

1996年5月，为配合基本建设，考古人员在成都西郊苏坡乡西窑村发现有东汉、蜀汉砖室墓24座，大多被扰乱过，只有几座保存完好。简报分为"墓室结构""随葬遗物""结语"，共三个部分，配以拓片、手绘图，先行介绍其中的M3。

据介绍，M3位于台地东段中部，为长方形券顶砖墓。墓顶距台地地表1.9米。由墓道和墓室组成。在墓室中未发现葬具，估计是用木棺下葬的。此墓2次被盗，墓室前部破坏严重，随葬器物已失去原摆放位置，且都集中在墓室后部。共出土器物78件，分别为陶器33件、铜器26件、铁器2件、钱币17件。简报认为此墓的年代大致在东汉章帝、和帝时期，即东汉中期的前段。简报还指出，此处应为1处家族墓地。

1362.成都石羊乡出土王莽时期斗鸡图

作　者：四川省成都市文物考古工作队　朱章义
出　处：《农业考古》1999 年第 1 期

1995 年 10 月，成都市文物考古工作队在成都南郊的石羊乡成都铁路西环线工地清理了一批汉代砖室墓。在六号墓中出土了 1 件小陶罐，在清洗该小罐时，发现罐身用细线刻划出 1 幅斗鸡图。简报配以图片予以介绍。

据介绍，六号墓是 1 座单室券拱砖墓，平面呈长方形。该墓早年被破坏，墓葬上部不存，但下部保存完好，未被扰乱。该墓出土遗物较多，计有各式陶罐、釜、耳环、熏炉、灶、小立俑等陶器，这些陶器都具有西汉晚期及新莽时期特征。墓内出土了大量钱币，除部分为西汉五铢外，其余都是货泉、大布黄千及各式大泉五十等新莽钱币。没有出土东汉五铢。墓葬形制和四川地区王莽时期砖室的形制相同或相似。简报推断石羊乡六号墓的时代当在新莽时期。

刻划斗鸡图的小陶罐出土于墓室前部，斗鸡图案阴刻于陶罐的肩部以下，共 2 鸡 4 人。简报称，这样一幅生动的斗鸡画面刻于距离 2000 年左右的王莽时期，不论是对于美术史、服饰史，还是斗鸡史都是罕见的。

1363.四川成都市石人坝小区汉墓清理简报

作　者：成都市文物考古工作队　李明斌
出　处：《考古》2000 年第 1 期

1996 年 1 月，考古人员对市干道开发总公司石人坝小区三期工程工地进行了文物勘探和发掘。石人坝位于二环路西三段东侧，磨底河（摸底河）南岸，在该工地清理出古墓葬共14 座，大部分遭到不同程度的破坏。其中的6 号、10 号墓（96CSM6、M10）。

简报分为：一、墓葬形制，二、随葬器物，三、结语，共三个部分。有手绘图、拓片。

据介绍，M10 为竖穴土坑墓，墓坑较宽，随葬陶器有盆、壶、案、耳杯，还见有熏炉、器盖及专用于随葬的小罐等，其陶器组合在四川西汉晚期墓中常见。简报推断M10 为西汉晚期墓。M6 的随葬器物中不见西汉时期的鼎、盒，亦不见东汉早期的常见陶器组合，而新出现模制的小陶俑。钱币仅出土大泉五十，不见五铢钱。简报推断6 号墓应为新莽时期的墓葬。

1364.四川蒲江发现汉代盐铁盆

作　者：蒲江县文物保护管理所　龙　腾、夏　晖
出　处：《文物》2002 年第 9 期

1999 年 7 月 9 日，在四川省蒲江县五星镇采沙场，出土了 1 件汉代大型盐铁盆。简报配以照片、拓片予以介绍。

据介绍，该盆用生铁铸造，高 57 厘米，厚 3.5 厘米。器形规整，盆壁厚薄一致，内外壁光洁。盆内壁近口部铸有 3 字，为篆书"廿五石"。简报认为此为煮盐用器，乃汉朝政府铸造的官器，所以铸造较为规范。同年 7 月 23 日，在蒲江盐铁盆的出土地点又挖出 1 块生铁，为不规则长方体，这应是铸盐铁盆用铁，同时也说明：形体巨大的盐铁盆乃是官府从矿山采铁矿，运到盐井灶场，就地铸造并使用的。临邛在汉代设有盐官、铁官，盐业和铁业都很发达，蒲江五面山至今仍有很多的古代冶铁遗址，便是佐证。

1365.成都凤凰山新莽墓出土钱币清理简报

作　者：曾咏霞
出　处：《四川文物》2002 年第 3 期

1993 年，砖厂工人在成都老城垣以前的凤凰山发现 1 座古墓。考古人员前往清理，又发现了 3 座古墓。一共是 4 座（M1～M4），其中 M2～M4 均出土有钱币。简报分为：一、出土钱币概况，二、出土钱币种类，三、结语，共三个部分。有拓片。

据介绍，所出钱币计 1200 多枚，包括 2 大类钱币：西汉五铢和新莽钱币。西汉五铢类包括：西汉元狩五铢（郡国五铢），赤仄（侧）五铢，武帝三官五铢，昭帝和宣帝前期（元康二年以前，即公元前 64 年）的三官五铢，宣帝后期的三官五铢钱（元康二年以后、神爵年间钱），元帝至西汉末年的三官五铢钱；新莽钱币包括：大泉五十钱、大布黄千钱、货泉。以此钱币推断出该墓葬为王莽末年墓。

1366.四川郫县古城乡汉墓

作　者：成都市文物考古研究所、郫县博物馆　江章华、陈云洪、颜劲松、唐至红、张　擎等
出　处：《考古》2004 年第 1 期

郫县距成都市区西北约 22 公里，位于成都平原的中心。1997 年 10 月至次年 1 月，

考古人员对位于郫县县城北约8公里的古城乡（原属三道堰镇）古城村和梓路村的古城遗址进行发掘时，先后发现并清理了14座墓葬。古城遗址是1处新石器时代晚期的城址，遗址地面保存有一周较完整的城垣，长约620米、宽约490米，这批墓葬就分布在该遗址区范围内。简报分为：一、墓葬形制，二、随葬器物，三、结语，共三个部分。有照片、手绘图。

据介绍，此次在郫县县城北约8公里的古城乡古城村和梓路村发现并清理的14座墓葬，土坑墓有12座，砖室墓有2座。墓中出土了丰富的随葬品，包括铜器、陶器、铁器、骨器等计159件，其中绝大部分为陶器。陶器以泥质陶为主，仅有少量为夹砂陶。12座土坑墓的年代，简报推断应为西汉时期；2座砖室墓的年代，简报推断则为东汉时期。

1367.成都市高新区勤俭村发现汉代砖室墓

作　者：成都市文物考古研究所　陈云洪、刘雨茂、程远福
出　处：《四川文物》2004年第4期

2001年8月，成都市高新区桂溪乡发现了2座汉代砖室墓。2座砖室墓均为东汉时期较为常见的家族墓地，出土了较丰富的随葬器物。简报分为：一、墓葬形制，二、出土器物，三、结语，共三个部分。有拓片、手绘图。

据介绍，2墓均由甬道、墓室构成，大体是"凸"字形。出土器物有陶器、金器、铜器、钱币等，多数已残。M1的时代为东汉早期，M2的时代为王莽时期。

1368.成都市新都区东汉崖墓的发掘

作　者：成都文物考古研究所、新都区文物管理所　陈云洪、张俞新、王　波等
出　处：《考古》2007年第9期

2002年2月，成都市新都区公安分局破获一起古墓被盗案，被盗墓葬涉及新都区三河镇互助村和泰兴镇凉水村两地崖墓。考古人员前往进行调查，并对被盗崖墓进行了抢救性发掘。三河镇互助村崖墓位于天回山廖家坡北麓，凉水村崖墓位于木兰山北坡，山体岩石均为红色页岩，便于开凿，分布着较多的崖墓。此次在互助村发掘清理了4座崖墓，编号简称HM1～HM4；在凉水村发掘清理了3座崖墓，编号为LM1～LM3。简报分为：一、三河镇互助村崖墓，二、泰兴镇凉水村崖墓，三、结语，共三个部分。有拓片、照片、手绘图。

据介绍，共清理崖墓7座。这些墓葬形制多样，出土遗物有陶器、铜器、铁器、

铜钱，以陶器为主。特别是出土了画像石棺，还出土了"石门关"纪年文字材料，具有较高的历史研究价值和艺术价值。墓葬的年代，简报推断为东汉早期至东汉末期。

1369.成都市新津县大云山东汉崖墓的清理

作　　者：成都文物考古研究所、新津县文物管理所　刘雨茂、姜　铭等

出　　处：《考古》2011 年第 5 期

大云山崖墓群位于成都市新津县邓双镇龙岩村十组的大云山，崖墓分布密集，从山顶到山脚呈上、中、下 3 层分布。本次清理的墓葬位于大云山崖墓群下层的东侧山脚，东临乡村公路，距岷江支流约 1 公里，南侧约 15 米处为新马化工厂，西部、北部深入大云山。该墓（M1）曾被多次盗掘，其东部留有 1 个口径约 0.5 米的盗洞。最为严重的 1 次盗掘是在 1997 年，被盗出的随葬品较多，仅有部分被追回，其中铜马衔 1 件、摇钱树 2 棵（已残）、陶俑若干、陶罐若干，实物现存于新津县文物管理所。2005 年 1 月 10 ～ 14 日，成都市文物考古研究所与新津县文物管理所联合对该墓进行了抢救性发掘。简报分为：一、墓葬形制，二、出土遗物，三、结语，分为三个部分。有彩照、拓片和手绘图。

简报称，四川崖墓出现于西汉末王莽时期，发达于东汉晚期，并一直延续至三国两晋南北朝时期。该墓为长方形平顶单室墓，在主室两侧共有 9 个侧室，无石刻画像和仿木结构建筑装饰，属于四川崖墓初始期晚段新出现的墓葬形制，葬具为陶棺，可以确定的陶棺达 16 具之多，是迄今为止四川崖墓中发现侧室较多、陶棺最多的一处墓。可以推断该墓延续时间较长，年代大致在东汉早期至晚期。

崖墓开凿需要花费大量的人力物力，往往是为同一家族的死者准备的，1 座崖墓从开凿完成到最后 1 位死者下葬，应是一个十分漫长的过程，其随葬器物也表现出由早到晚的演变，这也是四川崖墓的重要特点。大云山东汉崖墓规模较大，是迄今为止四川崖墓中发现葬具最多、使用时间最长的墓葬。

1370.成都市天回镇老官山汉墓

作　　者：成都文物考古研究所、荆州文物保护中心　谢　涛、武家璧、索德浩、
　　　　　刘祥宇

出　　处：《考古》2014 年第 7 期

2012 年 7 月至 2013 年 8 月，考古人员对位于成都市金牛区天回镇的 1 处西汉时期墓地进行了抢救性发掘，共发掘 4 座西汉时期土坑木椁墓，出土大量漆木器、陶

器以及少量铜器和铁器等。发掘的主要收获简报分为：一、地理位置，二、墓葬形制，三、出土遗物，四、结语，共四个部分。有彩照。

据介绍，M1 出土有汉武帝时期五铢，从墓葬形制和其他出土遗物分析，简报推断其时代在汉武帝时期。M2、M3、M4 出土有西汉半两钱，且 3 座墓葬的形制和出土器物均与凤凰山木椁墓非常接近，简报推断其年代在西汉景帝、武帝时期。尽管墓室被盗，但从墓葬形制和出土的重要遗物分析，简报认为这里应是 1 处有较高等级的西汉木椁墓墓地。

简报称，此次发掘出土的大量西汉时期的简牍为四川地区首次发现，这一发现使成都地区成为我国又一处重要的汉代简牍出土地。出土的九部医书为中医发展史研究的重大发现。四部织机模型应是前所未见的蜀锦提花机模型，是迄今我国发现的唯一有出土单位、完整的西汉时期织机模型，对于研究中国乃至世界丝绸纺织技术的起源和发展具有重大意义。

自贡市

攀枝花市

泸州市

1371.泸县发现汉代遗址

作　　者：张光焕、戴志林
出　　处：《四川文物》1988 年第 2 期

1987 年 7 月 10 日，考古人员到泸县新路乡永利村烟灯山实地考察时确认，那里的大型石室墓、大量的岩墓、石棺和石刻车马、金鹊雕像等属汉代贵重文物。烟灯山遗址属汉代遗址，这一遗址是泸州地区迄今为止发现时间最早的古代遗址。

据介绍，烟灯山汉代遗址位于泸县新路乡上游约 2 公里处的永利村烟灯山地段，濒临长江北岸，面积约 3 平方公里。这一遗址是泸县在 6 月文物普查田野调查中发现的，在烟灯山发现了 22 座汉代岩墓和 3 座大型石室墓以及大量的汉代瓦片、陶片和汉砖，并在被开掘过的岩墓里发现了具有汉代特征的石棺和石刻车马、金鹊石雕像。

1372.四川合江县东汉砖室墓清理简报

作　者：谢　荔、徐利红
出　处：《文物》1992 年第 4 期

1987 年 9 月，四川省泸州市合江县胜利乡菜坝村草山上施工时发现东汉砖室墓 1 座。简报配以手绘图予以介绍。

据介绍，此墓坐南向北，平面呈"凸"字形，为单室券顶砖墓，带墓道。墓室保存基本完整。石棺保存完整，均长 2.24 米、宽 0.78 米、高 0.84 米。有盖，盖高 0.22 米。石棺前挡、后挡、左壁、右壁及盖上均刻有画像。出土遗物中对吻陶俑少见。简报推断此墓为东汉早期夫妻合葬墓。

1373.合江出土东汉"秘戏"陶俑

作　者：王定福、罗　萍
出　处：《四川文物》1992 年第 4 期

最近合江县城郊烈士陵园对面草山坪的汉墓中出土 1 件"秘戏"陶俑。俑高 10 厘米，质为红陶。右为女，左为男，并排而坐。男俑高冠长服，头偏右微笑，右手搭女俑右肩。左手抚摸女俑右部面颊。女俑身着广袖长裙，挽发髻于脑后，右手弯曲于前胸，左手下垂于膝，头右侧面带笑容与男俑亲吻。简报配以照片予以介绍。

据介绍，反映汉代"秘戏"的画像、石刻、浮雕、陶俑四川省已发现多处。据现在公布的材料，有郫县出土的画像石棺，荥经出土的画像石棺，乐山、彭山的崖基石刻，泸州李少君墓出土的"秘戏"俑，等等。其中彭山崖墓画像石的"秘戏"石刻图像最为形象生动，图为 1 男 1 女裸体并坐，女像高髻包巾，乳房硕大，男像头戴高冠，右手搭过女肩抚乳，女左手搭于男左肩上，两手相握，男女脸部相贴作亲吻状（见《四川文物》1991 年第 1 期第 59 页）。

1374.合江张家沟二号崖墓画像石棺发掘简报

作　者：合江县文管所　王庭福、李一洪
出　处：《四川文物》1995 年第 5 期

1994 年 12 月 3 日，合江县公安局联建房在施工中发现 1 座崖墓，考古人员前往调查并进行了清理。简报分为：一、地理环境及墓葬形制，二、画像石棺，三、结语，共三个部分。有照片。

据介绍，此墓位于合江县城西人民体育场东侧张家沟崖壁上，距地面约 6 米。由墓门、墓道、墓室组成。除以上有画像的石棺外，仅存陶片。此棺长 2.2 米，宽 0.73 米，高 0.75 米。上有双阙图、伏羲女娲图、车临天门图、神灵异兽图等。

简报推断此墓为东汉墓，墓主似为一贵族女性。

1375.合江出土东汉石蟾钱树座

作　者：合江县文管所　王庭福
出　处：《四川文物》1998 年第 6 期

四川省合江县白米乡碾子坊村 1 座被盗的崖墓中，出土有摇钱树的石蟾座 1 件及陶俑、陶磨、五铢钱等。简报配以照片予以介绍。

据介绍，此座为白砂石雕刻而成，高 18 厘米。蟾蜍形态生动、简洁。简报称，在古人眼中，蟾蜍是造不死药之神，是引魂升天之神，是天上的月神，是和平安定的保障，是吉祥、长生的象征。把蟾蜍的形象刻在石棺上，作为钱树座，置于墓室中，正是汉代人"升天成仙"的思想的反映。

1376.四川泸州河口头汉代崖墓清理简报

作　者：四川省文物考古研究院、泸州市博物馆　任　江、胡昌钰
出　处：《四川文物》2006 年第 5 期

考古人员于 2005 年对位于长江一级支流永宁河畔的泸州河口头崖墓进行了发掘清理，清理的 M1 为梯形单室崖墓，已遭严重盗扰，出土陶俑、陶案和陶罐、摇钱树残枝、五铢钱等器，时代为东汉中晚期；M2 为长方形单室崖墓，已遭严重盗扰，出土陶俑、五铢钱等物，时代为东汉晚期。

简报分为：一、NHYM1，二、NHYM2，三、结语，共三个部分。有手绘图、照片。

据介绍，发掘地点在泸州市纳溪区护国镇小地名为"河口头"处。M1 为梯形单室崖墓，葬具为陶棺，曾被扰动。出土遗物有陶俑 11 件、铜器 10 余件等。M2 为长方形单室崖墓，由墓道、墓门、甬道、墓室、后龛等部分组成。出土陶器等 19 件。

德阳市

1377.四川绵竹县西汉木板墓发掘简报

作　者：四川博物馆、绵竹县文化馆　王有鹏、莫洪贵
出　处：《考古》1983 年第 4 期

1978 年 9 月下旬，绵竹县清道公社粮站修建粮仓挖地基时，到 1.8 米深处发现几块平铺的大木板，随即在木板上清理出铁斧、铜钱、陶罐等文物，考古人员进行了发掘。在发掘 1 号墓时，在相距约 2 米处又发现了 2 号墓。2 墓同穴并排，方向一致，随葬器物也类同，应是 1 座同穴合葬墓。

简报分为：一、墓葬形制，二、随葬器物，三、结语，共三个部分。有照片、拓片、手绘图。

据介绍，1 号墓和 2 号墓同在 1 个土坑内，每墓底均用 3 块长 4.4 米、宽约 0.7 米的长木板并排铺垫，木板下还垫有 10 厘米厚的白膏泥。木板上直接放置尸体和随葬器物。然后填以黄褐色沙土，未见其他棺椁痕迹。随葬器物有陶器、铜器、铁器，此外从出土的较多的残漆片可知尚有漆器随葬，绝大部分器物保存不好。简报推断年代为西汉早期。此种墓葬或许就是《后汉书·张奂传》所指的"槀尸于板床之上"的葬式，算是比较节俭的一种葬式。

1378.广汉县出土一批汉画像砖

作　者：敖天照
出　处：《四川文物》1985 年第 4 期

广汉县大堆子位于东南乡，距县城约 1 公里，是 1 个占地约 2 亩的大土包。1984 年 2 月，大堆子砖瓦窑在取土中发现 1 座较大的砖室墓，考古人员前往发掘清理。简报配以照片予以介绍。

据介绍，该墓曾被盗，未见骨架和其他随葬品。墓砖的边沿多为几何图案。铺地砖四周的墓壁上镶嵌有"收租""辎车""骑吏""轺车""燕集"等画像砖 14 匹，砖的大小相同，长 44 厘米、宽 26 厘米、厚 6 厘米。其中，"收租""燕集"图案画像砖，画面生动，图案新颖，为以往出土画像砖中所少见。

1379.中江县玉桂乡东汉崖墓调查简报

作　者：中江县文化馆　王启鹏、王孔智
出　处：《四川文物》1989 年第 5 期

1987 年 10 月，中江县在文物普查中先后在各区发现多处崖墓群。这些墓尚有部分保存完好，其中玉桂乡百安村天平梁子墓群共有崖墓 3 座，编号为 M1 ～ M3。其中 M1 位于永门区玉桂乡百安村东南天平梁子第二台地上，距县城南约 50 公里。墓在山沟右侧山上。由于早年被盗，随葬品及骨架均已无存，但墓室保存完好。简报分为：一、墓葬形制，二、墓内雕刻艺术，共两个部分。有照片。

据介绍，M1 墓呈多室布局，分墓道、墓门、甬道、墓室、耳室五个部分。此墓甬道及墓室、耳室壁上均仿板壁房屋结构，浮雕装饰性穿仿及方块状图案。墓室顶部除深浮雕藻井外，还装饰有半圆雕瓜状小球。墓门、墓顶、门楣、墓壁及柱上共有画像石及深浮雕、半圆雕造像 25 处，并遍刻各种几何形图案，内容十分丰富。该墓的年代，简报推断为东汉时期。

1380.德阳市发现汉代古城遗址

作　者：德阳市博物馆　张志武
出　处：《四川文物》1989 年第 6 期

考古人员于 1989 年在距德阳市区约 15 公里的黄许镇附近，发现了 1 处汉代古城遗址。

据介绍，很久以来，就传说黄许镇一带曾是汉代的古"绵竹关"和古"南阳城"，但一直未找到确切的地址。这次文物普查中，终于在黄许镇西 4 公里处的龙安村，小地名为"土将台"一带，发现了古城遗址。在厚约 50 厘米的文化层内，夹杂着大量的汉代砖、瓦、陶片，数量之多令人惊叹。结合过去曾在这一带出土过汉代铜器、陶俑、汉砖等情况，这里确系 1 个面积达数平方公里的汉代古城遗址。

1381.四川中江塔梁子崖墓发掘简报

作　者：四川省文物考古研究所、德阳市文物考古研究所、中江县文物保护管理所　刘章泽、李昭和等
出　处：《文物》2004 年第 9 期

塔梁子崖墓群位于四川省德阳市中江县民主乡八村七社玉江北岸山梁。2002 年

初，民主乡发现数座崖墓被盗，考古人员于 2002 年 9～11 月对塔梁子崖墓群被盗的 9 座崖墓进行了抢救性发掘。简报分为：一、墓葬形制，二、彩绘壁画及雕刻，三、随葬器物，四、结语，共四个部分。有彩照、手绘图。

据介绍，这批崖墓都由墓道、墓门、主室、甬道、侧（耳）室、棺床、壁龛、灶台等组成，有单室、双室、多室等几种形制，以多室墓为主。这批墓葬的特点是：主墓室与甬道、墓道呈一条直线，主墓室两边是侧（耳）室及棺床、壁龛、灶台等附属设施，形制规整对称，均由外向内渐次抬升，以利于排水。多室墓大致可分为 2 种形制：1 种是 M3、M6 大型多室墓，主墓室 4～5 间，墓室及甬道内画像题材内容丰富；1 种是 M1、M2、M4、M5 等多室墓，主墓室 2～3 间不等，画像题材少而且简单。单室墓只发现 M9 这一例，墓室顶部垮塌，估计开凿时已如此并被废弃。限于篇幅，简报重点介绍了 M1、M3、M6。通过对这批崖墓的形制、画像题材及出土器物分析，简报认为其时代均应属东汉中晚期，具体可分为两期：一期时代为东汉中期（包括 M1、M2、M4、M5），二期时代为东汉晚期（包括 M3、M6～M9）。

简报称，基本可以确认墓主人为荆子安及其家族成员，壁画和墨书榜题内容即反映了其家世。太鸿胪文君子宾及荆子安于史无载，只能从大的历史背景角度作初步的分析。墨书榜题所记载的事件，大致可以与东汉安帝、顺帝时期相对应。墓葬时代应该在桓帝至灵帝时期。

简报指出，这次发掘在崖墓中首次发现壁画和墨书榜题，并发现一批仿木结构的建筑形式雕刻和珍贵的画像雕刻新题材，大大丰富了崖墓考古资料。M3 中发现的壁画从风格和内容上与中原砖室墓壁画基本一致，由于墓主人特殊的家世，将中原系统的壁画带入四川，与四川当时流行的崖墓相结合。其重要性主要表现为三点：一是壁画及墨书榜题在崖墓中为首次发现；二是 M3 是长江流域及其以南地区目前发现时代最早的壁画墓；三是 M3 中发现有不少具有重要价值的画像题材，如胡人舞蹈图，是四川发现最早的胡人乐舞资料。

1382.四川什邡磨盘山汉墓清理简报

作　者：德阳市文物考古研究所、什邡市文物管理所　刘章泽、刘明芬、
　　　　杨　剑、张生刚

出　处：《四川文物》2006 年第 4 期

考古人员对什邡磨盘山汉墓进行了清理，出土的随葬器物有陶器、陶俑、铜器等。简报分为：一、墓葬形制，二、随葬器物，三、结语，共三个部分。有照片、手绘图。

据介绍，磨盘山位于四川省德阳市什邡民主镇成林村，民主镇西南约 4 公里，

高出地面约 30 米，2005 年一场暴雨后被发现。该墓为中型砖室墓，平面呈长方形，以楔形砖券成弧形顶。墓内随葬有陶器、陶俑、铜器、铁器、银器、五铢钱等，陶器组合有盆、罐、钵、耳杯等，陶俑较多，另有陶鸡、陶鸭、陶羊等动物及房屋模型，钱币均为东汉五铢。简报推断时代为东汉晚期，墓主人应为 1 员武将。

绵阳市

1383.四川盐亭东汉崖墓出土文物简记

作　　者：四川省博物馆、盐亭县文化馆　刘志远
出　　处：《文物》1974 年第 5 期

1972 年 2 月，盐亭县黄甸公社七大队第二生产队抗旱打井时在山坡上发现 1 座崖墓。盐亭文教组派文化馆专业人员前往清理，并将部分出土文物送至四川省博物馆。为弄清墓葬结构和文物出土情况，省博物馆与县文化馆考古人员再次去黄甸勘察，并记录了有关资料。简报配以照片予以介绍。

据介绍，黄甸在盐亭县城东 20 公里，崖墓在一个山坡上。此墓系方形单室墓，后壁有 1 个小龛。共出土文物 31 件（铜钱除外），墓内出土钱币 3 种，都是铜钱。从墓内出土的钱币及其他随葬器物形制来看，简报推断此墓年代应在东汉晚期。简报称，随葬器物反映了当时地主经济的一些情况。从马头形带钩、双鱼纹铜洗等器物的制作工艺看，当时的工匠已掌握了较高的金属铸造技术。

1384.四川三台县发现东汉墓

作　　者：三台县文化馆
出　　处：《考古》1976 年第 6 期

1974 年 1 月，三台县永安电厂石工组在附近山岩上开采石条时发现 1 座古墓，考古人员前往调查。简报配以拓片、照片予以介绍。

据介绍，这是 1 座岩墓，墓门距岩底 7 米。墓室坐西朝东，室内居中砌砖棺，尸骨已朽。砖棺后面放有铜壶和铜洗，北侧中间放铜镜和钱币。棺顶放摇钱树座和俑，现已散落在棺后。鸡、猪、狗等模型放在墓门边。较完整的器物有铜器、陶俑等 20 件和钱币 106 枚。铜器上有"长""乐""富贵宜封侯"等铭文。简报推断该墓为东汉时的墓葬。

1385.四川三台县东汉岩墓内发现新莽铜钱

作　者：三台县文化馆

出　处：《文物》1982 年第 6 期

1980 年，四川省三台县修建人民渠鲁香支渠工程中，在断石公社元宝山石壁间，抢救性发掘 1 座东汉岩墓，发现大批新莽铜钱。简报配以拓片予以介绍。

简报介绍，其中有：大布黄千和 3 种大泉五十，大泉五十大者直径 2.8 厘米，中者直径 2.5 厘米，小者直径 2.2 厘米。

1386.四川绵阳发现木板墓

作　者：赵殿增、巩发明

出　处：《考古》1983 年第 4 期

1979 年 7 月，绵阳东方绝缘材料厂发现古墓，考古人员前往调查并进行了清理。简报配以手绘图予以介绍。

据介绍，墓地在涪江大桥北面 1.5 公里的丘陵顶上，高出附近地面 30 多米，当地人称为宋家梁子。据说修路时共发现形制相同的 2 座墓，1 座已被破坏。这是 1 座竖穴土坑墓，墓底并列平铺 5 块大木板，还填有 10 多厘米厚的白膏泥。木板之上未发现棺椁等其他葬具，随葬品和骨架直接放在平板之上。此墓早年被盗，发现时又被破坏。清理出较完整的器物 4 件，包括铜剑 1 件、玉器 1 件、铜带钩 1 件、铁斧 1 件。另外还有些陶、漆残片。此墓年代，简报推断为西汉。

1387.四川绵阳出土鹿纹画像砖

作　者：何志国

出　处：《考古》1984 年第 4 期

1982 年 9 月，考古人员在绵阳市石塘公社一农民家中征集到画像砖 1 块。据了解是 1981 年在绵阳地区广播局出土的。简报配以拓片予以介绍。

据介绍，砖的侧面，一面为几何形纹饰，另一面为两鹿、一玉璧为主题的图案。左边一鹿昂首挺立，长颈，两耳中间一角后伸，长须尾下垂，姿态雄健；右边一鹿作奔跑状，亦长颈，生有三叉的双角后翘，长过躯干，短尾上翘；中间为玉璧图案，背衬以树木、蔓草之属。整个图案为剔地浅浮雕，刀法娴熟、洗练。两鹿姿态各异，栩栩如生。具体年代不详。从图案看，似是汉代遗物。

1388.四川绵阳市发现西汉初期墓

作　者：绵阳地区文化馆、绵阳市文物保管所　孙　华、郑定理
出　处：《考古与文物》1986 年第 2 期

1981 年 12 月，在绵阳市北郊龟山东方绝缘材料厂宿舍工地发现木椁墓 1 座，出土了一批随葬器物，考古人员进行了清理。简报分为：一、墓葬概况，二、随葬器物，三、年代推测，共三个部分。有手绘图。

据介绍，龟山位于绵阳市北涪江左岸的开元场西侧。墓上原是否有封土，现已不得而知。墓为 1 座长方形土坑竖穴木椁墓，在墓内椁室的四周，堵塞有厚约 0.2～0.4 米的青泥。至于墓坑的长、宽和深度，由于碍于修建工程，未予查明。葬式不明。随葬品有铜鼎、铜盆、铜壶、铜扁壶等，以及玉器、漆碗 1 只和陶片等。另有五铢钱等。简报推断此墓的时代为秦至西汉初之间。

1389.四川绵阳河边东汉崖墓

作　者：何志国
出　处：《考古》1988 年第 3 期

1986 年 6 月，绵阳市中区河边乡九龙山脉柏树山、白沙包一带农民开荒时发现东汉崖墓，考古人员前往调查，共发现崖墓 150 多座，并清理了其中的 7 座（编号为柏 M1、M3～M5，白 M1～M3）。简报分为：一、墓葬形制，二、随葬器物，三、结语，共三个部分。有手绘图、照片、拓片。

据介绍，这批崖墓均为单室，墓门为长方形，墓室平面略成梯形，盝顶或券顶，墓壁凿龛，并从防潮角度考虑，墓室平面凿成二至三级平台，使墓室前低后高，使于排水。

7 座崖墓出土的随葬器物也多见于东汉墓葬中。如柏 M1 出土的说唱俑，与成都天迴山崖墓出土的说唱俑，无论造型还是神态举止都非常相似；柏 M5 出土的池塘模型，类似的形制在云南呈贡七步场东汉墓也有出土；至于其他的陶俑、摇钱树座、井、罐、釜、碗等，更是西南地区东汉墓中常见之物。简报推断绵阳河边乡崖墓时代为东汉晚期。

简报称，值得一提的是，柏 M1 出土的说唱俑，与天迴山说唱俑相比，造型较写实，体型稍大，人物比例较准确。正因为如此，它那栩栩如生的神态与后者迥然异趣，强烈的艺术感染力足以同后者媲美，再现了汉代说唱艺术家表演的动人场面，是这批崖墓随葬器物中的重要发现。

1390.绵阳杨家镇汉代崖墓清理简报

作　者：何志国

出　处：《四川文物》1988 年第 5 期

1987 年 6 月，绵阳市中区杨家镇农民在龙王洞山挖土时发现崖墓 2 座，并取出一些文物。考古人员进行了抢救性清理，有照片。

据介绍，龙王洞山距杨家镇约 200 米，位于绵阳至中江的公路右侧，山下为农田，崖墓就凿在山腰上。距地表约 150 米，距山顶约 20 米；2 墓相距 10 米，均为单室券顶，均凿有墓道、甬道和墓室。2 墓共出土随葬遗物 56 件，其中陶器 33 件、铁器 3 件、铜钱 20 件。陶器分泥质红陶和泥质灰陶两种，除陶罐、陶釜和陶猪外，余者均为红陶。2 墓的年代，简报推断下限不超过东汉中期。

1391.四川绵阳出土一件汉代铭文铜镜

作　者：何志国

出　处：《文物》1989 年第 2 期

1987 年 4 月，四川省绵阳市中区游仙乡出土 1 件铜镜。简报配以拓片予以介绍。

据介绍，该镜直径 11.5 厘米，半球形纽，圆纽座。内区为铭文和浮雕神兽图案。铭文为："铜槃作大毋伤，巧工造之成文章，左龙右虎辟不羊（祥），朱鸟玄武顺阴阳，子孙备具居中央，长保二。"神兽似二龙张口，身饰鱼鳞乳丁纹，其一头上有一角。外区凸起两周弦纹，间饰双线水波纹和锯齿纹各一周，素缘。简报推断这件铜镜为汉代遗物。

1392.绵阳市出土的汉代说唱俑

作　者：巩发明、季　兵

出　处：《四川文物》1989 年第 2 期

1988 年 5 月，在绵阳市吴家区孔雀村汉代崖墓中出土说唱俑。简报配以照片予以介绍。

据介绍，该俑系红陶制作，通高 32 厘米，额头有 3 条皱纹，为说笑所生，右手摸头，左手抚肚，胸脯微微凸起，大腹之上还有一凹陷的肚脐眼，两脚叉开着地，神态憨厚滑稽，形制浑厚。简报称，说唱俑在绵阳已 3 次出土，但每次出土的都不乏新意。

今有索德浩先生《四川汉代陶俑与汉代社会》（文物出版社 2020 年版）一书，可参阅。

1393.四川绵阳何家山2号东汉崖墓清理简报

作　者：绵阳博物馆　何志国等

出　处：《文物》1991年第3期

何家山2号墓（编号HM2）位于1号墓（编号HM1）西侧6米处。1990年2月14日，核工业部第二十四公司安装食堂下水道时发现这座墓。考古人员进行了抢救性清理。简报分为：一、墓形制及随葬情况，二、出土遗物，三、结语，共三个部分。有照片、拓片。

据介绍，何家山2号墓所处地理位置与1号墓（HM1）相同。墓道不详。用几何纹砖封门。单室券顶，墓室平面略呈梯形，墓室底部前低后高，有一定坡度。墓室后段堆置2排几何纹砖，估计为尸床。墓内未发现葬具，但根据出土的朽木屑和铁棺钉推断，葬具当系木棺。人骨架朽蚀过甚，葬式不明，仅发现大、小腿骨各1根。根据粗大的腿骨分析，墓主当为身高约1.7米的男性。随葬器物主要集中于墓室前段和甬道，大型铜马随葬于墓室前段东侧。有不少云母片散布于墓内，形状不规整，又薄又小。随葬器物有陶、铜、铁、金、琥珀等类，计91件，其中陶俑有20件。钱币360枚。简报推断该墓年代为东汉晚期。

简报称，铜马是何家山2号墓中的重要发现。中华人民共和国成立以来，东汉大型铜马在我国各地时有发现，绵阳何家山2号墓出土铜马高达1.34米，当系我国迄今发现的最大的东汉铜马。此马被铸造成由人执缰牵挽行走姿态，它昂首张口、似将奋起的四蹄、高扬的尾巴，显示了汉马的神骏。古人有意采用了对比、夸张的手法，在高达1.34米的铜马前面，塑造了1位高不到0.7米的牵马俑。两相对比，更显出铜马高大的气势。铜马极薄的体壁和分铸例接的做法，为研究东汉的青铜铸造工艺提供了新的实例。

1394.四川绵阳何家山1号东汉崖墓清理简报

作　者：绵阳博物馆　何志国等

出　处：《文物》1991年第3期

1989年11月23日，核工业部第二十四公司在绵阳市中区何家山山腰修建食堂时，发现崖墓1座（编号为HM1），考古人员进行了抢救性清理。简报分为：一、墓葬形制及随葬情况，二、出土遗物，三、结语，共三个部分。有照片、拓片、手绘图。

据介绍，何家山位于绵阳市中区西郊约1公里。高约50米，是1座由红砂岩构成的小山。崖墓位于半山腰，距地表约30米，距山顶约20米。墓道大部分在施工时被挖掉，故长度不详。墓门塞满淤土，散乱堆积数块几何纹砖。过甬道即为墓室。墓室为券顶，分作前、后2室，中间有甬道相连。前室平面略成梯形。后室平面也略呈梯形，此墓略显前低后高，有利排水。墓内置棺4具，前、后室各2具。前室2具均为砖棺，位于前室后段，左右排列，均用长0.3米、宽0.1米、高0.1米的钱文砖和素面砖砌成，其上各用2块拼合的石板为棺盖。2棺平面略呈梯形。左棺内骨架保存较为完整，系仰身直肢葬，身高1.65米，骨骼粗大，似为男性。右棺骨架已碎成小块，葬式不明。后室置砖棺和灰陶棺各1。2棺内残存少许骨殖，葬式不明。此墓前室前段顶部、左侧以及甬道顶部早期坍塌，石块和淤土叠压在随葬品之上，大部分随葬品基本保持入葬时的情形。随葬品主要集中于前室前段，前室左棺后部随葬摇钱树及树座，摇钱树四周有钱币若干，4具棺材内均有数量不等的钱币。随葬遗物有陶器、铜器、铁器35件，钱币210枚。其中摇钱树干上所铸佛像值得注意。简报推断该墓为东汉晚期墓。

简报称，东汉时期，佛教传入中国不久，置放场所和位置尚未形成固定格局，因而出现了铸于摇钱树干上的情况。在汉代，摇钱树又称为神树，上面往往铸有东王公、西王母形象。摇钱树干铸佛像，说明当时人们把佛像和东王公、西王母作为同等的崇拜对象来供奉。

简报还指出，一般认为，中国的佛教是经丝绸之路传入内地的。四川境内的早期佛教的传入似另有途径，有人考证，秦汉时期，四川有一条通商路线，由成都至云南大理，再到缅甸、印度、阿富汗。四川境内的早期佛像可能也是由这条路线传入的，这一看法有待新的资料和今后周密细致的研究进一步证实。

1395.江油市河西崖墓清理简报

作　者：宋建民
出　处：《四川文物》1991年第4期

1991年1月，江油市河西乡古柏村部分村民在村西的太阳坡一带开荒整治果园时发现崖墓。考古人员前往调查，发现崖墓5座，并对已被挖开的3座进行了清理。简报分为：一、地理环境及墓葬结构，二、随葬器物，三、结语，共三个部分。有照片。

据介绍，崖墓分布接近山脚，5座横列一排，面向东南，按从左至右的顺序，依次编号为M1～M5。M1为双室墓，由墓道、墓室、壁龛组成。M2、M3均为单室墓，其中M2的穹窿顶等与中原地区墓十分相似。这3座墓早期均已被盗，出土文物大多已被损坏。3座墓共清理出各类随葬品25件，其中完好的12件，均为陶器，泥质灰陶。3墓的时代，简报推断为东汉中晚期。

1396.四川三台发现一座东汉墓

作　者：三台县文化馆　杨重华
出　处：《考古》1992 年第 9 期

1982 年 11 月 19 日，三台县灵兴乡农民在县城北 15 公里的青山采石时挖掘出 1 座崖墓，文化馆闻讯后立即派人清理。简报分为：一、墓葬形制，二、出土器物，共两个部分。有照片。

据介绍，该墓是 1 座悬崖墓，坐西向东，墓门距崖基 16 米，下为悬崖，上是陡壁，若不是采石开挖有立足点，人们根本无法靠近，故一直未被人发现。接连 3 间墓室，一、二室两旁和三室右侧都有耳室。出土遗物有陶器、铜器、金银器、铁器。简报推断，此墓为东汉墓葬。

1397.绵阳市公安干校发现的汉墓

作　者：许　蓉
出　处：《四川文物》1992 年第 1 期

1990 年 3 月，绵阳市公安干校施工时发现了菱纹花边砖和陶器、铜器、铁器等文物。考古人员到现场后发现是两座汉代砖室墓，随即进行了清理，并从民工手中收回出土文物 8 件。据介绍，其中的铜灶出土时上置 1 个陶釜（釜已毁坏）。简报配以拓片、手绘图予以介绍。

据介绍，M1 共出土铜器、陶器等 8 件，M2 出土有陶器、铜饰件。M1 的时代，简报推断为西汉时期。M2 的时代，简报推断为东汉时期。M2 出土有 1 方"瞿庆私印"，应为墓主人私印。

1398.三台新德乡东汉崖墓清理简报

作　者：三台县文化馆　景竹友
出　处：《四川文物》1993 年第 5 期

1989 年 5 月，一石匠在新德乡柳塘村黄桷山采石中，从山腰坍塌的崖墓中发现了一批随葬的陶俑、陶器和钱币。崖墓距地面高约 20 米，山下是平坝农田，西距涪江 1 公里，东南离乡镇 1.5 公里。单室墓，墓口向西，无墓道，尸骨和棺无存。墓门、甬道和壁龛在开山时被损坏。陶俑在棺台左边，陶器和钱币在壁龛下的乱石淤泥中被发现。

此墓早年被盗，开山采石时又多有损坏。简报选择人物俑11件、陶灯4件、钱币3枚，共18件简述。简报配以照片、拓片予以介绍。

据介绍，三台县崖墓主要分布在郪江和涪江流域，新德乡属涪江流域，在汉代是北上南下的水陆交通必经之地，已知现存崖墓上百座，从结构简单的单室墓到较复杂的七室墓均有，但以单室墓为主。此墓单室卷棚顶，墓底倾斜，便于排水，是四川省常见的东汉墓形制。从损坏的人物俑和生活器皿看，全墓随葬品仅陶器就不下40件，作为单室墓随葬品是多的。简报推断三台新德乡崖墓应为东汉中期偏晚墓葬，墓主应为当地的小地主官僚。

1399.绵阳市吴家汉代崖墓清理简报

作　者：绵阳市文管所　季　兵
出　处：《四川文物》1994年第5期

1988年5月，绵阳市吴家区孔雀村小学教师报告：在该校背后的山坡断面发现1处古墓葬，并出土了数件"陶人"。接此报告后，考古人员赴现场进行调查。行至村口时，发现公路右侧"神坎"上摆着7件陶俑，经寻问和多方核实查明，此7件陶俑正是校后那一古墓出土的全部完整的随葬陶俑，只是被当地乡民误为菩萨，故而供奉于此并加以保护。通过向百姓宣传文物保护法，便很快收回了所有陶俑。此后，又来到实地进行了清理和勘察。简报配以照片予以介绍。

据介绍，出土7件陶俑的墓（M1），坐西向东，墓门已完全打开，为单室墓，在墓里淤泥中仅有部分泥质红陶、灰陶容器的残片。同时对M2墓进行清理。M1、M2的形制和出土物的形制都有着汉代崖墓和随葬品的典型特点，与绵阳市近年来在杨家镇、河边乡等地发现的汉代崖墓及出土物相同，简报推断M1、M2当属汉代崖墓。

1400.四川绵阳永兴双包山一号西汉木椁墓发掘简报

作　者：绵阳博物馆、绵阳市文化局　何志国等
出　处：《文物》1996年第10期

1992年1月下旬，绵阳市涪城区永兴镇二砖厂推土时发现1座古墓（编号为MSM1），考古人员进行了抢救性发掘。简报分为：一、墓葬形制，二、小结，共两个部分。有照片、拓片、手绘图。

据介绍，该墓为土坑竖穴木椁墓，位于永兴镇玉龙院村，在宝成铁路西侧，地称双包山。发掘后勘测，在该墓东侧约20米处，还有2座木椁墓，分别编号为

MSM2 和 MSM3。发掘前该墓已被推土机挖出一角，并取出部分椁盖板，封土层残高约 1 米，夯层不明显。早年被盗严重，但仍出土有铜器、漆器、陶器等大批文物。该墓葬五棺，相当罕见。墓主人生前当有较高身份。简报推断年代为西汉晚期。

1401.绵阳永兴双包山二号西汉木椁墓发掘简报

作　者：四川省文物考古研究所、绵阳市博物馆　赵树中、胥泽蓉、何志国、
　　　　唐光孝、陈显双等

出　处：《文物》1996 年第 10 期

1995 年 2 月，永兴二砖厂在制砖取土时发现大型古墓，发掘工作从 1995 年 3 月下旬开始至 7 月上旬结束，室内整理工作尚在进行。简报分为：一、地理位置，二、墓葬结构，三、墓葬遗物，四、墓葬年代和主要收获，共四个部分。有彩照、手绘图。

据介绍，双包山二号汉墓位于绵阳市涪城区永兴镇玉龙院村，东距绵阳市区 12 公里，南距成（都）绵（阳）公路约 1 公里，北距涪江支流安昌河约 3 公里。墓葬南侧有条小河自西向东流入安昌河。双包山本为人工堆积起来的两个黄土堆，根据后来的发掘，证实这 2 个黄土堆都是墓葬的封土堆。在双包山及其周围，包括今之二、三、六砖厂区域内常有古墓发现。双包山二号墓（95MSM2）为大型土坑竖穴木椁墓，上部封土已被砖厂取土时挖去大部分。出土有原始瓷器、玉衣片、陶器、铜器、漆器、铜印（字迹已无法辨认）、铜钱等。简报推断年代为西汉武帝元狩五年（前 118 年）前，墓主人应有相当高的地位。

简报指出，该墓规模巨大，为前堂后寝结构，前堂又可细分五室，其结构颇具特色，目前尚找不到形制完全相同者与其比较。出土遗物中，漆雕经脉木人是最早的 1 件有关经脉学的人体模型，原始青瓷壶也是在四川第一次发现。

1402.四川三台郪江崖墓群 2000 年度清理简报

作　者：三台县文化体育局、三台县文物管理所　钟　治等

出　处：《文物》2002 年第 1 期

郪江崖墓群为全国重点文物保护单位，位于四川省三台县城南 45 公里的郪江、锦江两岸山麓间，共有崖墓 1600 余座。2000 年当地文物部门清理测绘了其中较典型的 6 座，为天台山 1 号墓、坟台嘴 1 号墓、胡家湾 1 号墓、刘家堰 1 号和 3 号墓、洞子排 1 号墓。简报分为：一、崖墓概述，二、结语，共两个部分。有彩照、手绘图。

据介绍，这些崖墓均依山势开凿，由墓道、墓门、甬道、墓室、侧（耳）室

组成，建筑为明显仿木结构的民居厅堂宅院式样。从其建造形制和少量出土器物判断，它们为东汉晚期至蜀汉时开凿。发现了一批以前所不见的墓型。如有四进墓室的坟M1，带彩绘壁画的柏M1，带建筑彩绘的天M1，反映厅堂、庭院建筑形象的刘M1等。胡M1中发现的中心柱上斗口跳斗栱出令栱，即相当于"华栱"出令栱；洞M1中连岩房屋形画像石棺上的檐口曲线和屋檐至角起翘的做法（表明有柱升起的现象存在），在全国汉晋墓中前所未见，是中国木结构建筑形式最早的实例，为中国古建筑史的研究提供了新的信息。刘M1中保存完好、雕凿精美的石床，在郪江崖墓群中仅发现一例，它为古家具史的研究也提供了珍贵的素材。另外，胡M1后室顶的天花藻井以变形莲花为装饰主体；坟M1前室的胡坐人像雕刻，是否与早期外来文化传入的影响有关，还有待将来更多的材料出土做进一步证实。

1403.四川安县文管所收藏的东汉佛像摇钱树

作　　者：绵阳博物馆、安县文管所　何志国、刘佑新、谢明刚
出　　处：《文物》2002年第6期

2000年5月，安县公安局清泉派出所缴获了1株摇钱树，移交给安县文管所收藏。据犯罪嫌疑人交待，这株摇钱树是从绵阳市永兴镇至安县界牌镇一带的崖墓中出土的。摇钱树保存较完整，由底座、树干和树枝组成。简报配以照片予以介绍。

据介绍，此树底座为红陶，树干、树枝为青铜。简报推断安县摇钱树的时代为东汉中晚期。带佛像的摇钱树在四川、陕西、贵州均有发现，但安县摇钱树保存较完整，是迄今发现的单株摇钱树上佛像数量最多的，为研究汉代摇钱树及佛教的传播提供了新资料。

1404.四川绵阳市发现一座王莽时期砖室墓

作　　者：绵阳市博物馆　何志国　胥泽蓉
出　　处：《考古》2003年第1期

1994年5月23日，绵阳市建筑公司第四分公司在绵阳市涪城区修建综合大楼时发现1座砖室墓，市博物馆迅速派考古人员对该墓进行了抢救性清理。简报分为：一、墓葬形制，二、出土遗物，三、年代，共三个部分。有手绘图、拓片。

据介绍，该墓为单室、券顶。通过对墓葬形制、出土器物和钱币的时代特征等进行分析，简报推断该墓年代为王莽时期。简报称，四川地区发现的王莽时期墓葬不多，绵阳市砖室墓的发现，为这一地区墓葬分期提供了重要资料。

1405.四川绵阳市朱家梁子东汉崖墓

作　者：绵阳博物馆、绵阳市文物稽查勘探队　唐光孝

出　处：《考古》2003 年第 9 期

1996 年 2 月 29 日，绵阳市游仙区白蝉乡一碗水村朱家梁子古墓被盗，考古人员立即到现场进行了调查。调查得知，一碗水村朱家梁子位于绵阳市区东约 70 公里的川北深丘地区，西距白蝉乡政府所在地约 5 公里。古墓位于朱家梁子半山腰，已有 6 个盗洞。盗洞前均散落许多陶片，还有 1 块纪年砖。崖墓在绵阳发现很多，但有纪年的却很少，因此这批资料相当重要。清理工作从 3 月 4 日开始，至 27 日结束。简报分为：一、1 号墓，二、2 号墓，三、3 号墓，四、4～6 号墓，五、结语，共五个部分。有手绘图、拓片。

据介绍，3 号墓出土 2 块"元和二年"铭文砖，"元和"是东汉章帝年号，"元和二年"应是公元 85 年。据此简报推断，白蝉乡一碗水村朱家梁子崖墓的年代应为东汉早期至中期偏早阶段。

1406.绵阳"天浩公寓"工地发掘简报

作　者：四川省文物考古研究所、绵阳市博物馆　宋建民、周科华、赵树中

出　处：《四川文物》2004 年第 1 期

为配合绵阳"天浩公寓"工程建设，2003 年 3 月，考古人员对该工程涉及文物进行了抢救性清理发掘。共清理西汉时期灰沟 1 条，新莽至东汉时期砖墓 4 座，宋代灰坑 6 个，出土各类文物 100 余件，钱币近百枚。简报分为：一、墓葬，二、其他遗迹，三、结语，共三个部分。有照片、手绘图。

据介绍，4 座砖室墓均已受到破坏，随葬器物有陶器、石器、铁器、铜器、钱币等。其中 M2 未见随葬品。西汉灰沟出土陶器以夹砂灰褐陶为主，应为西汉早期日常生活用器。宋代灰坑似与窖穴有关。从采集到的大量窑具看，似在这一带有烧陶的窑址。

1407.四川三台郪江崖墓群柏林坡 1 号墓发掘简报

作　者：四川省文物考古研究院、绵阳市文物管理局、三台县文物管理所
　　　　　钟　泊、周科华、李　生等

出　处：《文物》2005 年第 9 期

三台郪江崖墓群位于四川省三台县城南 45 公里的郪江、安居 2 镇。2000 年 2～6

月，考古人员在当地进行了1次详细的调查和抢救性清理测绘工作，发现一批文化内涵丰富的新材料，并于2002年5～7月，在郪江崖墓群内进行了考古发掘。此次工作以柏林坡和金钟山Ⅱ区墓群为重点，在两处墓群各清理崖墓5座，并分别编号。崖墓均依山势凿崖为室。开凿方式是先在缓坡上向山腹纵深开一明槽作为墓道，至岩石深处再凿出墓门和墓室，墓道长短与墓室大小无关。墓葬都未构造专门的排水设施，排水利用墓室、墓道由内向外倾斜形成的坡度，加上岩石中的天然裂隙来完成。在此次发掘的墓葬中，柏林坡1号墓（2002SQBM1）为1座大型彩绘壁画墓，墓内仿木结构建筑雕刻形式多样，装饰丰富。简报分为：一、墓葬形制，二、彩绘和画像石刻，三、随葬器物，四、结语，共四个部分，配以彩照、手绘图，先行介绍了该墓的发掘情况。

据介绍，柏林坡1号墓为1座大型彩绘壁画墓，墓内装饰有许多彩绘和浮雕加彩绘的图像，达46幅之多且保存完好。墓前室壁面有朱书"元初四年"（117年）题记。简报推测柏林坡1号墓的时代属于东汉中期。

简报指出，尽管该墓多次被盗，仅出土劫余的陶器、铁器、铜器、石器、钱币。但至今鲜艳的东汉中期壁画和朱书题记，是崖墓考古中的重要发现，为研究汉代文化、美术、建筑提供了重要资料，弥足珍贵。另外，后室左壁雕刻的秘戏组图，其题材在四川崖墓中是首次发现，可能与东汉中晚期本地区流行的五斗米道所推崇的通过修炼房中术而成仙的主张有关。所出土的红陶坐俑造型独特，与后世某些宗教造像有相似之处。是否寓有早期宗教文化因素，还有待作进一步论证。

1408.四川平武县白马藏区水牛家寨遗址

作　者：四川省文物考古研究所、绵阳市文物局、平武县文物管理所　黄家祥、
　　　　任　银、黄家全等

出　处：《考古》2006年第10期

水牛家寨遗址距平武县城西北约70余公里，距白马乡政府约20公里。这里森林茂密，适宜于野生动物的生长，而不利于农耕。水牛家寨遗址是1979年发现的。1987年5月全省文物普查时对该地进行调查，正式确认这里是一处汉代的古代文化遗址。为配合四川华能涪江水电有限公司火溪河梯级电站建设，2005年7～8月，考古人员对该遗址进行了发掘。由于遗址在电站的施工范围内，遗址的原生地貌已发生了很大变化。简报分为四个部分予以介绍，有手绘图。

据介绍，遗址出土的陶片不多，只有泥质灰陶一种。器形有罐、壶、盆、钵、瓶、器耳、纺轮等。纹饰以绳纹为主，有少量凿印的几何纹和弦纹。出土汉代铁锚、

铁犁等。据此简报推断，水牛家寨遗址文化遗存的年代应属汉代，上限不早于西汉，主要的文化遗存处在汉代中晚期。

简报指出，出土石器 13 件，在出土遗物中占有一定数量。器形有斧形器、石杵、璧形器、刀形器、砺石、石料等，表明汉代人们还把石器当成日常的生产工具和生活用具。铁器均为生产工具，有锸、犁铧，表明此地当时较之中原地区仍较落后。

简报指出，水牛家寨遗址的汉代遗存是否就是历史上的氐人或属本地的白马藏族先民的遗存，目前还难以肯定，但遗址出土的遗物为我们探讨该遗存的文化属性与族属提供了新的考古资料。

1409.四川三台县出土东汉画像砖

作　者：三台县文管所　左　启
出　处：《四川文物》2006 年第 6 期

2001 年 2 月，三台县北坝镇姬家山东汉墓中出土了 4 块颇有特色的画像砖。画像砖呈长方形，规格为 32 厘米 ×16 厘米 ×9 厘米。画像刻于砖体两端，规格为 21 厘米 ×7 厘米，共四幅。简报配以照片予以介绍。

据介绍，上述画像砖，题材新颖，颇具特色。尤其值得一提的是，4 幅汉画像中的人物马匹都各具特点，互不雷同。

1410.四川三台黄明月一号画像崖墓

作　者：绵阳市博物馆　钟　治
出　处：《文物》2008 年第 2 期

黄明月一号崖墓（编号为 M1）位于四川省三台县安居镇黄明月村六队，东依黄果树山。1987 年，当地百姓捕蛇，从墓门上方裂隙处将墓撬开。1995 年，考古人员对该墓进行了清理。简报分为：一、墓葬形制，二、葬具和随葬品，三、画像石刻，四、结语，共四个部分。有手绘图。

据介绍，此墓开凿在黄明月山山腰，在陡峭的崖面沙岩中，由墓道、墓门、甬道、前室、中室、后室、3 个侧室、3 个耳室组成。墓道被严重破坏，为 1 座大型阶梯式三室墓。出土有画像 7 幅。

简报推断年代为东汉晚期，墓主人可能为地方富绅。

广元市

1411.旺苍县洪江镇汉墓清理简报

作　者：赵树中
出　处：《四川文物》1987 年第 4 期

1984 年 5 月上旬，旺苍县洪江镇（即城关镇）百丈关村农民挖厕所时，发现 1 座汉墓（编号为 M1）。同年 11 月 19 日，洪江镇五峰村农民在耕地时又发现 1 座汉墓（编号为 M2）。简报配以照片，介绍了这两座墓的清理情况。

据介绍，M1 为砖砌券顶墓，由墓道，前室、后室 3 部分组成，已被盗过。M2 为单室砖墓，也被盗过。2 墓的葬具和骨骸已腐蚀无遗，出土随葬品共 28 件，全部是陶器。其中，M1 出土器物 24 件。其中釉陶器比较精美。简报推断 2 墓年代为东汉早期，墓主人可能是豪强地主或驻守百丈关的官员。

1412.剑阁青树村汉墓清理简报

作　者：剑阁县文管所　母学勇
出　处：《四川文物》1989 年第 5 期

1987 年 6 月，考古人员在剑门关镇青树村发现了汉代古墓群。通过实地观测、探掘，对墓群的规模、方位、分布情况等都有了比较清楚的了解。但对墓葬规制、结构都不甚清楚，为此对早年已经被破坏的两座汉墓进行了清理。简报分为：一、地理环境及墓葬结构，二、随葬器物，三、小结，共三个部分。有照片。

据介绍，青树村汉代古墓群，分布在剑门关镇青树村至剑华村的天生桥、青杆包、掏砖岭、坟林嘴、檬子垭海拔 920 多米的带形山脊上。居川陕公路东侧为多，最远处约 7 公里。现发掘清理的两座墓 87B ～ M1、87B ～ M2，均位于掏砖岭正脊的 2 个小土包上。系砖砌券顶单室墓，墓室平面呈长方形。出土遗物有陶器 16 件、陶俑 14 件、铜镜、铜刀、铜饰物、陶镇墓兽、钱币等。简报推断年代应为东汉时期。

简报称，这是剑阁地区已发现的最大汉墓群，对研究汉代政治、经济等有重要意义。

1413.四川广元出土一批汉代铜器

作　者：唐志功
出　处：《考古》1990 年第 5 期

1985 年 12 月中旬，广元市卫子区昭化镇城关村农民铁金贵在建房取土时，于地下深 1.5 米处发现 8 件铜器和 1 件陶器。据了解，器物可能出自 1 座土坑墓，墓内用不规则长方形条石铺底，器物即置于条石之上。简报配以照片予以介绍。

据介绍，出土铜钫 2 件，铜钟、铜蒜头壶、铜鍪各 2 件。此外，还发现陶罐 1 件。这次出土的铜器及陶器，为西汉墓十分常见的器物。简报称，出土的铜器也是广元市历年发现的汉墓中出土较多的一次。

1414.剑阁县演圣镇截山村崖墓发掘简报

作　者：四川省文物考古研究所、剑阁县文管所　莫洪贵
出　处：《四川文物》2004 年第 3 期

1998 年 10 月，四川剑阁县演圣镇截山村民牵牛下山时牛踩了 1 个洞，进而发现了崖墓，立即上报文物部门。经过抢救性发掘，清理崖墓 5 座。崖墓曾被盗，出土器物虽不多，但在偏远的山区发现古墓群，为研究剑阁的历史文化提供了实物资料。简报分为：一、发现经过及地理环境，二、墓葬形制，三、出土遗物，四、小结，共四个部分。有照片、手绘图。

据介绍，发掘的 98JYM1～M5，均为崖墓，位于整个山体，排成一列，每座墓之间相距 1～2 米左右。用汉砖或条石封墓门。这里是浅丘地带，崖墓依山而开凿。墓前均有墓道，用泥土填实，墓葬平面为长方形，大部分有棺台或石灶等。因被盗，仅残存陶俑、陶器、钱币等少量随葬品，墓砖中钱币纹砖较有特色。

简报认为，这里应是东汉时期一处家族墓地。

今有黄晓芬先生《汉墓的考古学研究》（（岳麓书社 2003 年版）一书，可参阅。

遂宁市

1415.四川遂宁船山坡崖墓发掘简报

作　者：四川省文物管理委员会　张才俊
出　处：《考古与文物》1983 年第 3 期

　　船山坡，以形似"覆船"而得名，是川中一带起伏不平的山峦之一，山高 200 余米，遂宁县城在坡的东面。1978 年冬，该县扩建水电站，大部分崖墓暴露出来。此地和四川其他地区崖墓一样，成群而葬，墓之间隔，有的相距不过 3 米，上下皆有，初步统计有 43 座。这次发掘 2 座，分别编号为 M1、M2。简报配以手绘图予以介绍。

　　据介绍，2 墓平面呈梯形，葬具不明，有人骨架各 1 具。两墓出土器物共 44 件，计有陶器、铜器、铁器、石器等类。其中陶器 34 件，为泥质灰陶，多为生活方面用品，俑很少。简报推断两墓为东汉中期墓。

1416.四川遂宁市发现两座东汉崖墓

作　者：庄文彬
出　处：《考古》1994 年第 8 期

　　1985 年 1 月，遂宁市立交桥修建过程中发现崖墓两座，位于城郊船山坡脚与立交桥南侧 50 米公路相接处路面下，属于整个船山坡东汉崖墓群的一部分，编号分别为 M5、M6。考古人员立即进行清理工作，出土了一批比较珍贵的实物资料，包括陶质明器、葬具等。简报配以手绘图予以介绍。

　　据介绍，M5 为瓦棺合葬墓。墓长 4.9 米、高 1.95 米、宽 2.5 米。墓葬内部结构为长方形券顶砖室墓，由墓道、甬道、墓室等部分组成。从墓葬形制看，M5 属于本地区比较典型的岩砖混合结构的岩洞砖室墓。出土器物有：瓦棺 2 具、佩刀武士俑、梳妆俑、陶狗 1 只。M6 为砖棺合葬墓。墓北侧有一耳室，墓室内两砖棺并列，棺系由子母榫砖、长方形砖、楔形砖垒成，棺盖为长条形块状，中央隆起作弧形。此种完全由大小形制固定的墓砖砌成的砖棺非常少见，具有显著地方特色。出土器物有：陶摇钱树座 1 件、陶鸡 2 件、陶罐 5 件，陶瓶、陶釜、陶壶、陶勺各 1 件。另出土五铢钱 6 枚，可断为东汉早期五铢钱。

　　简报称，此次发现的 M5、M6 均为夫妇分棺合葬墓，同茔异穴。从出土器物看，陶制明器的形制、大小比较固定，墓砖的尺寸、纹饰比较固定，瓦棺器形庞大，整体烧成不易，这既反映出当时的厚葬风气，也表明川中一带东汉陶制明器烧造技术非常发达，而且能够成批生产销售，陶制明器烧造已成为当时兴盛的"百业"之一。

简报指出，值得注意的是 M5 的岩砖混合结构和 M6 的砖棺葬具，在 1980 年的清理中曾发现岩洞砖室墓 1 座，除崖墓的形制外，其内部结构与同时期各地普遍流行的砖室墓毫无二致，反映出四川崖墓与砖室墓有着不可分割的联系，丰富了对四川东汉崖墓的认识，对研究四川崖墓文化特色、丧葬观念、埋葬习俗及涪江流域崖墓形制等均有一定参考价值。

内江市

1417.内江市中区红缨东汉崖墓

作　者：雷建金、曾　健
出　处：《四川文物》1989 年第 4 期

1982 年 7 月，位于内江市中区东兴街红缨村的西南医用设备厂在基建施工中，发现古墓 2 座（编号为红缨 1 号、2 号），考古人员前往清理。简报分为：一、墓室结构，二、出土器物，三、结语，共三个部分。有照片。

据介绍，两座均系崖墓，在质地比较松软的红砂页岩上凿洞而成。红缨 1 号系单室墓，由墓道、墓室、壁龛组成。方向正北。墓顶距地表深约 3 米，系将崖墓与砖室墓合二为一。两座墓早年被盗，破坏严重，室内遍地皆可见被打碎的陶器碎片。清理出较完整的陶器、陶俑、铁器、石器 40 余件，同时伴出五铢钱币。其中高达 0.5 米以上的乐俑群、雕刻精湛的石羊、宫殿式的画像石棺等十分珍贵。两墓的年代，简报推断为东汉中晚期。

1418.内江市关升店东汉崖墓画像石棺

作　者：雷建金
出　处：《四川文物》1992 年第 3 期

1988 年 8 月，驻内江市关升店的电建三公司子弟校初一学生吴永江来函声称，在一崖洞中发现 1 具石棺，上面刻有画像。考古人员作了调查，并及时进行了清理。

简报分为：一、墓葬概况，二、画像石棺，三、结语，共三个部分。有照片、手绘图。

据介绍，该墓为一崖墓，位于内江市以西14公里处的白马镇司马村关升店。距地表10米，内有崖棺2具，早年曾被盗，仅剩少量陶器及一陶俑头。崖棺上未见画像，但其前侧有1具石棺，上面布满石刻画像。画像内容有双阙、宅第、朱雀、伏羲、女娲、拴马、鸟啄鱼等。该墓的时代，简报推断为东汉中晚期。

1419.内江七孔子汉代崖墓清理简报

作　　者： 内江市东兴区文管所　罗仁忠
出　　处： 《四川文物》1996年第4期

1992年4月，内江市东兴建筑公司在内江城北东兴区七孔子地带的二台土建房施工中，发现崖墓3座。考古人员赴现场清理。简报分为：一、地理环境及墓室结构，二、出土器物，三、结语，共三个部分。有照片、手绘图、拓片。

据介绍，此3座崖墓位于沱江左岸的二级台地上，离江边约100米，在红砂岩上凿洞而成，坐东向西，呈一字形排列。发现后被民工扰乱，左、中2墓室内较为完整，编号为M1、M2，石墓简陋，空洞一个，未发现出土器物。M1和M2均为单室，弧顶，墓口相距1米。墓道大部分被挖毁，2墓共清理出各类陶砖、陶俑、陶鸡、摇钱树座、铁器等120余件以及陶房、罐、钵、豆、碗等残片。从痕迹看，M1、M2似被盗过。两墓的时代，简报推断为东汉中晚期。

乐山市

1420.乐山市中区高笋田崖墓清理简报

作　　者： 胡学元
出　　处： 《四川文物》1988年第3期

1986年11月，乐山市制药厂在土建施工中，发现东汉崖墓2座。考古人员前往清理。简报配以照片予以介绍。

据介绍，高笋田崖墓位于市中区岷江大桥西偏北20°500米处，系依江红沙岩凿成的单室墓。考古人员将露出墓口的1座编为M1，未露墓口的1座编为M2。M1由过道、棺室、壁龛组成，深24米、宽2米、高1.8米。过道右侧有4个棺室，其中第三室置陶棺，已是碎片，一、二、四室系依岩凿成的石棺，残缺严重，棺盖都置于过道上。过道尽头正面凿一壁龛，龛下为灶，离尽头右侧 3.5 米处有 1 个盗洞与 M2 相通。M2 深 19 米，宽 1.85 米，高 1.8 米。过道右侧为两个棺室，置陶棺已是碎片。左侧有一灶龛。此 2 墓遭破坏严重，碎片满地，经过清理，出土葬品 100 余件，其中较为完好者 54 件，有些堪称珍品，如西王母龙虎座、马、狗、乐俑等。两墓的时代，简报推断为东汉时期。

1421.夹江千佛岩东汉崖墓清理简报

作　者：夹江县文管所　周杰华
出　处：《四川文物》1988 年第 6 期

1984 年 7 月大雨过后，夹江县千佛岩一农民屋后山碥上因泥土塌方而暴露出 1 座崖墓，考古人员对该墓进行了清理。简报分为：一、地理环境与墓葬形制，二、出土器物，三、年代和墓道，共三个部分。有照片。

据介绍，该墓位于青衣江东岸临江山碥上，离江边约 150 米，垂直高出江面约 15 米，坐北向南。为双室墓，前室无随葬品器物，出土器物均在后室，共出土各类较为完好的器物 48 件。其中，陶器 28 件，铜器 2 件，钱币 18 枚。墓主人应为东汉中期富豪地主或官员。

1422.四川乐山麻浩一号崖墓

作　者：乐山市文化局　唐长寿
出　处：《考古》1990 年第 2 期

麻浩崖墓群位于四川省乐山市市中区九峰乡明月村麻浩，前临麻浩河，后依虎头山，西距岷江 100 米。墓群北起大地湾，南至虎头湾，沿山崖分层排列，总数达 320 余座。1985 年考古人员对该墓群作了一次调查编号工作，重点调查测绘了麻浩一号崖墓（编为麻 1M1）。麻浩一号崖墓在 1940 年发现后，以丰富的画像石刻引起了人们的重视，部分画像分散著录于如闻宥《四川汉代画像选集》等书刊中，但至今没有该墓的较为完整的资料发表。为满足研究者的需要，简报将该次调查测绘的结果分为：一、形制结构，二、葬具和随葬品，三、画像石刻，四、几点认识，共四个部分。有手绘图、照片。

据介绍，该墓墓形为横前室并列多后室。画像题材内容在汉代画像石中较为常见，人物服饰和器具也多具汉代风格。该墓年代，简报推断上限当在东汉晚期，下限可能在蜀汉的年代；墓主人身份，可能是当地的地方豪右。

1423.四川乐山市中区大湾嘴崖墓清理简报

作　者：四川乐山市文管所　黄学谦、杨　翼、胡学元
出　处：《考古》1991 年第 1 期

1989 年 8 月，在乐山市中区大湾嘴路建工程中，发现汉代崖墓 16 座。考古人员对其中 12 座墓进行了抢救性清理。简报分为：一、墓葬形制，二、出土遗物，三、结语，共三个部分。有拓片、手绘图。

据介绍，大湾嘴墓群位于凌云山东南方，与虎头湾崖墓群紧相连接，距江边 18 米处的崖墓从东南向西北逐次编为 M1 ～ M11，临江高出水面约 8 米的崖墓编为 M12 ～ M16。该墓群系红砂岩凿成，早年被盗且垮塌严重。此墓群各墓室属于中型偏小型类，均为单室墓，深度 9 ～ 29 米不等，由主室、甬道、耳室、棺室构成，并从排水的角度考虑，墓室底部均凿成里高外低的斜坡。出土遗物有陶俑、陶模型、铜镜、铜鸟、铁器等。还要提及的是，在 M4 和 M5 中，出土有公母榫的拱形组合陶棺盖，其中完整的 14 块，比较罕见。该墓群的年代，简报推断为东汉晚期。

1424.乐山肖坝崖墓发现东汉早期题记

作　者：乐山市文管所　帅秉龙
出　处：《四川文物》1992 年第 6 期

1989 年 5 月下旬，考古人员在距乐山城西约 15 华里处，对数百座崖墓分布其间的省级文物保护单位肖坝崖墓群进行了调查。在调查过程中，在应属于肖坝崖墓保护范围区域内的青衣乡大田村黄沙湾调查时，发现了 1 座东汉早期崖墓。简报配以照片予以介绍。

据介绍，这座崖墓位于距离肖坝颜威山崖墓约 300 米处。M29 号崖墓位于肖坝黄沙湾路口的山腰上，距地面高 1.3 米，系单穴单室墓。墓因早年被扰，现为空墓。墓内现有甬道、棺室、侧室、耳室等。在墓内右壁棺室旁发现了 1 处东汉早期的隶书题记。该题记依崖壁镌成，高 99 厘米，宽 35 厘米，共有 12 个文字："永平元年九月十二日甲子葬。"永平是东汉明帝刘庄的年号，永平元年是公元 58 年。这是四川省发现的东汉最早崖墓题记。简报称，这座崖墓虽然早年被盗、现已空无一物，但它的纪年题记，已证明它至今已有 1900 多年的历史了，其历史价值还是很高的。它的发现，为我们研究四川地区东汉早期崖墓提供了可靠的实物依据。

今有冷柏青先生《四川东汉崖墓题记研究》（四川美术出版社 2017 年版）一书，可参阅。

1425.四川乐山市沱沟嘴东汉崖墓清理简报

作　者：乐山市崖墓博物馆　黄学谦、胡学元、杨　翼等
出　处：《文物》1993 年第 1 期

1990 年 12 月 31 日，乐山市第五中学师生郊游时在距乐山市中心城区西南 5 公里的青衣乡大田村沱沟嘴发现崖墓 1 座，考古人员到现场进行了清理。简报分为：一、墓葬形制，二、出土遗物，三、画像石棺，四、结语，共四个部分。有照片、手绘图。

据介绍，沱沟嘴崖墓为前堂后室单穴墓，凿建在青衣江畔突兀的虎头山红色砂崖峭壁上。20 世纪 50 年代末，墓门和前室大部在修筑肖坝至峨眉公路时被毁掉，现仅存前室后壁、甬道、主室。墓底距地表深 1.95 米。墓室内红土淤土堆积层厚 1.09 米。此墓盗扰严重，随葬器物多已残损，位置混乱。东耳室放置石马、石仓、石俑，石仓屋盖翻落在地。西耳室空无一物。东棺室石棺已移位，棺盖翻落在地断裂为二。棺内人骨架被移放棺外右壁之下，骨架已朽，仅见白色、褐色骨粉痕迹，发现股骨 1 节。

该墓的年代，简报推断为东汉。据铭文，墓主人叫张君。石棺反映了东汉石刻艺术水平。

1426.四川峨眉山市东汉墓

作　者：邱学军
出　处：《考古》1994 年第 6 期

1977 年 11 月，峨眉山市双福乡同尖村四组村民在取土时发现 1 座砖墓，考古人员闻讯后，前往进行了清理。简报配以拓片予以介绍。

据介绍，墓地位于市东北 10 公里、双福乡以东 4 公里处，现存 1 个直径 10 多米的封土丘。墓葬在土丘西部。墓室呈长方形，墓门用单层砖封闭，圆拱形。整个墓都用花边砖平铺顺砌，向上逐渐内收成顶。墓底铺砖一层，横直相间平铺，呈不规则的"人"字形。此墓早年被盗，墓中随葬品多被盗空，残存部分笨重随葬品被遗弃在墓门内外。出土器物除 1 件铜镰斗和两件残陶缸外，主要是 1 组石俑。从墓的形制，器物粗犷豪放、浑朴古拙的造型以及花边砖的风格看，简报断定这是 1 座东汉晚期墓葬。

简报称，在 1 座汉墓中出土十几件圆雕石刻还尚属首次。这批石像风格古朴生动，形象丰富多彩，凿刻技法熟练，内容真实地反映了当时的生活，是一组优秀的现实主义作品。这组石俑的形象在东汉陶俑中常见到，说明当时石雕艺术在西汉传统的基础上，大量吸取了陶俑艺术的长处，在内容与形式上都前进了一步，反映出古代劳动人民高度的智慧和创造力。

1427.乐山麻浩鱼村崖墓清理简报

作　者：乐山大佛乌尤文管局　胡学元、杨　翼
出　处：《四川文物》1995 年第 1 期

1993 年 6 月，在四川乐山市中区麻浩鱼村船形建筑工程的修建中发现崖墓群。该墓群位于大佛与乌尤之间的麻浩河东岸，墓前系居民住宅。由于崖墓群早年被盗，后又遭多次破坏，墓室残缺不全，有的空无遗物，有的仅残存墓室后壁。M5 虽也被盗，但整体保存尚好。简报分为"墓葬形制""随葬器物""结语"，共三个部分予以介绍，有照片、手绘图。

据介绍，该墓由墓道、墓室、棺室、龛室组成。两具瓦棺已被盗墓者拖至墓室口，但仍出土随葬品 37 件，其中完整的 8 件，经修复后复原的 13 件，全系陶制。主要为人俑、家禽家畜及生活用具。简报推断该墓为东汉后期当地有一定经济实力人家的墓葬。

1428.乐山市新出土一批汉代石刻

作　者：乐山大佛文物保护管理所　彭学艺
出　处：《四川文物》2011 年第 2 期

2010 年 12 月 28 日，乐山市中区大田村发现了崖墓，考古人员进行了抢救性清理。简报配以照片、手绘图予以介绍。

据介绍，该崖墓位于乐山市中区肖坝大田村，系在乐山城市棚户区改造工地发现。该崖墓为中型单室墓，由墓门、前室、中室、甬道、后室、棺室组成。甬道内填充了大量淤积土，后室被淤泥掩埋，文物大都出自后室和耳室。由于该墓在历史上曾被盗，后室封门条石被掀翻于室内，绝大多数出土文物被不同程度损坏。从文物和封门条石淤积厚度来分析，被盗时间较早。出土文物多为青灰石质，共计出土 18 件，有田塘、马、鸡、案几、石碓、提罐俑、石房、舞俑、庖厨俑、武俑、吹箫俑等。简报推断该墓时代为东汉中晚期。

1429.四川乐山市柿子湾崖墓 A 区 M6 调查简报

作　者：四川省文物考古研究院、乐山大佛风景名胜区管理委员会　李　飞、
　　　　陈卫东、刘　睿、毛恩泽
出　处：《四川文物》2014 年第 4 期

2013 年 6 ～ 10 月，考古工作者对乐山大佛景区及其周边区域进行了广泛调查，

柿子湾 A 区 M6 即是在本次调查中重点进行了测绘。简报分为：一、墓葬概况，二、形制结构，三、石刻画像与建筑，四、相关认识，共四个部分。有照片、手绘图。

据介绍，该墓规模较大，画像题材丰富，墓门上方雕刻大量仿木结构建筑及画像。该墓的年代，简报推断为东汉晚期至蜀汉时期。简报称，该墓葬对研究四川地区的区域美术史、建筑史及民间信仰都有着极为重要的参考价值。

南充市

宜宾市

1430.四川宜宾出土西王母陶俑

作　　者：金　沙、前　宜、保　生
出　　处：《文物》1981 年第 9 期

1980 年 5 月，在四川省宜宾市北郊山谷祠附近的东汉石岩墓群中的第一号墓室里，发现了西王母陶俑。简报配以照片予以介绍。

简报介绍，在出土文物中，如画像砖、画像石、壁画上也常见到王母的形象。西王母陶俑则很少见到。

随同王母陶俑出土的，还有完整的重檐歇山陶楼和琥珀、五铢钱、摇钱树座、弹琴俑、抚耳听琴俑、陶狗、子母鸡、石牛等 60 多件随葬物。

1431.四川宜宾县崖墓画像石棺

作　　者：宜宾县文化馆　兰　峰
出　　处：《文物》1982 年第 7 期

1973 年 4 月，宜宾县城建委在县城北公子山施工时发现 1 座东汉崖墓。县文化馆闻讯后进行了清理。简报配以照片予以介绍。

据介绍，这座崖墓修建在公子山半山腰上，坐北朝南。全墓由墓道、墓门、墓室和 2 个小壁龛组成。墓室内放画像石棺 3 具，1 大 2 小，均用整石凿成。大棺在前，其后并列 2 具小棺。室内出土 7 枚五铢钱、残锈铁剑半截。3 具石棺已残，但雕刻的画像大都完好，其中一部分题材是四川出土石刻画像中少见的。简报按大棺和两具小石棺两类，分别对这些画像进行了介绍。

简报称，宜宾东汉石棺画像从不同角度反映了汉代的社会文化生活，为我们研究汉代有关问题提供了新的考古资料。

1432.四川宜宾县黄伞崖墓群调查及清理简报

作　者：四川大学历史系七八级考古实习队、宜宾县文化馆　罗柏健、张建世、
　　　　罗二虎、徐学书
出　处：《考古与文物》1984 年第 6 期

黄伞崖墓群位于宜宾市西北 30 公里的岷江北岸，地处宜宾县黄伞公社拥护大队拥护生产队。1981 年考古人员进行了调查，墓葬总计 174 座，清理了 9 座，测绘了 6 座。简报分为：一、调查及清理情况，二、墓葬结构及葬具，三、随葬器物，四、人物画像及仿木建筑雕刻，五、结语，共五个部分。有手绘图、照片。

据介绍，墓群保存情况有 5 种：第 1 种 98 座，墓道和墓门仍堆满积土，无法看见墓室；第 2 种 56 座，墓道或墓门有积土，但可看见或可进入墓室；第 3 种 4 座，墓葬基本无积土，即空墓；第 4 种 13 座，已被损坏，即残墓；第 5 种 3 座，被压于建筑物下。黄伞崖墓虽有些差别，但仍有许多相同点，如均带墓道，墓室平面呈长方形，弧顶，依崖石开凿小灶及与小灶相应的小壁龛等。出土器物及仿木建筑结构的雕刻种类、风格、造型也基本类似，据此推断墓群本身延续时间不会很长。简报推断墓群年代为东汉时期。随葬品主要是陶器及少量铜铁器，大多残破。雕刻中有些手法少见，为研究我国古代建筑及雕刻技术提供了新资料。

1433.四川长宁"七个洞"东汉纪年画像崖墓

作　者：四川大学考古专业七八级实习队、长宁县文化馆
出　处：《考古与文物》1985 年第 5 期

"七个洞"崖墓群位于四川省长宁县飞泉公社保民大队。在岷溪河北岸约 400 米范围的山崖上分布有崖墓 28 座。其中 7 座崖墓集中分布于一片不着风雨的红砂崖峭壁上，被称为"七个洞"。1981 年 10 月上旬，考古人员调查发现了这批崖墓。崖墓早年遭破坏，所有遗物荡然无存，但墓室结构大部分保存完好，尤其被称作"七个洞"的 7 座崖墓保存了内容丰富的石刻画像和多处纪年铭文，具有重要的历史价值。简报分为：一、墓室结构，二、石刻画像，三、小结，共三个部分。有手绘图。

据介绍，7 座崖墓（M1 ~ M7）开凿在一片绝壁上，面向正西，从上至下排作 4 排。

7座崖墓均为单室结构，无墓道。墓门呈长方形，开凿三层门框，由外而内层层缩小，墓室为长方形，墓顶为拱形。7座墓中，M4、M6和M7内凿有双石棺，M2内凿有单石棺，M1、M3和M5为空室。石棺系就山岩凿成。除M2外，其余各墓石棺外壁均有石刻画像。据纪年铭文的年代，7座墓的年代其上限至少在延光四年（125年），下限至少在光和四年（181年）。

1434.珙县西汉土坑墓

作　者：崔　陈

出　处：《四川文物》1987年第2期

1982年9月，珙县孝儿区沐滩乡新民村农民在该村塘子旁挖瓦泥时，发现1座土坑墓（编号M1）。1983年5月，在离沐滩乡东南40公里的珙县上罗区合作乡，农民在猫儿沟挖砖瓦泥时，又发现1座土坑墓（编号M2）。考古人员对残墓进行了清理，收集到2墓出土的一批器物。简报配以照片予以介绍。

据介绍，M1形制已被扰乱，棺椁均已朽坏，出土器物有铜斤1件、铜带钩1件、铜圈5件、铜釜6件、铁斧1件、石纺锤1件及陶片、半两钱。M2也已被毁，出土遗物有铜戈1件、铜釜、陶罐残片。据简报推断，这2墓应为西汉初期土坑墓。其中M2年代略早，为秦至西汉初；M1年代稍后，但其下限不超过汉武帝元狩五年（前118年）。

1435.宜宾市出土东汉纪年铜洗

作　者：何泽宇

出　处：《四川文物》1988年第4期

1987年6月3日，宜宾市南广乡修路民工在该乡平和村姚家嘴扩建公路时，挖到了2件铜洗。其中1件被民工卖掉，在有关部门协助下将被卖的那1件追回。简报配以照片予以介绍。

据介绍，出土地点可能是一处残存岩墓。2件铜洗质地均为黄铜，表层为氧化铜所覆盖（铜锈较坚硬）。器形似盆，腹外中部饰有几道凸弦纹，有2个对称的铺首。内底部均有纪年、产地铭文及浅浮雕图案。根据铭文、图案，可将其分别命名为"建初四年朱提造双鱼纹铜洗"和"延平元年堂狼造双鹭纹铜洗"。均为汉代铜洗中之精品。"朱提""堂狼"均为汉县名称，位于今云南省。

1436.南广河沿岸出土文物介绍

作　者：丁天锡、范仲成

出　处：《四川文物》1989年第1期

宜宾地区所属"叙南六县"（高县、庆符、筠连、珙县、兴文、长宁），自秦皇、汉武通"西南夷"时，已进行开发和经营。特别是汉武帝建元六年（前135年）以后，随着犍为郡南广县（今高县、珙县、兴文、筠连等境）的设置，"南夷道"的修筑，以及元狩元年（前122年）汉使通滇，又带来了商业贸易的繁荣和文化艺术的发展。30年来，整个宜宾地区境内西汉墓发现极少，至于巴蜀文化遗存，从全川来看，东起奉节，西达芦山，南至犍为，北至广元，处处均有发现，唯独宜宾地区境内寂然无闻，更不用说"叙南六县"山区了，这给借助于文物来了解本地区的历史增加了困难。到了20世纪80年代，高县、珙县终于陆续出土了这方面的文物，算是初步打开了门径。简报分为：一、高县文江乡黄泥坳出土文物，二、珙县孝心乡街村出土文物，三、珙县沐滩乡新民村出土文物，四、珙县合作乡猫儿沟出土文物，五、珙县沐滩乡新民村的汉墓群，六、对这些出土文物的几点看法，共六个部分。有照片。

据介绍，简报认为已出土的文物证实了巴蜀土著人接受中原文化影响、西汉铁工具的输入等情况。

1437.宜宾市郊区出土东汉铜洗

作　者：宜宾博物馆、宜宾地区文化局　丁天锡、周植桑

出　处：《四川文物》1993年第6期

前不久，距宜宾市城南3公里的南广乡平和村姚家咀因扩建公路，掘出1座岩墓，在岩墓中出土2件东汉纪年铜洗。该铜洗为黄铜，基本完整。按其底内铭文和图案特点，分别命名为"建初四年朱提造双鱼纹铜洗"和"延平元年堂狼造双鹭纹铜洗"。现藏宜宾博物馆。1991年5月，经省、地文物部门专家会同鉴定，定该双鱼铜洗为国家一级文物，双鹭铜洗为国家二级文物，弥足珍贵。简报配以拓片予以介绍。

据介绍，建初四年（79年）铜洗，口内径31.5厘米、底径21厘米、高16厘米，重4.7公斤，外腹饰4道凸弦纹，两铺首衔环。内底中部有一直行阳文篆书"建初四年朱提造作"铭文，两侧各有一鱼形图案。

延平元年（106年）铜洗，口内径31.5厘米、底内径22.5厘米、高18厘米，重5公斤。内底中部也有一直行篆书"延平元年堂狼造作"铭文，两侧各有一鹭形

图案。这两件铜洗是汉代贵族用以盥洗盛水的铜器，外腹对称铺首，既便于双手提举，又起装饰作用。

简报称，宜宾市南广乡岩墓铜洗的出土，证实了汉代四川与云南经济文化交流的繁荣和商业贸易的发达情况，也证实了宜宾自古以来就处于控扼川、滇、黔三省的重要地位，为研究川滇古道提供了实物资料。

1438.南溪县长顺坡画像石棺清理简报

作　者：南溪县文管所　颜　灵
出　处：《四川文物》1996年第3期

1986年6月，距南溪县城4公里的城郊乡长顺坡的农民，在取土时发现古墓葬，内有石棺，考古人员进行了清理。简报配以照片予以介绍。

据介绍，南溪县长顺坡墓群，早年曾挖出画像石棺1具（现编号为南溪一号石棺），一直露置于地边。1986年6月，农民在距一号棺10米处取土时发现2座砖石墓，已露出地面，砖券已垮塌。这2座砖石墓系早年被盗，扰乱严重。除发现2座画像石棺（现编号为南溪二号、三号石棺）和汉代花边砖10多种外，别无他物。画像内容有雀、鱼、龟、西王母、白虎、朱雀、柿蒂、双鱼、双阙、凤等。

1439.四川宜宾横江镇东汉崖墓清理简报

作　者：四川省文物考古研究所　黄家祥、王朝卫
出　处：《华夏考古》2003年第1期

四川宜宾横江镇地处川南地区，关河由西南蜿蜒流向东北，在四川省宜宾县安边镇与云南省水富县城边汇入金沙江。横江镇与云南水富县楼坝镇隔河相望。1998年5月至8月和次年5月，为配合内昆铁路建设工程，考古人员清理了9座崖墓（编号98YHYM1～M9）。简报分为：一、墓葬形制，二、随葬器物，三、结语，共三个部分。有照片、手绘图。

据介绍，由于当地在20世纪六七十年代修建宜宾至横江的区乡公路时，使其部分崖墓的墓道、墓室均遭受到不同程度的毁损，墓室内淤满泥土，有的墓内器物被盗一空。在清理的9座崖墓中，以油房坝村南区的M5、M6这2座墓保存较好，出土器物较为丰富。9座墓中葬具和人骨全部腐朽，荡然无存。崖墓的形制俱为单室墓。M3无随葬品，其他各墓共计出土陶器98件、陶片、铜器及铁器4件、铜币318枚等。其中大陶缸、铜量器等比较重要。这批崖墓的时代，简报推断为东汉晚期。

简报称，保存在这一地区的东汉时代的崖墓，无论从墓室结构，还是出土器物的种类、形制等方面所表现出的文化特征，与川西成都平原、川中丘陵乃至川北绵阳、广元、三台等地发掘的同时代的遗存均无明显区别。

1440.四川宜宾真武山发现一座东汉崖墓

作　者：宜宾市博物馆　王朝卫
出　处：《华夏考古》2003 年第 1 期

真武山位于宜宾市区西北隅，山顶上建于明清时期的真武山庙群保存完好，被辟为博物馆向公众开放。从20 世纪70 年代末起，考古人员先后在真武山清理发掘了多座汉代崖墓，其中尤以1993 年10 月在真武山商职中基建中发现的一座汉代崖墓保存最为完好。根据真武山汉代崖墓编号顺序，该墓编号为93ZWM5（简称M5）。简报分为：一、墓葬形制，二、随葬器物，三、结语，共三个部分。有手绘图。

据介绍，M5 是在砂岩崖壁上先开墓道，顺道内再凿洞为墓室的。墓道、墓室均有明显的修凿痕迹，属于四川崖墓的典型凿法。M5 为长方形单室墓，由墓道、甬道、墓室和龛形石棺组成。该墓早期被盗扰，墓室内淤满泥土，骨架散乱，葬式不明，随葬遗物亦被挪动。随葬器物主要置于龛棺附近，全部为陶器。主要器形有罐、鼎、甑、钵、灯和器盖等18 种，不见陶俑和动物模型，也未见钱币。该墓年代，简报推断为东汉初期。

简报称，东汉早期崖墓在四川发现不多，且集中分布在川西平原。宜宾市真武山M5 是川南地区首次发现的东汉早期崖墓，突破了该类崖墓只分布在川西平原的旧说。

1441.四川屏山县斑竹林遗址 M1 汉代画像石棺墓发掘简报

作　者：四川省文物考古研究院、宜宾市博物馆、屏山县文物管理所　辛中华
出　处：《四川文物》2012 年第 5 期

该墓 2011 ～ 2012 年配合向家坝水库建设时发掘，位于福延镇庙坝村，共计 9 座汉墓，M1 是保存较好的 1 座。简报分为：一、墓葬形制和结构，二、随葬器物，三、画像石棺，四、结语，共四个部分。有照片、拓片、手绘图。

据介绍，该墓画像石棺保存较好，题材广泛。时代应为东汉晚期，墓主人生前应为汉族人，东汉县级官员或军事长官。今有邹水杰先生《两汉县行政研究》（湖南人民出版社 2008 年版）一书，可参阅。

广安市

1442.四川武胜匡家坝汉代砖窑试掘记

作　者：重庆市博物馆　陈丽琼
出　处：《考古与文物》1980 年第 2 期

1979 年 3～5 月，考古人员对长江支流嘉陵江流域南充河段进行了考古调查，发现了砖窑。简报配以照片予以介绍。

简报称，通过调查，在嘉陵江中游的蓬安、南充、武胜境内，都发现有不同时代的砖瓦窑，其中具有时代特征的，要算汉代砖窑。其中比较完好的只有蓬溪县曹家坝窑。该窑位于万和公社三大队四生产队临江的台地上。武胜旧县匡家坝汉代砖窑位于嘉陵江右岸小溪交汇处，西距武胜县 15 公里，东与中兴公社隔江相望，现属旧县公社一大队一生产队。匡家坝汉代砖窑是一窑群，有 5 处之多。考古人员只选择处于一生产队的汉代窑群进行了试掘。证实其结构与西北、中原地区砖窑并无大的区别；燃料为木柴，产品为汉代墓葬用砖。年代为西汉晚期或东汉初期。

达州市

1443.四川达县市西汉木椁墓

作　者：马幸辛、汪模荣
出　处：《考古》1992 年第 3 期

达县市位于四川东北部大巴山南段，渠江以东。1987 年 6 月，地区二级百货站在本市区文华街口西侧基建时发现 1 座西汉墓，考古人员对该墓进行了清理。据访问，该地以前在地区行政公署搞基建时，也发现过同类墓葬。估计该地是 1 处墓群。已清理的一座，简报分为：一、墓葬形制，二、随葬器物，三、结语，共三个部分予以介绍。有手绘图、拓片。

据介绍，此墓为长方形竖穴土坑木椁墓，该墓有椁无棺，墓内人骨架全腐烂无存。随葬器物包括铜器 22 件，陶器大部分已碎（较完好的 2 件），铁器 1 件，半两钱 8 枚。简报推断这个墓的时代在西汉初年。

1444.东汉时期的戒指在达县市出土

作　者：任超俗

出　处：《四川文物》1992 年第 2 期

考古人员从市区施工地 1 座已扰乱的东汉前期墓中发掘出两枚银戒指。发掘时 2 枚戒指并列置于墓主已腐朽的右手部位，戒指为素面环形，环面内外微凸，宽 0.3 厘米，直径 2.2 厘米。

简报称，我国最早有关戒指的文字记载见于西汉，至明代，才逐渐演变为一种装饰品。正如明代都印著的《三馀赘笔》中所言："今世俗以金银为环，置于妇人指间，谓之戒指。"至于表示男女爱情、婚姻，那又是明代以后的事了。达县市东汉墓出土的戒指，属我国戒指早期实物，它们为我们研究戒指的起源、戒指的演变提供了实物资料。

随同戒指出土的还有琥珀、玉石串珠、五铢钱、陶器等 20 余件器物。

1445.四川渠县出土汉代神兽铜镜

作　者：王建纬

出　处：《考古》1993 年第 3 期

1988 年 10 月 5 日，渠县汉碑乡一村四组村民赵树生在修房取土时，在距地表 1.2 米处发现 1 面汉代神兽铜镜，上交到渠县历史博物馆。简报配以拓片予以介绍。

据介绍，这面汉镜为圆形，圆纽，无座。重 550 克。内区以纽为中心环列青龙、玄武、凤鸟、仙鹤、飞鸟、蛇、鱼等高浮雕图案，外区为一圈隶书铭文："青盖作竟（镜）四夷服，多贺国家人民息，胡虏殄灭天下复，风雨时节五谷熟，长保二亲得天力"，共 35 字。铭文带外为一圈栉齿纹。缘上由两圈三角锯齿纹围就一圈水波纹。此镜纹饰富丽缜密。铭文明显受西汉末年谶纬之说的影响。此当为新莽前后之物。

1446.四川渠县出土的东汉石辟邪钱树座

作　者：王建纬

出　处：《考古与文物》1994 年第 4 期

1981 年 3 月，四川渠县历史博物馆在该县土溪乡城坝村一农民家中征集到 1 件石辟邪钱树座。经实地调查后，发现出土处乃是 1 座早年被盗的东汉砖室墓。墓已坍塌，遗留的残砖为花边砖，一律为菱形几何纹图案。采集到数件夹砂红陶片，可辨认者有鸡、鸭、犬、猪之类陶家禽碎片，石辟邪钱树座现存渠县历史博物馆。简报配以照片予以介绍。

据介绍，钱树座由青砂石雕刻而成，辟邪蹲伏于相连的方座之上，通高42厘米、长28厘米、宽22厘米，座长22厘米、宽20厘米、高3.5厘米。辟邪背部有一接摇钱树的中空石柱，已断裂，拼接后完全吻合。简报认为，对研究汉代的思想、政治、经济、文化艺术，这件石辟邪钱树座无疑提供了宝贵的实物资料。

简报称，渠县出土的钱树座乃是一石雕辟邪，国内仅发现此一件。

1447.四川达县市曹家梁东汉墓

作　者：四川省达县地区文化局　马幸辛
出　处：《考古》1995年第1期

1988年3月上旬，位于四川东北部大巴山区的达县市麻袋厂在距市区3公里的南外乡曹家梁修建厂房时，发现东汉砖石墓。通过调查，发现在长300米、宽150米的地段上，共有东汉墓12座，其中11座已被推土机夷为平地，数百件陶器成为碎片，只存残墓一座。同月中旬，在距该墓100米处又发现东汉墓1座，访问当地人，前几年改土和修房时，周围也填平了许多这样的墓，估计这里是1处东汉墓地。简报分为：一、墓葬形制，二、随葬器物，共两个部分，介绍了M1、M2的清理情况，有照片。

据介绍，两墓均为单室券顶砖石墓。葬具、人骨不存，出土有陶俑、陶模型、铜灯、铜带钩、铜钱等。出土地点为东汉时巴郡宣汉县治所在。简报推断时代为东汉晚期。

1448.达县三里坪4号汉墓清理简报

作　者：达县文管所、达川市文管所　张明扬、任超俗
出　处：《四川文物》1997年第1期

三里坪4号汉墓位于达县南外镇三里坪村东南400米处。1987年文物普查时，确定此处为1座汉代墓葬地。1991年3月，为配合达县面粉厂工程，考古人员发掘清理了此墓。简报分为：一、达县三里坪4号汉墓墓葬结构，二、随葬器物，三、结语，共三个部分。有照片、拓片。

据介绍，三里坪4号汉墓为砖石砌券拱形单室墓，由砖砌甬道、石砌封门、砖砌墓室3部分组成。该墓因被盗掘，明器陈放位置被扰，损毁更为严重。经清理，能辨认出的有红陶驾驭俑、陶鸡、陶狗、陶房、陶钵、陶耳杯、陶器盖等，大多已毁，

修复无望。所幸在墓室前部左、右两侧各置一摇钱树座尚好，十分精美。该墓的时代，简报推断为东汉后期，墓主人应为官吏或土著豪强。

1449.四川渠县城坝遗址 2005 年发掘简报

作　者：四川省文物考古研究院、达州市文物管理所、渠县文物管理所　刘化石
出　处：《四川文物》2006 年第 4 期

城坝遗址在商周时期为巴人分支賨人的都城"賨城"，秦灭巴蜀后于此建宕渠县。2005 年 3 ~ 6 月考古人员对该遗址进行了发掘，发现有木椁墓、土坑竖穴墓、灰沟、井、灰坑等大量的遗迹；同时，出土有大量的铜器、漆器、铁器、陶器等。这次发掘和调查，证实了城坝遗址在汉代及更早时期存在过大型城址的史料记载是可信的，为进一步研究城坝遗址和巴人文化提供了新的考古学资料。简报分为：一、地层堆积情况，二、遗迹，三、遗物，四、结语，共四个部分。有手绘图、照片。

据介绍，城坝遗址位于渠县土溪镇之渠江东岸，与土溪镇及达成铁路线隔渠江相望，距县城约 26 公里，现行政隶属土溪镇城坝村、天府村。墓葬出土遗物 200 多件，以生活用具为主。时代从西汉初至西汉中期不等。

简报称，城坝遗址在秦汉以前为巴人分支賨人的都城"賨城"，秦灭巴蜀后于此建宕渠县。东汉时，车骑将军冯绲增修其城，俗称"车骑城"。东晋末，地为"蛮撩"所侵而廨，城遂已荒废。以往出土的相关考古资料也一定程度地证实了史料记载的可靠性。此次调查，考古人员在遗址的中心地郭家台地区发现了几百米目前保存仍较好的城墙。当地居民现俗称其所在地为"皇城埂子"，初步判断这些现存的城墙时代应为汉代。在现存城墙的附近，在钻探中还发现有多处夯土现象，应为城墙夯土遗迹。这部分城墙夯土的年代应早于地面现存的汉代城墙，其延伸、布局、构筑和具体年代等相关情况还需要我们今后开展进一步的工作。另外，在勘探和调查中我们还发现了集中分布的木椁墓群、砖室墓群和部分堆积清晰、文化层较厚的遗址区等城址的功能分区和众多水井、排水管道、窑址等大量的城市生活遗迹。

1450.四川渠县汉阙考古调查勘探简报

作　者：四川省文物考古研究院、渠县文物管理所　刘　睿等
出　处：《四川文物》2014 年第 4 期

2012 年 7 ~ 8 月，为配合渠县汉阙保护规划方案的制定，考古人员对渠县汉阙阙

体周围进行了考古勘察，初步掌握了阙体周边神道、墓葬等遗迹现象的分布情况。简报分为：一、前言，二、勘探情况，三、初步认识，共三个部分。有照片、手绘图。

据介绍，勘探得知，神道一般位于双阙中间，为凹槽状，沿地势上升。阙对应的墓葬一般分布在神道一侧，既有各墓葬明显具有主次关系的墓群，也有各墓葬大小较一致的墓群两种情况。

简报称，通过这次勘探工作，既丰富了汉代四川地区家族墓地的墓葬制度的研究资料，又是对全国这一时期相关资料的必要补充。同时，扩展了对四川地区其他汉阙的认识，为以后相关工作提供了切实可行的操作方法和经验。

眉山市

1451.四川彭山县出土新莽西顺郡铜板

作　者：丁祖春

出　处：《文物》1979 年第 11 期

1962 年，四川省博物馆收藏 1 件新莽时西顺郡铜板。据了解，系成都以南的彭山县双江公社出土。简报配以照片予以介绍。

简报介绍，汉代彭山县名武阳县，隶属犍为郡。据记载，新莽始建国元年（9 年），王莽更其旧名，改犍为郡为西顺郡，武阳县更名戢成县。双江公社为武阳旧址。彭山县双江公社出土的铜板，系生铜铸成，正中铸阳文“西顺郡□荐则车山官”9 字。书体是汉隶风格。左侧有“第二百三十八”，右侧有“重七十一斤”字样，系铸成后工匠们用坚硬工具钻成。左侧文字是铜板的编号，右侧则是它本身的重量。简报认为正中文字说明铜板是王莽时西顺郡所冶铸。

简报称，这件文物为我们研究新莽的衡制增添了新的参考材料。

1452.彭山县岩墓发现的画像砖

作　者：帅希彭

出　处：《四川文物》1985 年第 4 期

1984 年，彭山县双河乡广积村农民赵锡彬送交县文管所 1 方画像砖。这是他于 1975 年在江口乡梅花村某村庄屋后开山采石，在岩墓内得到的。砖为长方形，长 46 厘米，宽 38 厘米，厚 7 厘米。图像系浅浮雕西王母画像砖，砖边为方格纹。简报配以拓片、照片予以介绍。

据介绍，西王母画像砖以往虽也发现过，但此次发现的西王母画像砖却十分完整，构图也别具一格。简报未提此砖的时代。从形制看，应属汉代遗物。

1453.四川彭山一座残岩墓

作　者：彭山县文物保护管理所　帅希彭
出　处：《考古》1991年第5期

1984年7月中旬，考古人员在江口乡梅花村五组高家沟复查汉岩墓，经村民周某介绍并带路，在该组胡姓人家屋后20米处的水沟旁的杂草丛中，发现3座并列的小型岩墓。石墓堵塞，左墓垮塌，唯中墓门角有40厘米见方的小洞。简报配以手绘图予以介绍。

据介绍，该墓西距彭（山）回（水）公路400米，墓室随陡岩凿进，外墓道不足1米。室内东西两壁距底0.2米高处，各凿1耳室。发现有男性、女性人骨，随葬品也散布各处。计有铜货币5种592枚，铁刀1件、铁矛1件、环首小刀4件及陶器、陶俑等。该墓的年代，简报推断为东汉时期。

雅安市

1454.芦山县汉樊敏阙清理复原

作　者：曹　丹
出　处：《文物》1963年第11期

樊敏阙在四川芦山县城南2.5公里沫东乡，早已倒塌，埋藏地下已有1000余年。1957年8月，考古人员前往把这座倒塌1000余年的樊敏阙进行清理复原。经调查后，认为樊敏左阙可以复原。从1957年10月2日开始，至1958年1月29日完成，历时近4个月，取土面积计68.52立方米，计91个工作日。

据介绍，樊敏阙由于倒塌年久，史书亦无此阙之记载。据史料记载，简报认为可以证实阙的倒塌年代早于宋代是没有什么问题的。

樊敏阙为有扶壁式的双阙，建于汉献帝建安十年（205年），南北向，它的布局是正中为樊敏碑，碑前左右斜出约5米许地方各有1阙，为左阙和右阙，阙前有2石兽，1为天禄，1为辟邪。可惜石兽早已倒在稻田中，位置亦为后人所移动，但保存尚属完整。

右阙阙石早已散失，无法复原。左阙遗石尚属完整，故可复原，上面所雕"龙生九子"故事值得注意。

樊敏，字叔达，芦山县樊家祠人，生于汉安帝永宁元年（120 年），卒于汉献帝建安八年（203 年），卒年 84 岁。据樊敏碑载，他曾任职永昌郡长史，故在他的墓前阙上雕刻了当地流传的"龙生九子"的故事。

1455.夹金山北麓发现汉墓

作　　者：宝兴县文化馆
出　　处：《文物》1976 年第 11 期

1974 年 4 月，四川省宝兴县硗碛公社柳洛生产队在耕地时发现 1 座东汉古墓。简报配以拓片予以介绍。

据介绍，硗碛公社位于青衣江源头，是红军长征翻越的第一座大雪山——夹金山的入口处。南距宝兴县城约 60 公里，北距夹金山顶约 20 公里。柳洛生产队在公社的东南。墓葬坐落在海拔约 2000 米的夹金山北麓。墓为单室券顶，顶部已塌。墓顶距地面约 30 厘米。自墓顶下挖约 40 厘米深即发现 1 枚五铢钱，愈下遗物愈多，挖到铺地砖时发现大量钱币。未见棺木，仅有少量上肢骨、肋骨和头盖骨碎片，但很散乱，说明此墓早被破坏。此墓用砖约 2000 块，中有永建五年（130 年）铭文砖。知为东汉墓葬，墓主应为当地一上层人物。

1456.四川宝兴出土的西汉铜器

作　　者：宝兴县文化馆
出　　处：《考古》1978 年第 2 期

四川西北部的宝兴县，从 1973 年至 1976 年，在基建、改土中先后五次发现 5 座土坑墓：1973 年夏天，在城内原关帝庙址约 1 米深处发现土坑墓葬 1 座，出土铜剑 1 把、铜环 1 个、铜镞数十枚、铜戒指 1 只和铜簧形器 2 件，坑内尚有残存的头、肢残骨。1975 年 8 月至年末，宝兴城北面河对岸的新江生产队（该队地处离河面约 100 米高的山坡上的一块台地，距县城约 2 公里）农民在改土中，在约 20 米的范围内，距地表 1 米深处，掘出 3 座土坑墓，每墓均出土有铜剑 1 把、铜环 1 个、铜镞数枚。其中 1 墓还出土铜刀和单耳残铜鍪各 1 件，另 1 墓出土有铜扣、铜饰物数件。墓内残存骨骸，但皆无葬具和陶片。1976 年夏，距离宝兴县城西北方向 20 公里的明礼公社的农民在挖房基时掘出有残骨的土坑墓 1 座，交来墓内出土的铜剑 1 把和铜环 4 个。

简报配以手绘图予以介绍。

据介绍，这 5 座墓葬，应为同一类型的土坑墓。葬式相同，随葬品组合也基本相似，是铜剑、铜环、铜镞及零星铜件，未发现陶器、铁器或钱币等物。现就所出土的 5 柄铜剑来看，和四川博物馆所藏岷江上游汶川县西汉早期的石棺墓出土的铜剑基本相同。所以，简报推断宝兴的这批土坑墓也应为西汉初期的墓葬，且应为此羌人之墓葬。

1457.四川宝兴县汉代石棺墓

作　者：宝兴县文化馆　杨文成
出　处：《考古》1982 年第 4 期

汉代石棺(板)墓分布于宝兴县城西 8 公里的五龙公社瓦西沟口。这里西环瓦西山，东临青衣江，是 1 个约 0.5 平方公里的三角形台地。墓葬是农民挖沼气坑时所发现。在这个不足 20 平方米的沼气坑底，发现石棺墓 8 座。除其中 1 墓因地形限制暂未发掘外，已清理的 7 座墓中，属西汉时期的 5 座，属东汉时期的两座。其特点都是不用木棺，墓室皆采用就地采集的天然板石砌成，盖也用板石，底无板石。随葬器物有铜剑、铁镰、铁刀、骨锥和贝饰，无陶器。简报分为：一、墓葬形制，二、随葬器物，三、几点认识，共三个部分。有手绘图。

简报称，M1 ~ M5 也应属西汉时期古青衣羌人的墓葬。从铜剑的铸造工艺、造型和纹饰来看，都比土坑墓出土的铜剑的制作水平有所提高，这说明石棺墓的出现稍晚于土坑墓的时代。就这一地区范围来讲，从土坑墓到石棺墓这一过程，则可认为是这个民族在葬俗上的一种变革和改进。至于 M7、M8，简报认为也应属古青衣羌人墓葬，但只出土有铁器，屈肢葬。M7 还出土有 3 块东汉花砖，似乎表明与汉族交往更多。

1458.芦山县发现两方汉代官印

作　者：付良柱、钟　坚
出　处：《四川文物》1984 年第 4 期

简报配以照片、拓片，介绍了 1983 年农民在芦山县城附近清源河岸淘金时发现的 2 方汉印。

据介绍，2 印均为铜质、兽纽、阴刻篆文。1 方为驼纽，印文为白文篆书"汉里仟长"4 字；另 1 方为"辟邪"纽，纽与印台接合部镂空间隙较大，异于常见之汉印纽，形制更为古朴。但此印在出土后，被拾得者将印文正面及印台四周磨损，致使印文辨认困难，可能为"汉夷土部之章"6字。

简报称，这两方铜印，系汉王朝对西南少数民族地区所颁发的武职官印。"汉叟仟长"1方，可能为东汉时青衣夷邑国中"仟户长"的官印；"汉夷土部之章"1方，可能为西汉武帝时并沈黎郡入蜀郡，置西部都尉前，当时青衣羌人接受汉文化，归附汉王朝较早，由朝廷颁发给青衣部落的武职将军官印。青衣羌部落，见于史籍记载的史事颇多，是四川古代民族中比较重要而又值得研究的一支民族。

1459.四川荥经水井坎沟岩墓

作　者：四川省文管会、雅安地区文教局、荥经县文化馆　赵殿增、陈显双等
出　处：《文物》1985年第5期

1981年9月至10月中旬，四川省考古训练班在荥经县水井坎沟清理了5座岩墓。根据1977年以来"严道古城"墓葬编号的顺序，这5座墓编为81GM6～M10（以下简称M6～M10）。水井坎沟岩墓在荥经县城西侧的鹿鹤公社古城大队一队严道古城遗址南面的山坡上，距县城约3公里。水井坎沟既短且小，在沟的东侧，岩墓密集。简报分为"墓葬结构形制""随葬器物""结语"三个部分予以介绍，有照片。

据介绍，这5座岩墓都被盗扰，墓室内部积满淤土，骨架零乱，葬具无存，葬式不明，随葬遗物亦被移动。5座墓都是单室墓，由长短不齐的狭长形墓道和长方形墓室、棺台、龛室等组成。随葬器物以陶器为主，还有铁器、铜器、琉璃耳珰等。简报推断这5座墓的时代为东汉初期到中期。

简报称，水井坎沟的岩墓密集，近百座。这样大的岩墓群在四川西部雅安地区是首次发现。墓葬的建筑形式、排水设施、封门方法等都有自己的特点，为研究四川省岩墓的分布区域、分期断代、文化内涵提供了一批新的资料。

1460.芦山发现一尊汉代青铜人像

作　者：芦山县博物馆　钟　坚
出　处：《文物》1987年第10期

1974年，四川省芦山县清源乡大同村村民在河谷台地上取土时，在地表下约0.5米处挖出青铜带座人像1尊，伴出的有兽纹灰砂陶罐盖1件，"大布黄千"布币1枚。芦山县文化馆征集了这3件文物，并于1982年移交给芦山县文物管理所。简报配以

照片予以介绍。

据介绍，铜像采用先模铸、然后镂刻并焊接成型的制作方法。遗物出土处似为一南北向墓坑，未见尸骨，铜像出于坑南，伴出的陶罐盖、布币出于坑北。

简报称："大布黄千"系王莽铸币，铜像及陶罐盖的时代似乎还早一些，关于铜人身上的纹饰，至今意见尚不一致。此铜人有可能是蚕丛、杜宇氏蜀部族后裔斯榆人为其先祖所造之像。简报指出，此说是否正确，还有待探讨。

1461.四川芦山出土汉代石刻楼房

作　者：芦山县博物馆　钟　坚
出　处：《文物》1987 年第 10 期

1953 年 3 月，西南博物院邓少琴、王家祐先生在芦山县沫东乡黎明村汉樊敏碑后约 100 米处，发掘了 1 座汉代砖券墓。出土石刻楼房 1 件，石镇墓俑 2 件。现藏芦山县博物馆。简报配以照片予以介绍。

据介绍，石楼系在红砂石上浮雕而成，为一干栏式建筑。侧、背面无雕饰。顶重檐，上覆筒瓦，檐头有瓦当和半瓦当。楼上有 3 室，中室有 2 扉，一启一闭，一女性着宽袖长服侧立于双扉之间。扉侧各有一窗，上有横棂。左右侧室正面均无遮挡。楼上、下有梯相通。楼下 3 柱，柱础宽厚，柱体粗大，柱顶结构类似实柏栱。楼下共跽坐 3 人。左方 1 人为男性，头戴巾，着交领服，双手分别持物，身略右倾。右方 2 人，近中柱 1 人亦男性，装束同前，手持圆形物，向左视；右侧为一女性，头似戴巾，着交领服，双手呈环抱状持物，身微左倾。简报推断年代为东汉。

简报称，汉制：庶民居宅禁用瓦当等，因此，此楼所反映的应为官宦人家的住宅。此楼窗有横棂，较为少见，为研究汉代建筑提供了新的材料。

1462.四川宝兴陇东东汉墓葬

作　者：四川省文物管理委员会、宝兴县文化馆　杨文成等
出　处：《文物》1987 年第 10 期

1982 年春，宝兴县文化馆在县城西北 20 公里的陇东乡老场村发现东汉墓群。第 1 次清理了 5 座（编号 M1～M5），编写了清理简报。为配合乡镇规划，考古人员开展了全面调查和发掘工作。1985 年 3～5 月，清理墓葬 103 座（编号 M6～M108）。其中 101 座在桥碑东侧，有尸骨 113 具，M97 是唐代土坑墓；在距桥碑北面约 100 米的探点一处，清理土坑木棺墓 1 座（M67），瓮棺墓 1 座（M108）。简报分为：一、

墓葬形制、结构及葬式，二、出土器物，三、结语。共三个部分予以介绍，有照片、拓片、手绘图。

据介绍，老场村为一片台地，东靠大山，西临青衣江，面积约3万平方米。村民聚居在台地北端，向南皆为农耕地，西侧边沿立有1座铁索桥石刻碑。桥碑以南50米、以北约200米、宽约50米的范围内，是东汉墓群分布区（主要为石棺墓）。居民区东侧，是汉代砖室墓分布区。这批墓葬除M67、M97和M108外，墓圹均为长方形竖穴。墓室规模小，略大的5座，因受破坏而深度不明的4座。其中砖底墓11座、石板底墓4座、砖和石板混铺底墓1座。用天然页岩板石或条形石作盖的墓36座，部分墓盖石为2层或3层，一般在石板墓盖上还堆压卵石1层，许多无盖石的墓坑，也在填土至坑口后再堆积卵石1层。出土有陶器、铜器、铁器、骨器、漆器等。还有5座墓中出土有海贝。简报认为陇东东汉墓群应为古青衣羌人遗存。当时先民应处于氏族制部落社会，但已从游牧生活开始转入定居生活。

简报在附记中简单介绍了同时清理的唐墓和汉画像砖。唐墓（M97）为竖穴土坑墓，无葬具，葬式为仰身直肢，出土有釉罐、鎏金铜带饰、"开元通宝"、铜针、铜铃等。汉画像砖有群猴及人面画像砖、二马嬉斗画像砖和几何纹砖等。

1463.四川荥经发现东汉石棺画像

作　者：荥经严道古城遗址博物馆　李晓鸥
出　处：《考古与文物》1988年第2期

1981年10月，四川省考古发掘讲习会在荥经召开，县委领导到会听课，向会议提供了曾见到的1具石棺的线索。考古人员随即前往调查。经核实，石棺是1969年城区乡新南村村民在县城新南街东面，经河南岸的陶家拐砖瓦厂取土时发现的。发现时，石棺的棺盖已碎为数块，随葬器物被盗。石棺前存两石俑，被人当场砸毁，残棺盖后被丢弃，只将石棺运回生产队保管室盛装化肥。由于时间较长，石棺出土之处已被破坏，无法了解墓葬形制、结构和葬俗等情况，只将石棺运回。现藏于荥经严道古城遗址博物馆。石棺刻图虽在四川常见，但该棺雕刻甚精，部分画面更属罕见。简报配以照片、拓片予以介绍。

据介绍，该棺棺身系红砂岩石整石凿成，身与盖用子母榫扣合。棺身截面成梯形，上宽0.64米、长2.2米，下宽0.74米、长2.3米，通高0.8米。石刻图案有朱雀图、双阙图、室内生活图等。简报推断其时代为东汉。

1464.芦山芦阳镇汉墓清理简报

作　　者：芦山县文管所　郭凤武、唐国富
出　　处：《四川文物》1993 年第 4 期

1991 年 8 月 19 日，有乡民来报，城南芦山中学西围墙外路基因校内排水沟的冲刷垮塌而现出墓砖，考古人员即赴现场察看并进行了抢救性清理。

该墓位于西川河冲积二阶台地上，东为芦山中学围墙，南、西、北面均为农耕地，西距西川河 10 米，高出河面 15 米，墓葬情况完好，因水沟通过其上，墓内泥土淤积。关于此次抢救性清理情况，简报分为：一、墓葬形制，二、随葬器物，三、结语，共三个部分。有手绘图、拓片。

据介绍，该墓为竖穴砖棺墓。出土器物共 17 件，包括陶器、骨器、石器、铁器、铜器和钱币，完整的有 14 件。从芦山历年发现的汉墓及其他地方情况看，该墓形制比较特殊，规模小，随葬器物亦不多，并且这些器物在其形状上大都具有早期特征。简报推断该墓时代不晚于东汉中期。

1465.芦山发现巴蜀文物

作　　者：郭凤武、唐国富
出　　处：《四川文物》1995 年第 3 期

1994 年元月 15 日，民工在清源乡芦溪村砖瓦窑取土时发现文物，考古人员前往调查并收回了已在民工手中的文物。简报配以照片予以介绍。

据介绍，出土文物处为 1 个竖穴土坑墓，深 1 米左右。现场已遭破坏，未发现有葬具迹象，其周围也未发现其他文化痕迹。但据乡民讲，在其上方土地名为古坟岗。出土器物计有铜釜 1 件、铜鍪 1 件（已损坏）、铜剑 1 件、箭镞 2 件，还有一些残片。简报称这批文物为西汉中期的巴蜀文化遗物。

1466.宝兴县赶羊沟汉墓清理简报

作　　者：宝兴县文化馆　王　焰
出　　处：《四川文物》1997 年第 5 期

该墓于 1988 年 5 月在宝兴县城西相距约 30 公里的赶羊沟，被村民翻地时发现。考古人员前往进行了调查和抢救性清理。简报分为：一、墓葬形制，二、出土器物，三、小结，共三个部分。有照片。

据介绍，墓葬位于陇东镇赶羊沟东坡的一处缓坡地里，系砖室券拱墓，墓顶覆盖厚约 20～30 厘米的封土。该墓墓室结构完整，系长方形竖穴土坑单室券拱。随葬品有陶器、铜器、钱币及殉葬的猪、马、鸡骨。简报推断时代为东汉。

简报称，此墓有其特点，表现有三：

其一，赶羊沟汉墓仍不以陶俑、陶鸡、陶狗等明器殉葬，而是与石棺墓同俗，皆以活体的畜禽动物作殉葬品；

其二，赶羊沟汉墓也是将随葬陶器敲击一个孔或者击残、击破再葬入，与石棺墓中随葬陶器的习俗一致；

其三，赶羊沟汉墓及宝兴其他汉墓都出土具有石棺葬文化特征的铜饰、铜泡等物。

这些现象特征，在其他汉墓中是很难见到的。简报指出，这种现象表明，赶羊沟汉墓乃至宝兴境内已发现的汉墓，同青衣羌民族文化的石棺墓，有着极其密切的内在联系，表现在两者间文化的相互交融、相互影响的程度非常深刻。

1467.四川荥经县牛头山发现汉墓

作　者：荥经严道古城遗址博物馆　李炳中
出　处：《考古》2000 年第 11 期

1986 年 12 月，四川荥经县六合乡青华六队砖厂在取土时发现文物，并派人送交荥经严道古城遗址博物馆。考古人员随即派人前往调查，并清理了 4 座汉代砖室墓，编号为 M1～M4。简报配以手绘图、拓片予以介绍。

据介绍，墓葬位于严道古城遗址东北面的山坡下，当地俗称牛头山。4 座墓葬均已垮塌，破坏严重。墓葬形制皆为长方形单室墓，墓中葬具和人骨架全部朽毁，随葬器物有陶器、铜器、铁器等。此 4 座墓相邻很近，器物风格基本一致，应是同一时期的墓葬。其中 M2 出土钱币以西汉中、晚期的五铢钱为主，部分为东汉初年的五铢钱；M1 出土了王莽时期的"大布黄千"钱。甑、瓮等陶器在东汉初年比较流行，砖室墓也是东汉时流行的葬制。简报推断这 4 座墓的年代属东汉初年。

1468.宝兴硗碛水库淹没区文物调查报告

作　者：四川省文物考古研究所、雅安市文管所
出　处：《四川文物》2003 年第 5 期

为配合宝兴县硗碛水库工程建设，2002 年 11～12 月，考古人员对水库淹没区

进行了文物考古调查。发现了新石器时代至商周时期遗址2处，战国至两晋时期墓群5处，并对1座东汉时期崖墓进行了清理发掘。简报配以手绘图予以介绍。

据介绍，简报重点介绍了雅尔舍遗址、龙神岗遗址、"哭出大坪"汉墓群、泥巴沟崖墓群、头道桥崖墓群、蚂蟥沟崖墓群、泥巴沟崖墓等遗址。还介绍了对泥巴沟1处崖墓的发掘情况。该墓为单室墓，棺木已朽，人骨散乱。墓内共有3件随葬品：1个双耳铜釜，1把环首铁刀，1支铁矛。铜釜置于左前方，应是脚下，铁刀和铁矛均置于棺木的正前方。简报推断为东汉时墓。

1469.四川汉源大地头遗址汉代遗存发掘简报

作　　者：四川省文物考古研究院、雅安市文物管理所、汉源县文物管理所
　　　　　　郭　富、胡昌钰
出　　处：《四川文物》2006年第2期

汉源大地头遗址于2004年发掘，发现新石器时代、汉代、明清3个时期的文化堆积。其中汉代遗址有房屋基址12处，灰坑4个，井1口，墓葬2座；出土汉代遗物有铜镜、陶罐、玛瑙珠等。大地头遗址汉代房基遗迹为研究当地在西南丝绸之路上的地位提供了材料。简报分为：一、分区及地层堆积，二、遗迹，三、出土遗物，四、结语，共四个部分。有手绘图、彩照。

据介绍，大地头遗址位于四川省雅安市汉源县城东北3公里大树镇大瑶村大渡河南岸花果山北麓的坡地上。1991年，考古人员配合大渡河瀑布沟水电站建设中调查发现。2004年4～6月，对该遗址进行了首次科学发掘。发掘出的两汉时期的房屋基址填补了这一地区考古学发现的空白。特别是F7、F8、F27等保存较好，几可再现当时的建筑风貌，为研究此地区当时的建筑特点和发展水平提供了不可多得的实物资料。从随葬器物来看，简报推断M1的年代当不晚于西汉初年，属于典型的汉文化。简报认为，早在西汉早期，汉代文化的影响已经波及至此。

1470.宝兴硗碛旦地美地汉代砖室墓及硗丰崖墓发掘简报

作　　者：四川省文物考古研究院、雅安市文物管理所、宝兴县文物管理所
　　　　　　雷　雨
出　　处：《四川文物》2006年第4期

考古工作者为配合硗碛水电站施工，对宝兴县硗碛乡旦地美地砖室墓和硗丰崖墓进行了抢救性清理，出土有画像砖和陶俑等随葬器物，为研究当地东汉晚期墓葬

提供了资料。简报分为：一、旦地美地砖室墓，二、硗丰崖墓，三、小结，共三个部分。有手绘图、照片。

据介绍，旦地美地砖室墓（编号04BQDM1）位于硗碛乡嘎日村丰收一组。旦地美地M1的下葬年代，简报推断不早于公元183年，属东汉晚期。硗丰崖墓位于硗碛场镇下游近2公里的硗丰二组东河西岸约200米的山脚下，因硗碛水电站泄洪洞口施工而暴露在外的崖墓共有两层，共3座（编号04BQQM1～M3），因M2、M3残甚，仅对M1进行了清理。硗丰M1的时代，简报推断为东汉晚期至东汉末期当较为适宜。

简报称，硗丰M1是雅安地区迄今为止发现的等级最高、雕凿最复杂精美的一座崖墓，墓门结构在四川地区崖墓中也较为少见。它的发现和清理，丰富了硗碛和四川崖墓的类型。

1471.四川汉源县背后山遗址发掘简报

作　者：四川省文物考古研究院、南京师范大学文物与博物馆学系　汤惠生
出　处：《四川文物》2011年第6期

2009年10～12月，考古人员对四川汉源县背后山遗址进行了抢救性发掘。此次发掘面积约2000平方米，发现并清理汉代墓葬9座、宋至清房址1处、灰坑2处。出土汉代陶罐、陶釜、陶钵、铁釜、铜镜等器物，以及少量宋代瓷器、明清瓷片等遗物。简报分为：一、发掘情况，二、墓葬分期，三、遗址的形成，四、余论。

据介绍，背后山遗址位于四川雅安市汉源县富林镇鸣鹿村，隶属该村一、五、七组。遗址西南部是汉源盆地，流沙河及大渡河在遗址南边交汇。背后山遗址的墓葬时代应该在西汉晚期到东汉早中期。发掘的9座墓葬中最具时代特征的是M4，即刀形石室墓，这是最具西汉末或东汉初时代特征的标准墓葬。简报称，无论是历史文献，还是现在当地民风民俗中，都可明确观察和感受到汉源县民族杂糅、文化融合的现象。不过在此次发掘的这9座汉墓中，几乎看不到少数民族文化因素，完全是汉制下大一统的墓葬风格，这也是令人感到疑惑的地方。也许考古发掘带来更多的是问题而不是答案。

巴中市

1472.通江铁溪乡天井村窖藏铜器

作　者：岳钊林
出　处：《四川文物》1989 年第 1 期

1987 年 11 月 11 日，通江县铁溪乡天井村村民周善禹发现窖藏铜器，考古人员前往考察并征集了这批器物。简报分为：一、生活用具，二、兵器，三、铜钱，四、铁器，共四个部分。有照片、手绘图。

据介绍，天井村距县城 90 公里，位于县城通往陕西镇巴公路的北面。窖藏地点在天井村小柏林组柏杨树坡。器物出土地距地表 0.5 米的红砂石土中，出土铜鍪 1 件、铜镜 1 面、铜弩机 1 件、鎏金铜泡 1 件、铜钱 4 枚、铁斧 1 件。简报推断为汉代窖藏。

1473.巴中出土东汉龙虎铜镜

作　者：赖万林
出　处：《四川文物》1993 年第 6 期

1989 年 5 月，巴中县清江区棉麻公司搞基建时发现了 1 面东汉时期的青铜镜。简报配以拓片予以介绍。

据介绍，该镜镜面呈弧形，弧距 3.5 毫米，镜面直径 10.9 厘米，背面直径 9.9 厘米，磨损处露出黄色铜质。背面中部有大圆纽，纽上有椭圆孔，纽径 2.2 厘米，高 1.2 厘米。简报称，该镜质地纯正厚重，图案精美，布局合理，工艺精湛。此铜镜堪称精品。

资阳市

1474.资阳东汉墓出土铜俑等文物

作　者：王有鹏、曾国柱
出　处：《四川文物》1984 年第 2 期

1983 年 7 月，资阳内燃机车辆厂在县城西 3 公里的黄泥巴山南嘴发现东汉砖墓数座。考古人员对较完整的两座进行了清理，并收集了其他残墓出土的铜弩机、提梁釜、五铢钱等文物。简报配以照片、手绘图予以介绍。

据介绍，一号墓，墓室长7.8米、宽3.4米、高3.2米。用子母榫楔形砖券拱，四壁亦用同样的楔形砖一反一正平砌。墓道开在南壁中部，全墓平面呈"丁"字形。墓门南向，以砖封闭。墓室西头发现一南北向残砖棺。因早年被盗，仅出土6件较完好的陶俑、一些陶鸡、狗、猪、房残片及数十枚五铢钱。二号墓，在一号墓东侧，相距1.5米。方向、结构同一号墓。墓室长8.3米，宽3.6米。券顶早年垮塌，其高不明。开在南壁的墓道长约2米，宽1.65米。墓室内东西两端各有一南北向石棺。西端石棺东侧紧靠着1具较小的砖棺。也因早年被盗，所出土的陶俑和陶鸡、狗、猪、马均残破，但出土的1件铜立俑却十分完整。铜立俑高45厘米，头上有帻，两手自然下垂，形象生动，铸造精良，未见蜂窝孔。系用双合范从头部一次浇铸而成，内模尚存其中，是研究当时铸造工艺的一件重要文物。另外，墓中还出土数十枚五铢钱。从两墓的结构、出土器物的特征看，简报推断这应是两座东汉中期稍晚的墓葬。

1475.简阳县鬼头山发现榜题画像石棺

作　者：内江市文物管理所　雷建金
出　处：《四川文物》1988年第6期

简报配以照片，介绍了1988年清理的东汉崖墓。

据介绍，该墓位于董家埂乡深洞村西北0.5公里处的鬼头山顶，开凿于红砂质页崖中。墓为单室，弧形顶，平面为凸字形。除出土有铜戟、鎏金铜器（残件）、陶器、陶俑等18件及五铢货泉250余枚外，还清理出石棺6具，其中4具石棺上刻有画像。值得提及的是，3号石棺的四面不仅有石刻，更有价值的是还有榜题文字15处之多，图文并茂，是难得的珍品。

1476.简阳黄泥坪汉墓清理简报

作　者：方建国、唐朝君
出　处：《四川文物》1990年第2期

1988年10月，简阳棉纺厂基建工地在施工过程中，发现2座汉代砖室墓。县文化馆闻讯后，派考古人员赶往现场时，墓室已被推土机推平，墓葬已面目全非，出现在眼前的仅是部分残迹，当即进行了抢救性清理。简报配以照片、拓片、手绘图予以介绍。

据介绍，墓葬位于新市乡马鞍村黄泥坪二级台地上，距县城约6公里。墓葬距地表深0.8米，均系砖室墓，由不同形制的花边砖砌成。由于推土机的推压破坏，墓葬形制已无法弄清。经过清理，2墓共出土随葬器物10余件，其中陶俑6件、银手镯1件、银戒指1件、铜顶针1件、五铢钱6枚及大量的花边砖。简报推断该墓为东汉晚期墓。

1477.四川简阳县鬼头山东汉崖墓

作　者：内江市文管所、简阳县文化馆　方建国、雷建金、唐朝君、付成金等
出　处：《文物》1991 年第 3 期

简阳地处川中、沱江中游、内江以西，自古有成都东大门之称。鬼头山崖墓位于简阳县45公里处的董家埂乡深洞村。1986 年4 月，此墓被该村农民发现。此墓虽早年被盗，崖顶垮塌，出土器物不多，但墓内所出石棺上有大量画像，伴以汉隶阴刻榜题文字，图文并茂，具有较高的历史和艺术价值。简报分为：一、墓葬结构，二、出土器物，三、石棺画像，四、结语，共四个部分。有拓片、手绘图。

据介绍，此墓开凿在深洞村西北0.5 公里处鬼头山顶的红砂页岩中。岩层不坚固，山水冲刷，致使墓顶垮塌。此墓为单室，平面呈"凸"字形，墓道、墓门在平整土地时已毁。墓室北部置石棺2 具（4、5 号），南部置石棺1 具（6 号），西部置石棺3 具（1、2、3 号）。石棺为红或黄灰色砂石质，形制、大小相近，有不同程度的残损，棺身为长方槽形，盖呈弧形。除1、6 号棺外，2、5 号棺均有画像，画像一般分布在棺的前后挡和左右侧面。棺盖上面有阴线刻的几何纹饰。出土遗物有陶俑、钱币、铁器、陶器等。简报推断该墓年代为东汉晚期。

简报指出，鬼头山崖墓一墓多棺，实不多见。出土的石棺画像，雕刻技法多为浅浮雕和阴线刻，有少部分减地平阴刻。画像的题材可分为四类：一是反映墓主身份的：有车骑出行和楼阙，说明墓主如不是官员，至少也是士族豪强地主。二是反映墓主生活的：有仓库、鱼、鱼鹰、鹿、六博等。三是神话故事人物：有伏羲、女娲、羽人、日神和月神等。四是瑞禽：有凤鸟、白雉和鸠鸟等。3 号石棺上的画像构图严谨，形象生动，线条流畅明快，雕刻技法熟练，伴有榜题14 处，计29 字。汉代石棺具有这样集中的画像和榜题，这在四川地区是颇为突出的。

1478.四川简阳县夜月洞发现东汉崖墓

作　者：方建国、唐朝君
出　处：《考古》1992年第4期

1988年4月，简阳四川拖拉机厂在修建施工中，发现1座崖墓。简阳县文化馆闻讯后，当即派人前往现场调查、清理，相关清理情况简报配以手绘图予以介绍。

据介绍，该墓（M1）位于简阳县城西1公里，距绛溪河约100米的二级台地的红砂岩中，岩石石质疏松，易于开凿。墓葬由墓道、甬道、墓室构成。墓室平面呈梯形，平顶，墓底前低后高，分为上下两级。出土器物除墓门外有2个陶俑外，其余均在墓室前部和甬道的淤泥中。墓内未发现葬具和墓主尸骨。

出土器物有陶器20件，其中泥质红陶13件，有俑、水塘、釜等；泥质黑灰色磨光陶7件，有豆、罐、瓶、盘等。

该墓的时代，简报推断为东汉中晚期。

1479.安岳县林凤镇松林村东汉崖墓清理简报

作　者：安岳县文管所　廖顺勇
出　处：《四川文物》2000年第5期

安岳县林凤镇松林村棚子坡东距林凤场镇约3公里，北距石羊镇瑞云管区约5公里。1999年6月15日，当地农民在捕蛇中发现1座古墓葬，考古人员进行了抢救性清理。

简报分为：一、墓葬概况，二、随葬物品，三、结语，共三个部分。有照片。

据介绍，此崖墓为页岩长方形墓，长3.8米、宽2.65米、高1.76米，墓底距地表2.6米，墓向东偏南42°。封门墙用条石砌至墓顶，上用叠置碎石封顶。墓室中未发现葬具，估计是用木棺下葬。该墓随葬品未保持原位，但较为丰富，共出土16件，放置无规律，有陶俑11件、五铢钱5枚。陶俑个体都较小。

简报推断该崖墓的年代大致在东汉中期章帝、和帝时期。

1480.四川简阳市汉代水井发掘简报

作　者：简阳市文物管理所　袁守新、樊增松
出　处：《四川文物》2007年第1期

简城镇大十字供销社建筑工地在施工中发现2眼陶圈井和1眼砖券井。从出土陶器、陶井圈和弧形榫卯砖看，3眼水井应建于汉代。这次陶圈井的发现，其考古学意

义在于：井圈上下口面凹槽呈"螺旋"状排列，显示"螺丝"榫卯雏形，这种新型旋转扣合榫卯连接技术的出现和应用，是建筑学上的一次创造性发展；同时为研究汉代水井的开凿技术和简阳地区的人群分布及其生活方式，提供了不可多得的实物资料。

简报分为：一、地理位置与地层情况，二、水井结构，三、出土器物，四、结论，共四个部分。有手绘图、照片。

据介绍，2001年4月，简阳市简城镇大十字供销社建筑工地在施工中发现"老古井"，考古人员赶到现场，为配合基建工程，清理了井台和井口被扰的3眼水井。其中J1、J2为陶圈井，J3为砖券井。J2在取第一层陶圈时，因井体坍塌而中止清理，无出土器物。J1、J3清理出不少陶器残件。

1481.资阳市雁江区狮子山崖墓 M2 清理简报

作　者：四川省文物考古研究院、资阳市雁江区文物管理所　陈卫东、郑万泉、
　　　　周永东、李成彬
出　处：《四川文物》2011年第4期

2010年，考古人员在狮子山清理了东汉中晚期崖墓2座，其中M2保存较好，墓葬结构清晰，随葬品摆放整齐，是研究汉代崖墓不可多得的材料。出土的随葬品主要是陶器和铜器，其中出土的2株摇钱树保存较好，特别是"一佛二弟子"摇钱树的出土，为研究西南地区早期佛教的传播提供了重要资料。简报分为：一、墓葬形制，二、葬具，三、墓主，四、随葬品组合及其放置方式，五、随葬品，六、结语，共六个部分。有照片、拓片、手绘图。

据介绍，出土地点位于资阳市雁江区狮子村八社狮子山上，施工中发现，共清理崖墓2座，M1受损严重，M2保存较好。由墓道、墓门、墓室、耳室、侧室五部分组成。通长23.2米。葬具有砖棺、陶棺等共5具。共发现3具人骨，已朽。出土随葬品95件，主要为陶器及金银戒指、手镯。年代为东汉中晚期。应为一家几代人的墓葬。

阿坝州

1482.四川茂汶羌族自治县考古调查

作　者：短　绠
出　处：《考古》1959年第9期

1957年秋冬之际，四川省文管会曾派人去茂汶羌族自治县进行初步的考古调查。

因时间较短，故只调查了岷江上游及其支流杂谷脑河两岸的个别地区。简报配以手绘图予以介绍。

简报介绍，调查中在杂谷脑河薛城（旧理县城）附近的近山寨、熊耳村及其支流孟屯沟内的河坝寨、老鸦寨等地收集了几件石器。同时在杂谷脑河流入岷江处的威州（今茂汶县城）的姜维城遗址，采集到未制成的石器 2 件，这里过去曾发现过彩陶。原汶川、理县 2 县文化馆也在这些地方收集到这类石器多件。发现石器的地点，是距现在河道 3 ～ 100 米的高山坡地上。这些坡地不但没有文化层，而且没有陶片。收集的石器有：石斧 5 件、石刀 1 件、石凿 2 件、石锥 1 件。石器磨制极精，石质很细，呈绿色。现藏茂汶县文化馆。调查中发现的墓葬，均为石棺葬。分布地区也是在岷江上游及其支流杂谷脑河的两岸，高约 200 ～ 300 米的山坡上。

从出土的器物看来，简报推断这些墓葬应属西汉初期墓。

1483.四川阿坝州发现汉墓

作　者：四川省博物馆　赵殿增、高英民
出　处：《文物》1976 年第 11 期

1975 年 10 月，阿坝藏族自治州理县朴头公社关口生产队农民在改田时发现 1 座古墓。简报配以照片予以介绍。

据介绍，朴头公社在理县县城西 10 公里的深山峡峪中；该墓为砖筑单室墓，由墓室和甬道两部分组成，所用的砖皆为花砖。该墓未经扰乱，葬具和随葬品大部分保存比较完好。墓室内平放 4 具木棺，棺木腐朽严重。棺身用独木凿挖而成，棺盖是 1 块整板。棺内人骨腐朽成粉末状，性别不明。有铜器、铁器、陶器、漆器等 28 件。

该墓年代简报推断为东汉晚期。

1484.理县发现汉代钱币窖藏

作　者：罗进勇
出　处：《四川文物》1988 年第 3 期

阿坝藏族自治州理县桃坪乡桃坪村羌族农民周德富，于 1985 年 4 月中旬，在该村河对岸的撮箕寨后山，离杂谷脑河河床 100 米高的黄土台地上取土时，挖掘出 1 个古代钱币窖藏。已被全部挖毁，简报只能配以手绘图作一简单介绍。

据介绍，钱窖用石板建成，内有木箱痕迹，整个窖藏古钱约在 150 公斤以上，绝大多数为"大泉五十"，少数为"货泉"。简报称，该古钱币窖藏年代当在西汉

末年王莽时期，上限应在天凤元年（14 年）以后，下限最迟也超不过东汉光武初年；钱窖石板与该地区石棺葬的石板有相似之处；这是岷江上游地区首次出土的最古的钱币窖藏，对研究古代岷江上游地区的民族、社会、经济、历史等，有较大的参考价值。

1485.理县桃坪大石墓调查简报

作　者：阿坝藏族羌族自治州文管所　徐学书、范永刚
出　处：《四川文物》1992 年第 3 期

1988 年 4 月中旬，理县桃坪乡东山村二组村民姚云武建房时发现 1 座大石墓，考古人员进行了考古调查清理。该墓位于杂谷脑河南岸的佳山脚下，东距姚坪乡政府驻地 500 米。简报分为：一、墓葬形制，二、出土器物，三、时代，共三个部分。有照片、手绘图。

据介绍，此墓系以大石砌成。该墓在姚云武修房时已遭破坏，曾出土有双耳陶罐等数件陶器，惜均被毁，考古人员在墓室前端清理出铜器 3 件、铁器 4 件、五铢钱 16 枚，均锈蚀严重。该墓时代，简报推断为西汉晚期。它的发现，将我国西南地区汉代大石墓的分布范围扩大到岷江上游地区。

甘孜州

1486.四川九龙县查尔村发现石棺葬墓地

作　者：陈　剑、刘玉兵、范永刚
出　处：《四川文物》2007 年第 6 期

查尔村石棺葬墓地位于九龙县九龙河（呷尔河）东岸二级阶地上，查尔村南北向冲沟与呷尔河交汇处以北。行政区划隶属于四川省甘孜藏族自治州九龙县甲尔镇查尔村查尔组。2006 年 4 月发掘，简报配以照片、手绘图予以介绍。

据介绍，施工现场已暴露墓葬 12 座（M1 ～ M12），均为土坑石板墓。随葬品不多，包括陶器、青铜器等。这一批墓葬的时代，简报推断为不晚于汉代前期。

凉山州

1487.四川凉山发现汉墓

作　者：林　声

出　处：《考古》1965 年第 3 期

1960 年春季，考古人员在凉山彝族自治州首府昭觉县境内看到一些古代的墓葬。简报配以拓片予以介绍。

据介绍，墓葬主要分布在昭觉县城西 15 公里的三湾河地区。在三湾河好谷民族小学南面土山上有 1 座墓葬，已在耕田翻土时揭露出来。这是一座砖室券顶墓，墓顶已破坏，墓穴被积土填满，墓砖散布于四周，未见其他遗物。考古人员当时除拣取几块墓砖外，一概未予触动，并将露出部分覆土掩好，留待以后考古部门进行系统的发掘。在这座山上到处散布着墓砖，显示墓葬不止 1 座。采集的墓砖中有 1 块带字砖，字体是汉隶。简报初步估计，这批墓的年代可能为东汉时期或稍晚。

简报称，凉山为彝族聚居区，但彝族历来是火葬，这批墓当与彝族无关，为研究凉山古代居民成分和历史上汉彝两族的关系等问题，提供了新资料。

1488.四川会理出土的一面铜鼓

作　者：会理县文化馆

出　处：《考古》1977 年第 3 期

1975 年 5 月，会理县罗罗冲农民从山坡废弃的耕地内掘出 1 面铜鼓。现藏县文化馆，编为三号鼓。简报配以拓片、照片予以介绍。

简报称，铜鼓制作精美，上有花纹及牛、鸟造像。简报认为铸造时间相当于西汉末东汉初。可证古代会理一带绝非不毛之地。简报认为，这面出土的铜鼓，不仅对于研究铜鼓的分布、形式的演变，而且对于研究我国西南地区古代民族的迁徙和兄弟民族间的文化联系，也是一件有价值的实物资料。

1489.四川西昌发现货泉钱范和铜锭

作　者：西昌地区博物馆

出　处：《考古》1977 年第 4 期

1976 年 2 月 25 日，西昌县石嘉公社专业队筑机耕道时，发现 1 座铜器窖藏。出土了"货泉"钱范 5 块、小铜锤 2 件、铜锭 17 块，近 2000 斤。简报配以手绘图、拓片、照片予以介绍。

据介绍，石嘉公社在今西昌城南约 40 公里处，海拔 1700 米。这里是一片背靠螺髻山脉，西向安宁河，距成昆铁路黄联车站约 5 公里的河谷山坡地。两汉时属越嶲郡邛都县管。窖穴就在公社东面约 150 米处，位于麻家林河沟南侧拐弯处的土丘中部，是 1 个直径约 1.5 米、深 0.6 米的圆形竖穴。出土时所有铜器都杂乱地堆积在一起。因常年水土流失，穴上仅盖 0.2 米厚的封土，原貌已不可知。土丘四周全系原生土与乱石，没有任何文化遗迹、遗物，看来是 1 座窖藏无疑。铜锭（原料）、铜锤（工具）和钱范（母模）三者同窖一穴，说明钱范当时仍具有重要的使用价值，所以未被毁弃。窖穴的简陋、草率，器物堆置的凌乱，却表现出这是在一次意外事件中仓促所为，简报认为可能与王莽末年的社会动乱有关。

1490.四川凉山喜德拉克公社大石墓

作　者：凉山彝族地区考古队　童恩正、张西宁

出　处：《考古》1978 年第 2 期

1976 年 11 月，为了配合《凉山彝族奴隶制度》一书的编写工作，考古人员赴凉山昭觉、喜德、布拖等地调查试掘。田野工作于 1976 年 11 月 10 日开始，12 月 25 日结束。在昭觉乌坡瓦寨山、尔巴克苦、附城 3 个地点发现了大量的石板墓，在四开发现 1 处东汉古堡遗址，在喜德发现了数处大石墓群，均进行了试掘。有关昭觉石板墓和四开古堡的内容，另撰报告。喜德拉克公社大石墓的情况，简报分为：一、墓葬概述，二、出土器物，三、结语，共三个部分。有照片。

据介绍，大石墓最初发现于西昌境内，此次发现类似的墓葬在凉山西部的越西、喜德等县也有较密集的分布。II 类型的大石墓，过去在西昌曾经清理过几座，III 类型墓则为这里的首次发现。这三种类型的墓，均用大石建筑，同为二次丛葬，出土器物属于同一系统，且处于同一墓地内，排列整齐，应该是同一民族的墓葬。简报推断：II 类型墓时代可能属于西汉前期，III 类型墓时代在西汉后期，I 类型墓时代较 II、III 两类墓为早。

简报称，大石墓反映的二次葬的风俗和墓中出现的陶器，证明绝不属于自古以来即行火葬和不烧制陶器的彝族。它们很可能是古代濮人的墓葬（详见同刊同期《四川西南地区大石墓族属试探》一文）。

1491.四川西昌城郊出土石阙

作　者：四川西昌地区博物馆　黄承宗
出　处：《文物》1979 年第 4 期

1975 年 3 月，四川西昌地区博物馆在西昌县东南 1.5 公里发现石阙，1977 年 10 月进行了发掘。简报配以照片予以介绍。

简报介绍，发现的无铭双阙用当地红砂石制成，东西相距 8 米。东阙尚存阙顶、阙身（上部稍残）和基座 3 件，西阙仅存屋顶 1 件。东阙顶上雕刻瓦垅、瓦当，瓦当面正中有一乳点。顶底部四周雕刻有出檐。现存 3 块阙石，共高 2.48 米。西阙仅存屋顶 1 件，形制大小与东阙相同。从形制、风格观察，并根据附近东汉墓葬的大量发现判断，石阙可能是墓阙。此阙的顶与四川汉阙和汉墓中石棺屋顶或棺盖雕刻相同。简报推断其建造年代在东汉末期或西晋时代。

1492.四川西昌县发现汉代椎结陶俑

作　者：四川西昌地区博物馆
出　处：《文物》1979 年第 8 期

1977 年 3 月，考古人员在西昌县城西北 2 公里的成昆铁路东侧小土丘上清理了一批古代墓葬。在编号天王山 M4、东汉晚期砖室墓墓室东南角，发现 1 个"椎结"陶俑。简报配以照片予以介绍。

据简报介绍，俑中空，灰陶质，火候较低。头无冠，发在头顶正中，挽一结，无发饰，高鼻大耳，与凉山昭觉、西昌等地汉墓中出土一种叠髻发式的女俑相同，与云南昭通出土小铜人高鼻特征一致。与云南省昭通东晋壁画墓中的彝族先民和滇人形象比较，也大体吻合。所以该俑的发现，有助于进一步研究西昌地区古代少数民族形象。

同墓中还发现持环柄铁刀的高大武士俑 1 件，可惜头部已毁，该墓早年曾被盗过。

1493.四川西昌礼州发现的汉墓

作　者：礼州遗址联合考古发掘队　王兆祺
出　处：《考古》1980 年第 5 期

1976 年 2 月和 10 月，考古人员在发掘礼州中学校内新石器时代遗址时，先后发现了 5 座汉代土坑墓。5 座墓葬按两次发掘先后顺序编号为 M1 ～ M5。简报分为：一、墓葬形制，二、随葬器物，三、结语，共三个部分。有照片。

据介绍，5 座墓均为长方形竖穴土坑墓，葬具、骨架已朽。M1、M2、M4、M5 出土有铁剑等，估计墓主人为男性。M3 出土有陶纺轮、金银饰物，估计墓主人为女性。5 座墓共出土器物 200 多件，其中陶器 114 件，绝大多数完整。大体放置在墓室的南部和东侧，灶、井、壶、瓮、罐等大型器物多置于南部。5 座墓的陶器组合基本相似，但 M1 以陶器为主，其次是铁器和少量铜器；M2 出土陶器中增加了塘、田，而铁器、铜器很少；M3 以铜器为主，其次是陶器，铁器很少，还出土了一些银器饰件。5 座墓均出土漆器，但已全部腐朽，仅留残迹。随葬器物中多为明器，有部分实用器，另外在 M1、M2、M3 中还出土了大量五铢钱。M5 出土了"大泉五十"和"契刀五百"钱币。五墓的年代，据推断：M3、M1 略早，约在西汉后期；M2、M4、M5 稍晚，M4 约在西汉末期，M5 在王莽时期，M2 可能晚到东汉初。简报指出，这批汉墓的发现，说明汉代的西昌地区与中原地区已有着密切的文化交往。

1494.四川木里出土的汉代农具

作　者：凉山州博物馆　黄承宗
出　处：《农业考古》1981 年第 1 期

四川木里藏族自治县县城博瓦的西北角山麓，1968 年冬因采取石料，在乱石堆下面发现 10 余件汉代的铁铧和铸有铭文的铁锸 1 件。据当时出土现场的观察，该处原是 1 处住宅遗址。后为山岩崩塌所毁，铁器似是放置在木框内，因木料腐朽成灰，加以岩石崩塌时的冲压，其原来的形状已无法得知。简报配以照片予以介绍。

据介绍，出土的 10 余件铁伴，均堆放在一起，已严重锈蚀，有的粘连成块状，多数残甚，仅有 1 件比较完整。像生铁模铸，铁铧、铁锸均在一处出土。简报推断其时代，大约是西汉武帝以后，但不会晚于汉台登县铁矿的大量开采冶铸。简报称，根据出土的古代农具实物，可以进一步研究当时一种称作"筰"的民族的社会经济情况。

1495.四川会理出土一组编钟

作　者：陶鸣宽

出　处：《考古》1982年第2期

1977年11月，会理县公路养护段工人在转场坝掘出1组编钟。考古人员立即前往调查。简报配以照片、拓片及"编钟尺寸表"予以介绍。

据介绍，转场坝地属会理县黎溪公社黎州大队二生产队，位于1处山间凹地的东缘。通往黎溪街子的乡区公路从这里穿过，编钟就出土于乡区公路西侧的排水沟下。这里北距县城约60公里，往南约30公里即进入云南元谋县境。养路工人取土铺路时，编钟从排水沟的表土以下约10厘米深处露头。编钟共六件，从上至下以一、二、三的数列平铺叠置，钟纽皆向西。编钟以外，无他物发现。编钟出土时，其中3件被击碎，另3件也因受击而程度不同地变形或破损。经化验，含铜92.49%，锡、铁等含7%，青铜冶炼水平不够高，应为本地铸造。该组编钟的年代，简报推断为西汉晚期。

1496.四川西昌首次发现东汉五铢钱铜范

作　者：凉山彝族自治州博物馆　刘　弘、刘世旭

出　处：《考古》1986年第11期

1984年6月，凉山彝族自治州博物馆在仓库拣选文物时，发现1件五铢钱铜范。简报配以照片予以介绍。

据介绍，西昌，两汉时期属嶲郡邛都县地。《后汉书·南蛮西南夷列传》载：更始二年（24年），邛人长贵（《汉书》作任贵）杀越嶲郡守枚根，自立为邛穀王。建武十九年（43年），"武威将军刘尚击益州夷，路由越嶲……即分兵先据邛都，遂掩长贵诛之，徙其家属于成都"，消灭了这支地方势力，西昌的社会局面才逐渐安定下来。结合钱文特征和文献所载的有关史实，简报认为，此钱范母当是建武十九年（43年）东汉政府巩固了在这一地区的统治后，由中央政权统一发给边远地区的铸钱标准，其时代当为东汉初期。

据调查，这件五铢钱范母收购于西昌黄联，具体地点不明。值得注意的是，1976年在距黄联约7公里的石嘉乡，发现过1处新莽货泉钱范和铜锭窖藏。《汉书·地理志》《后汉书·郡国志》《华阳国志》都有邛都南山出铜的记载，而黄联正位于西昌南面。两件钱范母和铜锭都出土于黄联，绝不是偶然的现象。简报推测黄联似应有一处汉代铸钱作坊。

1497.四川喜德县清理一座大石墓

作　者：凉山彝族自治州博物馆、喜德县文化馆

出　处：《考古》1987 年第 3 期

喜德县位于川西南安宁河流域的孙水河畔，成昆铁路自北而南从境内穿过。1981 年 4 月，拉克公社幸福七队的农民在扩展耕地时，掘出大石墓 3 座。考古人员闻讯后即赶往现场，对其中破坏最严重的 1 座墓进行了清理，而对另两座墓给予了保护。简报配以手绘图、拓片予以介绍。

据介绍，当地的小地名叫"轱辘桥"，北距县城约 7 公里，西傍孙水河。墓葬背靠大山，西距 1976 年的第 1 次大石墓发掘点——四合二队约 2 公里。该墓墓室平面呈狭长方形，带墓道。该墓共出土器物 60 余件。发掘表明，大石墓的时代可早至春秋时期，下限晚至王莽居摄时期至东汉初。为什么进入东汉以后，这类墓葬就很少发现呢？简报认为，究其原因应与墓主——即多数人所说的邛人或"邛都夷"衰弱有关。

1498.四川西昌高草出土汉代"摇钱树"残片

作　者：刘世旭

出　处：《考古》1987 年第 3 期

高草位于安宁河西岸磨盘山麓，东距西昌市约 25 公里，两汉时系越嶲郡邛都县地。1976 年冬，农民改土时，在 1 座用青灰色花边砖砌成的东汉残墓中，挖出摇钱树铜残片 1 件，并交给自治州博物馆收藏。简报配以拓片予以介绍。

据介绍，残片用铜、铅合金双范铸成，平面呈长方形，背面扁平无纹。残长 27 厘米，残宽 13.5 厘米。出土时虽残损，但主体画面仍大部幸存。其画像的主要内容为，西王母与龙虎座和玉兔灵蟾捣制不死之药的神话故事。在铸造工艺方面，这件残片厚仅 0.1 厘米，重仅 175 克。在如此轻薄的铜片上，能翻铸出这样复杂、精美、清晰的图像，表明我国当时的雕模技术和冶铸能力已达到相当高超的水平。简报推断该残片为东汉中晚期遗物。

1499.四川昭觉县发现东汉石表和石阙残石

作　者：吉木布初、关荣华

出　处：《考古》1987 年第 5 期

1983 年 2 月，凉山彝族自治州文化局为筹建奴隶社会博物馆，在州内进行了 1

次重点文物考察工作。在考察过程中，于昭觉县四开区好谷乡发现了东汉光和四年（181年）邛都安斯乡石表1座，石阙残石10块，石狮残足1块。石表、石阙位于乡东150米的山坡下，前距三湾河约500米。石表、石阙均于早年坍塌，其附近有汉墓群，地面散布不少汉代几何纹墓砖。据彝族农民讲，此处于100余年前开为耕地，近年来，不断从土中发现残石，还发现1个无头无足石狮，当地彝族人习惯上认为有浮雕的刻石都是不祥之物，所以石狮被人运至1公里外的土沟中埋掉。现存的石表、石阙原位置虽不十分清楚，但二者位置相距不过数米，看起来石表和石阙应为同时所立，早年倾倒埋入土中。简报配以拓片予以介绍。

据介绍，简报试释了现存文字，联系石表出土地点，可知今昭觉县好谷乡当是汉邛都县安斯乡所在地，而西昌当为邛都县治所。石表上的文字为汉代诏令。诏令的内容除了任命冯佑为安斯乡有秩外，并免除了上诸、安斯二乡的赋役，故二乡丁众立此石表，以示隆重。关于石阙的问题，因现存构件较少，尚无法复原。由于石表和石阙在同地发现，说明同为安斯乡有秩冯佑所立。石阙当是墓阙，石表即立在阙前，故石表也可能是冯佑死后，二乡民众在其阙前所立。也有人认为石表即石阙的角石构件，并非单独立石。过去在凉山彝族自治州虽然有东汉石阙残石出土，但皆无文字可考。简报指出，此次石表、石阙同地出土，而表文体例在我国古代金石刻辞中是第一次发现，它不但对研究凉山地区历史具有重要意义，而且对汉代乡里组织、公文、书法的研究也具有重要价值。

1500.会理县果园乡出土铜鼓

作　者：包月河

出　处：《文物》1989年第5期

1988年4月，果园乡石庄村农民何永军放牛时，在该村西南甘营湾坡地中发现铜鼓1面。甘营湾位于县城西南部约7公里。据介绍，铜鼓仰埋土中，里面装满泥土，一截足边露于地表而被发现。经实地察看，鼓坑内外无其他遗物共存。简报配以照片予以介绍。

据介绍，铜鼓的胴部外凸，鼓面小于胴部，腰内收，剖面呈梯状，足外张，边沿有部分损坏。采用泥范铸造法铸造。重5.8公斤，属石寨山型，简报推断应是两汉时期的遗物。简报称，这面铜鼓的发现为研究西南地区古代文化和民族提供了重要资料。

1501.会理县果园乡出土铜鼓

作　者：包月河
出　处：《四川文物》1989 年第 5 期

1988 年 4 月，果园乡石庄村农民何永军放牛时，在该村西南甘营湾坡地中发现铜鼓 1 面。简报配以照片予以介绍。

据介绍，甘营湾位于县城西南部，约 7 公里。铜鼓仰埋土中，里面装满泥土，一截足边露于地表而被发现。经实地察看，鼓坑内外无其他遗物共存。鼓面直径 34.8 厘米，高 24.1 厘米，重 5.8 公斤，上有多种饰纹。简报推断该鼓为西汉时期遗物。

1502.四川西昌北山、小花山、黄水塘大石墓

作　者：凉山彝族自治州博物馆　刘世旭、刘　弘等
出　处：《文物》1990 年第 5 期

1985 年 9 月至 1986 年 3 月，为配合基本建设，考古人员先后在西昌北山、小花山和黄水塘抢救发掘了 3 座大石墓。简报分为"北山大石墓""小花山大石墓""黄水塘大石墓"，共三个部分予以介绍，有照片、手绘图。

据介绍，北山大石墓位于西昌北山南麓缓坡地上，南距西昌城约1 公里。1985 年 9 月，四川省武警总队三支队在此打井时发现，此墓曾遭严重扰乱。墓顶盖板石上和墓室周围有不少大理时期的火葬罐。墓室中部有大理时期加砌的一堵高1.7 米的石墙，将墓室分为两半，内置火葬罐近10 个。墓室狭长，带墓道。墓室用不规则的小石块垒砌而成，上面横盖6 块大石，底部用砂土平筑，墓门用块石封闭。骨架已朽。随葬品少而残。

小花山大石墓位于西昌以东13 公里处，出土遗物有石器、铜器、铁器及不少残陶片。

黄水塘大石墓北距西昌城约30 公里。1986 年 3 月发掘，清理前墓道已毁，墓顶盖板石被推倒在墓外一侧，墓内填满石块。墓室平面呈长方形，墓壁均用板块石竖嵌，最大块石长 1.8 米、宽 1.4 米、厚 0.4 米。底用细砂土平筑，厚约 0.2 米。尸骨仅存零星肢骨及牙齿。出土器物很少。

简报指出，这次清理的 3 座大石墓，虽遭严重破坏，出土器物也不多，但出现了一些新的器形。如半月形铜刀、带銎铜镰、铜钺等，在大石墓中都是首次发现。北山墓、黄水塘墓年代均为西汉末东汉初，下限应在东汉武帝正式置郡（前 111 年）之前。小花山大石墓或稍早，为战国后期至西汉前期。

1503.四川凉山西昌发现东汉、蜀汉墓

作　者：凉山州博物馆　王兆祺
出　处：《考古》1990 年第 5 期

凉山博物馆在西昌市的考古调查中，于西昌礼州以南，沿安宁河东岸和邛海沿岸发现了分布密集的汉墓群。几年来，为配合修整农田和基建施工，先后抢救性清理了一些墓葬。简报分为：一、东汉墓，二、蜀汉墓，三、结语，共三个部分。有手绘图、拓片。

据介绍，简报根据上述墓葬所出器物的形制特点做了一个大概的分期，并推断这批墓葬的时代，上限不早于东汉初期，下限可能到东汉末期。建兴五年（317 年）蜀汉墓的墓葬形制仍承袭汉制，所用的几何纹花边砖与西昌东汉墓出土的区别不大，但器物却有独特的风格。

简报指出，此次发掘重要的是，该墓纪年明确，从而为蜀汉墓葬的断代提供了可靠的对比材料和实物依据。

1504.四川西昌市东坪村汉代炼铜遗址的调查

作　者：刘世旭、张正宁
出　处：《考古》1990 年第 12 期

东坪村在西昌市黄联关镇南约 1.5 公里处，北距西昌市约 32 公里。1987 年 3 月，凉山州和西昌市文物普查办公室在西昌进行全州文物普查试点时，在此找到了汉代大型炼铜铸币遗址一处。为弄清其内涵和保存情况，考古人员又进行多次复查。简报分为：一、遗迹，二、遗物，三、几点看法，共三个部分。有照片、拓片、手绘图。

据介绍，炼铜炉、铜矿石、木炭、耐火砖、铜锭、铜渣块、钱范母以及未使用的"五铢"铜钱共存一地，成片的炉渣堆积，表明这是当时的 1 处炼铜铸币遗址。除铸币外，遗址内采集的石质刀范还表明这里还翻铸日常生活用具。简报推断该遗址主要生产期在东汉。

简报称，东坪遗址的发现是四川省近年来文物普查的重要收获之一，同时也是四川省西南地区汉代科技考古的一次重大突破。

1505.西昌市经久乡发现西汉李音墓

作　　者：夏学华、张正宁

出　　处：《四川文物》1991 年第 1 期

1989 年 2 月，四川凉山钢铁厂在扩建厂房施工推土过程中推出西汉土坑墓 1 座。考古人员前往清理。简报分为：一、墓葬结构，二、随葬器物，三、几点认识，共三个部分。有照片、拓片、手绘图。

据介绍，该墓位于西昌城南 20 公里处的经久乡周屯村以东的半山腰间，北距凉山钢铁厂选矿高炉 100 米，南距经久火车站 350 米，西距成昆线 80 米。该墓为长方形竖穴土坑墓。因施工，墓室大部垮塌，无法得知墓的全貌。墓底填有 2 厘米厚的白色黏土。骨架已朽，葬具不明，仅见于填土中有零星漆片。随葬品有铜器 2 件、铁剑 1 件、铜印 1 方、陶器多件。

据简报推断，该墓的时代应属西汉中晚期，大致在宣帝至平帝之间。汉墓中出土印章，这在川西南十几个县、市中尚属首次，并且字迹清楚，它准确地告诉我们，墓主人是"李音"。身份不详。

1506.西昌发现东汉水井和村落遗址

作　　者：王　镒

出　　处：《四川文物》1992 年第 4 期

在西昌市南郊约 3 公里的高枧乡海边村，发现 1 口东汉时期的砖砌水井和村落遗址。海边村农民在清挖鱼塘淤泥时，在鱼塘澄泥约 15 ～ 20 厘米处，挖出 10 多块几何形花纹砖、粗绳纹板瓦残片，农民速报凉山州博物馆派员进行清理。

据介绍，水井位于海边村西约 40 米处的鱼塘底部，整个水井全用梯形花纹砖平砌而成。井口残而无井栏。口径 84 厘米，井深 147 厘米。口阔底窄，井中填满黑色污泥，出土了 2 块陶钵口沿和钵底残片，均为夹砂灰陶。同时出土了 2 块杉木自然形木牍，1 块残碎，另 1 块完整。木牍全长 23.4 厘米、宽 6.3 厘米、厚 0.3 厘米，基本上与汉尺相符合。字体分别为汉隶、楷书两种，直读。因残断和水浸泡，墨迹脱落，尚可辨认的"发兵□□□山如律令"和"□月八日甲寅立□□□"。在距井西北 15 米处，同时挖出粗绳板瓦残片 10 多块和残木柱，木质为松木。在靠水井的又一鱼塘，井之西南方约 30 米处，在淤泥中又发现数处残断竖立木桩。

简报称，海边村东汉水井的发现，为进一步研究东汉至今邛海的面积、水位变迁，研究明嘉靖十五年（1536 年）、雍正十年（1732 年）和道光三十年（1850 年）

在西昌地区发生的3次强地震的震中、对建筑物的损坏、范围提供了依据。若通过较大面积的发掘，可进一步了解东汉时期此村落的布局、房屋的建筑结构。

1507.盐源发现汉代石室墓

作　者：李荣友、刘　弘

出　处：《四川文物》1992年第4期

1989年9月，盐源县干海乡村民陈启贵在种树时发现1座石室墓，考古人员前往进行了调查。简报配以照片予以介绍。

据介绍，该墓位于盐源县城北7公里的干海乡华力村，未见封土，墓室为长方形，用人工打制石条砌成。该墓早年被盗，仅剩铜量器1件、五铢钱8枚。

简报推断，该墓为西汉晚期墓葬。

1508.四川昭觉县发现东汉武职官印

作　者：毛瑞芬、邹　麟

出　处：《考古》1993年第8期

1986年3月，凉山彝族自治州昭觉县四开区农民在四开抵颇尺一带拾到17方铜印。从现已收集到的来看，都呈正方形，边长2.5厘米、厚0.8厘米、通高2厘米。瓦纽。每方重约50克。印文为阴刻，有"军司马印"1枚、"军假司马"13枚、"军假侯印"3枚。简报配以照片、拓片予以介绍。

据介绍，"军司马印""军假司马""军假侯印"均是东汉时期的武职官印。昭觉县已发现不少东汉墓葬及遗物。值得注意的是，1977年夏，于四开抵颇尺山上发现十余座人工夯筑而成的大土堆（见《昭觉四开区考古见闻》，载《凉山彝族奴隶制研究》1979年第1期）。通过对该地进行试掘，发现了汉代建筑群的遗迹，大量的汉瓦残片堆积物及汉砖砌成的铺地砖（或墙基）。还在该地拾到不少的铜铁箭镞，铜弩机残件及铁锄沿口等。根据试掘情况，初步认定该地是1处汉末的军屯遗址。抵颇尺山顶周围人工夯筑的大土堆可能是当时的望哨台（或烽火台）。而现在又在这一带拾到东汉武职官印，它与该地发现的军屯遗址无疑是有紧密关系的。据调查，在抵颇尺山仍有东汉墓群分布（大多已残毁）。因此，这些铜印有可能就是这一带东汉墓葬中的遗物。

1509.西昌出土东汉永和元年铭文双鱼洗

作　　者：西昌市文管所　张正宁

出　　处：《四川文物》1993 年第 4 期

1992 年 8 月，西昌市东郊、邛海北岸凉山电视台基建工地挖出 1 组汉代青铜器，经西昌市文管所现场勘察和清理，确认这里是 1 处汉代窖穴。简报配以照片等予以介绍。

据介绍，窖穴以北 20 米为西昌至昭觉公路，东、西、南 3 面为开阔的农田。附近汉晋砖室墓密聚，其东 2 公里许有 1 座大型汉代聚落遗址——大坟堆汉代遗址。窖穴距地表深 1 米许。穴中集中埋有东汉青铜器 3 件，其中 1 件为永和元年（136 年）铭文双鱼洗。此外，还有釜、簋各 1 件。洗与釜重叠放置。除簋之圈足稍有破残外，余皆完好无损。简报称，西昌这次出土的铭文双鱼洗，其铭文特点是：在纪年和造作人姓氏之后缀一"工"字，没有产地。这在大渡河以南以及云贵高原的"西南夷"地区尚属首见。永和元年为东汉顺帝刘保的纪年，即公元 136 年。产地何处，这是值得探讨的问题。简报推测此次出土的铭文双鱼洗极有可能为邛都当地所产。

1510.四川西昌东坪汉代冶铸遗址的发掘

作　　者：四川大学历史系考古专业、西昌市文物管理所　林　向、张正宁等

出　　处：《文物》1994 年第 9 期

东坪遗址位于四川省凉山彝族自治州西昌市南 40 公里的黄联关区东坪村一带，在川西南山地金沙江水系安宁河中游东岸。这里属于横断山地区南北"民族走廊"的一部分，自古以来为巴蜀通南中及中国通东南亚各国的要道。这里古代为邛都夷故地，西汉武帝元鼎六年（前 111 年）设越巂郡，治邛都县（今西昌市）以后，得到全面开发。东坪遗址自 1976 年以来陆续有所发现，1980 年 10 ~ 12 月，考古人员对东坪遗址进行了联合发掘。经调查，东坪遗址范围约 2 平方公里，地面可见冶铸遗迹 50 多处，分为 9 个集中发掘区。发现汉代冶铸用土石炉 11 座、作坊遗迹 3 处，清理汉代砖室墓 2 座，调查了阿土村古遗迹与白云岩古矿洞。发现了大量的炼渣（以 10 万吨计）、矿石、木炭及炉衬、耐火砖、风管、坩埚、铜锭、陶范、陶器、铜镜、铜镞、铜刀、铁器残片及五铢钱等。简报分为：一、地层与年代，二、遗迹类型与推断，三、结语，共三个部分。有照片、手绘图。

据介绍，东坪遗址面积甚大，炼渣厚积，炉群布列，规模较大，应属于汉代郡国铸钱工场。两汉严禁民间私铸钱，而对地方政府铸钱则禁弛不定。东汉早期似并

未禁绝郡国铸钱。且东坪遗址出土的铜锭上有"越"字铭文，即越嶲郡花押，故此处在东汉早期仍然是郡国铸钱的手工业作坊。东坪遗址居住的是内地来的移民，他们带来了传统的冶铸技术和生活方式，虽然入境随俗，有所变异，但基本上形成了与周围民族环境不同的社团聚落。

1511.四川省昭觉县出土的汉代画像砖石

作　者：俄比解放

出　处：《考古与文物》1994 年第 3 期

四川昭觉境内近年来屡有汉代画像砖石出土，砖为长方形、楔形、条形子母榫多种。画像砖以侧边画像和正面画像为主。侧边画像砖主要用来构筑墓壁，正面画像砖主要作铺墓底用。画像内容有菱形几何、五铢钱币、"四灵"、"轺车"等多种。简报配以拓片予以介绍。

据介绍，昭觉出土的汉代画像砖石有四灵画像砖、轺车画像砖、柿蒂纹画像砖、古建筑画像砖、麟凤画像砖等 14 种。所介绍的画像砖石是在昭觉境内的竹核、俄尔、附城和四开东汉砖室墓里出土。这些地区都为适于农耕，水源丰富，地势平坦，气候较为暖和的地带。根据画像砖石旁出土的铜器、铁器、陶器器形来看，简报推断昭觉画像砖石的时代为东汉初至东汉末，个别画像砖晚至六朝。

简报称，刻绘制作昭觉汉代画像砖石的是无名作者，都是汉代物质生活和精神文化生活的生动写照，形象具体地描绘了汉代社会的各个方面，具有较高的历史、科学、文化、艺术价值。

1512.凉山州西昌市东坪遗址第二次发掘简报

作　者：四川省文物考古研究院、凉山彝族自治州博物馆、西昌市文物管理所
　　　　任　江、胡昌钰

出　处：《四川文物》2006 年第 1 期

继 1988 年对东坪遗址第 1 次发掘之后，2004 年底，考古人员对遗址进行了第 2 次发掘。发掘清理出房址、炉址、沙坑、沟、灰坑等多处遗迹，出土可复原的陶罐、陶网坠、石料、铁刀、铁锸等遗物，充分证明了此处遗址为汉代冶铸遗址。简报分为：一、地层堆积，二、遗迹及层位关系，三、遗物，共三个部分。有照片、手绘图。

据介绍，第 2 次发掘共清理出 24 处遗迹，其中房址 3 处、炉址 5 座、沙坑 4 个、

沟 5 条、灰坑 7 个。发现陶罐、陶钵、陶甑、陶网坠、板瓦、印纹砖、石料、铁刀、铁锸等遗物。简报称，此次发掘所获资料无疑对丰富东坪汉代冶铜铸币遗址的认识起到重要的作用。

1513.四川西昌市杨家山一号东汉墓

作　者：四川凉山彝族自治州博物馆　刘　弘、姜先杰、唐　亮等
出　处：《考古》2007 年第 5 期

马道镇位于西昌市南约 8 公里，地处安宁河东岸的一级台地上，成昆铁路从北向南穿镇而过。铁路东侧的杨家山是汉代墓葬集中分布的地区，部分汉墓至今封土尚存。1996 年 9 月 13 日，在杨家山辟地建厂时，发现了一批汉代砖室墓。凉山彝族自治州博物馆闻讯后，随即组织人员对其进行了抢救性清理。发掘工作从 1996 年 9 月 13 日开始，至 9 月 23 日结束，共清理东汉单室砖墓 5 座，编号简称 M1 ～ M5。除 M1 外，其余 4 座墓在早期均已遭到严重破坏。简报分为：一、墓葬形制，二、出土遗物，三、结语，共三个部分对 M1 的清理情况加以介绍。有彩照、手绘图、拓片。

据介绍，该墓为长方形单室砖墓，墓底平铺一层花纹砖，券顶。根据残迹推测，原来应有木棺。墓室内未见人骨。出土遗物，以铜器数量最多，陶器次之，还有少量铁器、铜钱和金饰。墓葬的年代，简报推断为东汉中期。

简报称，出土遗物中有 2 件五铢钱叠铸铸件。叠铸技术在战国已经出现，秦汉时期应用日广，已应用到铸钱上。此次出土的五铢钱叠铸铸件说明采用叠铸技术铸钱的工艺已经推广到了边郡地区。

另外，虽然四川出土的摇钱树比较完整的已有 10 余株，但大多发现于东汉晚期的墓葬中，杨家山墓中出土的摇钱树应是目前发现的年代最早的摇钱树之一。有不见于其他摇钱树的图案。

简报指出，西昌地区汉代砖墓不下"数百座，仅在杨家山一地就发现 20 多座"，但大多被盗或被破坏，像此墓如此完整的东汉砖墓，尚不多见。

1514.四川凉山州昭觉县好谷乡发现的东汉石表

作　者：凉山彝族自治州博物馆、昭觉县文管所　刘　弘、陈　娜
出　处：《四川文物》2007 年第 5 期

凉山州昭觉县好谷乡两次发掘出土汉代石刻 11 件，其中石表 2 件，内容为东汉

当朝公文摘要。还有石碑2件、底座、石条、石羊等。在石刻出土处发现有3处卵石铺就的方形基础。石表、石碑上有"光和四年""初平三年"等纪年,简报断定其时代为东汉晚期。据这批石刻文字内容可推测,东汉末年成都至邛都的主要通道已由牦牛道改为经过好谷的"更由安上"之道。简报分为:一、工作过程,二、地理位置与环境,三、石表、石碑、石阙残破基础遗迹,四、碑文考释,五、好谷石刻的功用、年代及名称,共五个部分予以介绍,有手绘图。

据介绍,石表与石碑发现于昭觉县四开区好谷乡好谷村,西距好谷乡政府约2公里,东北距昭觉县城约13公里。1983年2月,考古人员在昭觉县四开区好谷乡发现了一批东汉石刻。1988年6月和12月考古人员对石表发现地进行了2次发掘,除将1983年发现的光和四年(181年)石表等石刻重新发掘出来外,又新发现东汉初平二年(191年)石表1通和部分残石构件,还发现了石刻的基础遗迹。2001年6月,四川省文物局拨给专款,由凉山彝族自治州博物馆将2通石表和麟凤碑修复,陈列于昭觉县图书馆。2002年12月,四川省人民政府公布昭觉好谷石表为四川省文物保护单位。

贵州省

1515.贵州出土的汉代陂塘水田模型

作　者：贵州省文物考古研究所　赵小帆

出　处：《农业考古》2003年第3期

陂塘水田模型主要出现在两汉时期的南方墓葬中，如湖南、湖北、广东、广西、四川、云南、陕西等地均有出土。贵州在赫章县可乐、兴义、兴仁共出土了4件，均系泥质灰陶，器形保存较好，反映了贵州汉代新出现的农田水利技术：陂塘和水田相连，陂塘既可灌溉又可养殖，水田栽种水稻；陂塘蓄水备灌，旱灌涝蓄，同时兼养各种水生动植物，一举多利。

简报分为：一、贵州出土的陂塘水田模型的具体情况，二、圆形陂塘水田模型出现的原因，三、贵州出土的陂塘水田模型所反映的贵州当时的农业生产技术水平，四、农、林、渔副业齐发展促进了农业生产力水平的提高，五、结语。共五个部分予以介绍，有手绘图。

据介绍，贵州出土的4件陂塘稻田模型，反映了当时已能因地制宜，采用了渠灌法、溢灌法、串灌法等不同的灌溉方法。贵州出土的4件模型中，水生植物有菱角、莲藕、莲籽；鱼类有草鱼、鲤鱼以及陂池自然副产品螺蛳、青蛙等。农业副产品的丰富，必定对提高人们生活水平有很大的意义。简报指出，地处西南的贵州当时由于汉政府强大有力的中央集权统治：对西南夷实施开发、经营、设置郡县、推行"羁縻"政策、采取移民垦殖措施。这些措施使大批的官吏、商人、地主、农民进入该地定居，他们带来了中原先进的文化、科学技术、生产工具等，促进了当地生产力水平的提高：兴建水利设施、修建陂塘、开垦农田、发展农副业。陂塘水田模型的出现是根植于这样的历史背景之下的。

贵阳市

1516.贵州清镇平坝汉墓发掘报告

作　者：贵州省博物馆　陈默溪、牟应杭、陈恒安等
出　处：《考古学报》1959 年第 1 期

　　清镇、平坝两县位于贵阳南面，1954 年，在兴修羊昌河的水利工程中，于金家太坪发现了铜、陶等器物 2 坑，认为是汉代遗物。年底，考古人员前往调查，发现金家太坪及其周围的平庄、老鸡场、新铺、尹关等处均有大型土堆，认为是古代墓群。从 1956 年以来，考古人员先后在清镇县的新桥、琊珑坝、余家桥、放牛坡、牛椑田、张家大山、花园等处，和平坝县的尹关、老鸡场、萧家院、平庄、金家太坪等地，都发现了大批的古墓葬。1956 年、1957 年春、1957 年 12 月至 1958 年 2 月初，先后进行了 3 次发掘。简报分为：一、墓葬形制，二、随葬器物，三、结语，共三个部分。有照片、手绘图。

　　据介绍，第 1 次发掘在金家太坪发掘古墓 2 座，其中 1 座已残破不堪。第 2 次发掘在平坝老鸡场发掘古墓 7 座，大部曾被盗。第 3 次发掘在清镇琊珑坝、苗坟坡发掘以土坑墓为主的古墓 19 座，其中已遭到破坏的不少。3 次共发掘古墓 28 座。除了土坑墓外，还有砖室墓、石室墓。共出土随葬品 300 多件，有陶器、铜器、银器、漆器等。简报据漆器上的铭文判断，这些墓葬应在西汉末到东汉时期，土坑墓最早，砖室墓次之，石室墓最晚。

1517.贵州开阳县平寨清水河崖画

作　者：曹　波
出　处：《考古》1989 年第 6 期

　　1985 年，在黔中腹地开阳县羊场区平寨乡的顶趴寨和大羊坪村附近的峰崖处，发现 2 处崖画遗迹。经考古人员对该崖画的四次调查及省内其他崖画地点的考察，初步认为，开阳清水河崖画为目前贵州境最丰富、成画年代最早的 1 处崖画遗迹。简报分为：一、题材内容，二、作画技巧，三、与其他崖（岩）画比较，共三个部分。有手绘图。

　　据介绍，平寨崖画，位于乌江支流清水河的三级阶地切割部位的峭崖上部，距

下面村寨的垂直高度约 300 米。崖画分布于大岩口和小岩口 2 个崖壁上，东西相距约 600 米。均以赭色平涂绘制而成。开阳崖画中众多的骑马图，表现出马与人的密切关系。马不仅是交通工具，还是富裕的表现。太阳纹图形表现出古人对太阳的崇拜，而大部分的太阳纹的象征意义，实际上是铜鼓。

开阳崖画在绘画技巧上采用平涂绘制方法完成，这种原始的模仿，使得画面里的图像形态给人的视觉感受是比较粗糙、散乱、古拙，而无透视感、立体感及一定的整体布局构思。

简报认为，开阳崖画的族属和时代存在三种情况：其一，为战国至汉以前夜郎地区的濮系民族的作品；其二，为汉至晋宋时期僚系民族的某一支所作；其三，与僚之后裔——唐宋时出现的仡佬、水族等民族有关。三者偏向于谁，还有待于今后更深入的综合研究和绝对年代测定。根据目前已掌握的资料，简报比较倾向于开阳崖壁画出自汉代夜郎地区的僚人之手。

六盘水市

遵义市

1518.贵州习水县东汉崖墓

作　　者：贵州省文物考古研究所　张合荣

出　　处：《考古》2002 年第 7 期

1994 年 2 月，习水县土城镇范家嘴村村民在赤水河岸边的崖壁上修建乡村公路时，发现 2 座东汉崖墓（编号为 M1、M2）。考古人员闻讯前往调查时，这 2 座墓葬已全部被毁，村民炸开墓室，将随葬品取出毁坏，后来仅收回 3 块封门砖、1 件环首铁刀、2 枚铜五铢钱和一些碎骨。同年 3 月，在土城镇的赤水河两岸进行了调查，在袁家坳、儒维 2 地又发现并清理了 2 座破坏严重的东汉崖墓，分别编号为 M3 和 M4。墓葬的有关情况，简报分为：一、墓葬形制，二、随葬品，三、结语，共三个部分予以介绍，有手绘图、拓片。

据介绍，墓葬结构较为简单，由墓道、墓室和墓龛等部分组成，墓室均为单室，弧形顶。这 4 座墓葬都遭到严重破坏，出土随葬品不多，主要有陶器、铁器、装饰品及铜五铢钱等。墓葬的时代，简报推断应为东汉中晚期或稍晚。

简报称，这次在该流域首次发现了保存有随葬品的崖墓资料，为我们认识这类墓葬和在该流域进一步开展考古工作提供了重要线索。

安顺市

1519.贵州安顺宁谷发现东汉墓

作　者：贵州省博物馆
出　处：《考古》1972 年第 2 期

1971 年 3 月，安顺县华严区宁谷公社大寨大队第五生产队在铲平土丘时，发现了 1 座坍毁的石室墓。安顺县教育局、文化馆闻讯后即通知考古人员前往清理。简报配以拓片、照片予以介绍。

据介绍，保存较为完整的有铜器、金银器。宁谷发现的这座墓葬，其形制与以往贵州省在平坝发现的汉代石室墓基本上是一致的。墓中所出的铜壶、铜洗、铜釜等器物，与清镇、平坝汉墓中所出的大体上也是相同的（以上均见贵州省博物馆《贵州清镇平坝汉墓发掘报告》，《考古学报》1959 年第 1 期）。根据发现的铜壶、铜镜以及"剪轮五铢""綖环钱"等遗物，简报推断此墓的年代约为东汉晚期。

1520.贵州安顺市宁谷汉代遗址与墓葬的发掘

作　者：贵州省文物考古研究所　刘恩元、郭秉红等
出　处：《考古》2004 年第 6 期

宁谷镇位于安顺市南郊，距市区约 8 公里。1976 年秋，贵州省博物馆考古队在安顺宁谷地区清理古墓葬和调查时，分别在龙泉寺、瓦窑堡台地上采集有绳纹板瓦、绳纹筒瓦及云纹瓦当等残件。1990 年冬，贵州省文物考古研究所再次对该地区进行复查，在宁谷镇大寨龙泉寺台地上发现面积约 9 万平方米的汉代遗址 1 处，在其东南约 1 公里处的大寨上苑瓦窑堡台地上发现面积约 5000 平方米的陶窑遗址 1 处，在其东、南及西南的大寨、上苑、龙滩、潘孟、白泥、沙坝、宁谷及跑马地等处发现古墓葬数百座。1990～1996 年，考古人员对龙泉寺遗址和瓦窑堡遗址进行发掘，同时对跑马地被盗的 1 座汉墓进行清理。简报分为：一、龙泉寺遗址，二、瓦窑堡陶窑遗址，三、跑马地东汉墓，四、结语，共四个部分。有手绘图。

简报称，安顺在夏商之前，无史可考。据《史记》《华阳国志》等史籍记载，

安顺在春秋时期为牂牁地，战国、秦汉时期为夜郎所属。汉武帝元鼎六年（前111年）平南夷后，设牂牁郡，安顺隶属牂牁郡。东汉仍沿旧制。晋建兴元年（313年），分牂牁郡，置夜郎郡，郡县同治，安顺地区仍属牂牁镇辖境。从安顺宁谷龙泉寺遗址、上苑瓦窑堡陶窑遗址及数百座汉魏时期古墓葬的分布情况及出土的大量汉代绳纹板瓦与筒瓦、"长乐未央"瓦当、云纹瓦当、车轮纹瓦当、木牍，以及历年清理古墓葬出土的铜镜、铜洗、铜壶、铁镜、铁釜、汉代五铢钱、半两钱及漆器等遗物综合分析，安顺宁谷龙泉寺遗址应是汉代大型的建筑群。简报指出，根据《史记·西南夷列传》等史籍的记载，宁谷龙泉寺遗址很可能属于汉代牂牁郡所在地。这一发现与发掘，为研究贵州汉代牂牁郡的政治、经济、文化以及与夜郎文化的关系提供了极为重要的实物证据。

1521.贵州安顺宁谷龙滩汉墓清理简报

作　者：贵州省文物考古研究所、安顺市博物馆、西秀区文物管理所　张合荣
出　处：《考古与文物》2012年第1期

1994～2007年，先后在安顺宁谷龙滩清理了东汉晚期墓葬4座，其中2座石室墓（M29、M31）、2座砖室墓（M30、M32），皆为带甬道的单室券顶结构，被盗严重，墓内残存少量随葬品。M31墓道内发现祭祀遗迹。简报分为：一、墓葬形制，二、出土遗物，三、结语，共三个部分。有手绘图。

据介绍，砖室墓与石室墓均为带甬道的单室券顶墓。简报称这一带清理的汉墓，墓室结构虽不复杂，且墓葬严重被盗，但墓内残留遗物如铜灯、铜釜、铜洗、铜马、铜摇钱树等造型精美，其墓主非一般平民，有可能是官吏或富家大族一类。年代为东汉晚期。

铜仁市

1522.贵州省松桃出土的虎钮錞于

作　者：贵州省博物馆考古组　李衍垣
出　处：《文物》1984年第8期

1962年2月，贵州省松桃苗族自治县长兴区木树乡出土錞于5件、残钲1件、残甬钟1件。除其中1件錞于残损过甚，未能保存外，其余都由贵州省博物馆征集收藏。

简报配以照片、手绘图予以介绍。

据介绍，木树乡隔河与湖南花垣接界，离县城约 35 公里。这批文物出土在一个地势较高的山坡上，距地表深约 20 厘米，堆放无序，未发现葬具和墓坑痕迹，可能是 1 处窖藏。其中 2 件虎钮錞于的年代为战国，另 2 件为西汉中期以后，应属崇拜白虎的巴族遗物。

1523.贵州沿河洪渡汉代窑址试掘

作　者：贵州省博物馆考古队
出　处：《考古》1993 年第 9 期

1989 年夏，在配合乌江彭水电站水库淹没区文物考古调查中，考古人员发现汉代墓葬 10 余座、窑址 5 座、明墓 3 座，并对窑址进行了试掘。简报分为：一、地理位置及保存概况，二、窑址形制，三、出土遗物，四、结语，共四个部分。有照片、手绘图。

据介绍，洪渡镇位于贵州东北部的沿河县城北 70 余公里处，镇东与四川彭水辖地隔江相望。该镇周围分布着大量汉代砖、石室墓与窑址，还有不少明代墓葬。汉代窑址位于该镇附近乌江西岸，共 5 座，仅发掘了 2 号窑 1 座。窑顶、窑门已破坏无存，残存窑壁、火膛、烟道，窑床、排水沟保存较好。残窑东西长 3.62 米，南北宽 2.72 米，窑壁残高 1.5 米。火膛、窑床、窑壁、排水沟、烟道连成一整体，均用细泥掺细砂拍实，内抹光。因长期使用，致使窑体坚硬，呈青灰色。出土遗物有陶器、砖瓦、瓦当等。该窑址的烧造年代，简报推断为东汉。

毕节市

1524.贵州赫章县发现的汉砖

作　者：居举朗斓、金　仁
出　处：《考古》1964 年第 8 期

1958 年 6 月，考古人员在赫章县距可乐区政府约半公里的老街附近，发现了一些古代的绳纹瓦片和回纹砖。在当地一些房屋的墙壁上，也常嵌有古代的花纹砖，上面印有人物、马车、牛车等图案。到区政府后面的坡上去观察，得知这些砖出自一些古代墓葬，在离地 1 米处即见到墓室的砖顶。在已残毁的墓底土层中捡到 6 枚五铢钱和 3 片残铜片、铜环，还有不少陶器残片。据可乐区可乐乡农民余洪章讲：五十多年前他们发现过 1 座古墓，在铺地砖上还遗留有朱漆的痕迹，墓里还有一些铜钱和几个"泥菩萨"（大约是陶俑）。

简报认为，根据墓砖的花纹和采集到的五铢钱等遗物，简报认为，可以断定这些是汉代的墓葬。

1525.贵州赫章县汉墓发掘简报

作　者：贵州省博物馆

出　处：《考古》1966 年第 1 期

考古人员于 1960 年 11 月中旬到 1961 年 1 月中旬，在赫章县可乐区发掘了 7 座古墓。这 7 座墓均有封土，大小不等，除墓 5 外，其余 6 座均遭到严重破坏。简报分为：一、清理经过及地理环境，二、墓葬形制，三、画像砖，四、随葬器物，五、结语，共五个部分。有拓片、手绘图。

赫章县属毕节专区，可乐区在该县的西北方，距赫章县城 40 多公里。可乐区还有 1 个遗址，位于麻腮河和青稞河汇合处的一个台地上，墓葬便在遗址西边约 1～1.5 公里的地方。这个台地当地人称之为"徭人堡"，有成群的古墓，考古人员选择其中的七座进行了清理。

据介绍，这 7 座墓中除 1 座（墓 7）因扰乱过甚而墓形已无法辨认外，其他 6 座墓的墓形可分 3 种：1 是铲形单室土坑墓 1 座（墓 5），2 是铲形单室砖墓 4 座（墓 1、2、4、6），3 是铲形双室砖墓 1 座（墓 3）。出土遗物有陶俑、五铢钱、画像砖等。这批墓葬的年代，简报推断为东汉时期。

1526.贵州黔西县汉墓发掘简报

作　者：贵州省博物馆　唐文元等

出　处：《文物》1972 年第 11 期

考古人员于 1972 年 3 月，在黔西县林泉区野坝、罗布垮等地，发掘了汉墓 7 座，其中 4 座曾被盗，简报分为"墓葬形制和结构""随葬器物""结语"共三个部分，重点介绍了劫余的 3 座。有手绘图。

据介绍，计有土坑墓 1 座、砖室墓 1 座、石室墓 5 座。应为东汉中、晚期墓葬。所附"贵州黔西汉墓总表"，列举其墓型、葬式、出土遗物等，颇有价值。

1527.威宁中水汉墓

作　者：贵州省博物馆考古组、威宁县文化局　李衍垣、何凤桐、程学忠、万光云、
　　　　严进军等

出　处：《考古学报》1981年第2期

贵州省威宁彝族回族苗族自治县，地处黔西北高原的乌蒙山脉中段，西、南、北3面与云南省为邻。县西北部中水区一带，有一片比较平坦的高原，当地称为"梁子"。中水，又名"高坎子"，东南距威宁县城约100公里，西北离云南昭通县城22公里。这次的发掘地点，地跨中水区的中河、出水两公社，是前河和中河两条小河之间的一条"梁子"，长约2公里。这次沿梁子从东北到西南发掘了3个地点，相隔约1000米。在西南边的张狗儿老包坡上发掘墓葬3座；在东北边的独立树发掘墓葬6座；梨园工区在张狗儿老包和独立树的中间，是这次发掘工作的重点。简报分为：一、地层堆积，二、墓葬形制，三、出土遗物，四、小结，共四个部分予以介绍，有拓片、手绘图等。

据介绍，出水、中河2公社当时人口有1.2万余人，回族约占两公社总人口的74%，此外有彝族、侗族、汉族人，彝族仅占两公社总人口的0.4%。据当地民间传说：在回族进入本地区之前，彝族是这里的主人，后来迁走了。据说这里古代彝族俗尚火葬，现在已改用棺葬，但是与回族不同，彝族没有公共墓地，而是分散埋葬。早在20世纪60年代，中水一带已有新石器时代遗物以及青铜矛、汉代墓葬出土。1977年底，贵州省博物馆售票员以桐同志，在梨园、独立树一带，征集到当地出土的一批青铜器。1978年10月正式发掘。发掘36座土坑墓（有编号者），出土遗物270余件。简报推断以西汉中期墓葬为主，个别早至战国晚期，晚至东汉初年。墓主人当为彝族祖先。

此次发掘的一大收获，是陶器上的刻划符号。简报指出，我国迄今最早的刻划符号，出土于陕西西安半坡、临潼姜寨的仰韶文化中，郭沫若先生曾称它是"中国文字的起源"。当秦始皇统一中国文字成为一个伟大历史潮流的时候，我国边远的一些少数民族地区，仍然保留着某种有别于统一文字的符号，例如四川西昌大石墓陶器上的刻符、巴蜀文化中的"巴蜀图语"、广西平乐银山岭战国墓中的刻符等。上述的考古发现，大多至今未能释读，它们恐与少数民族的"邛都夷""巴人"或"瓯骆"人有关，这说明当中原地区已进入汉文字规范划一的时代，而边远的少数民族地区还存在着一种较原始的本民族的记事符号。威宁中水"夜郎旁小邑"陶器上的刻符，便属于这种性质。贵州自古是多民族地区，过去仅彝族有"彝文"，水族有"水书"。对比之下，中水刻符与彝文形似者甚多，一些符号彝文研究者一眼便能

释读，因为彝文历史悠久，贵州水西彝族地区流传的古代彝文典籍《西南彝志》，已翻译出24卷，还有巨量篇幅正在研究翻译。事实说明，彝文是历史十分悠久和成熟了的文字。这次中水刻划符号的出土，也许能为彝文起源问题的研究，以及现代彝文规范化的工作，提供重要的实物依据。

1528.赫章可乐发掘报告

作　　者：贵州省博物馆考古组、贵州省赫章县文化馆　宋世坤等

出　　处：《考古学报》1986年第2期

可乐位于贵州省赫章县城西约74公里，地处黔西北乌蒙山脉中段。可乐系一坝子，可乐河由西向东横贯其中，河流两岸均系50米左右的小土山，其外群山拱卫。20世纪50年代后期，考古人员曾在这里进行考古调查。1960年底，在此发掘东汉墓葬7座。1976～1978年，考古人员进行了多次调查发掘。简报分为前言、甲类墓、乙类墓、结语等几个部分，介绍了这几次发掘的全部资料，有照片、手绘图。

甲类墓39座，分布在雄所屋基、可乐区医院、赫章县第三中学、营盘、燕家坪子、马家包包。所谓"甲类墓"，系指中原汉式墓。当然不排除部分随葬品系本地仿造，而非来自中原。简报推断年代为西汉昭、宣之后至东汉初期。乙类墓168座，分布于祖家老包、锅落包、罗德成地。所谓"乙类墓"，系指当地土著墓。简报推断年代为战国晚期至西汉早中期。两类墓共出土随葬器物1300多件，汉半两钱、五铢钱和新莽铜钱共5000多枚。

简报称甲类墓绝大多数随葬有兵器，生产工具反倒不多。墓主人主要为汉族男性。简报认为甲类墓墓主人应为军人，或为镇压当地叛乱而来的军人。乙类墓中约40%的墓葬无随葬品，简报认为墓主人为当地土著，疑与古代濮族人有关。墓主人当为该族平民和奴隶。濮族，魏晋以后文献称为"僚人"。出土兵器也不少，证实文献所载"好相杀害"的僚人习俗。

1529.贵州金沙县汉画像石墓清理

作　　者：贵州省文物考古研究所　宋先世、张合荣、顾新民、曹　波等

出　　处：《文物》1998年第10期

1995年3～4月，考古人员在金沙县后山乡清理了1座汉画像石墓。简报分为"墓葬地理位置和形制""画像石刻""结语"，共三个部分予以介绍，有照片、拓片、手绘图。

据介绍，墓葬位于后山乡政府所在地西侧约500米处，四周均为高山，南面为大坡梁埂，翻过大坡梁埂即达乌江，隔江与息烽县相望，西北面为屯坪山，东面为后山，墓葬所在地为一个较为平缓的"坝子"。20世纪70年代，在乌江电站库区文物普查时发现了此墓。墓葬封土堆已被推平，清理时不仅发现盗洞，而且墓室券顶也已不存。清理完墓坑内填土，亦未发现券顶石块，墓葬遭到严重破坏。出土有画像石、石俑、买地券等。简报推断该墓年代大体应在东汉中晚期或略晚。简报称，汉代曾"募徙死罪及奸豪"之人迁往贵州。此墓或许正是反映了这一带的开发情况。

1530.贵州威宁县发现一件西汉铜带钩

作　　者：贵州省考古研究所　唐文元
出　　处：《考古》2000年第3期

1978年10月，贵州省考古工作者在威宁彝族回族苗族自治县的中水区发掘了一批汉墓，其中梨园19号墓出土的鲵鱼形铜带钩，因其取材独特，造型生动，是这批文物中的精品。1995年，经国家文物局全国藏品一级历史文物鉴定，确认为一级文物。简报配以照片、拓片予以介绍。

据介绍，鲵鱼形铜带钩整体造型如鲵鱼匍匐游动状。长10厘米、宽3.5厘米，有铭文。出土鲵鱼形带钩的梨M19，共出土93枚五铢钱，均为西汉武、昭、宣、平帝时期（前140～5年），简报推断梨M19的墓主应是夜郎灭国后由汉廷派往该地的官吏或随之南迁的豪富。

简报称，鲵鱼形铜带钩"日利八千万"铭文的重见天日，不仅加深了这件文物的历史、民族文化内涵，也为贵州汉代考古研究增添了新的内容。

1531.贵州发现的两件铜带钩

作　　者：贵州省文物考古研究所　赵小帆
出　　处：《文物》2000年第12期

贵州省博物馆考古队20世纪六七十年代在威宁考古调查中，采集到两件动物形铜带钩，现藏贵州省博物馆。这两件铜带钩于1995年11月均被国家文物局专家组鉴定为一级文物。简报配以照片予以介绍。

据介绍，镂孔狮形铜带钩，1961年自威宁中水马家采集。长7.1厘米、宽3厘米。带钩整体为一狮子形，尾平直并向前方弯曲成钩，身背面中心铸有圆形钮。狮昂首，耳略长，大眼圆睁，张口，露出尖牙。前腿趴地，后腿弓起，呈行走状。颈部饰菱形纹，颈身交会处有条形纹，身上毛为翻卷的形态，背部似有羽翼。造型生动。属汉代遗物。

飞鸟形铜带钩，1979 年在威宁中水考古调查中采集。长 7 厘米、宽 3.7 厘米。带钩整体为一飞鸟，鸟首向前弯曲成钩，背上中心铸有圆形纽。鸟平展双翅，双腿紧贴腹部，双爪与尾平齐。翅上部饰圆圈纹，中有一横线，近翅尖饰线条形羽纹。为展翅飞翔状。也属汉代遗物。

1532.贵州发现的汉代铜铃

作　者：贵州省文物考古研究所　张　元等

出　处：《考古》2006 年第 3 期

1977 年，考古人员在贵州威宁县观风海镇塘房考古调查过程中征集到几件早年出土的铜铃，造型甚为奇特。当时因缺少参照资料，未予报道。此后，在威宁中水、牛棚、六枝抵簸、兴仁牛场、望谟石屯等地又陆续发现多件造型相似的铜铃（参见贵州省博物馆《威宁中水汉墓》，《考古学报》1981 年第 2 期；《望谟出土的夜郎青铜器》《夜郎研究》，贵州民族出版社 2000 年版；威宁牛棚、六枝抵簸、兴仁牛场铜铃尚未报道），引起考古学界的重视。简报分为：一、铜铃基本情况，二、观风海铜铃的年代和意义。对尚未介绍过的铜铃进行了介绍，配有照片。

据介绍，威宁观风海征集的铜铃有 4 件。其中 3 件为管形耳铃，1 件为柱形纽铃。简报推断年代为西汉中晚期，最晚可至东汉。

简报指出，观风海位于威宁县城西约50公里处，西距云南昭通60余公里，可能属汉代朱提县境。朱提县系汉武帝建元六年（前135 年）设置的犍为郡辖县。据《汉书》《华阳国志》等文献考证，犍为郡中包括朱提在内有5个县原属夜郎。因此，观风海应系古代夜郎境域。这里发现的几件铜铃形制独具一格，装饰图案颇为奇特，具有浓厚的地方特色，所以简报推测它们很可能是夜郎民族的遗物。至于其用途，有人推断为马的饰物，简报认为尚不可下此结论，推测有可能与某种特殊信仰有关。

1533.贵州黔西县汉墓的发掘

作　者：贵州省文物考古研究所、黔西县文物管理所　胡昌国等

出　处：《考古》2006 年第 8 期

黔西县位于贵州省中部偏西，东南距贵阳 100 余公里。自 1972 年 3 月发现汉墓

以来，贵州省博物馆、贵州省文物考古研究所陆续在黔西县林泉区野坝、罗布垮、甘棠乡高坡、熊坡、朝阳大队、绿化乡大海子等地发掘汉墓27座，出土各类遗物数百件，并根据出土遗物判断黔西汉墓的时代为西汉晚期至东汉晚期。2005年5～6月，为配合黔西火电厂施工建设，贵州省文物考古研究所对黔西火电厂建设区域内的汉墓进行发掘，共发掘汉墓1座。简报分为：一、墓葬形制，二、出土遗物，三、结语，共三个部分。有彩照、手绘图。

据介绍，这批墓葬主要分布于甘棠乡红星村瓦松林、三角村杨家寨和城关镇双星村、石园村附近小丘陵的较平缓地带上，多为2～3座墓葬聚集在一起。由于早年盗扰和耕作的破坏，多数墓葬上部已不存。出土遗物多寡不一，多者几十件，少者几件。共120余件，有陶器、铜器、铁器、玉石器等。墓葬按结构可分为土坑墓和石室墓2种。其中土坑墓4座、石室墓6座。土坑墓皆为竖穴，石室墓皆为单室，有的有墓道，墓室内有头箱和边箱。墓葬的时代为东汉中晚期。

简报指出，黔西从地理位置看比较靠近四川，黔西汉墓出土器物和四川汉墓出土器物的形制相似，如虎形带钩、镇墓俑等。因此，这批汉墓的发掘，对研究汉代文化在贵州境内的交流、融合以及发展、传播等都有着重要的意义。

黔西南州

1534.贵州兴义、兴仁汉墓

作　者：贵州省博物馆考古组　熊水富
出　处：《文物》1979年第5期

贵州省博物馆考古组于1975年10月至1976年1月，在兴义县顶效区万屯公社和兴仁县雨樟区交乐公社两地，试掘了12座古墓。简报分三个部分予以介绍，有手绘图、照片、拓片。

据介绍，兴义位于贵州的西南部，气候温和，土地肥沃，为汉族、苗族、布依族、回族等民族杂居地区。这批墓葬，多在小丘之麓。交乐5座墓，集中在公社所在地的背面的松林坡上，附近是1个古代墓地。墓葬分砖室、石室、砖室与石室同冢三类。12座汉墓，因被盗，出土随葬品只100多件。以铜器最多，陶器次之，铁器又次之。此外，还有漆器、银器、玉石器、琥珀、骨制饰件等。简报推断这批墓葬年代，可能在东汉和帝（89～105年）前后，早不过王莽时期，晚可到桓帝、灵帝时期。关于兴M8墓主身份，简报推测可能是当时某县令（长）的妻妾一类的人物。

1535.贵州兴仁县交乐十九号汉墓

作　者： 贵州省文物考古研究所　李　飞等

出　处：《考古》2004年第3期

交乐位于兴仁县雨樟镇东5公里处，北距县城18公里，是一个东西狭长的山间小地。盆地中间溪流纵横，田亩丰腴，南北两侧群山连绵，山地开阔。这一带汉墓分布较为密集，从1975年起，已先后发现汉墓50余座，并对其中19座进行了发掘。十九号墓坐落于坝子中央偏北的一高大土阜上，行政区划隶属长箐村龙树脚一组。土阜平面呈圆形，直径30余米，系由人工堆积而成，它高出周围地面近5米。简报分为三个部分予以介绍，有手绘图等。

据介绍，1999年9月发掘的交乐十九号墓，是一座平面呈"十"字形的多室砖墓，由前、中、后、左、右五室组成。墓中的随葬品主要有陶器、铜器、铁器和琥珀饰等，从出土的陶俑、铜镜、钱币等再结合墓葬形制分析，简报推断该墓年代为东汉晚期。与M6、M7和M8同在一个封土堆下，一坟四墓，可能为家族合葬墓。墓主人应为郡或县一级高级官吏。

简报指出，十九号墓是贵州当时发现的规模最大的汉代砖墓之一，它的发掘为贵州汉墓的研究提供了珍贵资料。该墓结构复杂，墓顶铺设白膏泥和木炭，并与其他3座墓葬同在一个封土堆内，形成一坟四墓的格局，在已经发掘的贵州汉墓中仅此一例。此外，墓中所出陶庖厨俑、说唱俑和牛等，在贵州均为首次发现，弥足珍贵。

1536.贵州贞丰县浪更燃山汉代石板墓

作　者： 贵州省文物考古研究所、贞丰县文物管理所　杨　洪等

出　处：《考古》2013年第6期

浪更燃山石板墓群位于贵州省贞丰县鲁贡镇平乃村坝社组，地处北盘江与坝社河相交处的一片缓斜坡地上，西北距贞丰县城约24公里。该地属北盘江下游，河面开阔，沿河山坡矮缓，墓葬就分布在坝社河北岸的浪更燃山半山腰至山脚一带。

为配合龙滩水电站的建设，2007年1月，贵州省文物考古研究所对贞丰拉它先秦时期遗址进行了发掘。在发掘期间对遗址周边地区进行大范围调查，在北距拉它遗址约3公里处发现了浪更燃山墓地。2007年5～6月，对该墓地进行抢救性发掘，共清理出65座石板墓。其中18座为瓮棺葬石板墓，47座为未见葬具的长方形石板墓。墓葬的时代大致为西汉晚期至东汉早中期。部分墓葬内出土陶、铜、铁、银、

玉等不同质地的随葬品。简报分为：一、墓葬形制，二、出土遗物，三、结语，共三个部分。有彩照和手绘图。

简报介绍说，至今为止，贵州境内石板墓的分布在以贵阳、安顺为中心的黔中地区和以兴义为中心的黔西南地区居多，迄今已发现逾20处墓地。但黔中区石板墓年代偏晚，主要在宋明时期，墓葬形制多样，人体装饰繁缛；黔西南区石板墓年代偏早，约在汉晋时期，墓葬形制单一，人体装饰从简。其中，黔西南区的石板墓当以此次发现的贞丰浪更燃山墓地和兴义万屯老坟山墓地为代表。

简报还指出，长形石板墓的葬式为仰身直肢一次葬，而与其并存的瓮棺葬石板墓为二次敛骨葬。这两种不同葬式的墓葬何以并存于同一墓地，或许可以从实行二次敛骨葬这种特殊葬俗的原因来加以推测。大致有如下几种可能性：一是对"凶"死者采取的一种葬俗；二是对已故亲人的思念，因居址迁移，不忍心抛弃故人，便将其带入新住地二次埋葬；三是宗教信仰或祖先崇拜的一种表现。简报认为第一种可能性较大，并认定当地曾发生过一定规模的战争。

今有李虹先生《死与重生：汉代的墓葬及其信仰》（四川人民出版社2020年版）一书，可参阅。

黔东南州

黔南州

云南省

昆明市

1537.晋宁石寨山出土有关奴隶社会的文物

作　者：云南省博物馆

出　处：《文物》1959 年第 5 期

晋宁石寨山墓葬到现在已经发掘了 3 次，共清理墓葬 34 座，出土文物近 4000 件，而以第 2 次的出土物为最多，正式报告将由文物出版社出版。在第 1 次发掘报告里，曾推测墓葬群的年代约自战国末至西汉末年（见《考古学报》1956 年第 1 期）。这在第二、三次发掘中进一步得到证明，如第 3 次发掘贵妇人大墓 1 座，出土漆器较多，有漆奁 2 套，与长沙出土漆奁很相似；又第 2 次发掘中出土半两钱、五铢钱、西汉镜较多，而均无东汉器物。简报分为七个部分，配以照片，重点介绍了第 2 次发掘所获文物。

据介绍，石寨山第 2 次发掘，6 号墓中出土金质"滇王之印"1 枚，此墓还出土有编钟、玉璧、铜鼎等，可证 6 号墓确为滇王本人之墓。墓葬群所出生产工具共 706 件。其中铜制的 558 件，铁制的 92 件，石制的 43 件，陶纺轮 13 件。铜制工具中铜犁 21 件，最大的重 75 公斤、长 29 厘米、宽 20 厘米。出土遗物中铁器不多，似刚开始使用。反映奴隶劳动的文物，也出土了一些，最明显的是第一次出土的奴隶主监督奴隶织布的模型。这里有 18 个小铜人，其中一妇女，形体较大，坐在中间，全身鎏金，无疑是中心人物。此人背后站着一男人，手握长杆。女主人右边站着 3 人，正在验收或呈验布。左边坐着一人，在案旁保管布。前面一人正和女主人恭敬地谈话，后面 3 人在送食物，有畜腿、鸡、鸭及圆形物，都用盘子捧着，后随小孩两人。女主人对面排着 6 人，低头织布。从这里可以看出：和奴隶主一个装束，头发往后梳，在颈后结成银锭髻的人（本族人），做着轻微的工作；而梳螺髻，披羊皮的人（异族人），做劳苦的织布工作的显然是奴隶。出土有一种矛头，上头挂着铸的裸体俘虏两人，显示战争的目的之一是获取奴隶。

简报称，出土遗物表明当时农业是主业，牛马很多，与中原贸易频繁。从赶街模型看，当时本地的贸易也很繁荣。石寨山文物的主人，简报认为只可能是彝族。

1538.云南晋宁石寨山第三次发掘简报

作　者：云南省博物馆

出　处：《考古》1959 年第 9 期

1958 年冬，考古人员以石寨山为中心进行了第 3 次发掘，经过 32 天的工作，获得出土遗物 400 余件。简报分为：一、墓葬，二、遗址，三、几点认识，共三个部分。有照片、手绘图。

据介绍，第 3 次发掘共清理墓葬 12 座，其中 7 座曾被盗。出土有陶器、铜器、石耳环、陶纺轮等。随葬品中的铜奁、漆奁、漆案、漆耳杯等，具有长沙楚文物风格；而鎏金铜尊、凤纹镜、耳杯，以及用鸡和狗殉葬等，又具有独特的民族风格。年代应相当于中原地区的两汉时期。

1539.云南晋宁石寨山古墓第四次发掘简报

作　者：云南省博物馆　孙太初

出　处：《考古》1963 年第 9 期

1958 年冬，云南省博物馆为了配合当时云南少数民族历史调查组的工作，对晋宁石寨山古墓群作了第 3 次发掘，共发掘了 12 座墓（见《考古》1959 年第 9 期）。1960 年春季，继续进行了第四次发掘，自 4 月初开始，至 4 月下旬结束，共发掘了 16 座墓，获得随葬器物 228 件。简报分为：一、墓葬分布情况，二、墓葬形制和葬式，三、随葬器物，四、结束语，共四个部分。有手绘图。

据介绍，16 座墓都是中、小型竖穴土坑墓，葬式中有俯身直肢葬。出土有陶器、铁器、漆器、石器、玛瑙器。简报推断这些墓葬的年代为西汉中晚期至东汉初叶。

1540.云南安宁太极山古墓葬清理报告

作　者：云南省文物工作队　张增祺、杨天南

出　处：《考古》1965 年第 9 期

安宁县在昆明西南 32 公里，西距易门县 70 公里，南距晋宁 30 余公里，东距滇池 13 公里。四周环山，形成盆地，堂琅川自南向北横贯境内，是昆明通往滇西地区

的必经要道。太极山位于城东南，此次发现的古墓群即在此山的东麓。

安宁是滇池区域的一部分。滇池区域的历史，见于记载的，始自庄蹻之时。西汉初，滇池区域始建郡县。《史记·西南夷传》云：元封二年（前109年）置益州郡属县二十四。其中连然县即今之安宁。东汉时连然仍属益州郡，至蜀汉建兴三年（225年），改益州郡为建宁郡，分建宁、永昌郡为云南郡时，连然属之。安宁太极山自1958年以来，曾多次发现过古墓的随葬器物。1964年，昆明第十六中学又在该地发现了一批青铜器。考古人员7月9日至18日作了一次清理工作。发掘总面积约100平方米，清理墓葬17座。简报分为：一、前言，二、墓葬概述，三、出土遗物，四、几点认识，共四个部分。有手绘图。

据介绍，墓葬分布极为稠密，墓间的距离一般为1～2米，最密的地方，两墓间仅隔0.7米左右。墓葬结构全部为长方形土坑竖穴，无墓道。早期墓计有13座，墓中出土物主要是陶器，有多至26件的（墓12），少的只出2～3件。晚期墓计4座，随葬品以铜器为主，从3件到16件不等。简报推断早期墓的时代为西汉初期，晚期墓为西汉中期。墓主应为中下层人物。

1541.云南呈贡归化东汉墓清理

作　者：云南省文物工作队　浦恩立
出　处：《考古》1966年第3期

1965年8月16日，呈贡县马金铺公社大营生产队发现1座砖室墓，考古人员前往调查。简报分为三个部分予以介绍，有手绘图等。

据介绍，归化位于呈贡县南12公里，在汉代益州郡治附近，是一个小盆地，西向滇池。墓葬发现在归化城北尖山南麓缓坡上，有东西两个封土堆，相距约200米，大小相近。考古人员发掘了东面1个，同一封土堆下有墓1、墓2两墓，可能还有1～2个墓未暴露。墓2曾被盗。出土遗物有陶俑、俑器、石座等。简报推断两墓年代为东汉中晚期。

1542.云南呈贡七步场东汉墓

作　者：云南省博物馆文物工作队　王　涵
出　处：《考古》1982年第1期

七步场村位于呈贡县城东南约3公里处，在七步场村北面，有一高约50米、东西走向的红土山。在山顶南边，有一高出周围地面2米、直径约4米的封土堆。墓室建于堆下深约 5 米的地方。1977 年 2 月发现，清理工作于 2 月 5 日开始，至 12 日结束。简报配以照片、手绘图予以介绍。

据介绍，墓室为砖结构，平面呈"凸"字形，券顶。葬具、人骨已朽。出土陶器、铜器、鎏金铜器等 60 余件。陶器中水田模型、池塘模型不多见。简报推断年代为东汉时期。

1543.昆明呈贡石碑村古墓群第二次清理简报

作　者：昆明市文物管理委员会　胡绍锦
出　处：《考古》1984 年第 3 期

石碑村古墓群系 1973 年发现。1974 年初，云南省博物馆曾在墓地西片掘墓 117 坑。尔后，当地农民大挖圹土建房，使小路东片埂上 30 多坑古墓被挖掘一空。1979 年 11 月，考古人员对东片墓地受影响较大地段进行保护性清理，简报分为三个部分予以介绍。

据介绍，东片墓地俗称大荒地，四周为深沟、土道切割，系坡头二级阶地，面积约 5000 平方米。墓葬皆为长方形竖穴土坑墓，无葬具，随葬品少而简单。依据少数朽骨及葬品分布情况判断，死者多属仰身直肢葬式。这次清理的墓葬，M21 墓壁内掘有龛洞，随葬陶壶 1 件，较为特殊。M13、M17 圹口呈圆形，随葬硬质陶罐，估计属晚期墓葬，简报不叙。共出土随葬器物 415 件。其中，除铜币 200 枚，主要有青铜器、铁器（包括铜、铁合制器和纯铁器）、陶器、玉、石及玛瑙器。1972～1979 年，在石碑村及收购站收回零星出土物件 57 件。简报推断，石碑村墓葬可能属西汉中晚期至东汉早期墓葬。

简报指出，石碑村的汉代居民，不是什么"以血缘为纽带的氏族公社成员中的平民阶层"。1973 年呈贡小松山出土的镌刻隶书"二千石大徐氏"铭文的铜提梁壶，李家山的"李德"印、"黄义"印，石寨山的"胜西"印，石碑村的"田"字铜钺，应当说都是这个时期汉族移居滇池区域的可靠的证据。

1544.云南昆明羊甫头墓地发掘简报

作　者：云南省文物考古研究所、昆明市博物馆、官渡区博物馆　杨　帆等
出　处：《文物》2001 年第 4 期

羊甫头墓地位于云南省昆明市官渡区小板桥镇的大羊甫村，北距昆明市 4 公里，西距滇池 4 公里，处在昆明坝区（小盆地）边缘的第一级缓丘台地上，向东即是连

绵山地，西北有宝象河流过，昆河铁路、昆玉公路从其近旁通过。20世纪70年代，空军部队医院在此基建时，曾零星挖出过一些青铜器。1997年11月，昆明武警边防学校拟在缓丘西半部建一训练场，委托地方单位施工时，施工队发现墓葬，随即进行疯狂盗掘达半年之久。接到百姓举报后，1998年4月，云南省文物考古研究所派人对现场进行了初步勘察，判断这是1处大型墓地。1998年9月底，考古人员在训练场占地范围内进行了发掘，到1999年6月15日结束，历时200余天。共清理滇文化墓葬495座、东汉墓葬29座、明清墓葬7座。因墓地面积较大，将发掘区分为五部分，即北区、中区、南区、西北区和西南区。简报分为：一、滇文化墓葬，二、东汉墓葬，三、结语，共三个部分。配有彩照、手绘图。明清墓葬暂不介绍。

据介绍，昆明市小板桥镇羊甫头墓地总面积4万余平方米，是云南当时发现的最大1处滇文化及东汉墓地。此次发掘面积达10700平方米，共清理滇文化墓葬495座，东汉墓葬29座。滇文化墓葬的时代属西汉至东汉初年，分大、中、小3种类型，均为长方形竖穴土坑墓，葬式以解肢葬、叠葬最具特色。出土随葬品近4000件，以青铜器为主，另有陶器、漆木器、铁器、玉石器等。M113出土的青铜兵器和工具都保留了完整的漆木柲，并出土了造型奇特的漆木祖形器。墓地出土的漆木器色彩鲜艳，图案精美，极大地丰富了滇文化内涵。东汉墓葬的年代，简报推断为东汉中期。简报称，滇文化晚期已进入东汉初期。羊甫头墓地东汉墓葬的随葬品已完全汉式，绝无滇式器物；而滇晚期墓葬虽有了汉式器物，但仍以滇式为主。这似乎表明，汉文化融合滇文化是一个较快的而非渐进的过程。羊甫头墓地的东汉墓还未见东汉晚期的砖室墓，而且仍有提梁壶、釜、盆等大型铜器出现。

曲靖市

1545.云南宣威市发现青铜器等文物

作　者：曲靖地区文物管理所　李保伦
出　处：《考古》1996年第5期

宣威市发现有青铜器等文物。简报分为：一、朱屯村出土器物，二、苏家坡出土器物，共两个部分予以介绍，有照片。

据介绍，出土地点均位于宣威市东山脚下，相距1公里。出土有铜剑、铜锄、铜戈、铜釜及石器、铁斧、五铢钱等。朱屯村出土遗物，简报推断其时代上限为战国中期。苏家坡出土遗物，简报推断其时代上限为西汉宣、平时期。

1546.云南陆良县薛官堡墓地

作　者：中国社会科学院考古研究所、云南省文物考古研究所、曲靖市文物管理所、陆良县文物管理所

出　处：《考古》2013年第4期

薛官堡墓地位于云南省陆良县马街镇薛官堡村，西距昆明100余公里。20世纪60年代以来，薛官堡村民在村西南地势较高处建房、筑坟及耕作时多次发现青铜器等遗物。2005年，云南省文物考古研究所等在此勘探，发现墓葬近100座。中国社会科学院考古研究所与云南省文物考古研究所合作，并联合曲靖市和陆良县文物管理部门，于2012年6～8月对薛官堡墓地进行了首次主动考古发掘。

此次在周家坟和唐家坟两个地点共清理墓葬160余座。周家坟在东南，唐家坟在西北，两者直线距离40余米，中间为现代坟墓和村舍，最初或属于同一片墓地。墓葬均为竖穴土坑墓，墓葬排列有一定规律，大多为西北—东南向，少数为东西向。葬具和人骨保存较差，仅在个别墓葬中发现板灰痕迹，少数墓葬中发现人骨和人的牙齿。近一半的墓葬出土随葬品，各墓所出数量多寡不一，多的10余件，少的仅1～2件。出土遗物主要有铜器、铁器、陶器、玉石器、骨器、玻璃器等。

据介绍，此次铜器出土数量较多，均属青铜器，种类较丰富，有剑、戈、矛、镞、镖、镦、斧、凿、锛、锄、销、扣饰、镯、铃、印章、镜、钱币等。虽然很多器类在云贵高原的土著青铜文化中较常见，但有不少器形为过去少见或不见。如一字格剑均曲刃，且剑身偏瘦，线条感较强。M6还出土1件无格剑，扁茎，近首部镂空，镂孔呈竖条状。这在云南虽有发现，但数量不多。值得注意的是，类似的剑在越南北部等地曾有出土。M20出土一件印章，方形，桥形纽，印文为阴文，从形状看并非汉字，而似某种动物纹饰。云贵高原西南夷土著墓葬中曾出土过少量铜印章，一般刻汉字，像这次出土的非汉字印章以前未见报道。M38出土的一件铜镜直径约6厘米，圆纽，内区饰连弧纹，铸有"见日之光天下大明"铭文。做工精致，背面呈黑色，光亮如新，推测采用了特殊工艺。

此次出土的铁器主要有矛、斧、削等，还有铜柄铁剑等铜铁合制器。有些铁器如锻梁铁斧等明显属汉式铁器，应非当地土著部族制造。出土陶器在组合、形制等方面均具有较为显著的地方特点。罐最多，还有釜、豆、纺轮等。在部分墓坑填土中还发现了石范，均为暗红色砂岩质地，有的体量较大，或用于铸造大件器物。

简报认为，初步判定该墓地是当地1处土著部族的公共墓地。时代应属西汉时期。简报指出，薛官堡墓地与同时期周边文化应当存在一定的联系，薛官堡墓地的发掘填补了"西南夷"考古的地域空白，对进一步研究和完善"西南夷"土著青铜文化

的谱系探索及当时滇东黔西地区土著族群的构成、分布等有重要意义。

简报还得出了一个有趣的结论，认为从出土遗物尤其是铸范以及部分铜器看，当时陆良盆地的土著族群已经使用并铸造铜器，而且达到一定的技术水平。这表明，至迟在西汉时期，陆良盆地的土著居民在经济发展程度上与周边地区大体相当，并不落后。

玉溪市

1547.云南江川李家山古墓群发掘报告

作　者：云南省博物馆　张增祺、王大道等
出　处：《考古学报》1975 年第 2 期

江川县在昆明东南，相距 80 公里；西北距晋宁石寨山 40 多公里。境内有星云湖。李家山位于星云湖的西北，江川县旧城（今江城公社）南约 3 公里的龙街公社早街生产队西边。上山顶眺望东南，江川坝田、星云湖水尽在目中。山下有公路纵贯县境，为滇南各县至昆明的交通要道。当地老人回忆，50 多年前，他们在该山西南坡曾捡到过零星出土的青铜器和斑点饰品，当时李家山大部分地段为草木丛生的荒山坡，人迹罕至，所以古墓葬基本保存完好。1966 年春，农民在李家山坡上修梯田，一部分墓葬遭到破坏。考古人员追回部分出土器物。根据调查的情况分析，确定李家山山顶及其西南坡是密集的古墓区。1972 年 1 月开始发掘。工作分三阶段进行，直至 5 月中旬全部结束，实际工作 60 多天。共发掘墓葬 27 座，出土遗物 1000 多件。简报分为三个部分，配以照片和手绘图予以介绍，目次如下：

前言
墓葬形制
随葬器物
一、青铜器
（一）兵器
（二）生产工具
（三）纺织工具
（四）生活用具
（五）乐器
（六）装饰品

据介绍，这批墓的年代有二：一为西汉武帝以前，上限或可到战国末，这批墓的随葬品大多具有滇文化的地方特点。例如：兵器中的铜狼牙棒，铜啄，刻有羽人、木船的铜鼓，曲柄葫芦笙，铜伞，铜枕，铜贮贝器，浮雕有人物、动物图案的铜扣饰，以及用大量海贝随葬等特点。这些器物及其器形、纹饰都不见于中原地区，说明当时汉文化还未或绝少传入滇池地区。滇池地区接受汉文化主要是在武帝元封二年（前 109 年）"置益州郡，赐滇王印"以后的事。二为西汉中期，下限可能晚至东汉初。本地特色消退，与中原相似的因素增多。至于墓主人，简报推测早期墓墓主人可能是滇王的臣属或同姓相扶的宗族成员。晚期墓的墓主人，从随葬品的种类和数量看，也应是当时的统治阶级人物，是滇王后代继续为官者，也可能是汉朝廷派去益州郡的地方官吏。从同类型扰乱墓中发现的 3 枚汉字铜印，尤其是那 2 枚带有汉人姓名"李德""黄义"的私章的发现表明，当以汉朝廷派去益州的地方官吏的可能性较大。

1548.云南江川县李家山古墓群第二次发掘

作　者：云南省文物考古研究所、玉溪市文物管理所、江川县文化局　张新宁
出　处：《考古》2001 年第 12 期

1972 年，曾对江川县李家山古墓群进行过第 1 次发掘，共清理古墓葬 27 座。1991 年 12 月至 1992 年 4 月，考古人员对李家山古墓群进行了第 2 次考古发掘，共清理墓葬 58 座。1994 年 4 ～ 5 月，又清理 1 座墓葬。1997 年 3 ～ 4 月，清理被破坏墓葬 1 座。所发掘的墓葬的编号均沿袭第 1 次发掘的编号顺序，编为 M28 ～ M86。其中 M59 为两墓相互叠压，分别编为 M59A、M59B。墓葬中出土了大量的随葬器物，其中铜器近 3000 件，铁器和铜铁合制器 340 余件，金、银器约 6600 件，重 9000 多克，玉器约 4000 件，石器 21 件。另外还有数以万计的玛瑙、绿松石、琉璃器、海贝和少量的琥珀珠、水晶珠、蚀花石髓珠等。1991 ～ 1992 年的发现被评为 1992 年"全国十大考古新发现"之一，也是云南继晋宁石寨山、江川李家山第一次发掘之后，古滇文化的又一重要考古发现。

李家山位于云南中部高原盆地中，在昆明南 80 余公里处。北距石寨山滇王墓地约 40 公里，现属江川县龙街镇温泉办事处早街村。简报分为：一、墓葬形制，二、随葬器物，三、结语，共三个部分。有手绘图。

据介绍，第 2 次发掘的 60 座墓，墓葬形制、葬式及随葬器物等都与石寨山古墓群及第 1 次发掘的墓葬相同，属滇文化墓群。墓葬根据层位关系、随葬品的组合变化以及部分器物的演化可分为四期。简报推断：第一期应在西汉中期武帝以前，第二期约为西汉中至晚期，第三期约为西汉晚期至东汉初期，第四期约为东汉前期。

简报称，经两次发掘，表明李家山古墓群延续时间很长，墓群的分布以山脊上的墓葬年代最早，周围地势较低的墓葬则年代逐渐变晚。

保山市

昭通市

1549.云南昭通桂家院子东汉墓发掘

作　者：云南省文物工作队
出　处：《考古》1962 年第 8 期

桂家院子在昭通城东约 2 公里。村子前后有大土冢 10 多座，其中封土最大的 1 座，在封土东部曾露出花砖墓室 2 个，出土有车马人物和双龙形画像砖及几何纹花砖。1960 年 3 月又在封土西部发现墓室 2 个，考古人员于 3 月 13 日至 31 日进行了清理。中部封土还很高大，未作清理，可能里边还有墓室。简报分为：一、墓制和葬式，二、随葬器物，三、结语，共三个部分。有照片、手绘图。

据介绍，这次清理的 2 个墓室，位于封土西部，都是长方形单室。二墓东西并列，中间相距 1 米。一号墓室虽顶部已坍塌，但未遭破坏，随葬品的位置基本上没有移动；二号墓室早年被盗，只剩下少许零星器物，位置大都扰乱。一号墓室是夫妇合葬，葬具系朱漆木棺，已朽，置于墓室后段，2 棺并列，棺底有炭屑及云母片，骨架腐朽无存。从棺内随葬品考察，可能是男东或女西。二号墓室破坏严重，葬式不明。一号墓中出土有环首刀、车马饰、陶器、金银器、摇钱树等近 50 件。二号墓仅出土环首刀、残陶俑、五铢钱等数件遗物。随葬品中摇钱树较有特色。2 墓年代，简报推断均为东汉。

简报称，此地当是汉晋时期"南中大姓"族葬之地。不过内地一般是同一茔地各自为墓，此处为若干墓室埋于同一封土下。简报认为，当地大姓应有相当汉文化水平，证以墓中的礼俗制度，也和内地无异。这次清理的一号墓室，其中有1套比较完全的生活饮食用具，无一不是汉族的东西，这就更加说明了"南中大姓"与汉族的密切关系。

1550.云南昭通县白泥井发现东汉墓

作　者：曹吟葵
出　处：《考古》1965年第2期

昭通县白泥井訾家湾，距县城东4公里。1964年3月发现1座花砖墓室，出土车马人物画像砖等遗物。简报配以拓片予以介绍。

据介绍，该墓系长方形单室墓，由墓门、墓道、墓室等组成，券顶已坍毁，出土有画像砖。出土有铜器13件、金戒指5枚、铁环首刀与铁矛头各1件等。其中尤以1件大铜鸡尊制作精美，造型生动。墓内葬具系朱漆木棺，置于墓室后部，已朽，只剩漆皮及云母片，骨架已腐朽无存。从出土遗物考察，当系夫妇合葬墓。该墓的年代，简报推断为东汉早期。

1551.云南大关、昭通东汉崖墓清理报告

作　者：云南省文物工作队　张增祺
出　处：《考古》1965年第3期

1964年5月12～23日，考古人员对大关、昭通2地的崖墓做了调查和清理。简报分为：一、大关岔河崖墓，二、昭通小湾子崖墓，三、结束语，共三个部分。有手绘图。

据介绍，岔河镇位于大关县东北30公里的深沟里，四周均高山峻岭，洛泽河和关河在此交汇。1964年2月初，在镇南200米处、距河沟10米高的崖坡上，发现一座崖墓。考古人员赶到现场，在距此墓3米处又发现了2座崖墓。出土有陶器、铜器、铜钱等。简报推断为东汉墓。

1964年1月，在昭通西北20公里的小湾子村旁名叫"火干梁"的山坡上，发现了几座崖墓。墓室全部集中在一个长达300米的风化玄武岩的山坡上，距平坝地面10余米。能够确定位置的墓就有60余座，考古人员清理了其中的4座。这4座墓均被盗过，但据出土五铢钱等，简报推断这4墓也属东汉时期墓葬。

简报指出，过去只有四川境内发现过大量崖墓。按大关、昭通 2 地，汉时又同属犍为郡之朱提县。在行政区域上，四川、云南在古代就有密切关系。两省的崖墓虽有很多相同的地方，在地域上也很接近，但它们之间仍有着很大的差别。例如四川崖墓的结构和当地同一时期的砖室墓很接近，有墓道、前后室、铺地砖、封门砖等，随葬器物中也有砖室墓中常见的鼎、壶、罐，杯、案、盘、仓、灶、井，鸡、狗、猪，房楼和各种形象的陶俑。至于云南的崖墓，不仅墓室结构和当地东汉时的砖室墓有区别，随葬品中也没有发现陶家畜模型及杯案之类的东西。

1552.云南昭通发现东汉"孟琔"铜印

作　者：云南省昭通县文化馆
出　处：《文物》1975 年第 5 期

昭通县文化馆最近征集到 3 方一套印（俗称三套印）铜印。母印白文篆书"孟琔之印"，子印白文篆书"孟琔"。从子印中又取出 1 方，白文"伯称"，篆书，笔法近隶，龟纽，印面 0.8 厘米。3 方印层层套合，辟邪纽、龟纽刻工精致，显示了当时手工艺的高度水平。实物现存昭通地区文化馆。简报配以照片予以介绍。

据介绍，为了弄清此印来历，在询问了原收藏者后，考古人员前往出土地点进行调查。据调查所得，该印于 1972 年 4 月在昭通县二平寨"梁堆"内掘获，其他出土物尚有花砖、陶器、铜器残片及锈毁的五铢钱等。值得注意的是：这座"梁堆"与 1954 年发现"孟腾"铜印的汉墓，相距仅 100 米，方向一致（"孟腾"铜印报道见《文物参考资料》1955 年第 6 期，实物现存云南省博物馆）。孟琔字伯称，未见史书记载。将"孟琔之印"与"孟腾"铜印比较，简报推断此铜印当属东汉早期遗物。再从 2 印发现地的地形观察，2 墓前后左右 500 米内，曾有 10 多座"梁堆"，有的在 1949 年前已挖毁，现尚存 4 座。简报初步认为这几座"梁堆"，当是朱提大姓孟氏家族的墓葬。

1553.云南昭通的一块汉画砖

作　者：陈本明
出　处：《文物》1979 年第 7 期

云南省昭通县曾出土 1 块描绘人和牲畜的方形雕画砖，简报配以照片予以介绍。

简报介绍，左边，雕 1 个披了披毡、结了椎髻的夷人牵着 1 头牛。右边的夷人正拿着鞭子抽打 1 匹驴子，驴子挨打后跳起来，回头张开大口，形象十分生动。

《史记·西南夷列传》载：西南夷"皆魋结，耕田，有邑聚。"魋，《汉书》写成椎。魋结也就是椎髻。画中人物的发式与史书记载一致，简报推断这块画砖为汉代文物。

1554.云南昭通东汉墓出土牛头人物出行铜扣饰

作　者：葛季芳、陈本明
出　处：《文物》1981 年第 6 期

1978 年，云南昭通县城西下洒村牛街子生产队挖掘了 1 座汉代砖石墓。墓室已遭破坏，简报配以照片予以介绍出土器物。

简报介绍，出土几何图案花砖、"吉祥富贵"铭文砖，呈梯形。铜釜 1 件，已残。侈口、鼓腹、双耳、圜底，腹下二道弦纹。牛头人物出行铜扣饰 1 件，牛头左角尖部断缺。牛头上部焊铸 1 人骑在马上，头戴帷帽，身无佩饰，双手挽缰。座下马具有鞍、鞯、镳，牛右角上焊铸 1 人，无冠，前额梳成一髻。左提锣，右持棒，似为乘骑者开道。扣饰背面，右侧有一圆形纽，左侧有一倒钩。这件器物可能是佩戴在腹部腰带上的带钩。

简报称，人物、动物形象铜扣饰，在云南晋宁石寨山和滇池以南的江川李家山西汉墓群中都出土过。造型生动，别具一格，反映了古代"滇人"文化的特色之一。

1555.云南昭通象鼻岭崖墓发掘简报

作　者：云南省博物馆文物工作队　王大道
出　处：《考古》1981 年第 3 期

象鼻岭位于昭通县城东 2 公里许，高百余米，属昭通县东进公社永乐大队。该岭北段东坡地势陡峭，在半坡上下有崖墓数十座，分布密集，有的 2 墓间仅隔 10 余厘米。1974 年春造梯地时，发现崖墓多座遭到破坏。考古人员进行了发掘。简报分为：一、墓葬结构，二、随葬器物，三、结语，共三个部分。有手绘图。

据介绍，昭通象鼻岭的岩石为紫色灰岩，崖墓系就岩凿室，先在陡坡上向山腹纵深开一明槽，作为墓道，至岩石深厚处凿出墓口和墓室。此次发掘的 3 座崖墓，M1、M2 为单室墓，M3 为双室墓。葬具、骨架已朽，但未被盗过，出土陶器、铜器、铁器、银器共 75 件。简报推断为东汉崖墓。

1556.云南昭通茨泥巴出土两面汉镜

作　者：陈本明
出　处：《考古》1982 年第 3 期

1979 年 5 月，昭通县上洒渔乐居公社茨泥巴生产队的褐煤厂掘土取煤时，在距褐煤层 0.47 米的表土里挖出了 2 面铜镜和 3 枚"大布黄千"古货币。简报配以拓片予以介绍。

据介绍，2 面铜镜分别为日光镜和星云镜。两镜光亮如新，犹可鉴人。据共出的 3 枚新莽时期的"大布黄千"判断，当为汉镜。

1557.云南昭通出土汉代"人鹿铜座"

作　者：谢崇崑
出　处：《考古》1986 年第 3 期

1984 年 10 月 19 日，昭通地区文物管理所征到昭通市守望公社甘河大队四小队回族农民马贤队送来的"人鹿铜座"1 件。据称，此物是他于城东郊白泥井梁子劳作时所获。白泥井一带，过去称为"梁堆"的古墓葬很多，光绪二十七年（1901 年），著名的汉孟孝琚碑即出土于此，以后又发现不少出土器物，皆为汉晋文物。此"人鹿铜座"造型生动，应是"梁堆"内物，当属汉代文物。简报配以照片予以介绍。

据介绍，铜座系鹿、人分铸后焊接而成，长 21 厘米、高 10.2 厘米，重 650 克。鹿身空心，伏身，昂首，尾上翘，通体饰剔刺纹，并铸大瓣梅花纹样，头上 1 对长耳和枝状犄角。铜人铸实，裸身，粗眉巨眼，额部凸出，高鼻，阔嘴，大耳。顶部铸 1 长方銎。简报推测，铜座顶端似插有摇钱树。古代视鹿为瑞兽，鹿者禄也，与摇钱树相符，象征大吉大利。

1558.云南昭通市鸡窝院子汉墓

作　者：昭通地区文物管理所　游有山、谢崇崑
出　处：《考古》1986 年第 11 期

1982 年 4 月，昭通市白泥井村鸡窝院子的农民，在掘取褐煤表土时发现 1 座汉墓。考古人员赶到时，仅见 1 把铁斧和几枚铜钱。经宣传，收回散失的文物，并对墓葬残余部分进行了清理。简报分为：一、地理位置，二、墓葬情况，三、随葬器物，四、结语，共四个部分。

据介绍,鸡窝院子位于昭通市东郊7公里处。东南面背山,附近的几座小土山上,汉墓分布比较密集,其中有的尚能见到明显的封土堆,著名的汉孟孝琚碑,距此仅1公里。清理的这座汉墓,在1座约500米高的小土山北面山腰处。由于取土,原墓的封土堆和大部分墓圹都被挖去。从残存的部分看,为长方形竖穴土坑墓。墓中填土悉被扰乱,葬具、人骨俱无存。推测葬具为红漆木棺,墓的西壁有1个早年盗洞。据掘取者说,随葬品未被扰乱时,有提梁壶2件,铜洗(釜)8件,分两组放置于墓穴北部,提梁壶居中,四洗(釜)列于周围,成串的钱币在墓中摆成"8"形图案。墓四隅分置陶器和钱币。墓中出土器物较丰富,大部分是从农民手中收回的,少数未收回,还有一些在取土时被破坏。该墓的年代,简报推断为东汉初年。

简报称,墓中的随葬品均为生活用具,多是典型的汉式器物,表明墓主的生活习俗和内地已很接近。另外,墓中用陶鼎随葬,提梁壶与铜洗(釜)作一定组合放置,也与这一时期中原的葬俗相似。昭通自古以来就是云南通向内地的孔道,墓中显示出强烈的汉文化特点,反映了当时中原和云南的密切联系。

1559.云南昭通出土汉代文字砖

作　者:谢崇崐

出　处:《考古》1992年第12期

1986年夏初,考古人员在进行文物调查时,发现1座垮塌的汉墓,旋即进行清理。除埋于土中的部分墓壁砖及铺地砖外,还有近100块带文字的楔形残砖(少数完好),其他器物均未发现。简报配以拓片予以介绍。

据介绍,墓葬距昭通市东郊约3公里段家梁子处,坐落在1个积水的大坑塘边沿。虽然坑内干涸,但因紧靠耕地,土质疏松,致使整个墓葬东向斜滑。从残存的墓壁及铺地砖的情形,可知整座墓都已移位。根据清理简报推测,这是1座顶部由带铭文的楔形砖券拱而成的长方形单室墓。这种带有文字砖的汉墓,在昭通地区属首次发现。

墓壁砖与铺地砖素面无字,大小相同。根据楔形砖的铭文内容,可分两类:拓片1、2是表示对逝者的悲吟之词,拓片3则是反映墓主身份的"吉语"。根据清理,从该墓的形制及其书体诸方面进行比较,简报推断其时代应属东汉早中期。

丽江市

1560.云南丽江石鼓镇出土青铜剑

作　者：木基元
出　处：《考古》1989 年第 10 期

1987 年 7 月，丽江县石鼓镇发现了 1 件青铜剑。空心，扁圆茎，茎两端有平行线纹，中部有交叉线纹，其间密布凸起的乳钉纹，呈喇叭状不甚明显的三叉形剑格中线两侧，对称地分布有 2 个似武士的图像，剑身宽薄，中部有脊。简报配以照片予以介绍。

据介绍，丽江在滇西青铜文化——洱海文化的辐射圈内，所受到的文化影响极为强烈，这件青铜剑即为这一区域内典型器物"山"字格剑的变形，简报推断大致在滇西青铜文化的中晚期，年代约在西汉初年至中叶。

普洱市

临沧市

1561.沧源崖画调查续记

作　者：林　声
出　处：《文物》1983 年第 2 期

此文是《文物》1966 年第 2 期所载《云南沧源崖画》一文的续篇。有照片、手绘图。

据介绍，继上文，又补充了永德海村东北等新的崖画地点。有些画面为前次所未见。例如，斗象、驱象、鱼尾人形、野猪逐人、太阳中人形等，大大丰富了我们对崖画的认识。过去我们认为崖画主要表现狩猎、舞蹈或战争凯旋的场面，现在看来崖画的题材远不止此，大概还包括着当时人们对信仰神祇及神话故事的描绘，以及对他们遇到的一些不平常事件（如象斗、野猪逐人等）的记录。崖画年代应与上文相同，相当于中原地区的汉代时期。

文山州

1562.云南麻栗坡出土人面纹羊角纽钟

作　者：文山壮族苗族自治州博物馆　刘永剑

出　处：《文物》2008 年第 10 期

2001 年 4 月，麻栗坡县文物管理所在该县八布乡的江东村新堡寨征集到 2 件羊角纽铜钟。据调查，2001 年 1 月，村民在修公路时，在距新堡寨 1 公里处的树林旁挖到编钟，共有 4 件，首、腹套叠，呈横卧状。其中 2 件器形较完整，另外 2 件残损严重，而且已佚。编钟出土时，并无其他伴随物。简报配以照片予以说明。

据介绍，2 件铜钟的大小、形状相似，均由羊角纽、器身两部分组成。钟体形似倒扣的深腹钵，合瓦体。钟体上端有用来系挂的竖长方孔，两两对穿。钟顶部向两侧各伸出一角，状似羊角。麻栗坡出土的人面纹羊角纽钟，其时代约为西汉初年。简报认为这是当时的"滇人""百越"自己铸造的。

1563.云南广南出土人面鸟纹铜牌饰

作　者：文山壮族苗族自治州博物馆　刘永剑

出　处：《文物》2008 年第 12 期

1997 年 11 月，云南省广南县阿科乡普圈村一村民上山挖草药时，挖到 1 件铜牌饰，现收藏于文山州博物馆。简报配以照片予以介绍。该器物为青铜铸造，长 28.8 厘米、宽 13 厘米、厚 0.2 厘米。器体扁平，其整体形状像一条鱼。顶端似鱼尾，中央下凹，两端翘起并且向外伸展。两侧壁平直，底部渐收，呈圆弧形。

简报称，此器造型奇特，图案精美，在云南省尚属首次发现。做工精细，属佩戴之饰的可能性更大一些，也许是系在马头正中的当卢。

简报指出，西汉元鼎六年（前 111 年），汉武帝在西南地区设置牂牁郡，辖 17 县，句町为其中之一。从地理位置上看，句町故地应该在今云南省的广南县、富宁县，广西的百色县等地。因此，该铜牌饰可能是汉代生活在句町的先民的遗存。

红河州

1564.云南发现古冶炼遗址

作　者：胡振东

出　处：《文物》1994 年第 5 期

1993 年 5 月，考古人员对个旧市冲子皮坡古冶炼遗址进行了抢救性发掘。在 100 平方米的发掘范围内清理出冶炼炉与烧炭窑各 1 座，还有建筑遗迹等。出土遗物有印纹硬陶罐、原始瓷罐、五铢钱、青铜釜、银镯与指环、铁器（残）、铅锭等。冶炼炉长 5.2 米、宽 2.3 米、残高 0.97 米，顺山势北高南低，有 2 个自然风孔。炉壁上板结炉渣，经化验主要成分为铅与锡。其年代初步断定为东汉时期。该遗址总面积约 200 平方米，尚有待于进一步发掘与研究。

西双版纳州

1565.云南西双版纳勐腊发现石器

作　者：杨　玠

出　处：《考古》1963 年第 6 期

1962 年 1 月，云南博物馆派考古人员前往西双版纳勐腊地方进行工作，发现了一些石器，当即由县文教科组成文物工作小组去调查发现过石器的两个地方。简报配以手绘图予以介绍。

据介绍，在勐腊西面沿公路 22 公里的大树脚附近，出土石器 6 件，有斧、犁、矛等。这些石器出土于南腊河畔的泥沙中，距地表深约 1 米。在公路附近也掘出石斧多件，有 1 件磨光石斧。出土陶罐 1 件，这种陶罐至今傣族还使用。据发现石器的人告知，还出土扁平石斧 1 件。在距地表深约 1 米的地方还发现铁刀 3 把。

简报称，这些石器的发现，为今后开展西双版纳地区的考古工作提供了一些线索，同时也是研究傣族原始文化的一部分实物资料。

楚雄州

1566.云南姚安西教场黄牛山石棺墓

作　　者：姚安县文化馆　郭开云
出　　处：《考古》1984 年第 7 期

1979 年 3 月，姚安县物资局在一项基本建设中，发现石棺墓 1 座，考古人员于 3 月 14 日动工清理，至 4 月 2 日基本结束。简报配以手绘图、照片予以介绍。

据介绍，石棺墓位于距离县城 2 公里的西教场黄牛山麓右侧，白花冲左侧的缓坡上。石棺墓的特点是先挖一土坑，然后再用大石在土坑中支砌墓室。墓室分前后两室。墓石皆为青石，室内无葬具痕迹，人骨零乱，且大都腐朽。随葬器物为陶器，集中置于墓室后部。此外，还有鸡、羊骨，都位于墓室后部的东壁和西壁附近。随葬陶器都是双耳陶罐，均已破碎。陶质有夹砂灰陶和夹砂褐陶两种，手制，火候较低，纹饰简单，仅有绳纹和压印方格纹。有的双耳罐底部有阴线叶脉纹痕。器形能复原和基本能辨认的有 5 件。简报推断，此墓的时代当不晚于西汉早期。

大理州

1567.云南祥云大波那木椁铜棺墓清理报告

作　　者：云南省文物工作队　熊　瑛、孙太初
出　　处：《考古》1964 年第 12 期

大波那公社位于祥云县城东南 30 公里的云南驿坝子内，是 1 个汉族、白族杂居的大村落。1961 年在该村后石头山爆取石材时，于东南面山脚缓坡上发现古墓 2 座。靠西的 1 座已全部毁坏，出土器物有铜牛、铜马、铜钟等数十件，其中收集起来的一部分已由县文化馆保存。靠东的 1 座，只露出木椁的一角，直到 1964 年 3 月 8 日方被掘开，发现其中有铜棺、铜牛、铜钟等遗物，当即取出，经公社党支部通知县文化馆收回保管，考古人员前往清理。简报分为：一、发现及清理经过，二、墓葬结构，三、随葬器物，四、结束语，共四个部分。有照片、手绘图。

据介绍，此墓墓坑系不规则长方形竖井，无墓道。椁室系用长条形巨木叠架，

先用四根长约5米的圆木，略削成方形，平排放于墓底，两侧用同样的巨木各四根重叠于底木之上，是为东西两壁，樟木两头向内对称开出一道宽约50厘米、深约5厘米的榫口，然后将长1.2米、宽约0.5米的短木楔入榫口，重叠至东西壁一样的高度，是为南北两壁，这样就成为一个内宽1.1米、长3.75米、高1.85米的樟室。面上用四根巨木排列，即樟盖。樟外东西壁用密集的木桩排列加固，以防樟壁向外倾圮，两壁最上一层巨木的两头各向外延伸出去，南为1米、北为0.8米，然后用一根横木连接起来，外边再用密集的木桩加固。在这一横木之内与樟室南北两头之间，各加一根大木桩。周围都用灰绿色砂土填塞，由于木樟两头伸出部分已经腐坏，不知这两根大木桩起何作用。整个木樟及木桩外遍涂一层厚约3～5厘米的灰白色膏泥，黏性极强。葬具为一长方形铸铜棺。从随葬器物上看，家畜和家禽模型所占的比例较大，其次则为生活用具和生产工具。生产工具以锄类为最多，一部分有使用过的痕迹，可以证明是实用物；生活用具中有杯、尊等酒器出现，此外还有"干栏"式的房屋模型。这些情况表明，当时已处于比较定居的农业社会。没有发现铁器。简报推断其年代为西汉中期以前。铜鼓、葫芦笙及铜棺上的鹰、燕图案，是地方特色。墓主人可能是《后汉书》中提到的"昆明族"。

1568.云南大理收集到一批汉代铜器

作　　者：大理县文化馆　杨益清

出　　处：《考古》1966年第4期

1964年11月，考古人员在大理县内作了一次文物调查。在洱海东岸挖色、海东2区的鹿鹅山、大墓坪、金梭岛等处，收集到铜器35件，以及陶纺轮、陶网坠等物，并对铜器出土地点作了一些调查。简报配以拓片予以介绍。

据介绍，大理洱海地区出土的这批铜器，铜质、形制、纹饰与祥云大波那铜棺墓中出土的剑、矛等很相似。特别是鹿鹅山所出之剑、矛和大墓坪出土的剑，更为明显。五指山所出的铜剑，与晋宁石寨山所出之铜柄铁刃剑也很相似。简报推断，大理县所收集的这批铜器，应当与祥云铜棺墓同属一个时代，即西汉中晚期至东汉早期。

1569.大理洱海东岸小海岛出土一罐古钱

作　　者：田怀清、杨德文

出　　处：《考古》1983年第9期

1979年3月，大理县海东公社南村生产队在洱海东岸的一个小岛上改土造田，于表土下约 2 米深的地方挖到 1 罐古钱。据现场百姓讲，钱罐系陶质，陶罐高约 12 厘米、口径宽约 5 厘米，陶罐口上盖着 1 块小石板，罐已破碎。这次出土的古钱，有汉五铢、大泉五十、大布黄千、石网坠、陶弹丸等。在同一土层中还出土了成排的木桩，可能是古代人们的居住遗址，这批古钱可能为窖藏之物。简报配以拓片予以介绍。

据介绍，简报推断这批古钱为西汉末年打鱼部落的遗存。简报称，这为我们研究西汉时期大理地区与中原内地的经济、文化交流提供了珍贵的实物资料，并再次证明大理地区自汉武帝设益州郡（前 109 年）下置叶榆县（今大理县）以来，就和中原内地有着频繁的贸易往来。

1570.云南大理大展屯二号汉墓

作　　者：大理州文物管理所　杨德文
出　　处：《考古》1988 年第 5 期

1981 年 12 月，大理市大展屯村一农民在村西 150 米处建房取土时，在地表下 1.5 米深处发现 1 座砖室墓，考古人员前往调查，并于次年 1 月进行了清理发掘。该墓编为大展屯二号墓（一号墓的资料已在《云南文物》第 15 期上发表了简报），墓葬已被盗扰。现将残墓清理情况报告分为：一、墓葬形制，二、随葬器物，三、几点认识，共三个部分。有手绘图、照片。

据介绍，墓由墓道、甬道、前室、后室和东耳室 5 个部分组成。该墓为长方形，早期被盗，修复整理后的陶器 38 件、金属器 20 件。该墓由于早年被盗，毁坏严重，又未发现有明确纪年的遗物，依据墓葬形制和出土文物的特点推断：这次清理的二号墓，时代约为东汉中晚期，墓主人为汉族人的可能性很大。

简报称，该墓出土的明器，以陶仓和水田模型保存较为完好。水田模型形象地表现出农田和水利设计互相配套的真实情景。应该说，它是两汉之际边疆农业生产的一个缩影。

1571.剑川鳌凤山古墓发掘报告

作　　者：云南省文物考古研究所　阚　勇、熊　瑛等
出　　处：《考古学报》1990 年第 2 期

剑川县位于云南省大理白族自治州北部，地处云岭山脉南部，山脉多属南北走向，地势北高南低，主峰雪邦山海拔 4295.5 米。主要平坝（平原）有金华、马登、

沙溪等地。东部的沙溪坝海拔 2095 米，位于县城南 30 公里处。从东山顶俯视，有若展翅欲飞的凤凰，因而命名为鳌凤山。剑川在战国以前无从稽考，西汉至西晋为叶榆县地，东晋、宋、齐为东河阳郡地，唐初为尹州，属鹤庆府，清属肇庆府，民国二年（1913 年）复改剑川县。1950 年剑川县属丽江专区，1956 年改属大理白族自治州。1977 年 8 月，剑川县原沙溪公社红卫大队村民在鳌凤山顶开山取石，发现有铜器、陶器、石器等。确认此处系 1 处青铜文化墓地。1980 年 10 ～ 11 月进行了发掘。

本简报共分为：一、墓地概况，二、土坑墓，三、瓮棺葬与火葬墓，四、结语，共四个部分。有照片、手绘图。发掘简报曾发表于《文物》1986 年第 7 期，有出入的地方以本简报为准。

据介绍，墓葬以土坑墓为主，有217 座。其中有随葬器物的93 座，出土随葬品429 件，以铜质兵器和装饰品为主，陶质生活用具次之，石质生产工具极少。简报推断其年代为战国末至西汉初。瓮棺葬与火葬墓不多，随葬品也不多。简报推断其年代为东汉时期。简报指出，此次发掘的土坑墓与甘、青地区有惊人相似之处，或与氐、羌等民族南迁有关。而火葬墓则是云南省发现的较早的火葬墓。云南地区盛行火葬，是在南诏时期，即唐代。

1572.云南大理市下关城北东汉纪年墓

作　者：大理州文物管理所　杨德文
出　处：《考古》1997 年第 4 期

1990 年 5 月，大理制药厂在大理市下关城北工地施工时，发现 1 座东汉纪年砖室墓。该墓位于大理苍山斜阳峰东麓，坐落在刘家营东北侧的"七堆地"（又名喜鹊堆），墓葬封土一直保留在农田之间。大理制药厂平场时，推土机推毁了墓葬封土、墓道和后室的北壁；墓道与前室间的甬道也在埋设水泥管道挖沟时被切断，部分随葬器物和陶器残片被挖出丢弃。大理州文物管理所得知消息后，于 1990 年 12 月对该墓进行了抢救性清理。简报分为：一、墓葬形制，二、随葬器物，三、几点认识，共三个部分。有手绘图、照片、拓片。

据介绍，该墓为多室砖墓，由墓道、甬道、前室和东西并列的 2 个后室组成。由于该墓早年被盗，多数器物残片集中在前室和西后室短甬道内，东后室内仅出土几片网纹陶罐残片，另因基建施工挖毁双后室北壁和一段甬道，部分遗物残片丢弃，修复部分陶器、瓷器等。该墓出土了4 块纪年铭文砖。"熹平"为东汉灵帝刘宏的第2 个年号，即公元172 ～178 年。简报推断：该墓时代为东汉中后期，墓主为汉族移民。

简报称，2 件房屋模型的发现，为研究早期边疆地区的建筑形式提供了实物例证，同时也再现了祖国汉代建筑的辉煌。

德宏州

怒江州

迪庆州

1573.云南德钦永芝发现的古墓葬

作　者：云南省博物馆文物工作队
出　处：《考古》1975 年第 4 期

1974 年 3 月，德钦县文化馆报告永芝生产队藏族农民在修梯地时发现古墓，出土有大批铜器、陶器。由于大雪封山，无法通行，直至 8 月底考古人员才到该墓地及其周围作了调查与清理。因时隔久远，很多墓葬已改为梯地，只收集到少部分出土文物。尽管数量较少，但对我们了解滇西北雪山峡谷地区的古代文化，仍有一定的参考价值。简报分为四个部分予以介绍，有照片、手绘图。

据介绍，墓葬分布比较分散，在 40 余亩的坡地上，断断续续都有发现。这次清理过完整的墓葬，墓室结构不十分清楚。就残存墓葬观察，墓室多选择在天然的石缝隙中，顺石缝形状砌成墓坑，故多不规则。砌墓室所用的石料，多为未经加工的石板和石块。这次调查共清理了 3 座墓葬：2 座石棺墓，编号 M1、M3；1 座土坑墓，编号 M2。2 座石棺墓均无随葬品，骨架亦成碎片。土坑墓基本完整，就残留骨架看，似为仰身直肢。随葬品有 1 把铜剑和 3 件陶罐，均置于死者右侧，头部有长条形穿孔银饰 4 件。据初步鉴定，死者为 1 位约 50 岁的老年男性。永芝石棺墓的年代，简报推断为西汉早期。

西藏自治区

拉萨市

昌都地区

1574.西藏贡觉县发现的石板墓

作　　者：西藏文管会普查队　郭周虎
出　　处：《文博》1992 年第 6 期

贡觉县在 1971 年修公路、1984 年修砖厂取土时，曾 2 次在城北学校周围发现石板墓葬多座，并出土了较多的随葬品，但均被毁不存。1986 年 8 月，考古人员在该县搞文物普查时，对现存的 1 座残墓进行了清理，出土随葬品 4 件、骨架 1 副。简报配以手绘图、照片予以介绍。

据介绍，墓葬地处马曲河东岸第二级台地上。石板墓被破坏严重，墓葬结构不甚明晰，简报推测为 1 座长方形土圹竖穴双室墓。该墓出土的随葬品有陶单耳环、铜耳环、铁刀等。

简报指出，石板墓葬多发现于川西、云南等地，其时代约在战国秦汉之际（见《考古》1981 年第 3 期《四川巴塘、雅江的石板墓》一文）。这次清理的石板墓结构与以前发现的石板墓基本类同，但形制和出土物都较前进步了些。加之，这里受地域、交通的限制，文化交流比较缓慢，因而这座石板墓的时代可能要比川西、云南一带石板墓的时代稍晚一些。

简报称，在藏东，对石板墓葬进行科学的发掘、清理尚属首次，随葬品的出土为建立西藏古代文化的考古序列，研究藏民族的埋葬风俗等提供了宝贵的实物资料。

山南地区

1575.西藏浪卡子县查加沟古墓葬的清理

作　者：西藏自治区山南地区文物局　强巴次仁、刘世忠

出　处：《考古》2001 年第 6 期

2000 年 4 月，山南地区有关部门获悉浪卡子县贡布乡梅多村牧民在该村牧场所在的查加沟挖出一批金质饰件，考古人员前往该地调查并追缴出土文物。经山南地区文物局工作小组实地调查，确认金质饰件为墓葬出土物，并对该墓进行了抢救性清理，现将调查清理结果简报如下：一、墓葬概况，二、出土遗物，三、初步认识，共三个部分予以介绍，有手绘图。

据介绍，查加沟墓葬是西藏自治区迄今为止经考古发现的唯一出土金器的古代墓葬。墓中金器多为服饰或体饰等实用装饰品，说明墓主应不是一般平民。简报推测墓主可能为部落中的军事首领或其他具有较高身份等级的人物，其社会地位和经济地位与一般牧民有别。根据对墓葬中出土的器物并其他资料的分析，简报推断该墓时代可能早至距今 2000 年前后，似属于西藏"早期金属器时代"的遗存。

日喀则地区

那曲地区

阿里地区

1576.西藏阿里地区噶尔县故如甲木墓地 2012 年发掘报告

作　者：中国社会科学院考古研究所、西藏自治区文物保护研究所　仝　涛、
　　　　李林辉、黄　珊

出　处：《考古学报》2014 年第 4 期

故如甲木墓地位于西藏阿里地区噶尔县门士乡故如甲木寺旁，东距乡政府所在

地 15 公里。2005 年，一辆载重汽车从故如甲木寺门前经过时压塌了一段路面，寺庙的僧人对压塌的洞穴进行清理，发现了木棺、人骨及丝织品、铜器等珍贵文物，证实为 1 座墓葬。2012 年 6 ~ 8 月，考古人员对该墓葬进行了清理，并在邻近地区又发掘了 3 座古墓。简报分为：一、概况，二、墓葬形制，三、随葬器物，四、结语，共四个部分。有手绘图。

据介绍，发掘的 4 座墓葬（M1 ~ M4）均为长方形土坑石室墓，共出土（采集）各类物件 55 件（组）。根据碳十四测年数据，故如甲木墓地的 4 座墓葬年代为距今 1715 ~ 1855 年，即公元 2 世纪至 3 世纪前半，相当于中原的东汉时期。根据卡尔东城址的调查和测年数据，墓地与城址基本同时，简报推测墓葬主人应是卡尔东城址的修建者或使用者，两者之间关系是密不可分的。

林芝地区

陕西省

1577.陕西发现以汉长安城为中心的西汉南北向超长建筑基线

作　者：秦建明、张在明、杨　政

出　处：《文物》1995 年第 3 期

　　1993 年 10 月，陕西省文物保护技术中心文物调查研究室组成调查组，对三原县嵯峨乡天井岸村的古遗址进行考古调查时，发现几组西汉大型建筑群的轴线竟与汉长安城南北轴线相合。调查结果证实，西汉时期曾经存在 1 条超长距离的南北向建筑基线。这条基线通过西汉都城长安中轴线延伸，向北至三原县北塬阶上 1 处西汉大型礼制建筑遗址，南至秦岭山麓的子午谷口，总长度达 74 公里，跨纬度 47′07″。从基线上分布的三组西汉初期建筑遗址及墓葬推断，该基线设立的时代为西汉初期。这条基线不仅长度超过一般建筑基线，而且具有极高的直度与精严的方向性，与真子午线的夹角仅 0.33°。简报分为"基线上分布的建筑遗址""基线之分析""基线延长探测""基线展示的考古价值"等几个部分，配以照片、手绘图予以介绍。

　　据介绍，基线是通过 1 组南北向分布的古代遗址及墓葬发现的，最南端为子午谷，向北依次为汉长安城、汉长陵、清河大回转段、天井岸礼制建筑遗址，计 5 处。南端子午谷位于今西安市南秦岭之中，是秦岭北坡不足 5 公里长的一条短谷，谷口东北 2 公里为子午镇。北端为天齐祠遗址，为祭天处。

　　简报指出，全长近 75 公里的建筑基线，穿越汉长安城等一系列大型建筑，使之构成一套宏伟的建筑体系。作为基线，虽然不同于一般考古学研究对象所具有的物质性，却是一种难以否认的具体存在，可以说是西汉都城一条无形的脊干，是探讨中国古代都城规划思想的重要考古资料。该基线也提供了诸多考古线索，如长安城内引人注目的是宫城面积极大，长乐、未央、北宫等占据了全城的绝大部分面积，另有武库、东西市以及街道等。除此而外，可资利用的面积所余不多，与唐长安城相比，城区似乎只相当于皇城和宫城，所以汉长安城的真正规模，应继续深入认识。从广义上讲，都城外的有关建筑也应归入城市范围，如城西建章宫，供水系统的昆明池工程等，基线将引导我们从更大范围内进行探索，全面认识这一都城政治、经济、军事、文化诸方面的综合规划思想。

西安市

1578.西安北郊新莽钱范窑址清理简报

作　者：陕西省博物馆　程学华等
出　处：《文物》1959 年第 11 期

西安市北郊郭家村农业社在 1958 年 4 月间挖井时发现了古窑址 1 处，陕西省博物馆在同年 11 月间进行了清理。简报配以照片予以介绍。

简报介绍，窑址距离郭家村西北角约 200 米，西距汉长安城玉女门遗址约 400 米。清理时，在地表下 70 厘米处发现了厚 80 厘米的一层汉代残砖瓦片。在地下深 1 米许处露出窑壁的上口，窑的方向为南北向，西壁和门稍被破坏，其他部分保存尚好。出土的器物有大泉五十范、铜环范、刀削残范、车饰残范、残马饰范和其他器范。

简报称，根据出土物，结合我们 1957 年 6 月在咸阳县北安村清理的车饰范窑址情况，简报暂作推断：其一，可以肯定这里是 1 处大泉五十范的窑址；其二，这座窑和其他各范，其时代属于王莽时期，该窑址应当是官营手工业的陶窑。

1579.陕西长安洪庆村秦汉墓第二次发掘简记

作　者：陕西省文物管理委员会　阎　磊
出　处：《考古》1959 年第 12 期

长安县洪庆村，距今西安市东约 15 公里，东临骊山与华清宫相连，西隔灞河与霸陵原遥遥相望。考古人员在这里进行了 2 次重点发掘，第 1 次在 1953 年冬，地点在村之西南部；第 2 次发掘在 1955 年春，除继续 1953 年发掘的地区外，又在村之南部进行发掘（第 2 次发掘的墓号前贯以〇，以资区别）。第 2 次发掘共清理出墓葬 65 座，其中秦墓 2 座，汉墓 55 座，余为唐、宋、元墓 8 座，另作报道。简报分为：一、墓葬的形制结构，二、出土器物，三、小结，共三个部分予以介绍，有照片、拓片。

据介绍，秦墓 2 座，形制略同，为长方形竖井墓道，长条形洞穴墓室，墓室较墓道更为狭窄。汉墓 55 座，有铲头形、日字形、亚字形、刀把形等。出土遗物以陶器为大宗，计 315 件，多为明器。另有陶俑、玉石器等。这些墓葬的年代，简报推断为西汉中叶到西汉末或东汉初。

1580.西安西郊汉代建筑遗址发掘报告

作　者：中国科学院考古研究所　唐金裕
出　处：《考古学报》1959 年第 2 期

遗址位于西安市郊西北，东距玉祥门约 1.5 公里，北距汉代长安城故址约 1 公里，地势略高于周边，中间有一不规则大土堆，当地人称"冢屹嶝"。遗址于 1956 年 7 月为陕西省文管会发现，发现时已因施工遭破坏，1956 年 7 月至 1957 年 10 月，进行了抢救发掘。简报分为：一、发掘经过及地层情况，二、建筑形制，三、出土遗物，四、结语，共四个部分。有照片、折页实测图。

据介绍，由于建筑的木构部分早经烧毁，它的梁架结构无法详细得知，仅就中心建筑的残墙断垣、柱础、围墙、四门、配房与围水沟等的布局位置，对全部建筑体系复原了较完整的平面结构。全部遗址中出土的绳纹板瓦、筒瓦片、瓦当、空心砖、几何纹花砖、五铢铜钱等遗物，都是属于西汉时期的。关于建筑的性质，简报结合《汉书·平帝纪》《三辅黄图》《水经注》等文献记载，认为这是 1 处仪礼性建筑。

1581.西安北郊清理一座东汉墓

作　者：陕西考古所汉墓工作组
出　处：《文物》1960 年第 5 期

1959 年 2 月，西安北郊石碑寨基建时发现 1 座砖室墓。简报分为"墓葬形制""出土文物"共两个部分予以介绍，有照片、手绘图。

据介绍，该墓为砖券墓，由墓道、前室、主室、耳室等组成。墓室中有两具骨架，墓道、墓顶已坍塌，又曾被盗，但仍出土了不少随葬品，大部分为铜器，有铜钱 500 多枚。简报推断该墓为东汉时期的墓葬。

1582.西安东郊韩森寨汉墓清理简报

作　者：陕西省文物管理委员会　屈鸿钧
出　处：《文物》1960 年第 5 期

1956 年 11 月中旬，红光人民公社生产大队在兴修水道过程中在西安东郊约 3 公里的韩森寨村北第二职工医院东院墙外，发现砖室墓 1 座，墓室保存完整。简报配以手绘图予以介绍。

据介绍，此墓是由主室、耳室、墓道组合而成，方向正东西，是 1 个土洞砖券墓。

室内人骨腐朽，只有一些板灰、草木灰及棺钉，在板灰内发现五铢钱9枚。出土器物中，以带绿釉的陶器居多，另有灰陶和一些铜器、铁器。将出土物的形制、纹饰与西安历年来发掘的汉墓资料相比，简报推断此墓可能属于西汉晚期。此墓发现时未经任何破坏，器物出土位置也无丝毫移动，像这样完整的汉代墓葬还是不多见的。

1583.西安三桥镇高窑村出土的西汉铜器群

作　者：西安市文物管理委员会　何质夫
出　处：《考古》1963 年第 2 期

高窑村位于西安西郊阿房宫遗址的北部，东临滈河，北距三桥镇1 公里多，南距阿房宫村不足1 公里。1961 年12 月28 日，高窑村生产队在村西北隅掘土时，发现了一批西汉时的铜器，计有鉴10 件、鼎5 件（有盖的3 件）、钟5 件、钫和铜各1件，共22 件。其中除20 号钟以外，其他均带有铭文。简报配以拓片、手绘图予以介绍。

据介绍，铜器埋藏在1 个平面略呈椭圆形的灰坑内西头。灰坑口距现地表深约0.5 米、东西长7.8 米、南北宽2.2 ～2.7 米、坑深2 米，坑底不甚平整，东部成一斜坡。灰坑表面呈灰黑色，松而软。遗物颇多，主要是粗绳纹板瓦和筒瓦、回纹和方格纹残砖、陶盆（都作平口外折缘，多素面，仅少数略带纹饰）和陶罐残片，又有云纹瓦当3 个、西汉晚期五铢钱1 枚和铁舀刃1 件，还有少量的兽骨和蚌壳。由此证明，这个灰坑与铜器时代相同。埋藏铜器的小坑位于灰坑西端上部，考古人员去调查时，铜器已被农民取出。在距此北边241 米处，又探明夯土台基1 处，东西长143米、南北宽62 米。简报认为，此处可能是上林苑中较重要的1 处宫观所在。铭文中多处提及"上林"可证，铭文中还提及"天汉四年"（前97 年）、"神爵三年"（前59 年）等纪年。

1584.西安市东郊汉墓中发现的带字陶仓

作　者：程学华
出　处：《考古》1963 年第 4 期

西安市东郊洪庆村，1962 年5 月发现了1 座汉墓。墓葬上距地表约9 米，东西向，在墓室前部有1 个盗洞。为券顶砖室，墓室内由于淤泥堆积，清理过程中除发现少许白色棺灰和漆器残片外，仅有绿釉陶仓3 件：其中1 件完整，1 件残破，1 件只有盖子。

这3件陶仓均在盖上分别用墨写道："白米囷""黍粟囷"。按照一般汉墓所出仓数，显然丢失2个。白米囷内残留的白米，颇似今日的糯米。

1585.西安市北郊汉代砖瓦窑址

作　者：唐金裕
出　处：《考古》1964年第4期

1956年3月至11月间，考古人员在西安北郊草滩区阎家寺村之西发掘1处汉代建筑遗址。在遗址的长夯土台南北两端发现汉代砖瓦窑遗迹2座，编号为1、2号窑。简报配图予以介绍。

据介绍，窑建造在略高于一般地面的阶地上，前低后高，在低处向下先掘1个短斜坡道，再掘窑门、火膛、窑床、烟道和窑顶等部分。窑的平面呈一马蹄形状。窑室分火膛、窑床和烟道3部分。根据火膛中遗存的草木灰及木炭渣观察，燃烧的原料系草和木柴。窑内出土的粗、细绳纹筒瓦及粗绳纹板瓦和方砖等遗物，与汉遗址内所出土的遗物相类似；另外，出土有云纹瓦当、三角纹瓦当等。简报推测该窑属于西汉较晚期的窑址。

1586.陕西兰田发现罕见的文物

作　者：韩　伟、王世和
出　处：《考古》1964年第6期

1963年11月，考古人员到兰田县文化馆，在该馆见1陶器，上端凿1孔；高19厘米、底宽11厘米、顶宽6.4厘米、底厚8厘米、顶厚4厘米；一面磨平，一面带有弧度，两侧平直，实心，重约1650克。平整的一面刻划有"将行内者"4字，字体为篆书。据文化馆介绍，此物系1959年修建兰田农机厂时所得。距地基2米以下，发现1座残窑。此物在窑床内整齐地排列了两层，有数十块之多。依出土情况推测，可能是未取完遗留于窑内的。文化馆只拣了数件标本（文字单行或双行排列），其余尽行掩埋。出土地点周围，遍布绳纹陶片，可能为秦汉遗址。

简报称，"将行内者"四字，应为主持烧造者之署名。"内者"当隶属于"将行"。秦置宫官，汉初仍沿袭使用。据《汉书》，景帝中元六年（前144年）此礼宾司改称"大长秋"。由此可知此物之下限当在景帝中元六年（前144年）。此物名称及用途待考，据推测可能为建筑物上的构件之一。

1587.西安任家坡汉陵从葬坑的发掘

作　者：王学理、吴镇烽
出　处：《考古》1976年第2期

在西安东郊白鹿原（即霸陵原）顶的东北地当毛西公社任家坡村之南，有1处大型的西汉陵墓。覆斗形的封土堆现高19米、周长564米，有园址可寻。陵西近原边处有南北向的夯土基一道，当为陵园的西城垣址，西南里许有大型建筑基址。在园内及西坡多有鹅卵石路面、散水及西汉筒瓦、板瓦、云纹瓦当。1966年7月，姜村农民平整土地时，在白鹿原西坡发现彩绘陶俑，考古人员在附近进行探测，在距西垣墙约1000米处发掘土坑47个。坑中以陶棺（汉代称"瓦棺"）、砖栏为藏具，瘗埋着彩绘陶俑、陶罐和马、羊、猪、狗、鸡、鹅、鹤等禽兽骨骼及谷物，显然为该陵从葬之物。简报分为三个部分予以介绍，有照片、手绘图。

据介绍，共发掘完整的从葬坑37个，残坑10个。这些坑多集中而有规则地东西排列为8行，每行少则1个，多则11个。从葬坑里除置有陶棺或砖栏等藏具外，还有陶俑、陶罐、禽兽骨和谷物等从葬品。但诸种从葬品在同一坑中不尽俱全，少者仅有一种，多者数种。遗物中彩绘陶仅42件，十分精致。简报认为，任家坡村南大封土堆，应为西汉孝文皇帝窦皇后陵，在此陵西南2400米处又有1个大封土堆，应为汉文帝母亲薄太后陵。而此次发掘的这批从葬坑，应为汉武帝初年为窦太后死后所作从葬坑。

1588.西安汉城故址出土一批带铭文的铅饼

作　者：考古研究所资料室
出　处：《考古》1977年第6期

1965年3月，西安市西北汉城故址内西查寨大队的地里发现了一批带外国字铭文的铅饼。

据介绍，带铭文的铅饼，共13枚，盛于1陶罐内。另有1件平素无纹的铅饼，作为盖罐子之用。这13枚都是一面凸起，有浮雕的疑似龙形纹；另一面凹下，周缘有一圈铭文。这种铭文，有人曾试作考释（见《考古》1961年第5期第273页）。罐子是灰陶小口平底罐，肩部和腹部有被抹平的绳纹痕迹。底部被凿穿。出土时罐口向下。那件平素无纹的铅饼便盖在穿孔的罐底上。这批铅饼曾经撮要发表过（《考古学报》1973年第2期）。现将盖罐用的1件铅饼，编为1号，其余13枚，编为2号至14号。除1、8、10、12号4枚有残缺外，其余10枚的平均重量为139.6克。经测定1号铅饼可能为中国产，其他的当是外来传入。时代或为汉代。

1589.汉长安城武库遗址发掘的初步收获

作　者：中国社会科学院考古研究所汉城工作队　李遇春
出　处：《考古》1978 年第 4 期

　　武库遗址在今西安市郊区大刘寨村东面高地上，也就是汉长安城内的中南部，东临汉代安门大街，现在已是一片农田。早在 2000 多年前，这里是西汉封建王朝的武库所在地，它的勘察、发掘对研究我国西汉的兵器史和建筑史有着重要的意义。

　　武库是汉高祖七年（前 200 年）修建的，吕雉改库名曰灵金藏。惠帝即位，以此库藏禁兵器，名曰灵金内府。

　　1962 年曾对武库遗址进行过初步钻探，1975 年开始对武库遗址进行勘察和发掘。于 1975 年秋季，1976 年夏季和 1977 年夏、秋季先后进行了 3 个季度的工作。勘察和发掘的主要收获，简报分为三个部分予以介绍，有照片。

　　据介绍，武库遗址的勘察，特别是通过第一和第七遗址的发掘，对武库遗址形制、布局有了初步了解。从第一与第七遗址发掘的情况看，武库遗址属于两组建筑，内隔墙以东第一、二、三、四遗址是一组建筑。在东围墙中部有一门通往安门大街，内隔墙以西第五、第六和第七遗址是另一组建筑。武库遗址规模相当大，简报推断武库是在王莽末年战争中被焚毁的。以后，这里一直废弃不用，历经东汉、魏晋直到北朝时期都是如此，这和过去发掘的汉长安城直城门的情况相同。到了隋唐时代，长安城已移至汉城的东南方，这里就属于唐代禁苑的范围以内了。

1590.汉初平四年王氏朱书陶瓶

作　者：唐金裕
出　处：《文物》1980 年第 1 期

　　1957 年 8 月 9 日，在西安市和平门外雁塔路东，平整地基时发现几座古墓。其中 4 号墓内出土朱书灰陶瓶 1 件，口部微残，敞口细颈，鼓腹平底，高 17.7 厘米、口径 5 厘米、腹径 16.1 厘米、底径 6.8 厘米。简报配图予以介绍。

　　据介绍，瓶内装有汉白玉石 1 小块，长 3.5 厘米、宽 2 厘米、厚 1～2 厘米。在陶瓶的腹部及腹下部满书朱文，共 18 行，每行字数多少不等，少者 3 字，多者 11字，共计 138 字。在腹下部及接近底部的朱文，笔画多数脱落，但细察所书笔痕，每个字的笔画尚能看得清楚，语句完整。简报录有全文。从陶瓶上的朱文内容得知，死者为尚书令王氏的妻子，母家姓黄，从全文的语气来看，则为其子所书。"初平四年"（193 年）为东汉末。

1591.汉昆明池及其有关遗存踏察记

作　者：中国社会科学院考古研究所　胡谦盈
出　处：《考古与文物》1980 年第 1 期

关于昆明池的历史沿革，故池所在位置，以及池堙被毁时即唐代昆明池的范围等问题，作者在《丰镐地区诸水道的踏察——兼论周都丰镐位置》（《考古》1963年第4期）一文中已有详论。至于汉代昆明池的范围，及其有关的昆明台（或称豫章台）、"牛郎""织女"二石像、白杨、细柳观、宣曲宫等遗存的应在位置，该文都未加具体分析的讨论。《踏察》发表后不久，还发现个别地方，所指观址位置有不确之处，如豫章台的所在地望。简报分为：一、汉代昆明池，二、汉昆明池旁诸遗存，共两个部分，就上述问题作些补充介绍和论述。作为《踏察》的续篇，有手绘图。

据介绍，简报认为黄盛璋先生划定的汉昆明池水位置及其流向，与考古发掘情况不尽相符。简报还介绍了汉昆明池旁众多离宫、别馆遗存——昆明台、豫章观、牛郎织女石像、细柳观、宣曲宫等。

1592.阿房宫区域内的一个汉代建筑遗址

作　者：西安市文物管理委员会　李家翰
出　处：《考古与文物》1980 年第 1 期

在西安市西郊阿房宫村以北约 200 米处，曾经清理过 1 处建筑遗址。清理以前，这里是一片平整过的土地，上面有几个平整土地时留下的土柱。以后，考古人员发现此遗址形制颇为特殊，为研究阿房宫地区汉代建筑提供了新的材料。简报配以照片、手绘图予以介绍。

据介绍，整个建筑物原貌应是：南部是一高台建筑，向北，通过中部夯土，进入此环带状建筑的东部，然后顺此坡道，走到西部地面。此环带状建筑物乃是夯土台的 1 个上下通道，简报疑此即古代所谓"复道"的 1 种形制。此处遗址，简报怀疑是与汉代"南宫"关系密切的 1 处建筑，或者就是"南宫"的 1 个组成部分。

1593.陕西户县的两座汉墓

作　者：陕西省考古研究所　禚振西
出　处：《考古与文物》1980 年第 1 期

1972 年 11 月，在陕西户县朱家堡和县城医院，各发现汉墓 1 座，考古人员进行了清理。简报分为：一、墓葬形制，二、随葬器物，三、小结，共三个部分。有手绘图等。

据介绍，朱家堡汉墓，位于户县县城东南 10 多公里的终南山角。砖券墓室，阶梯墓道。墓室由前、后两室构成。随葬品有铜器、铁器、陶器及五铢钱等数十件。其中随葬镇墓罐上有朱书，简报录有全文。户县医院汉墓为土洞式墓穴，墓口距地表 1.1 米。土洞已塌陷，土洞壁因基建施工被破坏。尸骨与棺板亦朽烂，墓穴中仅有 4 件随葬陶器。陶器上有朱书文字，简报录有全文。

简报称，朱家堡汉墓出土陶器上朱书有阳嘉二年（133 年）纪年。户县医院墓，简报推断为东汉晚年墓。简报称，两墓均为下层贫农墓，但均有朱书镇墓瓶出土，可见关中地区道教流行程度。

简报还提到，关中地区过去曾清理过大批的汉代墓葬，其中有明确纪年的汉墓并不多。但这些墓的发掘清理，简报没有器物图，仅有几张照片图版，局限性大，对系统地了解和研究汉代墓葬的分布和发展并无太大帮助。

1594.汉南陵从葬坑的初步清理——兼谈大熊猫头骨及犀牛骨骼出土的有关问题

作　者：陕西省考古研究所　王学理
出　处：《文物》1981 年第 11 期

1975 年 6 月，西安市郊区狄寨公社张李大队在白鹿原（即霸陵原，当地称狄寨原）上修蓄水池时，于汉南陵附近发现长方形小坑数座，有陶俑及动物骨骼出土。考古人员随即进行了踏查和清理。简报分为：一、从葬坑清理简报，二、大熊猫头骨和犀牛骨骼的现况及其在我国生存史上的踪迹，共两个部分予以介绍，有手绘图等。

据介绍，西汉薄太后死后葬于南陵，此次发掘的丛葬坑 20 座，位于南陵西北 200 米处。从葬物包括动物、陶俑、陶罐等。小型动物因骨骼已腐朽，不可辨识其种属，大型动物则见有犀牛、大熊猫、马、羊、狗。熊猫头骨 1 具，出自第 3 号坑。犀牛骨髓，出自第 20 号坑。简报认为大熊猫和犀牛，都应是中国所产，不应是从国外运来的。

1595.临潼县出土西汉和新莽钱模

作　者：李美侠
出　处：《考古与文物》1981 年第 4 期

1975 年以来，陕西临潼县出土了西汉和新莽时期的铜质钱模 6 件，质地较佳，铸造精细，保存完整。简报配以拓片予以介绍。

据介绍，共计6件：1为"五铢"钱模1件，1980年11月出土于城关公社芷阳村东河沟中。2为"大泉五十"钱模1件，1975年出土于晏寨公社晏寨村东壕中。3为"货泉"钱模2件，1976年1月出土于马额公社赵家村东。4为"货布"钱模2件，1976年1月出土于马额公社赵家村东。

简报称，以上6件钱模，除"五铢"钱模为武帝时期外，其余5件全是王莽时期的。"五铢"钱模，从模面文字看，"五"字交叉两笔，上下近似垂直，"铢"字的"金"字傍仍为三角形，"朱"字笔画方折，字文比较清晰、整齐，时代当是汉武帝后期。

1596.西安东郊三店村西汉墓

作　者：朱捷元、李域铮

出　处：《考古与文物》1983年第2期

1982年3月，在西安东郊红旗公社三店村附近的基建工地上，发现了西汉时期的竖穴形土圹墓葬1处。施工单位随即向有关部门作了汇报。考古人员前往现场调查了解，协助清理，并收集出土文物。简报分为：一、墓葬情况，二、出土器物，三、结论，共三个部分。有照片。

据介绍，该墓坐落在西安东郊白鹿原西南端第五层台地上。墓室距地表深10米左右，呈正方形，每边宽7.6米。此墓的形制为竖穴形，墓室的棺椁四周皆积炭，随葬器物放在棺椁的两侧。器物以铜器居多，并以钟、钫、薰炉、温酒炉、灯等为主，伴随有武器如剑、刀、戟、矛、弩机等，铜器居多。其中有4件西周晚期的铜罍，1件春秋晚期的蟠螭纹铜钟。放置在棺椁两侧，其他随葬器物放置在墓室的东部。墓中出土的龟纽印中的"工许"2字，当为墓主人的姓名。墓中殉葬的铜目，为汉墓出土文物中较为特殊的一例。此墓葬时代不会晚于西汉宣帝、昭帝以后。

1597.1982～1983年西汉杜陵的考古工作收获

作　者：中国社会科学院考古研究所杜陵工作队　刘庆柱、李毓芳

出　处：《考古》1984年第10期

杜陵是西汉宣帝刘询的陵墓。文献记载，刘询当了皇帝以后，于元康元年（前65年）春，以杜东原上为初陵。

据介绍，杜陵位于陕西省西安市雁塔区曲江乡三兆镇南。陵区范围向南和东南至长安县大兆乡东伍村和甘寨村，东到铲河西岸，北至马腾空村，西至三兆镇村，

其间东西宽 3 公里、南北长 4 公里。

考古人员于 1982 年秋对西汉宣帝杜陵开展了考古调查、钻探和发掘。关于 1982～1983 年期间杜陵考古工作情况，简报分为：一、杜陵的调查，二、杜陵陵园东门的遗址，三、杜陵一号建筑遗址，四、杜陵一号陪葬坑，计四个部分。

简报称，秦汉时代，帝陵之园陵建制基本模仿宫殿建筑。陵园设四门，犹未央宫城四面所设 4 个司马门。孝宣王皇后陵在杜陵东南，犹长乐宫在未央宫之东而称东宫。关于杜陵一号建筑遗址性质，简报据《汉书·韦贤传》载，西汉帝陵的寝、便殿方位不见文献详载。东汉诸帝陵的寝殿大多在陵东，如明帝显节陵、章帝敬陵、和帝慎陵等"司马门石殿钟虡在行马内，寝殿园省在东，园寺吏舍在殿北"。一号建筑遗址在杜陵东南，与东汉帝陵的"寝殿园省在东"基本一致。东汉帝陵的这种布局，也许是受西汉的影响。

简报最后指出，寝、便殿在功能上有所区别。参照文献记载，对比一号建筑遗址的形制、布局，简报推断一号建筑遗址应为杜陵陵园寝殿一类建筑。

又，据《文物》2012 年第 12 期，2010 年 8 月 25 日，西安市长安区村民在汉宣帝杜陵陵区王皇后陵家东南约 300 米处，距地面约 0.7 米处的残砖瓦砾堆积层中发现了 3 件玉杯和相连在一起的 1 对玉舞人。这几件玉器出土后被多次非法买卖，西安市公安局文物稽查大队历时 4 个多月破获了此案，并将所有玉器收缴，这些玉器现已收藏在西安博物院。

据介绍，杜陵陵庙遗址出土的 3 件高足玉杯，具有极其重要的意义，它们是西汉宣帝的御用之物，是迄今为止发现的汉代等级最高的玉杯。杜陵陵庙遗址出土的玉舞人也是迄今发现的有明确出土记录、形体最大、等级最高、而且唯一 2 人相连的俏色立体圆雕玉舞人，也是汉宣帝的御用之物，是汉代宫廷最为流行的"翘袖折腰之舞"最生动的写照，也是研究汉代宫廷文化、妇女服饰以及舞蹈史极其珍贵的实物资料。

1598.西安洪庆堡出土汉愍儒乡遗物

作　者：赵康民
出　处：《考古与文物》1984 年第 6 期

1978 年，考古人员在陕西临潼县洪庆、油王和西安的汴家村一带，对秦坑儒地和汉愍儒乡，作了踏查和访问，发现这里灰土层层，秦汉瓦砾遍地。据油王村村民反映，在他们村西北约 100 米、面积达 500 平方米的一块地方，人骨累累，是一片乱葬坟场。在村南约 50 米处，发现很多陶器、陶垫残片，还出土了一批铁工具，此处应是一制陶作坊的遗址。由此向南至洪庆堡，向西至汴家村是居民区，在农田基本建设中曾发现房屋遗迹数处，出土了许多建筑材料。简报分为：一、出土文物，二、愍儒乡名的由来与地望，三、愍儒乡属芷阳县所辖，共三个部分。有拓片、手绘图。

据介绍，出土有铁锸、铁铲、铁链、铁匕首、陶纺轮、陶垫等生产用品，铁锁、铜洗等生活用品。汉初置"愍儒乡"，"愍"与"悯"通，系怜悯为秦始皇所坑之儒的意思。今县西南的韩峪公社有一条山谷名曰马谷，当地人称坑儒谷，此地正好距温汤 20 余里。谷之岸上有一土冢，当地人称之为坑儒冢，坑儒冢北有一村名洪庆堡。该堡名历宋至民国间屡有更改，宋时叫横坑村，清时叫灭文堡，民国叫兴文堡。村名的更迭，反映了当时对焚书坑儒这两件事情鲜明的政治态度。可知秦之坑儒处、汉之愍儒乡、唐之旌儒乡皆为一地，即今洪庆堡一带。

1599.汉长安城遗址发现裸体陶俑

作　者：华　初

出　处：《文物》1985 年第 4 期

1980 年 6 月，西北大学考古专业七七级同学在汉长安城遗址西北部进行调查时，于六村堡东南数十米的菜地中采集到男女裸体陶俑等汉代遗物。简报配以照片予以介绍。

简报称，这一带地处汉未央宫遗址西北，历来多出汉代陶俑、陶范，残品往往堆积路旁池畔。有人认为这里是汉代制造陶俑作坊的遗址。简报根据历年出土情况分析，六村堡一带疑即西汉"作室"所处，即专为皇室服务的官营手工业作坊遗址。采集到的遗物有男女裸体陶俑、陶俑头、陶鸽、陶猪、陶范、陶鹮鸟范等。

简报称，这些陶俑的出土，对汉代历史和美术史的研究，都具有一定的价值。

1600.汉长安城发现西汉窖藏铜器

作　者：中国社会科学院考古研究所汉长安城工作队　李遇春

出　处：《考古》1985 年第 5 期

1981 年 11 月初，西安市未央区汉城公社窦寨村生产队农民平地取土时发现一批西汉铜器，考古队前往现场进行了调查，经了解是 1 处西汉铜器窖藏。为了进一步弄清铜器埋藏的情况，于同年 11 月 19、20 日对出土铜器的土坑进行了清理。简报配以手绘图、照片予以介绍。

据介绍，窦寨村位于汉长安城长乐宫的西北角，南距长乐宫北墙约 430 米，即安门大街以东 100 米、北距清明门大街约 140 米处。

简报介绍说，窖藏铜器坑在窦寨村西，东距窦寨村西墙 6 米。根据西安市三桥镇高窑汉代上林苑遗址出土的西汉晚期铜器及传世西汉桂宫二年行灯，结合陕西咸阳市马泉西汉晚期墓与湖南长沙西汉后期墓出土的铜器及铜器坑内出土 1 枚王莽时货泉，简报推断这批铜器应属西汉晚期。铜器埋藏的时间大体是西汉末年王莽时期，坑内发现 1 枚王莽时期铸造的货泉得到佐证。大概是王莽末年农民战争中宫廷贵族仓促逃亡时埋入地下的。

1601.临潼县博物馆收藏四枚汉印

作　者：林　泊

出　处：《考古与文物》1985 年第 6 期

简报配以照片、拓片介绍了以下几印：

1 为蓼万印，1983 年韩峪公社几个农民在西安第二炮兵学院做工时，发现 1 座汉墓，但墓已被破坏，仅从残存的墓坑中拣回铜印 1 方和纯白透明玉含 1 枚，送临潼县博物馆收藏。铜印印面有文字，印文为篆书阴文"蓼万" 2 字。

2 为别部司马铜印，1982 年韩峪公社一农民在地表拣回，送交县博物馆。此印呈方形，铜质，阴文篆书"别部司马"四字。

3 为蒋子文铜印和蒋文喜铜印各 1 方。这 2 枚铜印是 1979 年新丰镇出土的。蒋子文印呈正方形，篆书"将（蒋）子文印"。蒋文喜印亦为方形，阴文篆书"将（蒋）文熹（喜）印"。据考，蒋子文系东汉广陵（今江苏江都县东北）人，为秣陵（今南京市地）尉，逐贼钟山下，伤额而亡。蒋子文印何以到新丰？不得而知。

1602.临潼出土的汉彩绘陶俑

作　者：赵康民

出　处：《文博》1985 年第 2 期

汉新丰故城东南约 2.5 公华里的新丰原北下，项羽宴刘邦的鸿门坂东侧，是汉代新丰邑人的墓葬区。1982 年，骊山床单厂在此基建，初步探出大小墓葬 100 余座，其中 1 座墓葬内出土彩绘陶俑 5 件。简报配以照片予以介绍。

据介绍，计女侍立俑 1 件、男侍立俑 3 件、骑马武士俑 1 件。简报认为应为西汉文帝时遗物。

1603.汉长安城西北区陶俑作坊遗址

作　者：周苏平、王子今

出　处：《文博》1985 年第 3 期

汉长安城西北区陶俑作坊遗址位于六村堡村东南。遗址面积约为 1.4 万平方米，目前一部分已覆压在现代建筑之下。简报配以拓片、手绘图予以介绍。

据介绍，出土有陶俑、陶动物模型、陶范等。简报认为此处为西汉晚期官营手工业作坊遗址。

简报指出，一般认为，在古代东方的造型艺术中较少出现裸体形象。西汉都城长安陶俑作坊遗址中发现的裸体男女陶俑却使人们看到当时下层社会中民间艺术家对人体的丰富知识。这些裸体陶俑比较准确地表现了人体各部分骨骼和肌肉的组织、位置和标准比例，以充分写实的手法塑造出健康人体的形象。虽然作为随葬品难以摆脱较为冷峻、平板的风格且缺乏个性，然而对于中国古代雕塑史的研究，仍是不可多得的珍贵的实物资料。

1604.我国现存最早的纪年陶壶

作　者：贾麦明

出　处：《文博》1985 年第 4 期

现存西北大学历史系考古文物陈列室的"建元四年长安高"陶壶是我国现存最早的纪年陶器，20 世纪 50 年代初期在长安未央乡出土，出土情况今已不详。简报配以照片予以介绍。

据介绍，陶壶为青灰色，保存完好，通高 23 厘米，肩部有"建元四年长安高"7 字。建元四年为西汉武帝第 1 个年号，即公元前 137 年。此物经专家鉴定，确认为汉初之物。

1605.西安北郊高庙北村出土的一批汉代铜器

作　者：杨　平

出　处：《文博》1986 年第 2 期

1975 年 4 月中旬，考古人员在西安北郊汉城公社高庙大队的村外，发现 1 椭圆形深坑，坑口在耕土层下，长约 2.5 米、宽约 2 米，周壁是沙土，坑内填有汉代绳纹瓦片、木炭、碎砖。在坑的南壁上，发现有漆器残迹，现能看到印留在泥土上的漆皮和朱红色的花纹。漆胎木质部分，已变成炭灰。漆器附近，发现有"货泉"钱币等物。经钻探后，坑的四周无夯土及其他遗迹，坑的底部是淤土，在坑内西壁下出土了铺首弦纹大锅、熏炉、熏炉底座、燕足灯、行灯、车马器、釜、洗、带柄器（暂定）等汉代铜器 18 件，藏于西安市文管会。简报配以拓片予以介绍。

据介绍，现由于坑内同出土有汉瓦片和王莽时的"货泉"钱币，简报推断这批铜器可能是王莽或者东汉初年窖藏的。

简报称，这 4 件汉代量器的出土，为研究我国西汉量制提供并补充了实物资料。

1606.西安北郊发现汉代墓葬

作　者：王长启、孔浩群
出　处：《考古与文物》1987 年第 4 期

1982 年 2 月，西安市北郊大明宫乡刘北村取土时，挖出了一批汉代铜器。这批器物出自 1 个土坑竖穴墓，墓顶和大部分墓室已被挖掉。墓底距现存地表 4.3 米，墓内所有的器物均被挪离原位。此地西距汉长安城墙东南角约 7 公里，根据这里汉墓密集的现象来看，应为汉代 1 个墓葬区。由于墓葬已严重损坏，只对现存残迹进行了清理。残墓结构无特殊现象，墓内填满淤土，出土器物中有些残缺不全，计有铜器、玉器、石器、古钱和残陶片等。简报配以拓片、照片予以介绍。

据介绍，墓葬出土的铜器中，铜鼎、铜钟和铜扁壶（榼）有铭文，从铭文书体笔法和内容看，显然为同时同地所铸造的器物。河间为西汉时的河间国，在今河北一带，于汉文帝二年（前178 年），将赵国划分出领地封为河间国。出土的地点和出土的铜器铭文，说明这些器物属于河间国设在京师的官邸使用的器具（当时各郡及诸侯王在京师都设有邸），后随墓主陪葬。简报认为该墓葬的年代为西汉武帝或略晚一些时期。简报称，这批器物的出土，为研究西汉时河间国的历史提供了实物依据。

1607.蓝田县焦岱镇出土的一批汉代瓦当

作　者：曹永斌
出　处：《文博》1987 年第 5 期

1984 年 8 月，陕西省蓝田县进行文物普查时，于焦岱镇南侧的汉鼎胡延寿宫遗址上采集到一批文物：有铺地砖、五角形下水道、筒瓦、瓦当等。简报配以拓片予以介绍。

据介绍，这批瓦当全部采集于汉鼎胡延寿宫遗址，为汉瓦当无疑。关于"鼎胡"的"胡"字，文献记载说法不一。《史记》《汉书》均作"湖"。考古材料证实应用"胡"。

鼎胡是汉上林苑的一部分，是皇家别宫之一。此次发掘，为进一步揭示汉代上林苑提供了实物资料。

1608.西北大学医院汉墓清理简报

作　者：戴彤心、贾麦明
出　处：《文博》1988 年第 3 期

西北大学位于西安市小南门外大学东路，即西安明代城墙西南角外，是唐原长安城太平坊的所在地。1986 年 1 月 13 日，西北大学基建处在钻探西大医院大楼地基时，发现 1 座西汉晚期砖室墓。历史系考古专业清理了该墓。由于该墓曾被盗掘，墓室中填满淤土。在清理盗坑和淤土中，发现墓中的人骨架被严重扰乱，人骨架的数目与人骨的头向、面向和葬式均不明。随葬器物大部被盗掘一空。简报分为：一、发掘经过，二、墓葬的形制和结构，三、随葬器物，四、其他，共四个部分。有照片、拓片。

据介绍，墓葬由墓道、甬道、墓室和南、北二耳室构成。随葬品仅剩陶罐 1 件、陶豆 1 件、铜钱 4 枚等。简报推断该墓为新莽时期或稍晚的墓葬。

1609.长安县秦沟村清理一座东汉墓

作　者：陈安利、李雪芳、李秀兰、陈　颖
出　处：《文博》1988 年第 6 期

长安县九铺乡秦沟村，位于沪河西岸，长安县与西安市交界附近。1985 年 4 月，该村农民在村南的砖厂取土时，发现 1 座古墓葬。考古人员进行了清理。墓形完整，只是随葬品已被农民取了出来。简报分为：一、位置及墓葬形制，二、随葬品，三、小结，共三个部分。有拓片、手绘图。

据介绍，墓葬为砖室墓，包括墓道、前室、后室、侧室四部分。前室为弯窿顶，后室、侧室及墓道为拱形顶。葬具、骨架均朽。随葬品以陶器为主，还有铜器、铜钱、铁剑等。简报推断该墓为东汉中期墓。

据该村老乡反映，他们刚打开墓顶进入墓室时，从墓底的骨灰来看，至少有 10 个人形：即后室 4 个，两两一排，头向朝东（墓门）；侧室两个，头向朝南；前室南壁"一"字儿排列 2 个，墓道还有 2 个。老乡的话不一定可靠，但从墓里放置 5 面铜镜和墓底尚存的遗骨分析，该墓埋葬人数至少在 5 人以上。即侧室和后室各并列埋葬 2 人，前室南侧埋 1 人。其中后室南侧埋葬的 1 人，随葬有 1 把铁剑和连弧

纹"长宜子孙"镜，估计是该墓的主人，即最早入葬者。而两个铜顶针的发现，说明墓里至少有1个女性。墓室使用时间显然较长，因此东汉中、晚期的东西都有，也就不足为奇了。

1610.汉长安城未央宫第三号建筑遗址发掘简报

作　者：中国社会科学院考古研究所汉城工作队　刘庆柱、李毓芳
出　处：《考古》1989年第1期

1986~1987年，考古队发掘了汉长安城未央宫第三号建筑遗址。该遗址在今西安市未央区未央宫乡卢家口村东100米，位于未央宫前殿遗址西北880米，西距未央宫西宫墙105米。遗址以南6.3米有1条横贯未央宫内的汉代东西大路。未央宫第三号建筑遗址发掘面积9600平方米，共开14个探方。简报分为：一、地层，二、遗迹，三、遗物，四、结语，共四个部分。有照片。

据介绍，从三号建筑遗址的布局和规模来看，它绝非生活起居之处。整个建筑之中南北两排房屋排列整齐，从室内面积看，最大的房子面积215.04平方米，最小的房子室内面积也有109.2平方米。简报认为这些房屋应为官署建筑。三号建筑作为官署，简报根据该遗址内出土的骨签文字内容研究认为，它的主要职能是管理全国各地工官，那些骨签应是各地工官向中央政府"供进之器"的记录。骨签中大量的"乘舆"记载说明，该官署所管辖的各地工官的"供进之器"有相当数量供皇帝使用。三号建筑位于西汉首都皇宫——汉长安城未央宫之内，因此简报认为它属于中央政府或皇室管辖各地郡国工官的官署。

关于未央宫第三号建筑遗址的时代，简报推断它应属于西汉时代的建筑物。三号建筑遗址发掘中，建筑物及其中遗物被火烧痕迹清晰可辨，一些骨签被火焚后与其他瓦片、土块等炼结于一团。简报推测三号建筑可能毁于王莽末年未央宫内的战火之中。

今有刘庆柱、李毓芳先生《汉长安城》（文物出版社2003年版）一书，可参阅。

1611.西安昆仑厂东汉墓清理记

作　者：王育龙
出　处：《考古与文物》1989年第2期

该墓于1987年施工中发现，为一砖构多室墓，随葬品有陶器、铜器、玉石、玛瑙等。为东汉时墓葬。出土的"玉五铢"为货币史上少见的实物。

1612.西安南郊吴家坟汉墓清理简记

作　者：柟　枫
出　处：《考古与文物》1989 年第 2 期

1984 年施工时发现汉墓 3 座，部分随葬品被民工取走，考古人员追回了文物并进行了清理。一号墓应为西汉晚期墓，二、三号墓应为王莽到东汉早期墓。

1613.陕西临潼骊山床单厂基建工地古墓葬清理简报

作　者：陕西省考古所
出　处：《考古与文物》1989 年第 5 期

1987 年发掘，共计战国墓 1 座、西汉墓 4 座、唐墓 2 座、明墓 1 座。其中西汉初期 3 座墓，为我们研究汉初墓葬对秦之旧制的沿用与发展等，提供了宝贵的实物资料。

1614.汉长安城遗址出土大型陶俑

作　者：陈安利、马咏钟
出　处：《文博》1989 年第 1 期

汉长安城西北部一带，一向被认为有汉代的陶俑作坊遗址。20 世纪 50 年代，俞伟超先生曾在六村堡和相家巷一带作过调查，首倡其说。80 年代，又有人在此作过调查，证明俞先生所说不误。厨城门是汉长安北边中间的 1 个门，此处距汉城西北角约 2 公里，以往未曾听说此处有过什么重要发现。1985 年 5 月，西安市汉城乡唐家村村民李腊珠在其村南的自留地掘土时，发现不少陶俑残片及残瓦当等，随即报告了陕西省博物馆。简报分为：一、前言，二、出土物，三、余论，共三个部分。有手绘图、拓片、照片。

据介绍，唐家村约当汉长安城厨城门外，东与曹家堡相邻。陶俑出土处在村南近百米处，出土地东南数十米处残存 1 段高约 3 米、厚约 2 米、长约 3 米的夯土墙，似为汉长安城之残垣。从唐家村南到城墙根一带的庄稼地里，残砖断瓦俯拾即是。据村民反映，20 世纪五六十年代搞农田基建时，曾发现过很多陶俑残片和俑头，惜已倾倒在 1 口枯井中，今枯井已填，踪迹难寻。村民们最头疼的是每年锄庄稼，锄未落下多深，就会碰到残砖断瓦一类遗物，直震得虎口发麻。收集到的陶俑残件经过修复，有 5 件基本完整，计有持盾俑、持物俑两种，另有拱手俑及持盾俑残块未能修复，还有瓦当一类遗物。简报认为这里很可能是西汉前期一处陶俑作坊遗址。

1615.临潼发现汉初平元年墓

作　者：林　泊、李德仁
出　处：《文博》1989 年第 1 期

1987 年 8 月 8 日，陕西临潼县斜口乡高沟村砖厂在取土过程中，发现 1 座砖室汉墓。考古人员进行了清理。简报配以照片、手绘图予以介绍。

据介绍，该墓位于临潼县西 5 公里、斜口镇南的高沟砖厂内，墓为斜坡道砖室结构的"甲"字形墓，已被盗过。劫余出土文物分为铜质、玉质、陶质 3 种，共 43 件。其中 1 件朱书镇墓瓶上有文字 120 余字，简报录有全文，中多缺字。知此墓下葬时间为东汉初平元年（190 年）。

1616.陕西新安机砖厂汉初积炭墓发掘报告

作　者：郑洪春
出　处：《考古与文物》1990 年第 4 期

1986 年，陕西省新安机砖厂在取土过程中发现 1 座大型汉墓。陕西省考古研究所配合基建考古队随即进行了发掘清理。发掘工作自 1986 年 6 月 1 日至 1987 年 5 月 3 日，历时 11 个月。

简报分为：一、地理位置及地层关系，二、墓葬形制，三、随葬品，共分三个部分予以介绍，有手绘图。

据介绍，大墓的整体结构可分为封土堆（已被挖掉）、墓道、门屏、墓室四部分组成。该墓规模宏大，等级较高，但屡遭破坏，出土的随葬品数量较少。随葬品按其质地分为陶、铜、铁、石、木制品等，且多残碎，但成组大型陶牛的发现，在陕西考古发掘中还是第 1 次。另外，骑马武士俑、"裸体"男女侍俑、长袍人俑、陶编钟、石磬等的出土，为研究汉代初期大墓的器物组合及特征提供了新资料。墓中出土的 1 方封泥，篆刻"利成家丞" 4 字，从而确定了该墓的等级应该是列侯级。一陶罐的铭文，说明墓主和刘氏皇室有关。

简报称，这座汉墓虽遭破坏，仍可看出其（墓道长在 20 米以上）埋藏体制。墓道内盛物方箱的出土，再一次证明了"外藏"系统是汉初大墓葬制的一个重要组成部分。墓室内棺椁的分箱形式，无疑是研究汉代京都长安地区丧葬制度的宝贵资料。

同刊同期有《试论汉初"积炭墓"》一文，可参阅。

1617.西安交通大学西汉壁画墓发掘简报

作　者：陕西省考古研究所、西安交通大学　呼林贵等
出　处：《考古与文物》1990 年第 4 期

1987 年 4 月，西安交通大学在新建附属小学教学楼时，发现了 1 座墓葬，在报经国家文物局批准后，由陕西省考古研究所主持与西安交通大学一起组织发掘了此墓，并获得了一批珍贵的西汉壁画艺术资料和 1 幅图画式二十八宿星图天文史资料。简报分为：一、墓葬位置及地理环境，二、墓葬形制，三、壁画，四、出土遗物，五、结语，共五个部分予以介绍，有照片、手绘图。

据介绍，墓葬为正南北向，坐北朝南。由南而北分为斜坡形墓道、东西耳室、主室等几部分。应为一座较完整的中型砖券墓葬。墓葬因被盗掘，遗存文物不多。现有文物依质地可分为铜器、铁器、陶器、玉器、蚌器、建筑材料等。发现壁画是此墓发掘的重要收获。根据出土器物和墓葬形制分析，简报推断此墓的埋藏时间应在西汉晚期，最晚也不超过王莽时代。即在王莽之前的西汉宣、平之间。

简报称，此墓的发现，为中国古代天文史的研究提供了非常重要的图像资料。此墓中墓室顶部、两个同心圆之间绘制的星辰和四神相配的图画式星图，实际就是我国古代的二十八宿与四神图。

今有甄尽忠先生《星占学与汉代社会研究》（中国社会科学出版社 2018 年版）、《西安西汉壁画墓》（文物出版社 2017 年版）等书，可参阅。

1618.长安县南李王村汉墓发掘简报

作　者：负安志、马志军
出　处：《考古与文物》1990 年第 4 期

南李王村位于长安县韦曲镇东北约 1.4 公里处的少陵塬上，村南是东南高西北低的台地，现为七〇六七基建工地。陕西省考古钻探公司钻探证实，此处为汉代墓葬区。1987 年 9 月，考古人员清理了其中的 4 座（编号为 87 韦南 M3 ~ M6）。简报分为：一、墓葬形制，二、随葬器物，三、小结，共三个部分予以介绍，有手绘图、拓片。

据介绍，这 4 座墓形制基本相同，均为长斜坡墓道的小砖券墓。墓室保存完整，均由前室、后室及南北耳室组成。4 座汉墓由于早期被盗扰，随葬器物放置零乱，破损严重。出土器物主要有陶器、铜器、铁器及少量石器。鉴于这 4 座汉墓的形制基本一致，4 墓之间相距的年代也不应太久，简报推断除 M3 可能为东汉中期晚

段墓葬以外，其他均应为东汉晚期墓葬。M5 的随葬器物中，有 1 件朱书陶瓶，朱书中没有明确纪年，但从书文中可以看出墓主人为张姓，由此简报判断这 4 座墓为张氏家族墓。

1619.西安净水厂汉墓清理简报

作　者：陕西省考古研究所配合基建考古队
出　处：《考古与文物》1990 年第 6 期

西安净水厂位于西安市南郊。1987 年在黑河引水工程中，发现大批古墓。经发掘，共清理汉墓 41 座，唐墓 16 座，明墓 3 座，清墓 4 座。关于 41 座汉墓的情况，简报分为：一、墓葬形制，二、葬具，三、葬式，四、随葬品，五、墓葬年代和有关问题，共五个部分。有手绘图。

据介绍，41 座汉墓，按照墓葬形制及随葬器物特征，初步划分为二期。

第一期包括 M35、M36、M38、M39、M40、M41、M51、M55、M65 九座墓葬，都是砖室墓，有竖井墓道的，也有斜坡墓道的。简报推断这批墓的年代在西汉末至王莽时期。

第二期包括剩余的 32 座汉墓。其中 6 座为土洞墓，余为砖室墓。砖室墓的构筑有穹窿顶墓，也有横前堂形式的横券顶墓（M21）。这批墓中多带侧室、后室，合葬耳杯等是常用的随葬品。简报推断这批墓的年代为东汉晚期，个别的墓可早到东汉中期。

简报称，这批墓葬分布集中，从平面布局上看，明显分成几组，可能属于家族墓。这种家族墓群内存在的家庭合葬墓，对了解汉代社会的家庭结构有着一定意义。

1620.汉长安城 1 号窑址发掘简报

作　者：中国社会科学院考古研究所汉城工作队　杨灵山、古　方
出　处：《考古》1991 年第 1 期

1987 年 5 月，考古人员在六村堡东北清理了 1 座汉代陶窑。简报分为：一、窑的形制，二、出土遗物，三、结语，共三个部分，有照片、手绘图。

据介绍，该窑前室、窑门已被破坏，火膛、窑床保存尚好。出土有陶俑、建材、铜器、石器等。简报认为这里是 1 处汉代官窑，主要生产帝陵的陪葬陶俑。使用时代下限是汉武帝时期，使用时间应该比较长。

1621.1984 ～ 1985 年西汉宣帝杜陵的考古工作收获

作　　者：中国社会科学院考古研究所杜陵工作队　刘庆柱、李敏芳
出　　处：《考古》1991 年第 12 期

1984 年至 1985 年夏季，考古人员对汉宣帝杜陵五号、六号遗址，孝宣王皇后陵园东门遗址和杜陵四号陪葬坑进行了发掘。简报分为：一、杜陵五号遗址，二、杜陵六号遗址，三、孝宣王皇后陵园东门遗址，四、杜陵四号陪葬坑，五、结语，共五个部分。有照片。

据介绍，杜陵五号遗址位于宣帝杜陵园东南，西邻杜陵一号遗址（杜陵寝殿遗址），1984 年 2 ～ 5 月进行了发掘。应为杜陵便殿遗址。便殿功能有 3 种：首先，便殿是"休息闲晏之处"。其次，便殿之中保存着皇帝生前的用器衣物。最后，便殿之中要进行一些祭祀活动。便殿的上述 3 种功能，决定了它的建筑布局结构。便殿应该是由小型殿堂（与寝殿比较而言）、储藏室、居室和庭院等多种类型建筑物组成的建筑群体。从五号遗址的平面布局结构来看，它既有殿堂，又有众多的房屋和庭院，还有用于储藏的小房子及窖穴，这些建筑物所反映出来的用途和便殿的功能是一致的。而杜陵六号遗址，应是孝宣王皇后陵的寝殿。而其附近的杜陵七号遗址，经试掘发现颇似杜陵五号遗址布局，只是规模更小一些，应是皇后陵园的便殿。

1622.西安北郊汉墓发掘报告

作　　者：中国社会科学院考古所唐城队　古　方、丁晓雷等
出　　处：《考古学报》1991 年第 2 期

1975 ～ 1989 年，考古人员在发掘唐大明宫和配合基建过程中，先后在西安北郊的铁东村、铁一村、龙首村、联志村和西铁党校等处清理了 18 座汉代墓葬（M1 ～ M18）。这批墓葬分布比较集中，出土地点南距西安城约 1 公里，西北距汉长安城约 4 公里。这些墓葬大多数被盗扰，但出土遗物仍较丰富。另外，铁路三中曾送来 1 座汉墓中的器物，亦附述于此，编为 M19。简报分为：一、墓葬形制，二、随葬器物，三、结语，共三个部分予以介绍。有照片、手绘图。

据介绍，19 座墓中，除 M17 和 M19 形制不明外，M13 为竖穴土圹墓，其余 16 座均为洞室墓。洞室墓由墓道和墓室构成。除 M1 的墓道为斜坡外，其余均为竖井式墓道。根据具体年代简报分为 4 类：一为西汉早期（M13）；二为西汉晚期（M3、M4、M5、M6、M7、M8、M9、M10、M11、M12、M14、M15、M16、M18 共 14 座）；

三为新莽时期（M19）；四为东汉中期（M1）。另外 M2、M17 的年代暂难确定。简报指出，现今西安的北郊地区，也就是汉长安城的东面及东南面，20 世纪 50 年代以来曾发现大批汉墓，但资料报道很少。这批墓葬的发表，为研究这一地区的汉墓增添了新资料。

1623.西安灞桥区政府基建工地汉墓清理简报

作　者：陕西省考古研究所、西安市文物管理处
出　处：《考古与文物》1991 年第 4 期

1990 ～ 1991 年，考古人员在灞桥区政府家属楼工地清理汉墓 4 座、唐墓 10 座，此简报先介绍汉墓。4 墓中仅 M13 为砖室墓，其他为土洞墓，随葬品有陶器、铜器、铁器、石器。时代为西汉晚期到东汉晚期。墓主人可能为中小地主或地位更低一些的人。

1624.西安东郊庆华厂汉墓发掘简报

作　者：李　恭
出　处：《考古与文物》1991 年第 4 期

1990 年当地基建时发现，考古人员进行了清理。该墓为 1 座带斜坡墓道的砖室墓。葬具、葬式不明。随葬品有陶器、铜器、铁器等 26 件，年代应为王莽到东汉早期。

1625.西北国棉五厂 95 号墓发掘简报

作　者：呼林贵、侯宁彬、李　恭
出　处：《考古与文物》1991 年第 4 期

1989 年国棉五厂施工时发现，当年进行了发掘。此墓是 1 个"甲"字形墓，有墓道，早年曾被盗，仅有陶器、铜器、铁器、石器、骨器 37 件。时代应为西汉晚期。墓主身份应与列侯、诸侯王一级相差不大，或为关内侯即郡守一级官员。

1626.西安北郊枣园汉墓发掘简报

作　者：韩保全、程林泉
出　处：《考古与文物》1991 年第 4 期

1990 年当地药厂基建时发现大批古墓，考古人员前往清理了汉墓 51 座。简报分

为：一、墓葬形制，二、随葬器物，三、结语，共三个部分。认为此处以西汉墓为主，也有少数东汉墓。此处墓地，距汉长安城东南角仅约 1000 米。

1627.西临高速公路汉墓清理简报

作　者：程学华、丁保乾
出　处：《考古与文物》1991 年第 6 期

1988 年 10 月至 1989 年 1 月，考古人员为配合西临高速公路建设施工，在临潼县境斜口镇地窑村东南，清理唐朝散大夫董务忠墓时，又于该墓周围发现了汉墓 20 座，一并进行了清理。关于清理的汉墓情况，简报分为：一、地理位置，二、墓葬形制，三、葬具、葬式，四、出土器物，五、结语。共五个部分予以介绍。有手绘图、拓片。

临潼县境斜口镇以西地窑村，属骊山西麓的坂塬地带。塬面平坦，地势开阔。南距秦时芷阳故城 2 公里，西汉文帝九年（前 171 年）置霸陵县时，县址西移，这里变成了当时县城以东稍远的郊区，即临潼县志所说：斜口镇西南 7 里。

据介绍，墓葬形制为竖井洞室与斜坡并存，所有洞室多为平顶，很少起券。出土器物共 463 件。清理的 20 座汉墓中，出土五铢钱的墓计 12 座，共 27 枚。简报推断，这批墓葬应为西汉元帝以来至新莽以前墓。

1628.西安东郊国棉五厂汉墓发掘简报

作　者：呼林贵、孙铁山、李　恭
出　处：《文博》1991 年第 4 期

1988 年 11 月，西北国棉五厂在修建三分厂的基址钻探中发现汉唐古墓，考古人员进行了清理。此次共清理汉墓 2 座（M5、M6），唐墓 4 座（M1、M2、M3、M4）。简报分为：一、墓葬形制，二、随葬器物，三、墓葬年代与墓主身份，共三个部分。配以手绘图，先行介绍 M5、M6 两座汉墓。

据介绍，西北国棉五厂三分厂位于西安城东约 8 公里的浐河、灞河之间的白鹿原上，这里是历代墓葬集中地区，村边、路旁可见唐宋以来遗留的石羊、石马、石经幢等文物。M5、M6 处于同一梯田之上，均东西方向，南北并列，相距 3 米。地表不见封土。两墓平面呈"甲"字形，均由墓道、方圹、墓室、耳室 4 部分组成。为 1 棺 1 椁的中型墓。M5 墓室被盗，随葬器物集中在 3 个耳室内出土，M6 随葬品集中于椁室内，耳室里仅出土铜车马器 1 套。随葬器物有实用器与明器 2 种，按用途可分礼器、兵器、车马器，按质地可分铜器、陶器、玉器、骨器等。简报认为国棉五厂的M5、M6两座汉墓的相对年代应该是西汉早期，下限时间也只能到武帝前期。简报推断M5、M6两座汉墓墓主生前的社会地位大致相当于五大夫级别。

1629.汉长安城2～8号窑址发掘简报

作　者： 中国社会科学院考古研究所汉城工作队　古　方、杨灵山
出　处： 《考古》1992年第2期

1990年春季和秋季，考古队为探明汉城手工业作坊区内陶窑的形制及布局，在城内西北部发掘了7座汉代陶窑，编号为Y2～Y8。简报分为：一、窑址概述，二、窑的形制，三、出土遗物，四、结语，共四个部分。有手绘图、照片。

据介绍，这7座窑位于六村堡乡相家巷村南约80米处，距汉城北城墙约280米，距西面的1号窑约420米。7座窑的形制基本相同。全窑平面呈漏斗形，全长约6米，由前室、窑门、火膛、窑床和烟道组成。陶窑均为半地穴式，在生土中挖成。7座窑的出土遗物主要是陶俑，大多已残断。简报推断7座窑使用时代大约是西汉晚期偏早。

简报称，这7座窑的特点是面积小、结构简单，是专为烧制陶俑修造的。

1630.汉长安城未央宫第二号遗址发掘简报

作　者： 中国社会科学院考古研究所汉城工作队　李遇春、张连喜、杨灵山
出　处： 《考古》1992年第8期

汉长安城未央宫第二号遗址在今西安市未央宫区未央宫乡大刘寨村西180米，位于未央宫前殿遗址北330米，天禄阁遗址南275米。

1980年曾对未央宫第二号遗址进行初步调查钻探，1981年进行复查，同年秋季至1983年春季进行发掘。发掘面积计12392平方米。发掘工作的情况，简报分为：一、地层堆积，二、建筑遗迹，三、出土遗物，四、结语，共四个部分予以介绍。

据介绍，从未央宫第二号建筑遗址布局和规模来看，该遗址规模宏伟，有正殿、配殿及厢房建筑。正殿前有双阙，内有庭院、踏道、回廊、散水、水井等。值得一提的是首次发现巷道（暗道），还有上殿的空心砖踏步，宫殿全部用砖铺地，墙壁用白灰粉刷，平细而有光泽，反映当时的殿堂建筑是非常华丽的。由此可见未央宫第二号建筑遗址绝非一般人所能居住，而应是皇后居住的椒房殿。第二号遗址出土遗物包括建筑材料、石器、陶器、玉器、铁器、铜器、钱币等。由该遗址出土的遗物如筒瓦、板瓦、云纹瓦当和文字瓦当及方砖、长方砖、空心砖、扇形砖等，均为

西汉时期的遗物，遗址出土的钱币有西汉半两、五铢和王莽时的大泉五十、货泉和布泉。从出土遗物观察，简报推断它属西汉时期的建筑遗址。由该遗址发现大量烧土块与砖瓦结成团，简报推测第二号遗址毁于王莽末年农民起义的战火中。关于第二号遗址的所属，简报认为它是后宫椒房殿。

1631.西渭桥遗址

作　者：陕西省考古研究所　段清波
出　处：《考古与文物》1992 年第 2 期

西渭桥即汉代的便门桥，始建于公元前 143 年，因桥与汉长安城西南头第一门——章城门遥遥相对，而此门又称便门，故有此名称。到了唐代又被称为西渭桥，是长安城的交通咽喉，军事上的战略地位也很重要。简报配以照片予以介绍。

据介绍，西渭桥遗址经过发掘，已经展现在世人面前，这座已经湮废 1000 余年的古桥，屹立在咸阳市西南 9 公里的秦都区钓台乡资村西南的沙河河道上，历经沧桑巨变世代更替，历史的烙印在它上面积年加深，往日那种车水马龙景象已不复存在，雕梁画栋的桥面也已荡然无存。在桥址发掘以前桥面已经毁坏，可能是由于火灾的缘故，殃及到桥桩顶端，致使绝大多数的柱顶结构也荡然无存。在桥址南端附近，还发现 8 件巨型槽形铁板，每件由 3 块大小相近的矩形铸铁板相接铸成，呈槽形，厚度为 3 厘米，宽 100～110 厘米，长度 6～7 米。8 件槽形铁板分布较集中，但方向及位置零乱，它们的用途还不十分清楚。

1632.西安北郊六座汉墓清理记

作　者：张　蕴
出　处：《考古与文物》1992 年第 3 期

1987 年 10 月下旬，省考古所配合基建考古队于西安市北郊省丝绸仓库基建工地上，清理古墓葬 6 座，分别编号为 NSM1、NSM5、NSM7、NSM8、NSM26、NSM35。简报配以照片予以介绍。

据介绍，此批古墓葬均为土洞墓室，当施工单位发现并报知省考古所时，墓葬形制已毁坏殆尽，仅存随葬器物若干。出土有陶器、骨器、五铢钱等。在施工现场，还采集到两枚铜镜碎片。简报推断：M5、M8、M26 这 3 座墓葬年代下限在汉武帝之前，文景时期的可能性最大；M1、M35 这 2 墓年代在西汉晚期或略晚；M7 墓年代为西汉时期。

1633.西安北郊枣园汉墓第二次发掘简报

作　者：韩保全、程林泉

出　处：《考古与文物》1992 年第 3 期

1991 年 3 ～ 10 月，市文物管理处在第 1 次发掘的基础上，又对位于北郊枣园村西秦光制药厂基建工地的汉代墓葬群进行了发掘，共清理汉墓 15 座。简报分为：一、墓葬形制，二、随葬器物，三、结语，共三个部分。有手绘图。

据介绍，15 座汉墓按其形制有竖井土洞墓、砖室墓等，其中砖室墓较多。随葬器物有：陶器、铜器、铁器、玉杂器、铜镜、货币等。简报推断：第一期 2 座墓时代相当于昭、宣时期；第二期 10 座墓时代相当于元、成时期；第三期 1 座，时代在新莽时期；第四期 1 座，时代约在东汉时期；第五期 1 座，时代在东汉晚期。

简报称，M2 墓室为典型的"二次造"，即在葬入第 2 个死者时，因墓室仅能容纳 1 棺，墓主的后代便在原来墓室的一侧顺长再扩建了 1 室。这种现象在洛阳地区流行于西汉中期，而在关中地区目前则较少发现。

1634.西北医疗设备厂汉墓清理简报

作　者：倪志俊

出　处：《考古与文物》1992 年第 5 期

1988 年 10 月，西安市文物管理处在北郊范南村西北医疗设备厂清理汉墓 1 座。简报分为：一、墓葬形制，二、随葬器物，三、结语，共三个部分。有手绘图、拓片。

据介绍，墓葬平面呈"甲"字形，为竖穴墓道砖室墓。随葬品有铜器、铁器、铝器、玻璃、陶铅器（包括釉陶器）等，共计 40 件。据墓葬形制及器物组合，简报推断此墓时代相当于西汉晚期。简报指出该墓釉陶器鼎、盒、壶、罐上均有浅浮雕纹饰，这为研究汉人的埋葬意识及审美观提供了新资料。

1635.长安发现一件汉代五铢陶范

作　者：长安县文物管理处　高应中、翟　涛

出　处：《考古与文物》1992 年第 5 期

1985 年 9 月，长安县郭杜永村农民在滈河北岸掏沙时，在距地表 5 米深的沙层里，发现陶质五铢钱范 2 件：1 件子范，1 件母范。母范现存文管处。简报配以拓片予以介绍。

据介绍，这件陶范阴刻铭文"五铢"2字，范平整光滑，并有铜液浇过留下的紫红色遗迹，陶范全是细泥烧成，表里一致，均未加沙，在地里埋藏了2000多年，依然坚硬如磬。从特征来看，简报推断此陶范当属西汉中期铸钱工具。简报称，它的发现，为研究探索西汉的金融经济和钱币工具的发展，提供了新的实物资料。

1636.西安市未央区房地产开发公司汉墓发掘简报

作　者：程林泉、韩国河、杨军凯、吴　春
出　处：《考古与文物》1992年第5期

1991年10月，西安市未央区房地产开发公司在北郊方新村住宅小区基建时发现汉墓8座，市文物处在基建单位配合下进行了全部清理。简报分为：一、墓葬形制，二、随葬器物，三、结语，共三个部分。有手绘图、拓片。

据介绍，8座汉墓按其形制可分成竖穴墓道洞室墓和斜坡墓道洞室墓2大类。随葬器物有陶器、铜器、铁器、玉杂器、钱币等。简报推断其年代上限应在宣、元以后，下限为新莽时期。

1637.西北医疗设备厂福利区92号汉墓清理简报

作　者：西安市文物管理处　程林泉、韩国河、杨军凯
出　处：《考古与文物》1992年第5期

1991年，西安市文物处配合西北医疗设备厂基建，清理了大批汉墓，墓群位于龙首原的北坡，距汉长安城东南角约1000米。简报分为"墓葬形制""随葬品""结语"三个部分予以介绍，有照片。

据介绍，该墓为竖穴墓道洞室墓，平面呈曲尺形。随葬品有陶器、铜器、铜钱等。这座墓没有确切的纪年，但从墓葬形制及随葬器物的组合、特点分析，简报推断92号墓的时代大约在西汉早期，墓主身份在九级五大夫以上。

1638.西安北郊出土陶辟邪等汉代文物

作　者：西安市文管处　王九刚、孙敬毅等
出　处：《考古与文物》1992年第5期

1990年秋，在西安北郊十里铺村南砖场推土机推出1座汉墓，出土文物流失在当地群众手里。现场留有陶编钟、陶壶、陶钫、陶罐等残片。后在当地派出所的协助下，

追回了陶辟邪、陶俑等文物。简报配以照片、拓片予以介绍。

据介绍，文物分陶器和铜器2种。此墓墓型已遭破坏，器物多已损坏，资料不全，但从出土陶辟邪、陶编钟、陶磬、铜提梁壶看，此墓规格较高。墓中未发现带釉陶器，而陶钫盖附加纽、云雷乳钉组成图案的提梁铜壶，都明显带有战国、秦的风格。因此，简报推断此墓时代应为西汉早期。

1639.西汉陈请士墓发掘简报

作　者：程林泉、韩国河、杨军凯、吴　春
出　处：《考古与文物》1992年第6期

陈请士墓位于西安北郊范南村，龙首原北坡，西距汉长安城东南角不足千米。1992年5月，西安市文物管理处在配合西北医疗设备厂福利区基建工地时，清理出陈请士墓（编号92XXM170）。简报配以照片、手绘图予以介绍。

据介绍，墓葬形制为斜坡墓道土洞墓，平面略呈曲尺形。由墓道、过洞、天井、墓室（带小龛）四部分组成。葬具为1棺2椁，葬式不明。该墓曾被盗，出土器物共57件，按质地分为陶器、铜器、铁器、玉杂器等，其中陶器共26件（其中釉陶12件）。陈请士墓虽经盗扰，但破坏并不严重，墓室内随葬器物基本排列有序，根据其墓葬形制、随葬器物的特点，推断该墓的年代属于西汉早期。上限不会超过文景时期，大约在武帝初年。墓主人史书不载，应为五大夫一级贵族。

1640.西安北郊龙首村军干所汉墓发掘简报

作　者：张达宏、王九刚、程林泉
出　处：《考古与文物》1992年第6期

1991年10月底至1992年1月，考古人员对位于北郊方新村东约500米处的龙首村军干所基建工地汉墓进行了发掘，共清理汉墓16座。简报分为：一、墓葬形制，二、随葬器物，三、结语，共三个部分。有手绘图。

据介绍，16座汉墓按其形制可分成竖穴土圹墓、竖穴墓道土洞墓、竖穴墓道洞室墓、斜坡墓室洞室墓。有的已被盗。随葬品有陶器、铜器、铁器、铜镜、货币等。时代据简报推断可分三期：第一期，文帝至武帝初年；第二期，宣、元时期；第三期，元、平时期。简报称，这16座汉墓的发掘为研究西汉早期墓葬形制及随葬品组合、演变关系提供了新的资料，尤其为研究西汉早期中小型墓葬的"承上启下"，为研究西汉早期人们的埋葬意识之观念的逐渐转变，提供了重要素材。同时，这批汉墓位于龙首原的北坡，距汉长安城东南角约2500米，对研究汉长安城的布局也具有一定的参考价值。

1641.陕西临潼汉新丰遗址调查

作　者：林　泊
出　处：《考古》1993 年第 10 期

汉新丰是西汉初刘邦为其父修建的宫邸，同时置县。修建时新丰完全是按刘邦故里沛之丰邑所建，并于高祖十年（前 197 年）太上皇崩后将所建宫邸之地——当年秦之骊邑，正式更名为新丰。汉新丰遗址位于陕西省临潼县新丰镇西南 2.5 公里处的沙河村南。遗址东到沙河扬水站东 50 米，西至柿园村东，南距新丰原约 100 米，北到沙河村中南排群众住宅门前。西（安）潼（关）公路自遗址东南角斜穿而过。西（安）临（潼）高速公路在遗址南与西潼公路相交。陇海铁路自遗址西北角通过，交通十分便利，鸿门宴的故事就发生在这里。1987 年文物普查时发现，1990 年 5 月进行了勘察。简报分为三个部分予以介绍，有拓片、手绘图。

据介绍，汉新丰遗址四周有一道断续不连但又比较清楚的夯筑城墙遗迹，城墙的四至就是该遗址的范围。遗址平面略作长方形，东西长 600 米，南北宽 670 米。现已查明四面城墙的断续遗迹和西南、东北两个城角。出土遗物有建材、陶片、铁器、铜器等，其位置与文献记载大体相符。

简报称，城址出土的遗物有两类。城墙夯土中夹杂的瓦片、残砖都是秦代之物，与秦始皇陵所出完全一样，未发现汉及其以后的。说明城墙的修筑年代当在汉代以前。但城址中曾经发现汉代铁锛、铁斧、铜弩机、五铢钱等遗物，说明汉代确曾使用过此城。简报认为，这是因为汉新丰城是在秦骊邑的基础上改筑而成，有的建筑是使用了秦代的建筑材料，有的（如城墙）甚至有可能是使用了秦代原来的建筑，这就是在城址发现大量秦代建筑材料的原因。

1642.汉长安城未央宫第四号建筑遗址发掘简报

作　者：中国社会科学院考古研究所汉城工作队　刘庆柱、李毓芳、张连喜、杨灵山
出　处：《考古》1993 年第 11 期

1987 年 10 月至 1988 年 5 月，考古人员发掘了汉长安城未央宫第四号建筑遗址。该遗址位于西安市未央区未央宫乡柯家寨村西南，东南距未央宫前殿遗址 400 米，

未央宫第二号建筑遗址（即椒房殿遗址）在其东 350 米。四号遗址东、西两侧各有一条现代水渠，破坏了遗址东、西两边部分。此次遗址发掘面积 5575 平方米。简报分为：一、地层，二、遗迹，三、遗物，四、结语，共四个部分。有照片。

据介绍，四号建筑遗址范围东西 109.9 米、南北 59 米，其中主要遗迹包括南北排列的殿堂，及其东西两侧的附属房屋建筑群和通道、廊道、院落、水池、水井等。四号建筑并非一般官署建筑物，它可能属于以大型宫殿为主体的多功能、大体量、高层次的宫室建筑群。结合出土的瓦当、封泥等，简报推断四号建筑或是少府或其主要官署。少府是掌握皇室财政和内务的主要官署，因此其建筑实际上是属于皇室建筑的一部分。应为西汉时期建筑，王莽时在战乱中毁于大火。由于火势猛烈，致使建筑堆积中的烧土厚达 1 米以上，砖、瓦、土坯等被烧结在一起。发现的数以千计的货泉，码放整齐，原来穿钱的系绳虽经火焚，但仍依稀可辨。

1643.陕西临潼县新出土几枚汉代印章

作　者：林　泊

出　处：《考古》1993 年第 11 期

一是 1988 年临潼县城关镇上陈村村民凌高娃在给砖厂取土时，拣到"骑部曲将"印 1 枚。印作铜质，印面为正方形，通高 1.5 厘米（带纽）、边长 2.3 厘米，阴文篆刻"骑部曲将"四字。二是张武印。系 1988 年县文管会在新丰火车编组站 1 座完全破坏了的汉墓中清理出的。铜质，龟纽。印面正方形，篆书阴刻"张武" 2 字。三是李儒私印，于 1987 年武屯沟王砖厂取土时发现。铜质，方形。阴文篆刻"李儒私印"四字。四是张祭尊印。1988 年雨金镇赵曲村村民王志荣修砖窑时自 1 座汉墓中挖得。铜质，方形。阴文篆刻"张祭尊" 3 字，系私印。

简报称，以上 4 枚汉印，对研究汉代印章制度等有参考价值。

1644.汉长安城 23 ～ 27 号窑址发掘简报

作　者：中国社会科学院考古研究所汉城工作队　刘庆柱、李毓芳、张连喜、
冯浩璋

出　处：《考古》1994 年第 11 期

1991 年秋季，考古人员在汉长安城西北郊发掘了 5 座窑址，清理了 1 个灰坑。它们位于今西安市未央区六村堡村东南，相家巷村西南。窑址均为半地穴式，先在生土中挖成土圹，尔后加工构筑陶窑有关部分。其结构分为前室、火门、火膛、窑室

和排烟设施五部分。简报分为：一、窑址概况，二、出土遗物，三、结语，共三个部分。有手绘图、照片。

据介绍，根据其分布，5座窑址分为2组：1组为26号和27号窑址，第2组包括Y23、Y24、Y25。简报推断5座窑址和灰坑H1应均为西汉时代遗迹。

简报称，5座窑址分布散乱，排列无序，除Y26和Y27相距2.5米外，其余3座窑址间距33～59米。这与1990年汉长安城内所发掘的分布密集、排列有序的21座官窑形成鲜明对照。由此简报认为，这5座窑址不是统一管理，可能属于个体分散经营的。从5座窑址内出土陶制品遗物来看，有砖、瓦等建筑材料，还有盆、盘等生活器皿及作为明器使用的陶俑等。这些陶窑产品的多样化，反映了其生产的多品种、小批量，这是个体私营陶窑生产的特点。简报认为这五座窑址不是统一管理的官办陶窑，而为民营的私窑。

1645.汉长安城窑址发掘报告

作　者：中国社会科学院考古研究所汉城队　刘庆柱、李毓芳、刘振东、杨灵山等
出　处：《考古学报》1994年第1期

20世纪50年代中期以来，考古人员开始对汉长安城遗址开展了大规模考古勘察，在汉长安城西北部（今西安市未央区六村堡乡六村堡、相家巷村附近）采集到不少汉代陶俑。为进一步了解汉长安城中的手工业遗址分布情况，考古人员从1990年开始对汉长安城西北部进行铲探，发现了大面积的制陶、冶铸和造币手工业遗址。在此基础上，选择重点手工业遗址进行发掘。简报分为：一、窑址，二、出土遗物，三、结语，共三个部分，介绍了1990年春、秋两季发掘的汉长安城21座（编号Y2～Y22）窑址的资料。有照片、手绘图。1987年，在此地迤西六村堡发掘的1号窑址的资料已发表，详见《考古》1991年第1期。

据介绍，汉长安城的21座窑址，位于今西安市未央区六村堡乡相家巷村南，北距汉长安城北城墙270～280米，西距汉长安城西城墙约700米。这群陶窑在汉长安城的西市遗址范围之内。21座窑址分为3组，其平面布局呈三角形。第1组，7座窑址（Y2～Y8），位于这群窑址的东北部；第2组，8座窑址（Y9～Y16），在第1组窑址西南62米；第3组，6座窑址（Y17～Y22），位于第2组窑址东52米、第1组窑址南29米。出土遗物有裸体陶俑、制陶工具等。

简报认为，这批窑址的下限，应为西汉末年。

简报认为，这21座陶窑是同一窑群，它们的生产活动应该是统一管理的，应为官办，不属于私营陶窑。在Y21和Y22内，均装满裸体的陶俑坯，说明这些窑

是专门用于烧制裸体陶俑的。裸体陶俑的用途，应该还是随葬品，真正下葬时，再穿上不同角色的衣服。关于群窑的生产规模，可由Y21、Y22这2窑估算出来。Y21窑室面积3.9平方米，装俑坯414个，每平方米装俑坯105个。Y22窑室面积3.7平方米，装俑坯368个，每平方米装坯99个。2窑平均每平方米装俑坯102个。21座窑的窑室面积总和为84.2平方米。一次要烧制裸体陶俑约638个。每窑的烧制时间只需数天，因此烧制裸体陶俑的数量相当可观。如果这一推断无大出入，那么西安地区在西汉时代帝陵和大型汉墓中随葬的裸体陶俑，均应是这里原官窑生产烧制的。

1646.1992 年汉长安城冶铸遗址发掘简报

作　者：中国社会科学院考古研究所汉城工作队　李毓芳、刘振东、张连喜
出　处：《考古》1995 年第 9 期

1992 年秋、冬季，考古人员在汉长安城西北郊发掘了 1 处冶铸遗址。该遗址位于今西安市未央区六村堡乡相家巷村南、东西向柏油路南 100 米处。遗址正处于汉长安城西北、横门址西南、北城墙南 632.4 米。该遗址占地面积 138.8 平方米，包括烘范窑址、冶铸遗址。简报分为：一、遗址概况，二、遗物，三、结语，共三个部分。有手绘图、照片。

据介绍，该遗址包括 3 座烘范窑、1 座炼炉及 5 座废料堆积坑，是汉长安城内发掘的 1 处较完整的冶铸遗址。发现有齿轮范、权范、器托范、镇器范、坩埚、铁块、铁渣等遗物。简报认为这是西汉中晚期一座由政府管理的官办冶铸遗址。

1647.临潼出土的几件铜器

作　者：由更新
出　处：《考古与文物》1995 年第 5 期

近年临潼出土了几件铜器，简报配以照片予以介绍。

铜蒜头壶，1990 年 5 月出土于韩峪乡刘庄砖瓦厂 1 座战国晚期墓中，取土时墓葬已破坏。此壶颈细长、向下弯曲，扁鼓腹，圈足外撇。蒜头形盖六瓣，上有桥形钮、顶梢部亦有六瓣蒜头形。

铜虎子，1990 年 4 月出土于新丰镇鸿门村。管状流上翘，虎子身作长方形，背上有提梁，平底。

铜鉴，与虎子同出一墓。属实用器。

这两件器物根据其形制，再结合现场调查，简报推断其时代应为西汉早期。

铜鼎，1989 年 9 月骊山镇柿园砖厂取土时发现 1 座古墓，出土铜鼎等器物。此鼎与山西襄汾吴兴庄汉墓出土的人形鼎形制相同，简报推断时代应为西汉晚期。

1648.汉长安城未央宫的考古发掘与研究

作　者：李毓芳
出　处：《文博》1995 年第 3 期

西汉王朝是我国古代历史上的鼎盛时期，汉长安城是西汉王朝的首都，是我国古代著名都城，也是当时与罗马齐名的世界名城之一。未央宫是汉长安城中的皇宫，是西汉一代200 余年间全国政治中枢所在，也是我国古代都城中规模最大的皇宫。刘邦在世时虽然是以长乐宫为皇宫，但那是作为暂时的宫城，他把未央宫作为新的正式皇宫修筑。刘邦死后，其子刘盈即位，他开始以未央宫为皇宫，终西汉一代未改其制。以后的前赵、前秦、后秦、西魏和北周等王朝的皇宫也都设在这里，因此未央宫又成了中国古代使用时间最长、最著名的皇宫宫殿建筑群。未央宫的考古发掘和研究在20 世纪80 年代的10 年间取得了丰硕学术成果，出土了数以万计的文物。它们有中央政府或皇室的宫廷档案，有各式各样的汉代建筑材料、兵器、生活用品等。这些文物从多层面形象而集中地再现了那个伟大时代的光辉历史，无疑成为了我们研究西汉都城的皇宫历史的弥足珍贵的实物资料。简报分为：一、未央宫布局的勘查，二、前殿附属建筑遗址的试掘，三、椒房殿遗址，四、中央宫署遗址，五、少府所属的宫殿建筑遗址，六、未央宫宫城西南角楼遗址，共六个部分。有照片。

据介绍，未央宫位于汉长安城西南部，现在这里坐落着大刘寨、马家寨、小刘寨、柯家寨、周家河湾和卢家口等7 个村庄。长乐宫与未央宫分布于汉长安城安门大街东西两边，因而它们又分别称为东宫和西宫。汉代尚"右"，方位以西为上，西宫就是皇宫，即所谓"公宫"。未央宫又称紫宫或紫微宫。我国古代天文学家分天体恒星为三垣，中垣有紫微十五星，也称紫宫。紫宫是天帝的居室，把未央宫称为紫宫，因为它是人间皇帝的宫城。未央宫始建于公元前200 年，由丞相萧何主持建造。宫城平面近方形，四周围筑宫墙，墙宽8 ～10 米，东、西墙各长2150 米，南北墙各长2250 米，宫城周长8800 米，面积5 平方公里，约占都城面积的七分之一。

简报介绍说，据文献记载，未央宫四面各辟一座宫门，称司马门。东司马门是皇宫正门，诸侯朝谒天子、皇帝出入宫城均于此门。文武百官、达人显贵进出皇宫则由北司马门。至于西、南2司马门很少使用。东、北2司马门外修筑了高大的阙楼，这就是有汉一代著名于世的东阙和北阙。4座司马门遗址均已进行了勘察，确定了其位置。除了司马门，还有10多处"掖门"。在未央宫西北，有著名的石渠阁和天禄阁，相当于国家图书馆、博物馆。司马迁写《史记》时曾到过这里。石渠阁约13000平方米，天禄阁约3300平方米。未央宫西南部有一片低洼地，这就是当年的沧池所在地。沧池位于西宫墙以东700米，南邻南宫墙。考古勘察：沧池遗址南北长约500米，东西宽约400米，池水面积196000平方米。池水因清澈如苍色，故名"沧池"。沧池水由城外从章城门引入，入宫后称"明渠"。明渠故道已基本勘探清楚：渠水由西向东注入沧池，然后又从沧池北部由南向北流出，经前殿、椒房殿和天禄阁西边，向北流出未央宫。沧池既美化了未央宫的环境，又解决了皇宫之内用水问题。池中有"高10丈"的假山渐台。西汉末年农民起义军攻入长安城未央宫，王莽就是从前殿逃至沧池，登上渐台，妄图凭借池水，保护自己的性命，但终因众叛亲离，最终还是成了众人的刀下之鬼。

简报称，未央宫前殿遗址是我国古代历史上保存最完整、规模最大、最有代表性的高台宫殿建筑遗址。现已探明前殿基址南北长350米、东西宽200米，北高南低，北部最高处高出今地面15米。前殿为西汉一代大朝之地，相当于故宫的太极殿，其建筑之豪华为其他宫殿所莫及。据文献记载，建筑前殿所用的木材是清香名贵的木兰和纹理雅致的杏木。屋顶橡头贴敷的金箔，在阳光照射下熠熠生辉。华贵的大门上装饰着鎏金的铜铺首，镶嵌着闪光的宝石。窗户上雕饰着古色古香的花纹，回廊栏杆上雕刻着清秀典雅的图案。白玉般础石之上耸立着高大木柱、紫红色的地面、金光闪闪的壁带，这些使殿堂显得更加富丽堂皇。考古人员还已发现了未央宫前殿守卫人员、后宫皇后"椒房殿"以及宫内一处面积8800多平方米的办公地点，还有少府的办公区遗址。1988～1989年，还发掘了宫城西南角楼，出土有守卫士兵的铁兵器等。

1649.汉长安城未央宫西南角楼遗址发掘简报

作　　者：中国社会科学院考古研究所汉长安城工作队　李毓芳、张连喜、杨灵山等
出　　处：《考古》1996年第3期

汉长安城未央宫西南角楼遗址（编号为五号址）位于未央宫宫城西南角，其西、南两侧为汉长安城的西、南2城墙。该发掘面积为1976平方米。

据介绍，以T2南壁为例，该遗址文化层堆积分为3层，第2层有近代瓷片、汉代砖瓦残块出土；第3层有汉代砖、瓦、瓦当、铁器出土，角楼建筑基址呈曲尺形，

角楼基址北壁和东壁均有壁柱柱础遗迹。北壁现存壁柱柱础遗迹5个，东部有3个壁柱遗迹，北壁和东壁均有砖砌遗存。角楼基址北端西边的北部有一夯土墙与西壁相连，角楼东、北分别与南、西宫墙相连，角楼基址附近还有水井和砖池。该遗址出土遗物以建筑材料为多，此外，还有少许生活用品、武器等。角楼的时代，简报推断应为西汉。

简报称，角楼建筑遗址出土了涂朱的"卫"字瓦当，说明了该遗址所具有的卫戍性质。遗址内出土的大量兵器，应该是当年守卫士兵的武器。角楼遗址出土的生活用品，以及角楼遗址内的水井、砖池等设计，又进一步说明这里有常驻的守备部队。

1650.汉长安城北宫的勘探及其南面砖瓦窑的发掘

作　者：中国社会科学院考古研究所汉城工作队　刘庆柱、李毓芳、张连喜
出　处：《考古》1996 年第 10 期

1994 年考古人员在桂宫以东、长乐宫以西、武库以北，今西安市未央区未央宫乡和六村堡乡的讲武殿村、施家寨、周家堡、曹家堡一带，发现了1 座汉代宫城遗址，可能属于汉长安城的北宫宫城遗址。在北宫宫城遗址南面发现了20 余座汉代砖瓦窑址，对其中11 座窑址进行了考古发掘。简报分为：一、北宫宫城遗址的勘探，二、砖瓦窑址的发掘，三、结语，共三个部分予以介绍，有照片、手绘图。

据介绍，北宫宫城遗址位于汉长安城直城门大街北225 米，雍门大街南35 米，厨城门大街东50 米，安门大街西40 米。宫城周围有夯筑宫墙，现存墙体距地表0.95 米，墙宽5 ~ 8 米。宫城南墙和北墙东段保存较好，西墙北部断续略有保存，东墙保存甚差。宫城平面为规整长方形，南北长1710 米、东西宽620 米。已发现南、北宫门，2 宫门南北相对，其中南宫门遗址保存较好。由南宫门至直城门大街有一南北向道路，路宽9 米。简报称，砖瓦窑址位于北宫宫城遗址以南、直城门大街以北，已勘探发现的多座汉代砖瓦窑址说明，这里可能是汉长安城内1 处规模较大的砖瓦建筑材料生产场所。这次发掘的11 座砖瓦窑（编号Y31 ~ Y41），出土有瓦当、窑具、陶管等。

简报指出，此次发掘解决了北宫的位置问题。过去人们认为北宫应在未央宫之北，实际应在未央宫东北。而砖瓦窑的年代，简报推断上限不早于西汉初，下限不超过西汉中期。应是官窑，产品可能就供北宫、未央宫、武库等皇家建筑使用。

1651.1996 年汉长安城冶铸遗址发掘简报

作　者：中国社会科学院考古研究所汉城工作队　刘振东、李毓芳
出　处：《考古》1997 年第 6 期

1996 年春季，考古人员在汉长安城西北部即西市范围内，发掘了 1 处冶铸遗址。该遗址位于西安市未央区六村堡乡相家巷村南，南距通往六村堡的东西向公路22.5 米，西距通往相家巷的南北向小路69 米。冶铸遗址仅存 1 座烘范窑址和3 个废料堆积坑。3 个废料堆积坑已于1990 年发掘完毕。烘范窑于1996 年春季发掘。简报分为：一、地层堆积，二、遗迹现象，三、出土遗物，四、结语，共四个部分。有手绘图、拓片。

据介绍，该遗址烘范窑和废料堆积坑内出土了带有云纹瓦当和梳齿纹瓦当的筒瓦，筒瓦及瓦当均具有西汉中晚期筒瓦及瓦当的特征，简报推断该遗址的时代应为西汉中晚期。该遗址 42 号窑和 3 个废料堆积坑内出土了大量的叠铸范、陶饼以及坩埚残片。窑址前室内还出土了较多已经浇铸的叠铸范残块及铁块、铁渣等物。简报认为该遗址文化内涵与1992 年在相家巷村南所发掘的遗址相同，亦为汉长安城西市内的铁器冶铸遗迹。

1652.陕西卷烟材料厂汉墓发掘简报

作　者：陕西省考古研究所
出　处：《考古与文物》1997 年第 1 期

1995 年 4 月，为配合陕西卷烟材料厂厂区建设，考古人员对其在西安北郊经济开发区纬二路西段北侧的征地范围进行了考古钻探，钻探中发现汉墓 5 座，随即配合工程对其中的 2 座进行了清理。简报分为：一、墓葬形制，二、随葬器物，三、结语，共三个部分。有手绘图、拓片。

据介绍，2 座墓均为斜坡墓道砖筑洞室结构，M5 为夫妇合葬墓，为前“堂”后“室”、“中”字形墓。M1 平面略呈“凸”字形，由墓道及墓室组成，已被盗过。2 座墓共出土随葬品 141 件（不含铜钱），以陶器为主，且大多分布在 M5 中。简报推断为东汉晚期墓。

简报称，此次发掘的 M5，带有多个假券门，它被认为是家族墓的一种形式，即待同家族有关成员亡后，再在原假券门处修筑新墓室，以达到合葬目的。M5 出土的 3 件陶瓮，底部皆钻小孔，其中 1 件瓮内还留 1 具完整的乳猪骨架。另在 M5 前室还发现 2 件陶罐，口部均在下葬前即被打成花瓣状。这些当与某种葬仪有关，从中可以窥测到一些东汉晚期社会的埋葬习俗。M5 前室出土的 10 件朱书陶罐上的 20 个文

字，字迹清晰，字体秀劲优美，结构匀整，是研究汉隶难得的实物资料。20 个文字内容包括盐、小麦、粳米、稻米、粟、大豆、小豆等。这些对于探讨当时人们的饮食结构及农史研究均有一定意义。M5 前室还发现 1 件用泥质灰陶制作的板柜模型，制作考究，和近现代仍用于我国一些地区的板柜几乎形无二致。这是迄今发现这种家具最久远的祖型，显然在家具史上留下了应有的一页。

1653.西安北郊二府庄汉墓发掘简报

作　者：西安市文物保护考古所　程林家等
出　处：《文博》1997 年第 5 期

1992 年 11 月至 1993 年 5 月，西安市未央区房地产开发公司在北郊二府庄住宅小区基建时发现汉墓 8 座，考古人员对墓葬进行了清理。简报分为：一、墓葬形制，二、随葬器物，三、结语，共三个部分。有手绘图。

据介绍，8 座汉墓均为竖穴墓道洞室墓，葬具除 M2 有棺、椁外，其他各墓仅有木棺。葬式，除 M1 无法确定外，其余均为仰身直肢单人葬。出土器物共 63 件，另有货币 63 枚，分为陶器、铜器、铁器、玉器、骨器、石器等。以陶器为大宗，计 55 件。这批汉墓除 M4、M6 未被盗扰外，其他各墓盗掘和破坏严重，随葬品多残碎。出土器物以彩绘陶和釉陶最为常见，以釉陶为主。M1 出土有"大泉五十"，各墓均不见东汉五铢。

简报认为其年代的上限应在文景及武帝初年，下限为新莽时期。

1654.西安北郊方新村汉墓第二次发掘简报

作　者：西安市文物保护考古所　程林泉、倪志俊、杨军凯
出　处：《文博》1998 年第 2 期

1992 年 10 月至 12 月，西安市未央区房地产开发公司在北郊方新村住宅小区再次基建时，发现汉墓 6 座，市文物保护考古所在基建单位配合下进行了清理。简报分为：一、墓葬形制，二、随葬器物，三、结语，共三个部分。有手绘图、拓片。

据介绍，6 座汉墓按其形制可分为竖穴墓道洞室墓和斜坡墓道洞室墓两大类。随葬品有陶器、铜器、铁器、骨器、石器、铜镜、货币等。根据墓葬形制及随葬品的特点，结合打破关系，将这批汉墓分为二期：

第一期，包括 M6、M4 这 2 座。简报推断时代在昭、宣时期；

第二期，包括 M1、M2、M3、M5 这 4 座，墓葬形制均为竖穴墓道洞室墓。其时代简报推断当在元帝至成帝时期。

1655.陕西户县兆伦汉代铸钱遗址调查报告

作　者：陕西省文保中心兆伦铸钱遗址调查组　姜宝莲、秦建明、梁晓青

出　处：《文博》1998年第3期

1994年初，据当地人毛明玉、闫甲斌2位先生提供线索，考古人员对位于户县兆伦村的1处铸钱遗址进行了初步踏勘。1996年，又对该遗址展开考古调查，证实该处为1处规模很大并保存较好的汉代铸钱遗址，具有重要的科研价值。简报分为：一、概况，二、遗迹，三、遗物，四、几点认识，共四个部分。有手绘图、照片。

据介绍，遗址位于陕西省户县与长安县交界处，其主体部分位于户县境内，隶属于大王镇辖区。通过对遗址田野调查和对遗物出土、地表分布等情况分析，遗址暂划为陶范分布区、陶窑分布区及重要建筑区3部分。遗址范围内发现和采集的遗物有钱范、钱币、工具、建筑构件及其他遗物等。这次发现的户县兆伦村汉代铸钱遗址，位于汉上林苑范围之内，距户县县城东北约11公里，其地望与历史上记载的钟官城相符。近年遗址区曾出土北魏杜县县令赵祖庆墓志，其墓志中记叙，可证此地北魏时曾名"中原"，中与钟音同，当为钟之讹变。从钱范出土情况分析，其铸钱时代与历史记载的钟官相吻合。简报推断，户县兆伦村汉代铸钱遗址，就是历史上著名的钟官城，该遗址应是西汉时期最为重要的上林三官铸钱场地。遗址内所出土的王莽钱范10余种，在同一遗址内同时出土王莽时期如此多种类型的陶范尚属首次。简报认为，尽管当时曾分铸于郡国，该遗址仍是王莽时期最为重要的铸币工厂。这处遗址年代，简报推断至少从汉武帝元鼎二年到王莽末年（前115年～23年）是其鼎盛的铸钱时期。

简报称，这处汉代铸钱遗址，规模宏大，内涵丰富，延续时间也较长。它的发现，为货币史上著名的钟官地望的确定，为上林三官铸钱的深入研究，为王莽币制的改革及中国古代铸币技术的认识等，都提供了珍贵的资料。简报认为，这一遗址在中国古代货币史的研究中，占有极为重要的位置。

1656.西安北郊青门汉墓发掘简报

作　者：西安市文物保护考古所

出　处：《文博》1998年第4期

青门汉墓位于西安北郊枣园南岭南坡的青门村北侧。1993年3月，西安市市政开发公司在青门小区基建时发现汉代墓葬群，西安市文物保护考古所对其进行了抢救性清理发掘，共清理汉墓10座。简报分为：一、墓葬形制，二、随葬器物，三、

结语，共三个部分。有手绘图。

据介绍，随葬器物有陶器、铜器、铁器、玉器、骨器、铜镜、货币及方砖墓志等。这10座汉墓除M1、M3、M4未被盗扰外，其他各墓盗掘和破坏严重，随葬品亦多破碎。各墓之间均无打破关系，根据随葬品的特征及墓葬形制拟将其分为四期。

第一期，包括M9、M8、M6这3座，墓葬形制除M6为竖穴墓道土洞墓外，其余二座为斜坡墓道土洞墓，墓葬平面呈曲尺形，简报推断其时代相当于昭、宣时期。

第二期，包括M1、M3、M4、M5、M7这5座，墓葬形制为竖井墓道洞室墓，简报推断其时代当在元帝至平帝时期。

第三期，仅M10这1座，墓葬形制为竖穴墓道土洞墓，简报推断其时代在新莽时期。

第四期，仅M2这1座，简报推断其时代应在东汉中期。

1657.汉长安城桂宫二号建筑遗址发掘简报

作　者：中国社会科学院考古研究所、日本奈良国立文化财研究所、中日联合考古队

出　处：《考古》1999年第1期

1997年11月至1998年5月，中国社会科学院考古研究所和日本奈良国立文化财研究所的研究人员共同组成中日联合考古队对汉长安城桂宫二号建筑遗址进行了发掘。该遗址在西安市未央区夹城堡乡夹城堡村东约200米处。简报分为：一、地层堆积，二、建筑遗迹，三、出土遗物，四、结语，共四个部分。有手绘图、拓片。

据介绍，宫城平面呈长方形，南北长约1800米，东西宽约880米。桂宫二号建筑遗址位于桂宫南部，北邻汉代夯筑高台90米，南与未央宫西北部的作室门遗址相对，此次发掘的二号建筑遗址位于桂宫建筑群的南半部，属于该建筑群的主体建筑部分。简报推断：桂宫二号建筑遗址的时代上限不超过西汉中期；该建筑很可能毁于王莽末年的战火。

简报称，桂宫二号建筑遗址的殿堂遗址和未央宫椒房殿遗址（未央宫二号遗址）的正殿遗址平面布局相似，简报认为这座建筑很可能是后妃的重要宫殿。不仅如此，从其规模和"前朝后寝"的布局，以及居于宫城前位（桂宫南部）的情况来看，桂宫二号建筑应为桂宫中的重要宫殿。

今有何清谷先生《〈三辅黄图〉校释》（中华书局2005年版）一书，可参阅。

1658.汉长安城桂宫二号建筑遗址 B 区发掘简报

作　者：中国社会科学院考古研究所、日本奈良国立文化财研究所、中日联合
考古队

出　处：《考古》2000 年第 1 期

1997 年 11 月至 1998 年 5 月，中国社会科学院考古研究所和日本奈良国立文
财研究所的研究人员共同组成中日联合考古队，对汉长安城桂宫二号建筑遗址进行
了发掘，简报已于《考古》1999 年第 1 期发表。1998 年 10 月至 1999 年 4 月，中日
联合考古队又对桂宫二号建筑遗址的未发掘部分进行了发掘。前后 2 次发掘的区域
分别编号为 A 区和 B 区，桂宫二号建筑遗址 B 区位于 A 区北面，二者南北相连。
此次发掘的有关情况，简报分为：一、地层堆积，二、建筑遗迹，三、出土遗物，四、
结语，共四个部分。有手绘图、照片。

据介绍，从已发掘的桂宫二号建筑遗址的 A 区和 B 区综合来看，桂宫二号建筑
遗址是 1 座完整的宫殿建筑。在两区之间有 2 个天井相接，以 3 条南北向通道相连。
B 区北部有南北向通道通至北面的汉代夯筑高台。桂宫二号建筑遗址 A 区和 B 区建
筑基址及其北面的夯筑高台应分别为同一组建筑中的前殿、后殿与宫苑建筑遗址。
桂宫二号建筑遗址的 A 区、B 区均与未央宫椒房殿遗址的布局、结构相似。简报推断，
桂宫二号建筑遗址应是汉武帝为后妃们修建的重要宫殿建筑。

1659.谭家乡汉代金饼整理报告

作　者：陕西省文物局文物鉴定组

出　处：《文博》2000 年第 3 期

1999 年 11 月 2 日上午，西安北郊新华砖厂在推土时发现金饼。经过全力追缴，
收回金饼 93 枚。11 月 17 日，后续追缴工作又收回金饼 19 枚，另 1 坑则有 107 枚金
饼出土，加上前述 93 枚金饼，总计 219 枚。《文物》1985 年第 12 期有专文统计中
华人民共和国成立以来全国发现的金饼数量（含习称的麟趾金、马蹄金等），计有
32 批次，共 216 枚（剪切碎的未计在内）；而陕西仅去年 1 次就发现 219 枚，超过
1984 年以前全国入藏金饼的总和。考古人员曾 3 次赴现场考察，并于 2000 年 1 月
19 ～ 26 日，对全部金饼做了审慎的整理和鉴定工作。简报分为：一、人文地理环境
和金饼的出土情况，二、金饼的形制和称重，三、金饼的戳记、戳印和刻划现象，四、
金饼的时代定性，五、几点初步认识。共五个部分予以介绍，有手绘图、照片。

据介绍，金饼埋藏坑址，位于今西安市未央区谭家乡北十里铺东村南侧 100 多

米处，其西距汉长安城遗址约 4 公里，南距唐大明宫遗址约 2 公里。简报认为，谭家乡金饼应可定性为西汉遗物，其铸造年代上限可早至文、景时期，埋藏下限可能迟至新莽末年前后。简报推测似为非正常埋藏，应为紧急情况下埋于地下。

1660.汉长安城桂宫三号建筑遗址发掘简报

作　　者：中国社会科学院考古研究所、日本奈良国立文化、财研究所中日联合考古队

出　　处：《考古》2001 年第 1 期

继 1997 ～ 1999 年上半年由中国社会科学院考古研究所和日本奈良国立文化财研究所组成的中日联合考古队发掘了桂宫二号建筑遗址以后，1999 年下半年至 2000 年上半年又发掘了桂宫三号建筑遗址。该遗址位于桂宫西北部，桂宫西墙东 340 米、北墙南 345 米。在今陕西省西安市未央区六村堡乡铁锁村东约 160 米处。

此次发掘的有关情况，简报分为：一、地层堆积，二、建筑遗迹，三、遗物，四、结语共四个部分。有手绘图、照片。

据介绍，根据地层关系和出土遗物的时代特点，简报推断桂宫三号建筑遗址的时代应为西汉中晚期，其上限不会超过西汉中期。这与桂宫建于汉武帝时期的文献记载是一致的。简报推测桂宫三号建筑遗址的 7 座房址不适于人们居住和活动，它们应当为桂宫中的 1 处仓储建筑遗址。

简报称，仓储建筑在桂宫的发现，为研究桂宫的结构、布局提供了重要的资料。

1661.西安中华小区东汉墓发掘简报

作　　者：西安市文物保护考古所　孙福喜、孙　武、杨军凯等

出　　处：《文物》2002 年第 12 期

2001 年 4 月 2 日至 5 月 20 日，为配合基建工程，考古人员在西安市西南部高新技术开发区的中华小区内进行了发掘，共清理古墓葬 26 座。

简报分为：一、墓葬形制，二、随葬器物，三、结语，共三个部分。配以拓片、手绘图，先行介绍了其中 10 座东汉墓。

据介绍，这 10 座墓可分为 4 期：M6 的年代为西汉末年至东汉早期，M15、M22 的年代为东汉中晚期，M16 的年代为东汉晚期，M17、M18 的年代为东汉末。其他不详。出土陶罐上的朱书文字，简报录有全文。M15 出土的 2 件铜圆牌饰，产地、用途不详。

1662.汉长安城桂宫四号建筑遗址发掘简报

作　　者：中国社会科学院考古研究所、日本奈良国立文化财研究所、中日联合
　　　　　考古队

出　　处：《考古》2002 年第 1 期

中国社会科学院考古研究所和日本奈良国立文化财研究所组成的中日联合考古队，继 1997 年发掘了桂宫二号和三号遗址之后，于 2000 年秋、冬季至 2001 年春季又发掘了桂宫四号建筑遗址。该遗址位于西安市未央区六村堡乡六村堡村地界内，西南距铁锁村约 25 米。遗址地处汉长安城桂宫西宫墙以东 182 米、北宫墙以南 215 米。遗址因平整土地取土已遭严重破坏，仅存汉代地面及汉代建筑遗迹，此次发掘的情况，简报分为：一、地层堆积，二、建筑遗迹，三、遗物，四、结语，共四个部分。有手绘图、照片。

据介绍，从地层堆积来看，桂宫四号建筑遗址建筑遗迹一般覆盖于汉代文化层（第三层）之下，出土遗物均属西汉中晚期遗物，未见西汉早期遗物。简报推断：桂宫四号建筑遗址的时代上限不超过西汉中期；该建筑可能毁于王莽末年的战火；桂宫四号建筑遗址为后妃们在宫中进行宫事活动的辅助地点及主要生活区。简报称，桂宫四号建筑遗址的发掘，为研究宫城内宫殿建筑的格局提供了极其宝贵的资料。

1663.西安北郊龙首村西汉墓发掘简报

作　　者：中国社会科学院考古研究所西安唐城工作队

出　　处：《考古》2002 年第 5 期

1991 年夏季，考古人员在配合陕西省西安市房地产二分局基建过程中，于唐大明宫遗迹保护区内先后发掘了 2 座汉墓。2 座汉墓间距 4.4 米，自西向东依次编号为 91CTDXM1、91CTDXM2（以下简称为 M1、M2）。这 2 座汉墓位于西安市北郊龙首村龙首北路东段南侧，西距草滩路约 170 米。在该地点南部的铁东村、铁一村、龙首村、联志村和西铁党校等地，曾相继发掘汉墓 18 座，表明这一带属西汉长安城东郊墓葬比较集中的区域之一。简报分为：一、墓葬形制，二、随葬器物，三、结语，共三个部分。有手绘图、拓片。

据介绍，根据随葬品的种类、造型、装饰等，简报推断：M2 的年代应属于西汉早期；墓主生前可能为武官且居高位或拥有显赫战功的男性；兵器可能为该墓主生前所使用，死后又葬入墓中。

简报称，西安北郊龙首村西汉墓的发掘，给西安关中地区汉墓的研究增添了新

资料。特别是贴饰金银的铁甲胄的发现，对西汉的文物考古、社会历史以及兵制的研究都具有重要意义。

1664.汉长安城新发现六座窑址

作　者：中国社会科学院考古研究所汉城工作队　刘振东

出　处：《考古》2002 年第 11 期

1998 年 5 月，考古人员在位于西安市未央区六村堡以东、相家巷以南的六村堡小学新校址内进行了考古钻探和发掘，清理出一组共 6 座窑址。此次发掘的 6 座窑址呈南北向共 3 列分布，西边 1 列为 2 座，中间 1 列为 3 座，东边 1 列仅 1 座，编号分别为 98CHY43 ~ Y48（以下简称 Y43 ~ Y48）。除最东边的 Y45 坐南朝北，其他 5 座窑都是坐东朝西。1991 年在这组窑址的西边 5.6 米处曾发掘过 2 座汉代窑址（编号为 91CHY26、Y27），方向也是坐东朝西，与本次发现的应属同一组窑址（中国社会科学院考古研究所汉城工作队：《汉长安城 23 ~ 27 号窑址发掘简报》，《考古》1994 年第 11 期）。简报分为：一、地层堆积，二、窑址形制，三、出土遗物，四、结语，共四个部分予以介绍。有手绘图。

据介绍，此次发掘的 6 座窑址同为一组，它们的建造时代也应大体一致，简报推断属西汉时期，窑址内出土的绳纹板瓦片和支垫等遗物也明显具有西汉时期的特征。简报称，从出土遗物看，这处窑址群生产的主要产品是日用陶器和作为建筑材料的板瓦，在 Y45 火膛内出土有翻卷变形的板瓦片，可看出是由瓦坯直接烧烤所致。

1665.西安北郊一号工程 III 区 13 号墓发掘简报

作　者：陕西省考古研究所　孙秉君、宋远菇、张　向

出　处：《考古与文物》2002 年第 1 期

西安北郊一号工程位于陕西省西安市北郊的岗寨村西北 500 米处，占地 38 亩，此地地处龙首原，属于西安北郊经济开发区，这里多为汉代的墓葬群。1994 年以来，由于该开发区的大规模建设，考古人员进行了大面积的钻探和发掘，共清理战国至两汉的墓葬 1000 余座。这次配合北郊一号广厦工程的建设，共清理两汉墓葬 120 座，其中 III 区 M13 出土遗物形态特殊，经初步研究该墓当属匈奴墓。简报分为：一、墓葬形制，二、随葬器物，三、相关问题，共三个部分。有手绘图。

据介绍，M13 为长方形竖穴墓道土洞墓，墓室平面为梯形。葬式为侧身屈肢，

面朝西，骨架腐朽严重，初步观察为青年女性。从残存遗迹看有木棺痕迹，为单棺，M13 共出土器物 8 件。西安北郊地区已发掘两汉墓葬 1000 余座，M13 出土遗物与汉墓迥然有别，而墓葬形制两者基本一致，简报推断 M13 当为匈奴墓，时代为汉代。

简报称，M13 是继西安客省庄匈奴墓葬之后又 1 次发现的匈奴遗存，不但增添了新的资料，而且对于研究汉代中原地区多民族的物质文化，有着十分重要的意义。

1666.西安北郊枣园大型西汉墓发掘简报

作　者：西安市文物保护考古所　孙福喜、杨军凯、孙　武等
出　处：《文物》2003 年第 12 期

西安北郊枣园大型西汉墓位于西安市北郊文景路中段，出土地点在汉长安城东南角，今西安市未央区枣园村南。该墓为近年西安地区发现的大型西汉早期积炭墓之一。2003 年 3 ~ 6 月，为配合环宇公司的基建项目，考古人员对征地范围进行文物勘探和清理发掘，共发现汉代墓葬 3 座，其中 M1 出土铜器 17 件、玉饰 101 件、陶器 5 件、铜组件 1 件以及一些陶片。简报分为：一、墓葬形制，二、随葬器物，三、结语，共三个部分。配以彩照、手绘图，先行介绍 M1 的发掘情况。

据介绍，M1 为大型长斜坡墓道单室墓，坐南朝北。平面呈"甲"字形，由墓道、侧室和墓室 3 部分组成。该墓原有封土，早年因平整土地已无存。墓室底部有大量积炭，厚 2.6 米。因盗扰严重，墓室内部结构和葬具不详。在墓室内发现红色漆皮多处，填土内发现头骨 1 个。M1 应属西汉早期偏晚的贵族墓葬。出土遗物中玉饰与满城汉墓中出土玉衣相似。出土的 2 件铜钟，形体高大，通体鎏金，盖顶铸有朱雀，造型优美。其中 1 件铜钟内还存留有 26 公斤透明的翠绿色液体，开盖后，酒香扑鼻，是迄今发现保存最好、存量最多的西汉古酒，为研究中国古代酿酒史提供了宝贵的实物资料。

1667.汉长安城长乐宫排水管道遗址发掘简报

作　者：中国社会科学院考古研究所汉长安城工作队
出　处：《考古》2003 年第 9 期

排水管道遗址位于西安市未央区未央宫乡讲武殿村北约 100 米处、汉长安城长乐宫的西北部。2001 年 1 月，该遗址被村民取土时发现。2001 年 2 月初，汉长安城工作队会同西安市汉城保管所对其进行了回填保护处理。2001 年 3 月 1 日至 22 日，对该遗址进行了发掘，清理面积约 76 平方米。发掘的情况，简报分为：一、地层堆积，二、遗迹，三、遗物，四、结语，共四个部分。有手绘图。

据介绍，从地理位置看，此次发掘的西部排水管道应在长乐宫内，简报推断该处排水管道应为西汉前期铺设；东部排水管道铺设于汉代文化层中，呈东西向，它的排水口应与西部排水管道的排水口在同一排水沟中，简报推断该处排水管道亦应为西汉时期铺设。

简报称，长乐宫排水管道铺设方法独特，特别是西部中组排水管道由上、下两层5个水管构成，这在汉长安城考古发掘中还是首次发现。

1668.西安北郊北康村汉墓清理简报

作　　者：陕西省考古研究所　孙铁山、张海云
出　　处：《考古与文物》2003年第4期

位于西安北郊经济技术开发区内的米旗饼业公司，2000年9月在新建生产车间基建时发现一批汉代墓葬，考古人员进行了清理。米旗饼业公司在北康村西、龙首原北、汉代长安城以东，这是汉代墓葬较为密集的地区之一，此次共清理了15座墓。简报分为：一、墓葬形制，二、遗物，三、结语，共三个部分。有手绘图。

15座汉墓均是在开挖基槽时发现的，根据现场清理情况可将这批汉墓分为土洞墓与砖室墓2种。北康村墓葬数量不多，出土器物较为丰富，以陶器为主，还有铜器、玉器、骨器、釉陶器等，陶器中不少有彩绘，图案十分精美。按形制，M14应早于M13。M1、M3、M4这3座墓出土有大量釉陶器，钱币为大泉五十、小泉直一，因此简报推断应这3座墓时代为王莽时至东汉初年。M15出土有1块文字砖，上有"二百卅一"字样，其墓形制为长方形竖穴洞式墓，以此难以确定其年代，M15与其他墓位于同一墓地，形制相同，其年代应不出同类墓左右。简报指出，值得一提的是北康村发掘的这批汉墓中M2、M9两座墓，墓葬形制平面为刀把形，这是一种新的墓葬形制，增添了汉墓形制的新内容，也把流行于隋唐期间的刀把形墓葬形制提前到汉代。北康村这批汉墓，数量不多，又均为小型墓，年代相对集中，从西汉早期偏晚至王莽时期，因此简报认为应视这一片墓地为西汉公共墓地。尤其是M11的彩绘陶器与M3、M4的釉陶器，为研究西汉的丧葬制度及器物组合提供了不可多得的实物资料。

1669.西安北郊汉代积沙墓发掘简报

作　　者：陕西省考古研究所　岳连建、李　明
出　　处：《考古与文物》2003年第5期

1998年11月初，陕西省考古研究所在位于西安北郊尤家庄省交通学校新校址建

设的随工清理考古工作中，发掘了 1 座汉代积沙墓（编号为 98XSJ III 区 M18）。该墓地处汉长安城东约 3 公里，这里是汉代墓葬的集中分布区之一。近年，研究所已在其附近发掘了数以百计的汉代墓葬，但积沙墓却非常罕见。该墓虽然曾被盗扰过，但仍出土了大量精美文物。简报分为：一、墓葬形制与葬具，二、随葬器物，三、结语，共三个部分。有手绘图、拓片。

据介绍，该墓是 1 座带斜坡墓道的竖穴土圹木椁墓，葬具为 1 棺 1 椁。该墓虽多次被盗，但出土物仍非常丰富，共计 109 件，按质地分有陶器、铜器、铁器、铅器，玉器、石器、漆器等。其中以陶器为大宗，其他器物数量相对较少。该墓的时代简报推断为西汉中晚期，墓主应是 1 名身份地位较高的贵族或官吏。

简报称，该墓出土的釉陶器造型美观，器类丰富，为研究汉代考古及服饰文化等提供了宝贵的实物资料。

1670.西安市长安区西北政法学院西汉张汤墓发掘简报

作　者： 西安市文物保护考古所　后晓荣、孙福喜等
出　处：《文物》2004 年第 6 期

2002 年 4～10 月，考古人员在西安市长安区郭杜镇西北政法学院南校区进行考古发掘。共清理发掘战国、秦、汉、唐墓葬 88 座，其中西汉张汤墓（M20）价值较高。简报分为：一、墓葬形制，二、随葬器物，三、结语，共三个部分。有照片、手绘图。

据介绍，M20 位于西北政法学院南校区体育办公楼基槽西北部，为斜坡墓道土洞墓，坐东朝西，略偏东北向。平面呈"甲"字形，由墓道、甬道、墓室 3 部分组成。在墓室门口、墓室东北角各有 1 个椭圆形盗洞，直径约 0.6～0.8 米。在清理过程中，墓室东部发现有大面积麻织物及漆皮痕迹，长 2.6 米、宽 0.22 米。靠北壁有棺木灰痕迹，其周围散乱分布 2 件大铁铺首和许多四叶柿蒂形铜饰。但没有发现骨架，故葬式不详。因墓室内盗扰严重，除西北角出土的铜洗在原位置外，其他器物都曾被扰动。M20 出土器物主要为铜、铁器，其中大部分为小件生活用具。有"张汤、张君信印""张汤、臣汤"铜印 2 件出土。简报推断其年代为西汉武帝时期。张汤，《史记》《汉书》有传。《汉书·张汤传》记载张汤起于书吏，曾为长安吏、宁成椽、茂陵尉、侍御史、廷尉，后迁御史大夫，位列三公。

今有沈刚先生《汉代国家统治方式研究：列卿、宗室、信仰与基层社会》（社会科学文献出版社 2018 年版）一书，可参阅。

1671.汉长安城长乐宫二号建筑遗址发掘报告

作　者：中国社会科学院考古研究所汉长安城工作队　李毓芳、刘振东、张建锋
出　处：《考古学报》2004 年第 1 期

中国社会科学院考古研究所汉长安城工作队自 2002 年秋、冬季至 2003 年春季对汉长安城长乐宫二号建筑遗址进行了考古发掘。该遗址位于西安市未央区汉城街道办事处罗家寨村地界内。遗址地处汉长安城长乐宫西宫墙东 472 米、北宫墙南 380 米。简报分为：一、地层堆积，二、早期遗址，三、晚期遗址，共三个部分。有彩照、手绘图。

据介绍，早期遗址包括汉代宫殿及附属建筑遗址，属西汉时期。从红烧土堆积来看，可能毁于王莽末年的战火。该遗址应为长乐宫中一处生活、闲乐之处。晚期遗址为北朝西魏、北周时的窑址，被毁严重。应是生产板瓦、筒瓦之处。

1672.西安北郊明珠新家园 M54 发掘简报

作　者：陕西省考古研究所　肖健一、朱思红
出　处：《考古与文物》2004 年第 2 期

2002 年 4 ～ 10 月，为配合荣华集团的房地产开发项目，考古人员对位于西安市北郊张家堡东北的郑王墓葬群进行了考古发掘，清理汉代墓葬 90 余座，出土各类文物 400 余件，其中发现的 1 座墓（M54）出土的铜、骨质性器，在近年来西安地区的考古发掘中较为少见，为研究当时人们的社会生活、性观念等提供了较为难得的实物资料。简报将该墓葬单独列出，分为：一、地理位置及其周围文物遗存，二、墓葬形制及葬具葬式，三、出土器物，四、年代推断及相关问题的讨论，共四个部分。有手绘图。

据介绍，明珠新家园位于未央区张家堡街道办事处郑王村东北，西临雅荷城市新家园小区，北为凤城八路，南距唐长安城大明宫遗址约 4 公里，西距汉长安城东墙遗址约为 3.5 公里，故其附近汉唐遗址、墓葬较为丰富。此次发掘地点，位于郑王村东北，当地俗称"七女冢"，墓葬区面积 15000 平方米，原有圆丘形封土 7 座。1982 年暴露出竖穴土墓和砖室墓数处，出土陶罐、陶仓、铁釜、铜镜、玉晗、铅人明器及五铢钱、五铢钱范等。

M54 坐西向东，由竖穴墓道、土洞墓室组成。墓道平面呈梯形，木棺底西北部发现一些铜质男根形器物及骨质器物。M54 除出土铜质、骨质器物以外，还在墓室淤土中发现残铁器及几片陶器残片。简报推断 M54 的时代应为西汉早期，墓主身份

应为利用铜、骨质性器自慰的女子，生理正常的追求刺激的男子或某些生理不正常的男子如阳痿者、太监、受宫刑者等。

1673.陕西临潼零口汉墓清理简报

作　者：陕西省考古研究所　周春茂、阎毓民
出　处：《文博》2004 年第 1 期

考古人员于 1994 年 10 月至 1995 年 12 月期间配合临（潼）渭（南）高速公路修建工程而抢救性发掘的陕西省临潼县零口村遗址，以其第二期遗存即零口文化遗存而受到学界重视。该遗址还清理出汉代墓葬 4 座，编号为 M1、M2、M5、M6。前 2 座保存较好，但墓道大部在探方之外，故未能全部清理；后 2 座发现时已被严重破坏。简报分为：一、墓葬形制，二、随葬品，三、讨论与结语，共三个部分。有手绘图。

据介绍，4 座墓计竖穴斜坡墓道土洞室墓 1 座、竖穴斜坡墓道砖室墓 1 座、斜坡墓道砖室墓 2 座。M1、M2 有 1 棺，另 2 墓葬具不明。M1、M2 为仰身直肢葬，另两墓葬式不明。4 座墓随葬品有陶器、铁器、铜器、石器、玉器、货币和其他种类，共 287 件。其中货币 221 件。简报推断 4 座墓为西汉墓。

1674.汉长安城长乐宫发现凌室遗址

作　者：中国社会科学院考古研究所汉长安城工作队　刘振东、张建锋等
出　处：《考古》2005 年第 9 期

2004 年 10 ～ 12 月，中国社会科学院考古研究所汉长安城工作队于汉长安城长乐宫的西北部，今西安市未央区汉城街道办事处罗家寨村东北发掘出土了一组形制独特的建筑遗址，编号为长乐宫五号建筑遗址。简报分为：一、建筑遗迹，二、出土遗物，三、结语，共三个部分。有彩照。

据介绍，遗址的地层堆积比较简单，一般耕土层下即见汉代夯土墙、庭院铺砖等；有的地方保存了一些汉代文化层，如房内堆积等。也有些地方耕土层下有汉代以后的扰乱坑，但不见晚于汉代的建筑遗迹。出土遗物主要有陶器、铁器、铜钱和海贝等。陶器数量较多，大多为建筑材料，有砖、瓦、瓦当等。砖分为方砖、条砖和空心砖，方砖又可分为素面方砖、几何纹方砖、乳钉纹方砖和小方格纹方砖等。

瓦分板瓦和筒瓦。瓦当有云纹瓦当和文字瓦当两种，文字瓦当均为"长生无极"瓦当。铁器有钉和铲。铜钱有汉半两、五铢、布泉、货泉、小泉直一等。海贝应属王莽币制"宝货"中的贝货。

简报指出，该遗址出土了大量西汉、新莽时期的建筑材料和铜钱等遗物，所以它的时代应为西汉、新莽时期。该建筑应始建于西汉早期，经西汉中晚期，一直沿用到新莽时期。在长期的使用过程中，因为不断加以维修，所以留下了不同时期的遗迹和遗物。

据介绍，主体建筑 F1 有一些明显的特征：为浅地下式建筑；四周墙体很厚；房内地面由南北两侧向中间倾斜，并于中部形成一条东西向排水沟，排水沟的东端连接一条穿过东墙的排水管道，说明房内有大量积水需要排往房外。这些特征表明房址可能用来藏冰。因为浅地下的建筑结构和宽厚的墙体具有保温、隔热的作用，冰在贮藏过程中逐渐消融形成的融水由房址中部的排水沟经东墙下的陶水管道排往房外。另外，因为冰块较重，所以将条砖侧立起来铺砌地面用以承重，而房内一周平铺条砖的回廊应是藏冰、取冰时行走的通道。发掘时在接近侧立铺砖地面之上普遍堆积了一层富含腐殖质的灰黑色土，厚约 0.1～0.2 米。根据后世藏冰的经验，推测冰块之上可能用草类覆盖，草类腐朽后与填土相混形成了灰黑色土。

简报认为，F1 为藏冰室，即古文献中所称"凌室"，F2～F6 或可认为是相关管理人员处理日常事务的场所。

简报指出，长乐宫凌室建筑遗址形制独特，系首次发现的西汉时期藏冰遗迹，为研究西汉建筑的多样性以及西汉宫廷生活增添了新的实物资料。

1675.西安理工大学西汉壁画墓发掘简报

作　者：西安市文物保护考古所　孙福喜、程林泉、张翔宇等

出　处：《文物》2006 年第 5 期

2004 年 2 月，西安市文物保护考古所在配合西安理工大学校区基建工程中，清理出汉代墓葬 40 余座，其中编号为 M1 和 M2 的 2 座墓葬规模较大。简报分为"一号墓""二号墓""结语"，共三个部分，先行介绍了这 2 座墓的发掘情况，有彩照、手绘图。

据介绍，2 墓均为长斜坡墓道竖穴土圹砖室墓。出土有陶、铜、铁、铅、玉、石等器物及大量的钱币。尤其是在 M1 墓室内发现了大面积的壁画，保存较好，色彩艳丽。其中有镇墓辟邪、引导墓主人的灵魂进入仙界的画面，更有如狩猎、车马出行、宴乐、斗鸡等表现现实生活的场景，内容极为丰富。根据墓葬形制及出土器物的特征，这 2 座墓的年代均应在元帝至新莽之间的西汉晚期，墓主人也应具有较高的身份地位。应为诸侯王、列侯、郡太守及二千石以上官秩。此墓的发现，为研究汉代的社会生活、丧葬习俗、绘画艺术等提供了珍贵的实物资料。

简报强调，汉代壁画墓发现于 20 世纪初，截至 2006 年，见诸报道的汉代壁画墓有 60 余座。从时间上看，这些壁画墓时代大部分在新莽至东汉末年，西汉时期尤其是西汉前期的壁画墓较少；从空间上看，大多分布在长江以北，且以河南为中心的中原地区最为密集。西安理工大学西汉壁画墓是关中地区发现的较少的汉代壁画墓之一，壁画内容不仅有传统的羽化升仙内容，还出现了被以往认为是流行于东汉时期的车马出行、宴乐、斗鸡等表现现实生活的画面，十分珍贵。

1676.秦始皇陵园汉墓清理简报

作　者：陕西省考古研究所　王学理
出　处：《文物》2004 年第 5 期

岳家沟是秦始皇陵西南的一个村庄，地属今西安市临潼区晏寨乡。1986 年 1 月，岳家沟一村民在自家院子里挖出 1 座古墓，考古人员进行了抢救性清理，并将此墓编为一号汉墓（M1）。当陕西省秦始皇陵考古队对秦俑一号坑进行第 2 次发掘时，又在该村民院子里发现二号汉墓（M2）。同年 8 月，对 M2 进行了考古发掘。简报分为：一、墓葬形制，二、随葬器物，三、结语，共三个部分。配以照片、拓片、手绘图，介绍了这两座汉墓的发掘情况。

简报称，2 座汉墓位于秦始皇陵西南，一号墓为竖穴带壁龛土圹墓，这是战国晚期到西汉初流行的一种墓葬形制。而岳家沟一号墓并不是直线式的竖穴土洞墓，它在南端凿出土洞，棺椁占据了整个竖穴土圹和洞室。所以，该墓的形制还算不上是竖穴墓道洞室墓，应是竖穴土圹墓在延续中的变异。简报认为墓主是士一级。岳家沟二号墓属于坡墓道洞室墓，此式源自秦，同两汉相始终。二号墓的年代应在西汉早期。与一号墓的时代相当或稍早。

简报称，汉代初期，高祖刘邦对秦始皇陵采取保护措施。他在十二年（前 195 年）下诏，命 20 户人家为秦始皇守陵。但随后在陵园内出现了有一定规模的汉墓，这是否反映出汉惠帝、高后时期管护的废弛？总之，岳家沟两座汉墓的发现，为考察秦始皇陵园地理环境的变迁提供了新资料。

1677.西安市汉长安城长乐宫四号建筑遗址

作　者：中国社会科学院考古研究所汉长安城工作队　张建锋、刘振东、王晓梅等
出　处：《考古》2006 年第 10 期

汉长安城长乐宫四号建筑遗址位于今陕西省西安市未央区汉城街道办事处罗家

寨村北约 120 米，地处长乐宫遗址的西北部，西距长乐宫西宫墙约 850 米，北距长乐宫北宫墙约 620 米。中国社会科学院考古研究所汉长安城工作队于 2003 年 10 月至 2004 年 1 月对其进行了考古发掘。简报分为：一、地层堆积，二、遗迹，三、遗物，四、结语，共四个部分。有彩照、手绘图。

据介绍，遗址主殿夯土台基呈长方形，台基北面和西面有廊道、散水遗迹，散水外为庭院，在庭院西北侧发现院墙遗迹。在夯土台基的中部和东部各有 1 座半地下式附属建筑，1 处当是处理政务的地方，另 1 处则可能是重要人物生活处所。简报推测遗址始建年代早到西汉早期，毁于新莽时期的更始年间。

今有宋杰先生《汉代宫廷居住研究》（科学出版社 2020 年版）一书，可参阅。

1678. 西安市汉长安城城墙西南角遗址的钻探与试掘

作　　者：中国社会科学院考古研究所汉长安城工作队　刘振东、张建锋等

出　　处：《考古》2006 年第 10 期

汉长安城城墙西南角遗址位于西安市未央区三桥镇东刘村北，现存遗址是长安城保存较好的城角之一。2002 年夏，西安市文物局汉长安城遗址保护管理所对城墙西南角遗址进行保护，为配合该项保护，并究明其形制结构，于 6 月中旬至 8 月中旬对其进行了考古钻探和试掘。简报分为：一、钻探，二、试掘，三、结语，共三个部分。有照片、手绘图。附有专家所写《西安市汉长安城城墙西南角遗址出土人骨鉴定》等。

简报指出，汉长安城城墙有多处拐角，除西南、东南、东北和西北角外，在南墙、西墙尤其是北墙曲折的地方都形成拐角，其中西南角因临近未央宫而显得尤为重要。该城角不仅承担长安城的城防重任，还兼顾未央宫的安全防御。经过钻探和试掘，探明了西南角附近南城墙、西城墙的形制与筑法，西城墙内外的道路和南城墙外壕沟的范围，并确认城角存在角楼建筑，始建年代可能在惠帝筑城墙时期或以后，在西汉中晚期和新莽时期都曾维修或增建，毁坏于新莽末年或更始末年。此后再未重建。

1679. 西安市汉唐昆明池遗址的钻探与试掘简报

作　　者：中国社会科学院考古研究所汉长安城工作队　刘振东、张建锋等

出　　处：《考古》2006 年第 10 期

昆明池是汉、唐都城长安城郊的 1 处重要池苑，遗址位于今陕西省西安市长安

区斗门镇、细柳镇一带，西户铁路横穿遗址的北部、沣惠渠贴着遗址的南缘流过。以前对昆明池遗址曾做过考古调查。2005年4～9月再次对遗址进行了考古钻探、试掘和测量，并在遗址以北探明了另外两个古代水池——镐池与彪池遗址。简报分为：一、昆明池遗址，二、镐池遗址和彪池遗址，三、结语，共三个部分。有手绘图等。

据介绍，昆明湖为汉武帝元狩年间（前122～前117）发谪吏所修，遗址在今斗门镇、石匣口村、万村、南丰村之间。

据文献记载，昆明池作为上林苑中1处重要的风景池苑，成为了帝后们的游乐之地。当年昆明池中还放养大量鱼鳖，供应陵墓祭祀、太官和长安市场，成为重要的水产品养殖地。西汉以后，有多个朝代的帝王，如东汉安帝，北魏太武帝、孝文帝，北周宇文泰、明帝，隋文帝，唐高祖、太宗、代宗、武宗等都曾到昆明池游幸。当时的昆明池，鱼翔浅底，水鸟展动，莲荷茂盛，是皇帝以及王公设宴、垂钓和踏青的游览胜地。

至于镐池和彪池，简报称昆明池、镐池、彪池是呈南北分布的3个水池，它们的位置关系十分明确，即镐池在昆明池之北，彪池在镐池之北，镐池之水承自昆明池而流入彪池，最后，彪池之水流入镐水。西汉时期，昆明池与镐池并存。简报推测是到了唐代大规模维修昆明池堤岸时填塞了昆明池流往镐池的水口，才致使镐池和彪池干涸废弃。

1680.陕西投资策划服务公司汉墓清理简报

作　者：陕西省考古研究所　李增社
出　处：《考古与文物》2006年第4期

陕西投资策划服务公司位于西安市北郊经济技术开发区凤城三路东段，北邻尤家庄村，东靠陕西种子公司，占地9000平方米。2002年11月20日开始对其1号基槽内发现的古墓葬进行发掘，共清理古墓葬47座，其中8座墓葬资料不全。简报分为：一、墓葬形制，二、随葬器物，三、墓葬分期，共三个部分，介绍了其余39座墓葬，有手绘图等。

据介绍，39座墓可分四类：一为竖穴土坑墓6座，二为竖穴墓道土洞墓27座，三为竖穴墓道砖室墓3座，四为斜坡墓道砖室墓3座。39座墓葬共出土随葬器物295件，按质地分有陶器、铜器、铁器、铅器、玉石器及钱币。年代贯穿整个西汉，从西汉早期、西汉中期偏晚、西汉晚期至王莽时期均有。

1681.西汉长陵、阳陵 GPS 测量简报

作　者：陕西省考古研究所　曹　龙、杨武站、马永赢
出　处：《考古与文物》2006 年第 6 期

西汉时期皇帝陵墓均位于都城长安附近，除文帝霸陵位于灞水西岸的白鹿原，宣帝杜陵位于长安东南的鸿固原外，其余 9 座均位于咸阳原上。位于咸阳原南部的 9 座皇帝陵由西向东依次为：武帝茂陵、昭帝平陵、成帝延陵、平帝康陵、元帝渭陵、哀帝义陵、惠帝安陵、高祖长陵、景帝阳陵。西汉帝陵的调查研究始于 20 世纪初，而系统、科学的调查研究工作则从 20 世纪 70 年代开始。几十年来，专家、学者们对西汉帝陵的名位、封土、墓穴结构、陵园、陪葬坑、陪葬墓、礼制性建筑、陵邑等进行了大量的考证、测量、勘探及发掘工作，取得了可喜的收获，为西汉帝陵的研究工作奠定了坚实的基础。2004 年 12 月、2005 年 8 月，考古人员先后 2 次运用 GPS 测量技术对长陵、阳陵两座西汉帝陵地面现存遗迹及部分地下遗迹进行了测量。简报分为：一、测量目的，二、测量设备、技术，三、测量结果，四、结语。共四个部分予以介绍。

据介绍，通过测量及现场考察，发现咸阳原上的西汉帝陵均处在南部边缘地带。帝、后陵在陵园中的地位，无疑是最为重要的，但在规划设计时却尽量将其靠近南侧。从西汉帝陵的选址来看，除了考虑到风水、排水等因素之外，向阳或是靠近长安城也应是其规划设计的重要指导思想。陪葬墓则是根据规划及帝、后陵园周围的地形、地势选择，在陵园的东司马道两边或北边的位置而葬。使用 GPS 测量技术对西汉长陵、阳陵测量后，使我们对古人的规划设计和测量技术有了全新的认识，同时也开辟了新的研究课题，比如汉代人是如何进行测量的。古人在营建陵墓前，已做过相当精心的规划。

1682.西安尤家庄六十七号汉墓发掘简报

作　者：西安市文物保护考古所　程林泉、张翔宇、张小丽等
出　处：《文物》2007 年第 11 期

1996 年 8 ～ 11 月，为配合基建工程，考古人员在西安北郊的尤家庄发掘战国、秦汉时期墓葬 200 余座。其中的 1 座东汉墓（编号为 M67）规模较大，结构复杂，随葬品丰富。尤其是出土的一批小陶俑，形态各异，是研究汉代杂耍百戏、陶塑艺术的重要资料。简报分为：一、墓葬形制，二、出土器物，三、结语，共三个部分。有照片、拓片、手绘图。

据介绍，该墓距地表深 1.2 米，为长斜坡墓道砖砌多室墓，坐西朝东。地面封土已不存。据当地农民讲，这里以前是 1 座大土冢，20 世纪六七十年代平整土地时被夷平。全墓由墓道、甬道、墓室组成。墓室由前室、前室左侧室、过洞、中室、中室左侧室、中室右侧室、后室 7 个部分组成。该墓曾被盗，出土劫余遗物 186 件，另有铜钱 41 枚。该墓为九人家族合葬墓，从建造到最后一个下葬，时间跨度可能长达几十年。简报推断该墓的年代上限可能早至东汉中期，其下限当在东汉晚期。

1683.西安市西北大学校园发现一座汉墓

作　者：西北大学文博学院考古系　王维坤、贾麦明、任　江等
出　处：《考古》2007 年第 5 期

2002 年 3 月，西北大学在处理本部校园教学十号楼的地基时，发现汉墓 1 座（M1）。考古人员前往清理。简报分为：一、墓葬形制，二、随葬器物，三、结语，共三个部分。有手绘图。

据介绍，该墓为长方形单室砖墓，由墓道、甬道、墓室 3 部分组成。墓道为斜坡式，大部分及墓室、甬道的顶部已在施工中被挖掉，情况不明。墓室底部未见人骨，西北角放置铜镜、铜削和陶器等，东侧集中了陶器。推测葬具原置于墓室底部西侧铺砖处，葬具可能是木棺。墓室淤土内发现大量铜钱和锈蚀的铁钉。墓砖为长方形，单面模印细线菱格纹。随葬器物有陶器、铜器和石器等。

据介绍，该墓为东汉晚期墓，虽然规模不大，但出土器物尚丰。其中陶灶上的人物形象，有学者认为是汉代祭灶女神形象。

1684.西安南郊缪家寨汉代厕所遗址发掘简报

作　者：陕西省考古研究所　曹　龙
出　处：《考古与文物》2007 年第 2 期

2005 年 1 ～ 2 月，考古人员在配合浪仙屿餐饮娱乐公司生态园基本建设的过程中，发现并清理了 1 处汉代厕所遗址。简报分为：一、地理位置，二、地层堆积，三、形制结构，四、出土遗物，五、结语，共五个部分。有手绘图、拓片。

据介绍，浪仙屿餐饮娱乐公司生态园位于西安市雁塔区缪家寨村西南约 150 米处。南距汉宣帝杜陵约 3 公里。杜陵邑在陵西北 2.5 公里，位于今三兆村西北、缪家寨村以南。杜陵邑城址为长方形，东西长 2100 米、南北宽约 500 米。此次发掘的汉代

厕所位于杜陵邑的北部稍偏东处。遗址为一平面略呈方形的地穴式建筑。此次发掘所出土的遗物主要是以板瓦、筒瓦、瓦当、砖等为主的建筑材料，另外还有少量的陶器残片等。收集标本共计 40 余件。遗址位于杜陵邑遗址范围内，根据其所用的建筑材料以及出土陶器残片的形制特点等分析，简报推断其时代为汉代。

简报称，该遗址的发掘，为研究汉代厕所建筑的形制布局、了解汉代风俗面貌等提供了新的线索，同时对于研究杜陵邑的建筑格局等问题亦有着重要的意义。

1685.陕西高陵县宝诗佳公司汉墓发掘简报

作　者：陕西省考古研究所　曹　龙、杨武站、马永嬴
出　处：《华夏考古》2007 年第 3 期

2000 年 3 月，为配合陕西高陵县泾河工业园宝诗佳公司的基本建设工程，考古人员在其宿舍楼地基内发掘清理了 2 座汉代墓葬（M12、M9），出土了一批陶器。因它们位于汉景帝阳陵的陪葬墓园范围之内，故它们的发掘对于研究阳陵陪葬墓园的历史沿革等相关问题有一定的参考价值。简报分为：一、地理位置及概况，二、墓葬形制，三、随葬器物，四、结语，共四个部分。有照片、手绘图。

据介绍，M9 由墓道、甬道、墓室 3 部分组成，曾被盗。M12 由墓道、墓室两部分组成。M9 仅在盗洞范围内出土几件陶器、铜器残片，车马器以及铁环首刀 1 件。M12 出土有陶器、铁器、铜器等近 30 件。M12 的时代，简报推断为东汉晚期；M9 应早于 M12。墓主人身份不明。但应为汉阳陵陪葬墓。

1686.西安南郊潘家庄 169 号东汉墓发掘简报

作　者：西安市文物保护考古所　张小丽、张翔宇、王久刚等
出　处：《文物》2008 年第 6 期

2003 年 3 ~ 10 月，考古人员在西安南郊潘家庄为配合基建工程，清理了战国、秦汉墓葬 300 多座。其中第 169 号东汉墓保存较好，出土器物丰富。简报分为：一、墓葬形制，二、出土器物，三、结语，共三个部分，先行介绍 169 号东汉墓的发掘情况。有照片、手绘图。

据介绍，M169 为长斜坡墓道砖砌多室墓，由墓道、甬道、墓室 3 部分组成。墓室由前室、后室、耳室 3 部分组成。前、后室的墓壁均用条砖错缝平砌，墓底条砖呈"人"字形平铺。耳室位于前室南侧，平面呈"凸"字形，拱顶土洞，砖券门。前半部铺底砖与前室相同。墓葬已遭盗扰，随葬器物散乱，主要出土于前室、后室及耳室内。

封门位于甬道内，2 重封门。第 1 重封门位于甬道内，紧贴墓室口，用砖封门。第 2 重封门位于第 1 重封门外侧，用木板封门。墓内发现木棺 2 具，后室棺内人骨已无存。前室棺内有人骨架 1 具，已经朽成粉末状。葬式为仰身直肢，头向朝东。在后室中部偏北发现盗洞 1 处，直接进入墓室。盗洞平面呈椭圆形。共出土劫后遗物 60 件，其中陶器 50 件。简报推断，始建年代可能是东汉中期早段，最后一次下葬的年代为东汉中期晚段或晚期早段。

简报指出，该墓虽遭盗扰，但出土的百枝灯、镇墓兽、"黄神"印章、鞍马、牛车等陶器，对研究汉代的丧葬文化与社会生活具有重要价值。百枝灯分为三层，下层展现人间生活，中层表现升仙场景，上层表现的是天界，堪称精品。"黄神之印"陶印是东汉时期道家用压胜避邪物，也不多见，是东汉时期道教思想在丧葬习俗中的反映。值得一提的是，该墓出现了陶牛车。东汉时期，地位较高的官吏、贵族开始乘坐牛车，用牛车模型随葬正是这种风尚的表现，这也开创了魏晋南北朝时期陶牛车随葬的先河。

1687.西安张家堡新莽墓发掘简报

作　者：西安市文物保护考古所　张小丽、张翔宇、翟霖林等
出　处：《文物》2009 年第 5 期

2006 ～ 2007 年，为配合西安市行政中心北迁项目，考古人员在西安市北郊张家堡发掘汉墓数百座。此墓地西距汉长安城约 2.5 公里，墓葬以西汉墓为主，其中 2007 年初发掘的 1 座新莽时期墓葬（编号 M115），规模宏大，出土器物丰富，尤其是出土的九鼎，甚为重要。简报分为：一、墓葬形制，二、出土器物，三、结语，共三个部分。有彩照、拓片、手绘图。

据介绍，此墓为长斜坡墓道竖穴土圹砖室墓，由墓道、南北耳室、甬道、墓室等部分组成，出土器物 204 件（组），有陶器、铜器、铁器、铅器等。根据墓葬的形制和出土器物分析，应为新莽时期的墓葬。其中出土的铜鼎和大釉陶鼎以及由其形成的九鼎组合属首次发现，墓主当为高级贵族，至少应为卿大夫，甚至可能高至列侯。

简报称，秦汉时期墓葬中本已不再流行随葬青铜礼器，王莽时期实行托古改制，其中包括依托《周礼》进行礼制方面的改革，但仅见于文献记载，缺少考古材料，此墓随葬的九鼎应是王莽礼制改革的一个例证，表明墓葬确有"复古"现象。这一墓葬的发现，对新莽时期历史、文化的研究有着极为重要的意义。

1688.陕西高陵出土的东汉建和三年朱书陶瓶

作　者：咸阳市考古研究所　刘卫鹏
出　处：《文物》2009 年第 12 期

2005 年，东汉建和三年（149 年）朱书陶瓶出土于陕西省高陵县，后被咸阳市渭城区秦咸阳宫遗址博物馆征集。陶瓶为青灰色，侈口，平沿，方唇，溜肩稍折，斜直腹，平底。口径 7.4 厘米、底径 8.3 厘米、最大径 11.5 厘米、高 24.1 厘米。陶瓶的腹部和肩部上面朱书有大量镇墓文字，并画有道符。简报录有朱书文字全文并加以解说，认为这是东汉道教教徒的随葬物品。有手绘图。

今有陈丽桂先生《汉代道家思想》（中华书局 2015 年版）一书，可参阅。

1689.西安汉长安城直城门遗址 2008 年发掘简报

作　者：中国社会科学院考古研究所汉长安城工作队　张建锋、刘振东、徐龙国等
出　处：《考古》2009 年第 5 期

直城门是汉长安城西面城墙上的南数第二个城门，遗址位于今陕西省西安市未央区未央宫街道办事处周家河湾村东部以北约 100 米处。1957 年，考古人员曾对该遗址作了局部发掘，清理了 3 个门道中北面的 1 个门道，部分发掘资料已经发表。2008 年，为配合西安市文物局的直城门遗址保护工程，又对该遗址作了第 2 次发掘。发掘工作从 5 月 22 日开始，至 10 月 30 日结束。简报分为：一、地层堆积，二、遗迹，三、遗物，四、结语，共四个部分。有彩照、手绘图。

直城门是汉长安城西面城墙上的南数第 2 个城门，通过 1957 年、2008 年两次发掘，发现的遗迹主要有城墙和城门。出土遗物以西汉时期遗物为主，多为陶质建筑材料。通过此次发掘，对于直城门的形制、始建年代等有了进一步的认识。简报认为城门的倒塌时间应在西汉晚期以后，这与史籍记载也大致吻合。直城门的北门道则是在新莽末年烧毁后又被重新利用，经历了十六国、北朝，直至隋代以后才被废弃。

简报指出，西汉时期直城门有 3 个门道，门道之间有宽约 4 米的夯土隔墙。每个门道复原进深为 20 米左右，宽约 8 米，减去门道两侧立柱的空间，各门道的可使用宽度为 6 米左右。此门道比其他门道光滑，或许是因此门道为皇帝专用，使用较少之故。

1690.西安南郊荆寺二村西汉墓发掘简报

作　者：西安市文物保护考古所　王久刚
出　处：《考古与文物》2009 年第 4 期

荆寺二村位于西安市长安区义井乡西南洋河以东。2001 年春为配合高速公路建设，考古人员在该村村东发掘清理 9 座西汉早期墓，为研究秦文化向汉文化过渡提供了重要资料。简报分为：一、墓葬形制，二、出土器物，三、结语，共三个部分。有手绘图。

据介绍，9 座墓均为东西向竖穴墓道土洞墓。有的曾被盗。出土遗物计 103 件。按质地可分为陶器、铜器、铁器、玉器、铜钱。陶器一般置于墓室口及耳室内，小件器物置于棺内。简报推断为西汉初年墓葬。

1691.西安凤栖原西汉墓地田野考古发掘收获

作　者：陕西省考古研究院
出　处：《考古与文物》2009 年第 5 期

2008 年 7 月，考古人员对位于西安市南郊凤栖原的 1 处西汉中晚期家族墓地进行了发掘。该墓地规模较大，规格较高。截至 2009 年 6 月，已经初步了解了墓地的布局，并发掘了西汉时期大型积沙积石积炭墓 1 座、积沙墓 1 座、砖室墓 2 座、土洞墓 4 座。简报配以照片予以介绍。

据介绍，墓地中部为 1 座"甲"字形大墓（M8），东、西两侧有 6 处从葬坑，墓地东侧有建筑遗址，墓地外有一些规模不等的汉墓。M8，斜坡墓道处北、墓室居南，墓室深约 15 米，椁室口距现地面约 8 米，椁室被盗并遭焚烧。墓道东侧有土圹式耳室 2 个，西侧有耳室 1 个，出土较多的彩绘陶罐、釉陶壶、青铜器小件和鹤、兔、牛等较为完整的动物骨骸，以及 20 多枚形式、内容完全相同的"卫将长史"封泥。墓室东、南、西 3 个壁面均有"之"字状台阶，墓室、墓道内填坚硬五花夯土。墓冢封土略呈长方形，现存面积约为 4050 平方米，残存高约 1～1.3 米，冢原高约 15 米。M8 东侧约 30 米处有 1 个略小的"甲"字形墓 M25，应是与 M8 关系极为密切的。从葬坑中已出土 200 多件彩绘陶俑，建筑遗址原应为祠堂。周围的 M3、M4、M5、M6、M7、M9 等均已发掘。在墓葬、从葬坑、建筑基址等各类遗迹单位中，已出土重要文物 300 余件，包括铜车马器、铜礼乐器、陶容器、陶俑、漆器、玉器、麻织品、钱币、陶建筑材料等。

简报称，凤栖原汉墓应该是 1 处家族墓园，以 M8 为核心，包括从葬坑、祭祀建筑、壕沟等多种设施，以及近旁大量的大、中、小型墓葬。时代最早的"甲"字形大墓M8为西汉中期宣帝时期墓葬。该墓地应不早于西汉中期，不晚于王莽新朝。位于墓园中心的M8规模最大，处于外围的其他墓葬依次渐小，可见该墓园有着时代早规模大、时代渐晚规模渐小的整体变化趋势，似乎反映了该家族在西汉中晚期的势力消长。可以判断该墓园可能属于王侯级别，该家族在西汉中晚期曾拥有十分显赫的地位。但M8墓主人身份尚无从判定。本次在西安南郊所发掘的凤栖原大型汉代墓园，是目前唯一经过完整发掘的属王侯级别的汉代家族墓园，为秦汉陵园制度的演变，汉代帝后、诸侯王、列侯等级别人物的埋葬制度以至汉代历史及汉代物质文化的研究提供了新的资料。

1692.西安曲江翠竹园西汉壁画墓发掘简报

作　者：西安市文物保护考古所　程林泉、张翔宇、翟霖林、郭永琪、陈　斌等
出　处：《文物》2010年第1期

2008年11月，在配合西安南郊曲江新区翠竹园小区综合楼的基建工程中，考古人员发掘西汉时期墓葬4座，其中一号墓（M1）规模较大，墓室内壁有彩绘壁画，内容丰富，色彩艳丽，是研究汉代社会生活及绘画艺术的重要资料。简报分为：一、墓葬形制，二、出土器物，三、壁画，四、结语，共四个部分。有彩照、手绘图。

据介绍，M1上部已被破坏，墓葬形制为斜坡墓道竖穴土圹砖室墓，平面呈"甲"字形，坐南向北，墓室正南北方向，墓道略偏向北，全墓由墓道、甬道、耳室、墓室四部分组成。墓室内有彩绘壁画。制作过程系先在墓室内壁砖上刷白灰，在白灰上用黑线起稿，再填上红、蓝、黑、绿、褐、黄色。出土遗物53件。简报推断为西汉晚期壁画墓，墓主人应为一位2000石以上高官或贵族。

简报指出，该墓壁画面积达到62平方米。壁画中的人物形象高大，一般在1米以上，个别高2米，为国内发现同时期壁画墓所仅见。此墓壁画内容应是西汉京畿上层社会真实生活的再现，这种形式的内容为两汉时期壁画墓首次发现。壁画描绘的生活场景中，人物穿衣类型有3种，即襦裙、袍服和襦衣。在汉代，襦裙并不十分流行，只有中上阶层的女性才会穿着；襦衣和袍服则是大众化的服装，下层男女百姓均可穿着。从衣着上可以看出，穿着襦裙的女性是地位较高的贵妇人，而穿着襦衣和袍服的则是侍女、婢女、仆人等。此外，身高的差异也反映了现实社会中的不同阶层：身高较高者均为贵妇人、男士的形象，神态怡然，气质高贵，或拢袖或佩剑；而身高较低的均为侍女、婢女及男仆形象，面容谦恭，或手捧漆杯、漆盒，

或身背包袱，或怀抱婴儿、手牵小孩等。壁画中人物众多，对单个人物的神情刻画自然真实、生动传神，绘画技法娴熟，具有粗犷拙朴、浓墨重彩的风格，反映了当时真实的绘画艺术水平。

1693.西安市电子三路西京社区东汉墓清理简报

作　　者：陕西省考古研究院　李举纲、袁　明、杨　洁
出　　处：《文博》2010 年第 4 期

2009 年 6 月，考古人员为配合西京社区幼儿园的工程建设，在西安市雁塔区电子三路西京社区内清理发掘了 2 座东汉墓。简报分为：一、墓葬位置、地层关系及墓葬形制，二、葬具葬式，三、随葬器物，四、结语，共四个部分。有拓片、照片、手绘图。

据介绍，墓葬上半部已被施工破坏。均为斜坡墓道竖穴土圹砖室墓，平面略呈铲形。由墓道、甬道、封门、砖券墓室组成。M1 曾被盗，葬式、葬具不详。M2 应为木棺，墓主应为约 45 岁的女性。随葬品有陶器、铜盆、铜钱、铜镜等。简报推断为东汉早中期墓葬。

1694.西安市汉长安城长乐宫六号建筑遗址

作　　者：中国社会科学院考古研究所汉长安城工作队　徐龙国、刘振东、张建锋等
出　　处：《考古》2011 年第 6 期

长乐宫六号建筑遗址位于今西安市未央区汉城街道办事处罗家寨村北。遗址地处长乐宫的西北部，北距长乐宫四号建筑遗址约50 米，东距长乐宫五号建筑遗址约50 米。考古人员在长乐宫内钻探时发现该遗址，并于2005 年11 月至2006 年1 月在遗址的东北部进行了局部发掘。六号建筑的主殿位于发掘区的南部，因发掘面积所限，仅揭露夯土台基北部和东部边沿部分及附近的廊道、散水等。在发掘区之内揭露的大部分实际上仅为六号建筑北侧的附属建筑。

简报分为：一、地层堆积，二、早期建筑，三、晚期建筑，四、结语，共四个部分。有彩照、手绘图。

据介绍，附属建筑分两部分，均由殿堂、廊道、散水和院落组成。从出土遗物看，该建筑始建于西汉初期并一直沿用到王莽时期。建筑的废毁或与更始年间的战火有关。根据发掘资料并结合文献记载，六号宫殿遗址应是长乐宫的前殿旧址。因其主体部分尚未发掘，六号宫殿的用途尚有待日后的考古工作。

简报指出，排水设计也是这次发掘的一大收获，这组排水设施由两个沉淀池、两组排水管道组成。散水及进水槽的倾斜度，两个沉淀池进水口、出水口的高度以及两组排水管道的高低与走向，都设计得十分科学，排水管道是在建筑之前预先设计埋入地下的。通过这组排水系统，主殿北侧及附属建筑三号庭院、四号庭院内的雨水均可以排向建筑之外。据记载，长乐宫的东北部地区可能属于池苑区，从这组排水系统排出去的水大致就流向了池苑内。这对于研究中国古代宫殿排水设计，是第一手的资料。

1695.陕西新安机砖厂汉初积炭墓发掘报告

作　　者：郑洪春

出　　处：《考古与文物》1990 年第 4 期

1986 年发现并发掘。该墓曾被盗，但仍可看出该墓墓道长达 20 米以上。出土的 1 方"利成家函"封泥，说明该墓的等级应是列侯级，1 只陶罐上有"东园□□"4 字，说明墓主人或为刘氏皇室成员。因为据《汉书·霍光传》记载，东园是专为皇家制作随葬品的作坊。

同刊同期有《试论汉初"利成"积炭墓》一文，可参阅。

1696.西安南郊西汉墓发掘简报

作　　者：西安市文物保护考古研究院　王久刚、郭永琪、辛　龙等

出　　处：《文物》2012 年第 10 期

2004 年 5 月，西安市雁塔区长延堡派出所在长安路电视塔以西、丈八东路南侧修建办公楼时，在基槽内发现古墓 4 座。考古人员进行了抢救性发掘，共清理汉墓 3 座、元墓 1 座。

简报分为：一、墓葬形制，二、出土器物，三、结语，共三个部分，先行介绍了 3 座汉墓。有彩照、拓片、手绘图。

据介绍，3 座墓共出土器物 133 件，另出铜钱 87 枚，陶耳环数件。这 3 座汉墓未出土有确切纪年的器物。根据墓葬形制和出土器物，简报推断 M1、M2 的时代为西汉晚期偏早；M3 为西汉晚期，下限不超过王莽时期。

简报称，该批陶俑的出土，为研究汉代陶俑制作工艺和服饰提供了珍贵的实物资料。

1697.西安北郊井上村西汉 M24 发掘简报

作　者：陕西省考古研究院　王望生
出　处：《考古与文物》2012 年第 6 期

2005 年，陕西省考古研究院在西安北郊钻探发掘了 13 座古墓葬，其中 M24 未被盗掘。该墓为竖穴墓道单砖室墓。墓内出土有陶器、玉器、铁器、铜镜、铜钱等。从铜钱"货泉""货布"等可知，该墓时代为西汉晚期。

简报分为：一、墓葬形制，二、葬具葬式，三、随葬器物，四、结语，共四个部分。有照片、手绘图。

据介绍，该墓水平总长度 7.02 米。由墓道、封门、墓室和壁龛组成。葬具已朽，人骨为仰身直肢。该墓保存完整，出土随葬品共计 45 件（不含铜钱），有陶器、铜器、铁器、玉器、石器。从出土的精美玉器及博局禽兽镜看，该墓主人应为中下层贵族，下葬时间为新莽时期。

1698.陕西师范大学雁塔校区东汉墓发掘简报

作　者：西安市文物保护考古研究院　柴　怡、李文会、张翔宇
出　处：《文博》2012 年第 4 期

2011 年，考古人员在配合陕西师范大学雁塔校区基建中清理了 2 座东汉墓。简报分为：一、墓葬形制，二、出土器物，三、结语，共三个部分。有手绘图。

据介绍，2 墓均为长斜坡墓道砖室墓。相距 1.1 米，由墓道、甬道和墓室 3 部分组成，墓室又由前室、后室和北侧室组成。M1 有木棺 2 具，人骨 2 具，仰身直肢葬。M2 有木棺 1 具，应为多人合葬。2 墓均曾被盗。遗物有陶器、石器、铁器、铜环、铜钱、琉璃耳珰等，共计 108 件。简报推断 2 墓年代为东汉晚期，M1 的年代应略早于 M2。

1699.西安市长安区夏殿村墓地 M53 发掘简报

作　者：陕西省考古研究院　李举纲、杨　洁
出　处：《四川文物》2012 年第 5 期

2010 年 5 月，考古人员在西安市长安区夏殿村，发掘了 M53，简报分为：一、墓葬形制，二葬具、葬式，三、随葬器物，四、结语，共四个部分。有照片、手绘图。

据介绍，该墓为斜坡墓道砖室多室墓，由墓道、封门、甬道、前后墓室和南北侧室组成。出土遗物有陶器、铜器等共31件（组），其中陶跽坐俑、陶持锸俑等制作精良。陶独角兽、陶狗等似有镇墓守护性质。

该墓的时代，简报推断为东汉末年，至迟不过曹魏时期。

1700.西安北郊百花村汉代石椁墓（M6）发掘简报

作　　者：西安市文物保护考古研究院　柴　怡、张翔宇、罗晓梅等
出　　处：《文博》2013年第5期

2012年3月，西安市文物稽查大队接到群众举报，西安北郊凤城三路百花村百花家园小区在建设过程中发现1座大型古代墓葬，西安市文物保护考古研究院随即派员对此座墓葬进行了现场勘察，并对该项目用地进行了补充文物勘探与考古发掘，共发现古墓葬13座，其中发现了1座大型汉代石椁积沙墓（M6），形制为西安地区汉墓中所罕见。

简报分三个部分进行了介绍，配有拓片和手绘图。

第一部分"墓葬形制"介绍说，该墓位于项目用地建筑基槽的东北部，发现时墓室上部已被破坏，墓道部分被现代建筑所压，未全部发掘。从现存情况看，该墓是1座大型积沙石椁砖室墓，坐西向东。全墓由斜坡墓道、过洞、耳室和墓室组成。

第二部分"出土器物"称，该墓共出土随葬品53件，器物主要出土于墓室前室及南室之内，尤其是南耳室未经盗扰。另有铜钱336枚，质地有陶、铜和铁3种。

第三部分"年代及墓主身份"认为，该墓年代当在元、成、哀、平的西汉晚期。

从墓葬形制与规模看，该墓属大中型墓葬，尤其是用20厘米厚的石板构筑石椁，显示了该墓主人不同寻常的地位，出土器物中残存的6件釉陶鼎、2件青釉瓷壶、铜灶等也体现了墓主人较高的身份地位。该墓墓主应为一位高级贵族官吏，甚或高至列侯。

简报说，西安地区西汉石椁墓也不多见。前室为砖室，后室内为石椁，外为砖室，且双券并列，这种墓葬形式在西安地区是极少见的，不仅对研究长安地区汉代墓葬的形制和丧葬制度具有重要意义，也对研究汉代石作手工业的发展状况及水平具有十分重要的作用。

1701.西安南郊曲江羊头镇西汉墓发掘简报

作　者：西安市文物保护考古研究院　刘汉兴、高　博、张翔宇等
出　处：《文博》2013年第6期

2012年8月至2013年1月，考古人员在西安南郊南三环南侧、羊头镇西配合天地源房地产开发项目工程中，发掘汉代墓葬35座，其中编号为M3、M20和M68的3座墓葬规模较大，等级较高，出土器物丰富，是研究汉代物质文化的重要资料。分三个部分进行了介绍，有手绘图。

第一部分"墓葬形制"介绍说，M3为斜坡墓道竖穴土圹木椁墓，平面呈"甲"字形。全墓由斜坡墓道、东西耳室、甬道、墓室4部分组成。葬式不详。M20为斜坡墓道竖穴土圹砖室墓，平面呈"甲"字形，全墓由斜坡墓道、甬道、墓室3部分组成。葬式不详。M68为斜坡墓道竖穴土圹砖室墓，平面呈"甲"字形，全墓由斜坡墓道、过洞、天井、甬道、墓室五部分组成。葬式不详。

第二部分"出土器物"介绍，3座墓葬共出土器物302件，另有铜钱70枚，质地有陶、铜、铁、玉石等。

第三部分"结语"推断，M3的年代为西汉中期，M20的年代为西汉中晚期，M68的年代为西汉中晚期或西汉晚期。

简报指出，M3墓室土圹四角内弧，使得四角如同有柱，仅部分露出，这种结构在西安地区的汉墓中尚不多见。M20墓圹内建筑并列双室，这种结构在西安地区也不多见，这种形制在楚地尤其是南阳地区较为多见。另外，该墓出土的18件尖唇罐，在靠近底部有一圆孔，这种钻孔陶罐在以前的汉墓中也偶有发现，但1座墓内出土如此之多还是第一次，其性质和用途有待进一步探讨和研究。

简报认为，这3座中型墓葬东南距杜陵3公里，墓主人可能是杜城或杜陵邑内的高级贵族或官吏，尤其是M20有较多的外来因素，其墓主人可能是外地迁入杜陵邑的贵族豪门。

1702.陕西蓝田支家沟汉墓发掘简报

作　者：陕西省考古研究院　段　毅等
出　处：《考古与文物》2013年第5期

支家沟汉墓位于陕西省蓝田县华胥镇支家沟村西约500米，北为骊山山脉，南与白鹿原隔河相望，西北距汉孝文帝霸陵约5公里，村东有发源于骊山山脉的红河，交汇于草河。距封土以北约1公里有一凸起山头状土丘，当地人称疙瘩庙。该墓发

掘前地面仍保存有高约 10 米的覆斗形封土。该项目系 2009 年 8 月至 2010 年 7 月西安至商州高速公路建设中系列考古发掘之一。简报分三个部分予以介绍，配有手绘图和照片。

第一部分"遗迹"，称该墓为长斜坡墓道竖穴土圹墓，平面略呈"甲"字形，全墓由陵园、封土、墓道、壁龛、前室、封门、主墓室等几部分组成。

第二部分为"出土遗物"，介绍出土遗物 3900 余件（组），以铜质的车马器为大宗，陶质器物次之，玉石器数量不多，封泥 5 枚（4 枚残），五铢铜钱 360 余枚。陶质器主要有着衣式男女人物俑，马、牛、猪、羊、犬、鸽等动物俑，以及茧形壶、仓、罐、灯等。铜质器主要有铜臼、眉刷、量匙、箭镞、铜钱等，以及数量较多、种类丰富的车马器，主要有铜泡 876 枚、管络饰 1600 余枚、铜环 150 枚、盖弓冒 182 枚、带扣 39 枚、车軎 14 件、车仪 18 枚、马衔 18 枚、当卢 6 件、扳手 2 件、镦 1 件，其他 110 件。铁器主要有锯、锤、臼等，此外还有部分漆器残片。

第三部分为"结语"，认为蓝田华胥镇支家沟汉墓墓葬形制大，规格高，以长斜坡墓道、前后室、多壁龛为主要特征，出土陶俑属西汉皇家用品，墓主人与西汉皇室当有密切关系，身份应不低于列侯。至于该墓时代，简报判断为汉武帝元狩五年（前 118 年）至昭帝之间。

简报称，支家沟汉墓历时两千余年，虽经盗扰，主墓室业已焚毁，但仍有大量遗存，为我们研究关中地区汉代贵族墓地提供了重要资料。

1703.西安市汉长安城北渭桥遗址

作　者：陕西省考古研究院、中国社会科学院考古研究所、渭桥考古队、西安市文物保护考古研究院　刘　瑞、李毓芬、王志友等

出　处：《考古》2014 年第 7 期

渭桥遗址位于西安市北郊汉长安城遗址北侧渭河故道，厨城门桥群发掘点为废弃鱼塘所在，南为汉长安城遗址，北为高铁动车运用所。经 2012～2013 年度考古调查、钻探与发掘后，于汉长安城以北及东北发现 3 组 7 座渭桥。简报分为：一、地理位置与发掘经过，二、厨城门一号桥，三、厨城门三号桥，四、厨城门四号桥，五、洛城门桥，六、结语，共六个部分。有彩照、手绘图、拓片。

据介绍，碳十四校正数据，2012～2013 年发掘的诸桥中，厨城门四号桥最早，时代大体为战国晚期；厨城门一号桥、洛城门桥次之，时代为汉魏时期；厨城门三号桥的时代为唐代，相对最晚。

简报称，厨城门一号桥"康熙通宝"等清代遗物的发现，表明至迟到康熙时期

渭河的主河道尚在发掘区附近，而西安段渭河的大规模北移，应不早于康熙时代，这对渭河变迁史和关中环境变迁史的研究具有重要价值。

1704.西安市大白杨村汉墓发掘简报

作　者：中国社会科学院考古研究所汉长安城工作队、西安市文物保护考古研究院　徐龙国、刘振东、张建锋

出　处：《考古》2014年第10期

大白杨村汉墓位于陕西省西安市未央区梨园路六号，北距汉长安城南城墙620米，西距覆盎门外大道约200米。这里原为未央宫街道办事处大白杨村农田，后来成为西安大庆制药厂厂区。2012年，在此修建未央住保大厦下挖基坑时发现了文物，考古人员于7月13日至8月8日在此抢救性发掘清理汉代墓葬14座和唐代粮窖4座（共发现6座，其中C5、C6未发掘）。同时，还对建筑基坑周围进行钻探，发现了一些墓葬。简报分为：一、地层与墓葬形制，二、出土遗物，三、墓葬年代与墓主身份，共三个部分，先行介绍汉墓部分，有彩照、手绘图等。

据介绍，这批墓葬已被严重破坏，上部结构不清，有的棺椁也被严重扰乱。形制有竖穴土坑墓、斜坡式墓道土圹墓、竖井式墓道洞室墓、竖井式墓道砖室墓等。以竖穴土坑墓为主，而且规模较小，带斜坡式墓道的土圹墓、土洞墓、砖室墓各发现1座。出土器物以陶器为主，M2最多，有30余件。多数墓葬只出土几枚或数十枚五铢钱。铜器仅有几枚铜镜、泡钉，铁器更是罕见。如此看来，墓主并不富裕。墓葬位于汉长安城覆盎门外南北大道以东，距城墙、城壕很近，推测墓主是西汉中晚期长安城的平民。

铜川市

1705.耀县发现汉代巨型铁釜和铸造遗址

作　者：张世英

出　处：《文博》1987年第2期

位于耀县边远山区的瑶曲乡草滩大队后河村村民，在山谷耕地时发现了7件巨型铁釜，形制各不相同，其中2件保存完好。简报配以照片予以介绍。

据介绍，出土的铁釜比战国、秦、汉墓葬所出土的陶釜、铜釜和铁釜的容积都

要大几倍，其形制比较奇特，别具一格，是目前陕西省内外较为少见的巨型铁釜。釜口径 58 厘米，高 52 厘米，内深 40 厘米，腹围 200 厘米。同时在该地周围还发现有汉代的板瓦、筒瓦、陶片等物，更为重要的是其址发现有红、蓝色烧土及冶炼铁渣和沾有铁渣的炼炉残块等物，经有关文物部门鉴定，此处为铸造遗址。

简报指出，铁釜是古代战争的军辎饮器。这些汉代巨型铁釜和铸造遗址的发现，对于进一步研究汉代饮器釜的发展演变及汉代冶炼技术提供了重要的实物资料。

宝鸡市

1706.凤翔县发现"年宫"与"棫"字的瓦当

作　者：徐锡台、孙德润
出　处：《文物》1963 年第 5 期

1962 年 10 月，考古人员在陕西省凤翔县南古城村东北，马家庄西北与豆腐村南之间，发现汉代"年宫"与"棫"字的云纹瓦当各 1 个。瓦筒外表为绳纹，内饰麻布纹。简报配图予以介绍。

据介绍，"年宫"瓦当可能就是"祈年宫"，"祈"字被省略。这个"祈年宫"不是《史记》所记秦惠公时的祈年宫，而应是西汉末在原祈年宫废址上或附近重建的。"棫"字瓦当应为"棫阳宫"瓦当，也应是汉代遗物，而不是据秦昭王时的棫阳宫。汉代有很多宫苑仍沿用秦宫旧名。

简报指出，"年宫"与"棫"字瓦当的发现，不但证明秦的"祈年宫"与"棫阳宫"就在今凤翔城南豆腐村、南古城与马家庄等村附近，而且也证明秦的雍城就在这一带。

1707.陕西省千阳县汉墓发掘简报

作　者：宝鸡市博物馆、千阳县文化馆　王光永
出　处：《考古》1975 年第 3 期

1972 年 9 月间，千阳县某工厂在基建时发现 1 座古墓，考古人员进行了清理。简报分为：一、墓葬形制，二、随葬器物，三、墓室壁画，共三个部分。有手绘图、照片。

据介绍，这是 1 座洞室墓。墓道未挖，情况不详。墓门用小砖券成。土洞，顶

部为船篷式。顶部和四壁均未砌砖，只用稀白灰粉刷。东西两壁上彩绘天象图。墓室地面用条砖平铺，墓室内后半部平放两棺，已腐朽成灰。骨架绝大部分亦已朽没，从东棺内残留的残骨和西棺内残留的腿骨推知，死者均头南足北。随葬品的出土情况是，墓门内偏西处有 1 长方形漆盘（已朽），盘上有耳杯 1（已朽）、铜镜 1 和鸡骨 1 小堆。2 棺的前头都有 1 漆盒：西棺前的漆盒已朽，内放铜镜和小铁刀各 1；东棺前的漆盒仅存盒上的铜铺首 6 枚、铜泡 4 枚，盒内放铜镜和小铁剪各 1。东棺内放铜钱数枚，西棺内放铁剑 1，铜带钩 1 和铜钱数枚。陶器有鼎、罐、灶，出土时散置墓室内，原位置不详。随葬品共 20 余件。壁画内容为太阳、月亮、白虎等。

该墓的时代，简报推断为王莽时期。

1708. 千阳县西汉墓中出土算筹

作　者：宝鸡市博物馆、千阳县文化馆、中国科学院自然科学史研究所
出　处：《考古》1976 年第 2 期

1971 年 8 月中旬，在千阳县 1 座西汉墓中出土了骨质算筹，为研究我国数学发展史提供了较为可贵的资料。简报配以手绘图、照片予以介绍。

据介绍，这座西汉墓是千阳县 171 工地基建工程中，由工人发现的，及时作了报告，县文化馆人员随即进行了清理，是 1 座长方形土洞墓，墓内合葬男女 2 人。算筹与带钩同出于男墓主腰胯部，经观察，算筹系裹在一丝绢囊内，系在死者腰部。筹为兽骨质，大多断残。经黏接修补后，计有完好者 21 根，断残不能对接起来的 10 根，一组共 31 根。算筹最长者为 13.8 厘米，大多为 13.5 厘米，最短者为 12.6 厘米。每根筹棍两端齐正，粗细大致均匀，细者径为 0.2 厘米，粗者径为 0.4 厘米，一般径为 0.3 厘米。算筹上磨制痕迹犹在，应是实用之物。同时出土的还有铜铃、陶罐、铜镜、货币等。

简报初步判明此墓年代应在武帝之后，新莽之前；所出算筹也应是西汉时所用之物。

简报指出，此次发现为研究中国数学的发展史提供了实物。过去编写的《中国数学史》，大部分是从文献中来到文献中去。现在，曾在中国古代用了 2000 年之久的算筹已经有了实物，毫无疑问，这将大大地证实中国数学史的内容，补充文献记载的不足。《汉书·律历志》关于算筹的记载说："径象乾律黄钟之一，而长象坤吕林钟之长。""黄钟之一"是什么意思？韦昭的注解没说清楚。钱宝琮先生认为"黄钟之一"是"黄钟之径"之误，进而推测"径一分"应为"径三分"。现在出土的算筹与《汉书》的记载基本符合。

1709.扶风姜塬发现汉代外国铭文铅饼

作　者：罗西章
出　处：《考古》1976 年第 4 期

1973 年春，陕西省扶风县揉谷公社姜塬大队文物保护小组送来 2 枚有外国铭文的铅饼。2 枚铅饼的形式、大小基本相同。73·162 号的 1 枚，除周围因碰撞稍有卷缩外，基本完好，直径为 5.3 厘米，最厚处 1 厘米，重量 120.127 克，比重约 9.67；73·165 号的 1 枚，边缘因锈蚀而稍有残损，直径为 5.3 厘米，最厚处 1.2 厘米，重量 104.949 克，比重约 8.54。经化验，两枚均为铅质，内含少量的锡和微量的其他元素。两枚铅饼的正面，都铸有高低不平的凸形蟠螭纹浮雕，螭头上的独角、眼、嘴等都清晰可辨，和汉瓦当上的动物纹图案有点相似，但造型与汉代铜器上的蟠螭纹风格大不相同。背面为凹形，铸有外国铭文一圈，中间有 2 块方形印记，但印文模糊。两块铅饼上的印记位置有异，深浅有别。简报分为：一、从铅饼的出土情况看时代问题，二、铅饼上的外国铭文、来源及用途问题，共两个部分。有拓片等。

据介绍，这 2 枚铅饼是 1972 年冬，由姜塬二队的农民在村东土壕内掘土时在崖面上的一层灰土中挖出的。灰土层有 1 米多厚，内含汉代绳纹瓦片很多。据发现人谈，铅饼是和许多五铢钱一起出土的，因五铢钱锈朽，一拿即破，未采集标本。该村村东为 1 处汉代文化遗址，铜饼即出土于遗址中，应为汉代文物无疑。结合这个遗址中出土的其他文物来看，简报认为两枚铅饼的时代上限不会早于西汉晚期，下限不会晚于东汉晚期。铭文应为希腊文，简报认为铅饼来自汉代西域某国，很可能是希腊化小国如安息。铅饼有使用磨损痕迹。

1710.陕西扶风中颜村发现西汉窖藏铜器和古纸

作　者：扶风县图博馆　罗西章
出　处：《文物》1979 年第 9 期

1978 年 12 月下旬，为配合农田基本建设工程，考古人员在太白公社长命寺大队中颜生产队清理了西汉时期窖藏 1 处，出土了铜器、麻纸、麻布等文物 90 多件（套）。从出土文物看，简报推断窖藏时间当在西汉平帝之前。至于麻纸的制造时间，很可能在宣帝时。

简报称，扶风中颜西汉麻纸的发现，是继 1933 年新疆罗布津尔、1957 年西安灞桥和 1973 年到 1974 年甘肃居延等地西汉麻纸出土后的第 4 次重要发现。它为我国造纸起源于西汉之说，又一次提供了有力的佐证。

1711.凤翔南古城遗址的钻探和试掘

作　　者：陕西省考古研究所　秦　晋
出　　处：《考古与文物》1980 年第 4 期

南古城遗址位于今陕西凤翔县城南约 3 公里处，凤虢公路的西侧。遗址高出四周平地，当地人称"古城台"。在古城的四周断崖上，暴露出部分城墙夯土、水井、灰坑等遗迹；断崖下面又有很多秦汉时期的陶片与砖瓦等遗物。1961 年至 1963 年底，进行了钻探与试掘，基本上弄清了南古城的城墙形制和范围。简报分为：一、钻探情况，二、发掘情况，三、关于城墙的年代问题，共三个部分。有手绘图等。

据介绍，此城近四方形，只是城的西北处折曲。东城墙长 287 米，南城墙长 245 米；北城墙，由东城墙北端向西延伸 162 米后，即向南拐 46 米，然后又向西延伸 92 米，与西城墙北端连接起来，总长 254 米；西城墙长 214 米。残存的城墙夯土高 0.6～2.8 米。城墙顶部宽 3.3～12 米，底部宽 5.2～12.9 米。另外，在南城墙中部向北探出 1 条南北向的夯土墙，在城墙的东南角也探出 1 条东西向的夯土墙。这 2 条夯土墙作何用，由于未作详细的工作，尚不清楚。根据发掘情况与出土遗物来判断，南古城城墙的时代似应属于西汉时期。

1712.凤翔县发现羽阳宫铜鼎

作　　者：宝鸡市博物馆　王光永
出　　处：《考古与文物》1981 年第 1 期

凤翔县长青公社马道口大队在 1973 年 11 月平整土地时，发现 4 件铜器。据交器物的农民说："没有发现任何骨头碎片，出土器物的地方也没有方坑，附近有灰色、黑色土质和瓦砾碎片。"出土器物的地方可能是 1 个遗址，这几件器物非随葬品。简报配以照片、手绘图予以介绍。

据介绍，发现器物计羽阳宫铜鼎 1 件，上有铭文；铜盆、铜洗、铜勺各 1 件。应为汉羽阳宫用品，但器物的年代应更早。

1713.宝鸡市铲车厂汉墓——兼谈 M1 出土的行楷体朱书陶瓶

作　　者：宝鸡市博物馆　马　俭等
出　　处：《文物》1981 年第 3 期

1979 年 4 月中旬，宝鸡市铲车厂在基建中发现 3 座中等规模的汉墓，其中 1 座在施工中已经破坏，考古人员随即对另两座进行了清理。简报配以手绘图、拓片予以介绍。

据介绍，这3座墓葬（编号为M1、M2、M3），位于宝鸡市郊福临堡车站西部的台地上，东距市区5公里，南离渭河1公里。3墓东西排列，均是坐北向南。墓葬出土文物虽然不多，但其中两件解殃瓶上的朱书行楷字体，对于研究我国书法历史具有很重要的价值。3座墓及解殃瓶出土情况为：M1位于该墓群的东端，与M2间隔3米，此墓由墓道、前后2室、东西2耳室组成。M2已毁，形制不明，M3位置稍靠后，与M2间隔3米，墓室成"中"字形，有前室、东西耳室、后室。前室、东耳室已全部塌陷，后室与西耳室尚存一部分。3座墓出土的随葬品形制大多近似，简报推断该墓的时代约在东汉晚期。

简报称，M1出土的两件朱书解殃瓶，其上的朱书行楷字体不论从用笔方法或字体结构、分行布局来看，并不很严谨，不是出自当时文人名士之子，而是民间人士的手迹；从字的风格来看，也不是出自一人之手。铲车厂出土的这两件朱书解殃瓶，随葬在东汉时期的墓葬中。从瓶上字迹可以肯定，在我国东汉时期，楷书、行书字体确已出现，并且在当时社会上已经流行。

1714.陕西凤翔西河发现汉代青铜器窖藏

作　者：赵丛苍

出　处：《考古》1985年第8期

1979年1月，陕西省凤翔县米杆桥公社西河大队三队（车家门前村）农民在该队村东田间劳动时，于地表下50厘米深处，挖出一堆青铜器。考古人员据反映的器物放置情况推断，出土地是1处汉代青铜器窖藏。该窖藏出土铜器26件，有鼎、瓿、釜、于、壶、镶斗、奁、盆、洗、灯、博山炉等，同时出土一批漆耳杯。除漆耳杯大部分被挖掘者不慎捣乱损坏外，铜器均保存完好。简报配以照片予以介绍。

据介绍，此窖藏所出铜器数量多、种类丰富，有些铜器如鼎、洗、高柱灯等，都是较大的器形。特别像盉、瓿、博山炉等器物，造型颇为精美，在汉代出土铜器中是少见的。同时，在北方地区，大量出土保存完好的漆器的现象，也是很少见的。这批铜器中，除釜等个别器物外，都未曾使用过，铸造遗留的铜荏清晰可辨，说明铜器的所有者在得到这批器物后，由于某种原因未经使用即埋入地下。而拥有这批铜器的主人，其身份是比较高的。根据器物特征，简报推断此窖藏的时代，应为西汉晚期。

简报称，这批铜器对于研究汉代青铜冶炼技术、礼器种类和形制特征及与之相关的问题，都具有重要的价值。

1715.陕西扶风石家一号汉墓发掘简报

作　者：罗西章

出　处：《中原文物》1985 年第 1 期

1980 年 1 月 29 日，扶风县揉谷公社石家村社员在劳动中，发现了一批汉代铜器。经勘察，这批铜器出土于 1 座汉墓耳室之中，墓室保存尚好。2 月 4 日，考古人员对墓室进行了清理发掘，简报配以照片予以介绍。

据介绍，石家一号汉墓，位于该村正东 300 米处的一条水渠下面。南距渭河半公里，西北距县城约 25 公里。墓系斜坡墓道，土洞墓室。墓室长 3.45 米、宽 1.6 米。墓室西侧有 1 耳室。由于水渠的长期冲刷，渠底距墓底仅 1.1 米，故墓葬的原来深度、墓室的高度和墓道的长度以及封土结构不明。葬具有棺无椁。棺为木制，出土时已全部朽坏，仅存板灰和铁钉。葬式为仰身直肢，两手交叉于腹部。人骨架保存较差，大部已朽，一触即粉。从牙齿磨损程度看，系一老年个体，性别未作鉴定。该墓虽系小型土洞墓，但随葬品却比较丰富。生活用具放在耳室和靠近耳室的木棺一旁，车马器放在墓门与木棺之间的墓室前部。车马可能是木制的，现已腐朽，仅留有軎、辖、盖弓帽等青铜饰件。铜器总计有 37 件（铜钱亦算 1 件）。简报推断为西汉武帝时墓。此墓不是单独 1 座，而是处于 1 个大墓群之中。同年，农民在拉土时，仅从一条长不到 80 米的断崖上就发现了 23 座墓葬，出土了大量的铜、铁、铅、石、陶、骨等文物。其时代早至秦，晚到东汉。由此可见，这里是 1 个大家族的墓地，沿用时间长达数百年之久。

1716.宝鸡出土一件西汉"一斗一升"铜鼎

作　者：阎宏斌

出　处：《考古》1987 年第 8 期

1985 年 8 月宝鸡县磻溪乡双堡村出土 1 件西汉时期的"一斗一升"铜鼎，现藏宝鸡县博物馆。简报配以照片、拓片予以介绍。

据介绍，鼎为球面形盖，盖顶竖半环形三组，组顶为菌状；子母口，平唇内敛，扁圆形深腹，圜底，腹两侧近口沿处有二长方形耳，腹中部饰凸弦纹一周，下列三蹄足。通高15.3 厘米、口径15 厘米，重1750 克。盖上有两行阴刻竖行铭文"一斗一升"。经用小米实测，容2223 毫升。此器形式简朴，纹饰素雅。铭文用单线细刻。铜鼎当属于同一时期的西汉早中期之物。

简报称，传世和出土的汉代记容铜器中，记铭"一斗一升"者极为罕见。因此，这件铜器是十分珍贵的。

1717.宝鸡市谭家村四号汉墓

作　者：宝鸡市考古队　张天恩
出　处：《考古》1987 年第 12 期

1985 年 1 月，宝鸡氮肥厂在厂后谭家村西兴建汽柜，在施工地点发现古墓葬群，地处一小台地之上，南依秦岭，北临渭河。共清理春秋、汉、唐、元代墓葬 31 座。其中四号汉墓，是这批墓葬中保存得最好的 1 座，也是所清理出的汉墓中形制最大的 1 座，出土文物较多、精美，组合完整。

简报分为：一、墓葬形制，二、随葬器物，三、结语，共三个部分。有拓片、手绘图。

据介绍，四号墓是 1 座以砖铺底的土洞墓，墓为夫妻合葬墓，右侧骨架腹胸部位放 1 把长剑，应为男性，左侧骨架旁随葬 1 面铜镜，应是女性，均朽成粉末，为仰身直肢葬。从骨粉痕迹看，2 人头向均与墓向一致。两棺并排放置在墓室南部，棺板亦朽，板灰痕杂有漆皮残渣，可知棺外曾经髹漆。男性头部放置石板 1 块，环首小铁刀 1 柄，散置五铢钱 27 枚，胸前置环首铁剑 1 把，腰部右侧也有环首小铁刀 1 件。女性腰部右侧放铜镜 1 面，左肢骨旁置环首小铁刀 1 柄，并随有五铢钱 77 枚。罐、仓、灶等随葬品主要放在耳室内，棺外头部一端还有壶、陶俑及漆器等。随葬器以陶器为主，计 18 件。其中釉陶 16 件，有罐、仓、瓿、鼎、樽、灶、钵、盂、器盖等。另外，还有釉陶俑 1 件，铁器及小件铜器等。

该墓的年代，简报推断为西汉晚期。

1718.陇县西汉墓出土算筹

作　者：肖　琦
出　处：《考古与文物》1988 年第 3 期

1982 年 5 月，陇县东南公社杨家庄大队农民在挖土时发现 1 座古墓，考古人员进行了清理。墓为土洞墓，墓在半崖已被挖掉，其他遗迹无存。简报配以照片予以介绍。

据介绍，算筹为骨质，圆柱形，磨制的一部分断残，经粘对后有完整者 15 根，断残者 12 根。根据它们的长短粗细的差异，可将其分为两组。第一组 8 根，第二组 7 根。同出有铜带钩、铁剑、陶瓿、五铢钱等。

简报推断为西汉晚期墓。

1719.扶风西官村新莽时期窖藏

作　者：王仓西
出　处：《文博》1988年第1期

1982年7月，扶风县城关镇西官村村民发现新莽时期的铜器窖藏1处，所出土的器物收藏于扶风县文化馆内。简报配以手绘图予以介绍。

据介绍，计有铜铁机轮、制动器、铁穿、铁空柱件、灯盏、锛状器、铁釜、货币等。简报认为窖藏埋于新莽末年。

1720.陕西凤县出土东汉雒阳武库东卢铜熏炉

作　者：王翰章、陈孟东
出　处：《文博》1988年第1期

1971年凤县凤州古城出土一件铜熏炉，分炉盖、炉身和炉座3部分。座为3只镂空兽头，高18.5厘米，径7.5厘米，口径8厘米。盖为博山形，雕刻异常精美，为历年发现铜熏炉中最精制者。上有山水、树木、飞禽、走兽、人物、云气等。猴、狗、熊、牛、鹿、孔雀、人物等，神态生动，栩栩如生，有奔驰者，有格斗者，有匿居在内者，形态各异。盖口沿刻"雒阳武库东卢重三斤"9字，篆书工整。炉身口沿刻"重二斤十四两"6字。简报配以照片予以介绍。

据介绍，雒阳即洛阳，文献记载洛阳有武库。此炉的出土证明洛阳城有武库存在，更具体地说明武库还有东卢，既有东卢，想必有西卢。这就为武库内的建筑设置，提供了新的资料。

1721.宝鸡县周原乡出土新莽古钱币

作　者：延晶平
出　处：《文博》1988年第3期

1984年12月21日，陕西省宝鸡县周原乡东王村一村民在家盖房挖地基时，距离地面1.2米多深处，发现有1个灰色圆陶罐。离罐1尺远的地方，有一堆古钱币，有40余斤，1300多枚。除少数锈结成块以外，大部分完好，文字清晰。古币周围有火烧过的红焦土。简报配以拓片予以介绍。

据介绍，所出古钱币除售给废品收购站20余斤外，剩余的经过清理、鉴别之后，确认是王莽时期的货币。在剩余的古币中，货币占总数近1/3。平均重量15.9

克，长5.79厘米、足宽2.33厘米。最轻的14.3克，最重的16.5克。货泉约占总数的2/3。简报指出，出土地点在新莽都城长安以西，这一带不断有新莽钱币出土。

1722.凤翔出土一批汉代铁铧

作　者：雒金文
出　处：《文博》1988年第6期

凤翔县柳林镇孔家庄机砖厂于1987年6月取土时，在距地面1.5米深处发现一批铁铧、铧冠、逼土共15件（其中有2件铧冠有一铁铧尖套带）。简报配以照片予以介绍。

据介绍，计铁铧7件、铧冠6件、逼土2件。铁铧等物，从其形制特点观察，属汉代之物。这批农业生产工具是1窖藏出土，反映了汉代铁农具在农业生产上的广泛使用。

1723.陕西眉县常兴汉墓发掘报告

作　者：陕西省考古研究所宝鸡工作站、宝鸡市考古工作队　刘军社、刘怀君
出　处：《文博》1989年第1期

常兴镇位于眉县县城东北约15公里处，南距渭河5公里，北依三畤原，陇海铁路从中间穿过。1986年4月，常兴镇东0.5公里处的常兴变电所在基建钻探时发现了大批古墓葬。考古人员对其中的45座汉墓进行了清理发掘，其余21座属近代墓葬，未作清理。简报分为：一、墓葬的分布、形制、葬具和葬式，二、随葬器物，三、结语。共三个部分予以介绍，有手绘图、拓片。

据介绍，45座墓均为洞室墓，以1棺为主，1棺1椁极少。随葬器物有陶器、铜器、铁器、货币、陶俑等。时代可分为三期：早期13座，简报推测时代当在西汉初年到文景时期，其中个别墓葬的时代或许还要早些。中期16座，简报推测时代当在西汉中期，相当于武、昭时期。晚期14座，当在新莽时期，个别的墓也许还会晚一点。

1724.陕西凤县梁鹿坪西汉墓清理简报

作　者：胡志仁、刘宝爱、卢建国
出　处：《文博》1989年第3期

1986年8月，驻凤县航天部某基层单位在梁鹿坪基建时，发现1座古墓葬。考

古人员对墓葬进行了清理。简报分为：一、墓葬位置及概况，二、随葬遗物，三、小结，共三个部分。有照片、手绘图。

据介绍，梁鹿坪位于宝城铁路凤州火车站旁，西南距凤县县城13公里。这里地处嘉陵江上游，秦岭山脉崇山峻岭中，周围群山环抱，层峦叠嶂，林木郁郁葱葱。墓葬位于梁鹿坪台地上，依山傍水。施工中，该墓受到局部破坏。该墓为1座夫妻合葬的长方形竖穴土坑墓，木棺与骨架均已腐朽，但尚可辨别葬式为仰身直肢葬。随葬器物有陶器、铜器、铁器等。共计铜器、铁器、陶器共20件。另有铜镜、铜印各1件，"半两"铜钱3000余枚。该墓的年代当为西汉初期，上限不超过汉文帝前元五年（前175年）前后，下限不晚于汉武帝元狩五年（前118年）。墓中出土有随葬的铜印，得知该墓主人为"樊氏"。查阅《后汉书·南蛮西南夷列传》载："巴郡南郡蛮，本有五姓：巴氏、樊氏、相氏、瞫氏、郑氏。皆出于武落钟离山。"由此可见，"樊氏"作墓主姓名或官职，实为巴郡南郡蛮中五姓之一的"樊氏"氏族。

1725.宝鸡县出土"天帝使者"印章

作　者：宝鸡县博物馆　钱宝康
出　处：《考古与文物》1990年第4期

1987年5月27日，宝鸡县阳平乡居家村农民在挖墙基时，发现铜印1方。现存县博物馆。简报配以拓片予以介绍。

据介绍，铜印重50克，龟纽，龟背刻有斜线和麻点纹。制作精细，表面光滑。印面为正方形，篆刻阴文"天帝使者"4字。"天帝使者"印章，在目前还不多见。简报推测"天帝使者"指"天帝神"指派使者"黄神"，主管人生爵禄和死人籍簿，借以"天帝"的名义去驱鬼镇邪。根据印章造型和文字风格，简报推断此印应是东汉时遗物。它的发现，对研究东汉的道巫宗教活动和社会风俗有一定价值。

1726.麟游县发现汉代铜量和钱范

作　者：王桂枝
出　处：《文博》1990年第2期

麟游县周初属岐，东迁后其地赐康公，秦为京畿，号为内史。汉置杜阳县。据《陕西通志》载："隋义宁初，获白麟于废仁寿宫，因置县。"隋唐时是帝王游乐避暑的胜地。近年来，这里汉代的遗物屡有发现。简报配以照片、手绘图，介绍了其中的青铜量和五铢钱范。

据介绍，青铜量，汉代遗物，上有铭文，为研究汉代官制及度量器提供了新的资料。青铜五铢钱范3件，上有简单铭文，简报推断为西汉武帝时遗物。

1727.宝鸡县出土"天帝使者"铜印

作　者：阎宏斌
出　处：《文博》1991年第3期

1987年5月，宝鸡县阳平镇村民给县博物馆交献铜印1枚。印面篆刻阴文"天帝使者"4字。据交献者说，他挖出1只陶罐，罐内装满泥土，发现内装十几枚五铢钱和"天帝使者"铜印1枚。经调查，这批文物出土于汉代遗址区内。简报配以拓片予以介绍。

据介绍，此印当为东汉末道家所用印。在传世的汉印中，有天帝神使、黄神之印、黄神使者印章、黄神越章、天地神之印、天章使者、天帝杀鬼之印等。此印出土于陈仓故道与古褒斜道相交汇的关中平原西端。这里素称"川陕噤侯"，是五斗米道的发源地——蜀中一带的交通要道。据地方史记载和民间传说，东汉末年这里曾是当时"五斗米道"活动最活跃的地区之一。

简报指出，这枚"天帝使者"印当为东汉末五斗米道用来统治道教信徒的道家用印，是1件不可多得的珍贵文物。

1728.岐山县帖家河村出土的汉代铜器

作　者：岐山县博物馆　庞文龙
出　处：《考古与文物》1992年第4期

1981年元旦，凤鸣镇帖家河村东平整土地时出土一批汉代铜器，岐山县博物馆收集到5件（计有鼎、盂、弩机、铜镜等物）。该村东北有1条南北走向的小沟，断面暴露出汉代墓葬多座，其地常有汉代铜器出土。这批铜器出土时情况不清，据当地人讲，当时同出的还有很多陶罐等物（大多残损丢弃）。据此推测当为墓葬所出遗物。简报配以照片、拓片予以介绍。

据介绍，出土汉代铜器有的上有铭文，简报录有全文。简报认为此墓葬的时代或为西汉晚期。

今有徐正考先生《汉代铜器铭文研究》（吉林教育出版社2000年版）一书，可参阅。

1729.陕西眉县白家村东汉墓清理简报

作　者：尔　雅

出　处：《考古与文物》1997年第5期

1993年12月，眉县常兴镇白家村一组村民白宗占报称，在该村基建施工中发现了1座古代墓葬。考古人员前往现场进行了了解。据现场调查，所发现的古墓位于白家村一组村东约100米处，东距常兴镇约1000米，北距陇海铁路约300米。据村民们讲，这座古墓是在修筑西（安）宝（鸡）一级公路施工过程中发现的，发现后施工人员曾进入墓室进行了扰动，并拿走了全部随葬物品，后追回了部分文物。简报分为：一、墓葬形制，二、随葬品，三、年代推断，四、小结，共四个部分。有照片、手绘图。

据介绍，这座墓葬为南北向多室砖墓，墓道在南，墓道与墓室之间有砖券的拱顶甬道，甬道长2.8米、宽1米、高0.9米。墓室由前堂后室及东、西侧室组成，葬具、葬式不明。已收回的随葬品主要为陶器，其中陶龙1件、陶凤1件（残）、长尾鸟4件等值得注意。简报推断此墓为东汉末期墓葬。

1730.陇县温水乡汉墓清理简报

作　者：田亚岐、杨亚长

出　处：《文博》1998年第2期

温水乡位于陇县县城西北约5公里处。1991年秋季在修筑宝（鸡）中（卫）铁路的施工过程中，于乡政府南不到1公里处的路基上发现了5座汉代墓葬，考古人员闻讯后即进行了抢救性发掘，这5座墓葬的编号为M1～M5。另外，发掘期间恰逢村民在乡政府东约1公里外的北河东岸坡地上营造梯田，取土中亦发现了3座汉墓，于是便一并进行了清理，这3座墓葬的编号为M6～M8。8座墓葬的发掘情况，简报分为：一、墓葬形制与葬具葬式，二、随葬器物，三、小结，共三个部分。有手绘图、拓片。

据介绍，8座墓葬按形制结构可分为3种：第1种为带斜坡墓道的土洞室墓；第2种为带斜坡墓道的砖洞室墓，第3种为不带墓道的崖洞砖室墓。8座墓中共出土随葬品99件，其中陶器26件，铜、铁器3件，铜钱70枚。在上述8座墓葬中，M4与M5位于同一地点，且形制结构相同，年代应当接近。这2座墓的年代，简报推断为西汉中期。M1～M3与M6～M8这6座墓虽位于不同地点，但这6座墓葬的墓砖完全相同。根据出土陶器和不同类型的五铢钱币与新莽钱币，简报推断这6座墓葬的年代为西汉晚期或为东汉早期。

简报称，陇县地处关中西北隅，虽然此次只清理了8座汉墓，而且有些遭到扰动，但仍为该地区今后汉墓的考古研究工作积累了初步资料。

1731.陕西扶风县官务汉墓清理发掘简报

作　者：周原博物馆　罗西章
出　处：《考古与文物》2001年第5期

1998年1月21日晚，周原博物馆获悉有1座汉墓被盗。考古人员随同法门镇派出所干警前往查看。此墓位于扶风县法门镇西约2公里处的官务村窑院组南约300米处的時沟河东岸坡地上。盗洞开口于墓道北部，已进入墓室。墓室内几乎被淤泥塞满，然而淤泥上部却有随葬陶器暴露，有些已被进入墓室的农民打碎。上报上级部门同意后，对其进行了抢救性清理发掘。清理工作从1月22日开始，1月25日结束。同年11月30日，又按官务村农民报告，该村下康组又有1座古墓被盗，于12月1日至12月18日对其进行了清理发掘。两墓清理发掘情况，简报分为：一、墓葬形制，二、随葬器物，三、结语，共三个部分。有手绘图。

据介绍，官务村窑院组汉墓（编号为98FGM1，以下简称M1）为斜坡墓道砖筑洞室结构，由墓道、甬道、前室、后室、左右耳室组成。M1随葬器物共63件（组）；M2早年被盗，可辨认的器物有仓、壶等物。两墓时代，简报推断上限在新莽后期，下限不会晚于东汉初年。关于墓主身份，简报推测，M1墓主是1位有相当地位的贵族，M2墓主至少是1位比较富裕的人。

简报称，M1出土随葬品丰富，尤以陶俑、朱雀灯引人注目。这些文物不但是汉代精美的艺术品，而且具有极为丰富的文化内涵，对于研究汉代的政治、经济、思想、文化都具有重要的意义。

1732.陕西省眉县成山宫遗址的再调查

作　者：眉县文化馆　刘怀君
出　处：《考古与文物》2002年第3期

成山宫遗址位于眉县第五村乡第五村。1981年发现至今10多年来，考古人员做了数十次的调查工作，获得了大量重要资料。1990年以前的调查收获已做了初步介绍。此后10年来，调查工作中又发现了许多遗迹遗物。这为遗址性质和年代诸方面问题的研究，提供了重要的实物资料。简报分为：一、遗迹，二、遗物，三、对遗址分布情况、年代及其性质的新认识。共三个部分予以介绍，有拓片。

据介绍，在以前发现的文化层和两处零星夯土及其散水遗迹的基础上，近年又有了许多新发现。有建筑台基、水井、排水管道。遗物主要是调查中采集所得，还有一部分从村民手中征集，主要为瓦当、筒瓦、铺地砖等。眉县第五村成山遗址始建于战国秦，一直沿用至汉代。出土的部分实物在秦人陵园、宫殿建筑中，可佐证第五村遗址同样属于秦人的宫殿建筑。凤翔县等地出土的汉代铜器和文献资料的记载，都证实了汉代成山宫的确存在，传世的成山瓦当都与眉县第五村遗址有一定的关联。简报由此断定，眉县第五村就是历史上成山宫的所在地。它的确认，为秦汉宫殿制度诸方面的研究提供了重要资料并且弥补了文献记述之不足。

1733.陕西陇县原子头汉墓发掘简报

作　者：宝鸡市考古工作队　张天恩、肖　琦、刘怀君、陈恩乾
出　处：《文博》2002 年第 2 期

陇县原子头遗址位于陇县县城西北约 2 公里，千河及其支流北河相汇处的二级台地上，南距千河 1000 多米，东北至北河 400 多米，西依当地人俗称的青龙山。台地下为现在的原子头村。遗址东西长 600 米，南北宽 500 米。考古人员从 1991 年 8 月到 1992 年 8 月份，在为期 1 年的时间里，对铁路路基部分进行了清理发掘。发现了丰富的新石器时代遗存和汉唐墓葬群。

简报分为：一、墓地概况，二、西汉墓，三、东汉墓，四、结语，共四个部分，配以手绘图，先行介绍汉代墓葬。

据介绍，汉代墓葬主要分布在遗址的南部，由于平整土地和砖厂在台地南端长期取土，已有许多墓葬被破坏，文物失散。这次清理的 5 座汉墓，编号为 M1、M18、M23、M33、M38，均遭到不同程度的破坏，大多墓道已不完整，部分墓室顶部也多塌陷，个别墓葬早年被盗已空。从墓葬形制和随葬品分析，5 座墓分属西汉和东汉时期。西汉墓 3 座，为 M18、M23、M38。均属于有斜坡墓道的土洞室墓。M23、M18 的时代，简报推断为西汉中期。M38 的时代，简报推断为西汉晚期。东汉墓 2 座，M1 为残墓，M33 为带坡形墓道的砖室墓。简报推断 M33 为东汉中期墓，M1 为东汉晚期墓。

简报指出，陇县地处关中西北隅，是中原特别是汉代京都长安通往西北地区的交通要道，有著名的"回中道"等古道路。汉代遗存的分布很广泛，原子头两汉墓葬的发掘，为我们了解千陇地区汉代墓葬的形制、葬俗等方面，均提供了第一手资料。

1734.陕西宝鸡代家湾出土东汉陶器

作　者：李新秦、徐彩霞
出　处：《文博》2002 年第 4 期

宝鸡市代家湾团结砖厂出土了一批东汉时期文物，较完好的有陶器 36 件、铜器 4 件。陶器中有陶仓 5 件，陶罐 20 件，陶豆 3 件，陶灶 1 件，方壶 1 件，圆壶 4 件，陶甑 1 件，陶簋 1 件。铜器中有铜灶（带釜甑）1 套，铜鼎 3 件。简报配以照片予以介绍。

据介绍，陶器为泥制红陶、泥质灰陶，有的外有豆绿色釉彩。铜器上未见有铭文。

1735.陕西凤翔县长青西汉汧河码头仓储建筑遗址

作　者：陕西省考古研究所、宝鸡市考古工作队、凤翔县博物馆　田亚岐、
　　　　王　颢、景宏伟、刘阳阳、刘思哲等
出　处：《考古》2005 年第 7 期

2004 年 3 ~ 8 月，考古人员在陕西凤翔县发现并发掘了 1 处西汉时期沂河大型码头仓储遗址。这是继在此地及其邻近区域先后发现秦汉祈年宫遗址和周秦墓地之后的又一项重大考古发现。

简报分为：一、地理位置及环境，二、地层堆积，三、仓储建筑遗址的形制与结构，四、出土遗物，五、结语，共五个部分。有彩照、手绘图。

据介绍，该遗址位于凤翔县城西南 15 公里处的长青镇孙家南头村西、汧河东岸的一级台地上，西距今沂河河道 300 米。东南约 700 米处是曾被称为古代关中西部陆路交通必经之地的"马道口"。2004 年对西汉汧河码头仓储建筑遗址进行发掘，发现的遗迹有墙垣、通风道、门、柱础石等，出土遗物主要有板瓦、筒瓦、瓦当、铜镞等。推测其可能是西汉时期的"百万石仓"，具有仓储转运、存储和军需守备等多重作用。

简报指出，此次发现并发掘的仓储建筑基址结构完整，是继陕西华县西汉京师仓和河南洛阳东汉函谷仓库建筑遗址之后的又一次重要发现，为研究西汉时期政治、经济、军事、文化，以及汧河乃至全国漕运与河岸码头仓库存储情况提供了重要的实物资料。同时，像如此大规模的仓储建筑和密集分布的柱础石式建筑特征，也为研究西汉时期的建筑提供了珍贵的实物例证。

1736."陈仓"现身青铜甗

作　者： 徐彩霞
出　处： 《文博》2007 年第 4 期

2007 年 6 月 14 日，有群众报告，宝鸡市金台区陈仓镇团结村一组的建房工地上挖出了青铜器。考古人员立即赶到现场，看到了挖掘机装土时发现的青铜甗。简报配以照片予以介绍。

据介绍，此甗由鬲和甑两部分组成，下部的鬲已由商周时的三足演变为无足圆底，底部类似于现在的锅，从残留的烟炱上可看出此物为实用器而非明器。有铭文 20 字。简报推断为汉代器物。

简报称，经宝鸡市文物局的专家初步考证，此甗应是一组甗的其中之一，该组器出土地点在今陕西眉县城西 10 余里处。简报据出土文物分析，成山宫建于秦代，是秦代统治者移植祭日圣地东莱（今山东荣城市）"成山"之名而建造的，汉代仍沿用，是秦汉帝王祭日的住所，该宫沿用了 200 年左右。简报指出：此次青铜甗的出土，特别是 20 字铭文的发现，为研究宝鸡的建制史、西汉社会的饮食文化以及度量衡制度的演变等，均提供了不可多得的实物依据。

1737.陕西扶风纸白西汉墓发掘简报

作　者： 陕西省考古研究院　孙周勇、刘　军等
出　处： 《文物》2010 年第 10 期

纸白墓地位于陕西省扶风县法门镇。2005 年，为了配合关中旅游环线公路的建设工程，考古人员对该墓地进行了抢救性发掘。本次发掘共清理墓葬 25 座，包括秦墓 1 座、西汉墓 18 座及东汉墓 6 座。简报分为：一、墓葬概述，二、墓葬举例，三、结语，共三个部分，先行介绍其中的西汉墓。有照片、手绘图。

据介绍，18 座西汉墓均为竖穴土坑墓。墓室多数有坍塌损毁。墓主人葬式以仰身直肢为主，共有 11 座；仰身屈肢 1 座；葬式不明者 6 座。依据葬具的有无和数量可分为 1 棺 1 椁墓（5 座，占总数的 28%）和单棺墓（10 座，占总数的 56%）2 类。另有 3 座墓葬由于盗扰严重，葬具不明。棺椁多仅存痕迹，结构不甚清楚。据现有资料和经验推测其棺、椁为长方形箱形。随葬器物有陶器、陶俑、铜器、铁器、玉石器等多种。质地不同的随葬物，陈放位置不尽相同。大致情况为陶容器和青铜容器多置于墓主人棺外或椁内的一侧，或置于墓主人头顶，有耳室的墓葬，其随葬品则大都置于耳室内。大多数器物出土时排列都不整齐，歪倒错乱。玉石器、带钩、铁削作

为墓主个人的随身物品，大多出自棺内墓主人身上或其附近。另见一例墓主口含玉蝉的现象。随葬的人物俑彩绘精美。限于篇幅，简报重点介绍了M2、M10等墓。

简报称，扶风县北部，秦汉时属美阳县。据《汉书·地理志》载，美阳属于右扶风21个属县之一，为三辅京畿要地。因此，纸白墓地或许与汉代美阳县有关。纸白西汉墓葬的发掘，不仅有助于了解周原地区自商周以来的聚落变迁过程，而且为研究秦汉以来京畿周围地区的社会生活状况及其物质文化也提供了重要的实物资料。

1738.陕西宝鸡苟家岭西汉墓葬发掘简报

作　者：陕西省考古研究院、宝鸡市考古研究所　王　颢、王小刚、田亚岐
出　处：《考古与文物》2012年第1期

为配合国道主干线连霍高速宝鸡至牛背梁段高速公路建设，考古人员对宝鸡市西郊的苟家岭村西汉墓葬进行了抢救性考古发掘。共发掘清理出10座墓葬，其中部分墓葬保存完整，随葬器物丰富。这也是首次在该地发掘的西汉时期墓葬。简报分为：一、墓葬结构与随葬器物，二、结语，共两个部分。有手绘图。

据介绍，墓地位于渭滨区高家镇苟家岭村二组东边断崖高处，背靠秦岭山脉，西北为宝鸡峡口，渭河河道在此以东南方向穿过。共清理发掘汉代墓葬10座，5座形制完整，其余均遭受严重破坏。出土随葬器物共计63件（组）。苟家岭汉代墓葬形制全部为长斜坡墓道土洞室墓，有土坯封门和木板封门两种，葬具为1椁1棺，且木椁的形制较大，墓内骨架多为仰身直肢式，发现的5座墓葬中有3座是合葬墓。简报推断墓葬时代为西汉早期。

1739.陕西宝鸡凉泉汉墓发掘简报

作　者：陕西省考古研究院、宝鸡市考古研究所　许卫红、田亚岐、王　颢等
出　处：《考古与文物》2013年第6期

凉泉墓地位于陕西宝鸡市区以南的马营镇凉泉村东、渭河南岸，南依秦岭山脉，北邻宝鸡石油机械厂新厂区，地势南高北低。2013年，为配合西铁宝兰客专车场建设项目，陕西省考古研究院与宝鸡市考古研究所联合组队，对区域内的8座古墓葬进行了发掘。墓葬成组分布，部分墓葬为共用墓道的连体结构。这批墓葬虽多遭盗扰，但墓形基本完整，均为长斜坡式墓道与土洞墓室结构。墓道内填五花土，未经夯打，质地疏松。墓室顶部坍塌，有7座墓为圆弧拱形，另1座（M6）为斜平顶，墓内淤

积填实。有 1 座墓（M2）墓底铺砖。木质单棺葬具，葬具形制较窄，近长方形。仅存骨沫，葬式为仰身直肢，面向不详。随葬品共计约 114 件（组），以陶器和铜钱为大宗。简报分别叙述了 4 组不同形式的墓葬及随葬器物。

简报认为，本批墓葬年代初定为西汉中期偏晚——晚期早段，即宣少时期，以元、成、哀、平年间为主。这批墓葬成组分布，部分墓葬连体共用墓道，反映出墓主人生前的社会组织与家庭关系。几座墓葬的随葬品种类、墓形规格、构筑方式等情况都基本一致，属于小型汉墓，随葬品多为日用生活器，墓主应为低等级或无爵位的公士或庶人。

简报指出，本次发掘出土的随葬品，以 M2 出土玉人俑最为特殊。同类器物见于西安、甘肃礼县等地，多为 1 男 1 女成对出现。这些玉人俑被认为是秦国祭祀器。此次发掘出土的玉人俑应为一件传世品，反映了宝鸡地区深厚的秦汉祭祀文化传统。

咸阳市

1740.邠县雅店村清理一座东汉墓

作　者：陕西考古所泾水队
出　处：《文物》1959 年第 1 期

考古人员在考古调查时，发现了 1 座东汉墓。此墓位置在邠县雅店村泾水北岸上，当地农民在打窑洞时发现，并取出了部分砖、石门、石框及随葬品，考古队于 5 月下旬进行了清理。简报配以照片、手绘图、拓片予以介绍。

简报介绍，此墓为长方形竖穴砖券墓，由主室、耳室、墓道 3 部分组成。此墓很早就被盗掘过，现仅存随葬品有：铜镜、弩机、铁钉、陶甗、陶罐各 1 件，货币 1 枚、货泉 7 枚。另在门扇、门框、门楣上均有浮雕，且用黑、红、白 3 色彩绘，雕刻生动有力。从出土的铜镜、铜钱以及石门雕刻看，简报初步推断此墓是东汉前期的墓葬。墓内出土物不多，但门上有雕刻，给研究汉代石雕艺术增添了一些资料。

1741.陕西兴平县茂陵勘查

作　者：陕西省文物管理委员会　雒忠如
出　处：《考古》1964 年第 2 期

茂陵是汉武帝刘彻的陵墓，位于兴平县东北的五陵原上，距西安市约 40 公里。

20世纪60年代初，考古人员进行了两次勘查。简报分为：一、陵墓和陵园，二、附近的遗迹及遗物，三、小结，共三个部分，有照片、手绘图。

据介绍，勘查发现茂陵高46.5米，夯土筑成。地表发现有瓦砾、红烧土等，表明地表建筑已被焚烧。周边发现有"白鹤冢"遗址，据《汉书》，应为守陵宫女住处，已被焚。茂陵西北约500米处，有当地人称"磨子陵"的李夫人墓，东约1000米处，为霍去病墓。霍去病墓东南1.5公里的豆马村，茂陵以南约0.5公里当地人称"压石冢"等处，原均有汉代建筑，均在赤眉军起义中焚毁了。

1742.汉阳陵附近钳徒墓的发现

作　者：秦中行
出　处：《文物》1972年第7期

阳陵是汉景帝（前156～前141年）刘启的坟墓，位于咸阳市红旗公社后沟村北，至今地面上仍有封土堆、土阙、夯土墙等遗迹。1972年春，九张大队农民修水库时，在阳陵西北1.5公里的地方，挖出了大量带刑具的骨架。据当地农民反映，1949年前这种带刑具的骨架即有发现。1949年后耕地时，偶尔被铧尖带出个别刑具，但均未引起重视。此次修水库工程中，除发现上述骨架外，在一坑内尚有用一铁杠系于两副骨架背后埋葬的。简报配以手绘图、照片、拓片予以介绍。

据介绍，出土地点在咸阳、泾阳交界的上狼沟村南，计挖出29座刑徒墓、35副骨架，墓地实际面积约8万平方米。出土钳、钛等多种刑具，当是建陵时死去的刑徒的墓地。

1743.西汉皇后玉玺和甘露二年铜方炉的发现

作　者：秦　波
出　处：《文物》1973年第5期

简报配以拓片、照片予以介绍。

据介绍，皇后玉玺出土于1968年咸阳渭河北塬上的韩家湾公社狼家沟。印作四方形，通体晶莹，螭虎纽，四侧刻云纹。印文篆刻"皇后之玺"4字，高2厘米、宽2.8厘米，重33克。铜方炉于1969年出土于西安东郊延兴门村（唐长安延兴门遗址），上有铭文42字，简报录有全文。据铭文，简报推测延兴门村一带可能是汉上林荣宫所在地。甘露二年，为公元前52年。方炉系西汉宫内燃炭取暖之物，其铭可补史乘之阙，为我们今天发掘和研究汉长安城提供了新的线索。

1744.汉茂陵及其陪葬冢附近新发现的重要文物

作　者：茂陵文物保管所、陕西省博物馆　王志杰、朱捷元
出　处：《文物》1976 年第 7 期

茂陵是西汉武帝刘彻的陵墓，在今陕西省兴平县南位公社茂陵大队。1973～1975 年间，当地农民于茂陵及其陪葬冢附近又陆续发现了一批重要文物。这批文物出土后，即由当地文物保护小组妥善保护，后送茂陵文物保管所收藏。简报配以拓片、手绘图予以介绍。

据介绍，新发现汉代文物有画像砖、陶水道管、有字瓦当、玉铺首、琉璃壁等。所谓"铺首"，简报认为是安装在门上的装饰品。

1745.咸阳杨家湾汉墓发掘简报

作　者：陕西省文管会博物馆、咸阳市博物馆杨家湾汉墓发掘小组
出　处：《文物》1977 年第 10 期

从1970 年11 月开始发掘至1976 年11 月结束的杨家湾两座汉墓，距咸阳市东北22 公里，位于高祖刘邦的长陵和景帝刘启的阳陵之间，因靠长陵较近，可能是长陵的陪葬墓。这个陪葬墓区现有坟冢73 座，这次发掘的两座汉墓在葬区的西南，编号为四号、五号墓。1965 年8 月，咸阳市红旗公社杨家湾大队农民平整土地时，在距四号墓南70 米的阶地上发现了大批彩绘陶俑。在11 个随葬坑内，出土了骑兵俑683 件，各种人俑1965 件，盾牌模型410 件，鎏金车马饰1110 多件，还有蚌、骨、陶、铁器等55 件。陶俑作5 列4 行排列，前3 列六坑为骑兵俑，后2 列四坑为人俑。文官武士、舞乐杂役应有尽有，他们的服式、铠甲、武器，以及头巾和发式都描绘得很细致，是研究当时的生活习俗和士兵装备等方面的重要文物资料。这批陶俑的数量之多、配套之全、品类之繁新、步伍之严整，实为汉代出土文物所罕见（随葬坑出土陶俑详细情况见《文物》1966 年第3 期《陕西省咸阳市杨家湾出土大批西汉彩绘陶俑》一文）。为了进一步弄清楚这批陶俑的随葬情况，1970 年冬，考古人员对随葬这批陶俑的墓主茔地作了全面发掘。

简报分为：一、第四号陪葬墓，二、第五号陪葬墓，三、结语，共三个部分。有彩照、手绘图。

据介绍，两座汉墓规模大、结构复杂，出土有玉器、漆器、车马器等，制作精美。简报推断为西汉文景时期墓葬。墓主人怀疑是周勃、周亚夫父子，或即使不是周氏父子墓，也当是王侯贵族墓葬。

1746.陕西兴平汉墓出土的铜漏壶

作　者：兴平县文化馆、茂陵文管所
出　处：《考古》1978 年第 1 期

1958 年在陕西省兴平县东门外约1 公里许，修建兴平砖厂时发现一批文物，有陶壶、黄釉陶仓、铜带钩、铜弩机、五铢钱等，其中还有1 件铜漏壶。当考古人员到现场观察时，发现是1 座南北向的长方形的西汉空心砖墓。简报配以手绘图予以介绍。

据介绍，这件铜漏壶，根据同出的铜带钩、五铢钱、陶壶等器物，证明是西汉中期的遗物。兴平漏壶的出土，有助于了解西汉铜漏壶的形制和构造，进而可以研究它的用法和精度，为研究我国古代天文学的发展提供了实物依据。

1747.陕西咸阳马泉西汉墓

作　者：咸阳市博物馆　李毓芳
出　处：《考古》1979 年第 2 期

1975 年 2 月，咸阳市马泉公社大泉大队农民打窑洞时，发现砖券墓1 座，考古人员前往进行清理。简报分为：一、墓葬情况，二、出土器物，三、结语，共三个部分。有手绘图。

据介绍，此墓坐落在咸阳北原上，封土堆残留高约 3 米。为 1 座带墓道的单棺单椁砖券墓，葬具已朽，尸骨已朽。墓葬在清理前已被扰乱，故随葬品确切位置不清。出土器物 200 多件，根据质料可分陶、铜、铁、木、竹、漆、玉、石（包括琥珀、玛瑙、水晶）、蚌、金、银器等。墓中所出竹简及完整漆器皆为关中一带罕见之物。铁针及铁筒又为汉墓中不多见的器物。该墓的时代，简报推断为西汉晚期。

1748.咸阳市发现的麟趾金和马蹄金

作　者：王丕忠、许志高
出　处：《考古》1980 年第 4 期

1978 年 5 月 5 日，咸阳市吆店公社毛王沟大队第五生产队，在其村北台面耕地上，发现麟趾金和马蹄金各两枚。考古人员去现场了解情况，简报配以照片予以介绍。

据介绍，毛王沟大队位于咸阳市东约 36 公里的渭城湾，秦宫遗址西约 1.5 公里，汉安陵西南约 1 公里，隔渭河与汉未央宫遗址遥遥相对。这 4 枚金币，含金量均为

98%，其重量：马蹄金 2 块，分别重 256.470 克、266.510 克；麟趾金 2 块，分别重 284.095 克、244.340 克。结合铭文，简报测算结果是，汉代 1 斤重 253 克。

1749.铜铸"货布"母范

作　者：刘庆柱

出　处：《考古与文物》1980 年第 1 期

此范于 1975 年出土于三原县张家坳公社，三原县文化馆征集。简报配图予以介绍。

据介绍，铜铸"货布"母范，保存完整，有 2 个钱：1 为阳文正范，1 为阴文背范。钱的正面有阳文篆书"货布"2 字。钱文书法工整、清晰。范的铜质好，铸造精。范背有"宜"字。"宜"为河南宜阳，即王莽时的弘农郡。简报认为此范可能为弘农郡制造。

1750.铜铸"货泉"母范

作　者：刘庆柱

出　处：《考古与文物》1980 年第 1 期

该范于 1975 年在三原县张家均公社出土，三原县文化馆征集。简报配图予以介绍。

据介绍，铜铸"货泉"母范保存完整，有 6 个钱，3 个正面，3 个背面，钱树六支干相连。钱文较细。钱范铜质较好，铸造较精。范背铸 1 个"泉"字。

1751.汉景帝阳陵调查简报

作　者：咸阳市博物馆　王玉忠、张子波、孙德润

出　处：《考古与文物》1980 年第 1 期

从咸阳市东 25 公里的张家湾向西，至兴平县茂陵，西汉 9 个皇帝的陵墓东西排列，绵延 30 多公里。这些陵墓的位置，史书与清巡抚毕沅所立之碑记多有不同。考古人员于 1975 年 10～11 月，调查了阳陵及其陪葬墓。简报分为：一、阳陵概况，二、陪葬墓的分布位置，三、遗物，四、几点看法，共四个部分。有拓片、手绘图。

据介绍，阳陵为汉景帝刘启的陵墓，西距汉高祖刘邦长陵约 6 公里。地面上有大量板瓦、筒瓦片及瓦当等。阳陵陪葬墓除北面有 2 座外，其余皆分布于阳陵的东面，共 34 座。北起高庄，南至梁村，东达原尽头马家湾。除 1 号陪葬墓外，其余由北向

南分为 6 排，各排多少不一。现残存墓冢 11 个，编号为 1 ~ 11 号，其余均被削平。罗盘石附近遗址，当为"陵旁立庙"的庙——德阳宫遗址。迁 5000 户守陵的阳陵邑，当在米家崖。

1752.汉元帝渭陵调查记

作　者：咸阳市博物馆　李宏涛、王丕忠
出　处：《考古与文物》1980 年第 1 期

从咸阳市沿底张公路北行，经二道原 3.5 公里，到达一道原。距原边约 0.5 公里处，有两个高大的土冢，就是汉元帝渭陵和孝元王皇后陵，当地人叫作"东陵"和"西陵"。自 1966 年在陵北的新庄村出土透雕羊脂玉羽人飞马以后，又在该地陆续发现了几件罕见的玉雕品和其他文物，考古人员对渭陵和文物出土地，进行了调查清理工作。简报配以照片、手绘图予以介绍。

据介绍，渭陵，毕沅曾立碑定为汉昭帝平陵。但根据《水经注》等文献记载和近年来的调查，渭陵应在今咸阳市周陵公社新庄村。毕沅所断值得商榷。平陵和茂陵相邻，应在今咸阳市大王公社帝王村，与现今新庄的这个陵墓的地望并不相及。简报还指出，渭陵北的一片建筑遗址，应是所谓"陵旁立庙"的庙——长寿宫遗址。

1753.汉甘泉宫遗址勘查记

作　者：淳化县文化馆　姚生民
出　处：《考古与文物》1980 年第 2 期

甘泉宫为汉武帝仅次于长安未央宫的重要活动场所，不只是作为统治阶级的避暑胜地，而且许多重大政治活动都安排在这里进行。甘泉山，位于淳化县北约 25 公里处，出甘泉。在甘泉山南凉武帝、城前头、董家等村附近，历年来曾出土不少秦汉建筑遗物，且瓦砾遍地，简报怀疑林光宫、甘泉宫就在这一带。于 1978 ~ 1979 年内作了数次勘查。简报分为：一、遗迹，二、遗物，三、几点认识，共三个部分。有拓片、照片、手绘图。

据介绍，发现有宫城城墙遗迹。在城前头村、凉武帝村、董家村附近，宫城城墙夯土残迹，历历在目，断续暴露在地面上，高 1 ~ 5 米不等。还有建筑残迹及水道遗迹。遗物主要是建筑材料，如砖、板瓦、筒瓦、瓦当、水道管等。陶文中有"甘林""甘居""居甘""甘"等字，足证这里是汉甘泉宫遗址无疑。汉甘泉宫的宫城城墙范围，

大致已弄清，而对其更详细了解，有待于今后的正式发掘。至于汉甘泉宫宫城城墙是否沿用秦的林光宫，尚待进一步查证。从宫城内发现的残迹来看，推测甘泉宫的主体建筑似应在两个大夯土台基之南，东西宽有 700 余米。从发现有大量烧渣块、红烧土、壁面烧焦痕迹来看，汉甘泉宫当毁于大火。

1754.记武功县出土的汉代铜器

作　者：陕西省考古研究所、武功县文化馆　吴镇烽、罗英杰
出　处：《考古与文物》1980 年第 2 期

陕西省武功县近年来出土了一批汉代铜器，其中有几件刻有铭文，为研究汉代历史、地理和宫殿等提供了有用的资料，这些铜器大都出自墓葬之中。简报配以照片予以介绍。

据介绍，1979 年 8 月 20 日，车站公社史新大队砖瓦厂制砖取土时发现 1 座汉墓，共出土文物 16 件，计铜容器 7 件，铜环 3 件，铁斧、铁锤、铁权、陶罐各 1 件，五铢钱 2 枚（残）等。其中有汉代太后食官的"长乐饮官鼎"，上有铭文，简报录有全文。还有"鄜厨金鼎"，烛灯、釜、盆、匜、弩机等。简报还介绍了 1977 年杨陵公社徐西湾出土的阳邑烛灯、1979 年车站公社北显村出土的赵内者豆、1972 年薛固公社上王村出土的废丘鼎、1979 年普集镇印刷厂出土的 1 座东汉墓中的釉陶器等。

1755.西汉陶拐角水道管

作　者：陕西省兴平县文化馆、兴平县茂陵文管所
出　处：《考古与文物》1980 年第 2 期

1973 年 10 月，在陕西省兴平县西吴公社豆马大队村东南约 100 米处平整土地时，发现了陶拐角水道管两件，形制大小相同。简报配以照片、手绘图予以介绍。

据介绍，水道管长 141.5 厘米、高 29 厘米。管道出水口断面作马蹄形，管口面作斜坡状，流口周围饰一圈方格云纹、圆形连珠纹图案。豆马村是西汉茂陵县遗址的所在地，西北距霍去病墓 3 公里。通过对茂陵县城遗址的调查，发现许多西汉建筑遗址、石子路面、五角水道管和这件拐角水道管。新发现的陶拐角水道管很可能是当时茂陵县城内高台殿基上的排水管道，对我们今天修造水平梯田解决渠水冲刷地边埂的问题，有很大的参考价值。

1756.陕西茂陵一号无名冢一号从葬坑的发掘

作　者：咸阳地区文管会　负安志
出　处：《文物》1982年第9期

在茂陵东侧约2公里处，并列5座高大的无名冢封土堆，自西向东，最西的1座编号为一号冢，最东的1座为五号冢，即毕沅所谓的"霍光墓"。一号冢封土堆最大，因封土堆形似羊头，南端高大，北端低小，当地人称它为"羊头冢"。

1981年5月，兴平县西吴公社豆马大队农民在一号无名冢南边60米处平整土地时，发现了1座从葬坑（编为一号坑）。陕西省文物局随即组织发掘，并在一号无名冢周围进行了大面积的钻探和勘察工作，得知周围尚有38个坑和4座墓葬。已发掘的一号坑清理情况，简报分为：一、一号坑的结构及器物分布，二、坑内的出土文物，三、铜器铭文记载的西汉度量衡与实测情况，四、几点分析，共四个部分。有照片。

据介绍，在一号无名冢周围，分布着39个坑（包括一号坑）和4座墓葬，似与一号无名冢有一定关系。一号坑位于一号无名冢南侧，在坑周围尚未发现其他大型的墓葬。根据坑的位置及出土的器物判断，简报认为一号坑当属一号无名冢的从葬坑。出土的器物以铜器数量为多，有铭文的18件，简报有铜器容量详细的实测表和重量实测表。结合器物造型特征、类型、质地分析，简报推断这批遗物当属西汉中期的武帝时期，一号无名冢当是武帝茂陵的陪葬冢。

简报称，一号坑为土洞式结构，在西汉从葬坑中较少见，为研究西汉墓葬营建方式提供了一种新的情况。而鎏金鎏银竹节熏炉，器形罕见，是我国古代雕塑艺术和制造工艺中的一件瑰宝。

1757.咸阳市空心砖汉墓清理简报

作　者：咸阳市文管会、咸阳市博物馆　孙德润
出　处：《考古》1982年第3期

1980年8月，国家地质部在咸阳市北二道原下进行基建时，在西南距火车站约1.5公里，东北距塔尔坡（市砖瓦厂）约1公里，东距任家嘴1.5公里处，共发现不同时代的墓葬51座。在9座汉代墓中有3座空心砖墓（M26、M34、M36）。空心砖上饰有4神图案花纹，为咸阳地区前所未见。简报分为"34号墓""26号墓""36号墓""结语"等几个部分予以介绍，有手绘图。

据介绍，M34为竖穴墓，由墓道、墓门、墓室组成。出土有铁器、陶器、铜器、

铜钱等。其他 2 墓大同小异。均应为汉墓。比较重要的发现是 3 墓的画像砖，均应与原来用于皇家建筑的画像砖有关，可能原来用于建筑上，后来又用于筑墓葬。出土遗物中四曲文钱为全国少见，传世的仅十余枚，且均无出土地点。

1758.陕西长武出土汉代铁器

作　者：刘庆柱
出　处：《考古与文物》1982 年第 1 期

1975 年 4 月长武县丁家公社在修建拖拉机站取土时，发现了一批古代铁器。考古人员进行了清理发掘。这批铁器即出土于文化层内，出土时堆放在 1 个残鼎盖上。铁器数量大、种类多，制作技术精良，锈蚀程度较轻，保存较好。这批铁器有生产工具、生活用具、兵器和车马器等。简报配图予以介绍。

据介绍，除以上铁器外，还出土有铜镜 5 面。出土王莽货币，计：货布 28 枚，货泉 215 枚（其中大号 184 枚，小号 31 枚），大泉 51 枚。货币均置于 2 个小铜盆和 1 个小铜鼎内。长武出土的这批铁器就其形制来看，应属汉代，同出的王莽货币与汉代砖、瓦残片以及铜鼎盖、铜镜等均可作为佐证。

简报称，这批铁器有这样多的齿轮、完整的锯条、成套的铁权在过去是不多见的，为研究汉代机械应用、度量衡、手工业生产和铁器的冶铸、加工和使用等提供了重要资料。

1759.汉平陵调查简报

作　者：咸阳市博物馆　孙德润
出　处：《考古与文物》1982 年第 4 期

1978 年 10 月和 1980 年上半年，考古人员对平陵陵邑及其陪葬墓进行过两次调查。简报分为五个部分予以介绍，有照片、手绘图。

据介绍，平陵位于咸阳市北原的西端，西南距汉武帝茂陵约 5 公里，东距汉成帝延陵约 6 公里。其地属大王公社小寨大队。陵的中心为 1 个高大的覆斗状冢，平陵东南 665 米处又有 1 个大冢，为上官皇后陵。两墓各有陵园，平陵陵园呈正方形。围墙每边长 380 米，每边有一阙门。地南建筑已不存，遗物有板瓦、筒瓦、瓦当、砖和陶器等残片。皇后陵园每边长 424 米。遗物与平陵陵园略同。经实地调查，在陵的西南、南面与东面，东至西兰公路一带，在二道原和三道原上成组地分布着大小土冢 99 个，现多已平掉，应为陪葬墓。

1760.汉云陵、云陵邑勘查记

作　者：淳化县文化馆　姚生民
出　处：《考古与文物》1982 年第 4 期

淳化县铁王公社以南 4 公里许，有 1 个高大的土冢，当地人称作"大疙瘩"，这是西汉昭帝刘弗陵母勾弋夫人赵婕妤的陵墓——云陵。云陵邑城遗址在云陵西北方，城东紧靠故城村。近几年来，云陵和云陵邑一带陆续出土许多文物，考古人员于 1979～1980 年多次前往调查，采集文物。简报分为"遗迹""遗物"等几个部分予以介绍，有照片、拓片、手绘图。

据介绍，云陵位于淳化县县城北 10 公里，高达 35 米，陵园内已无地上建筑，考古人员勘探认为东西垣墙长 337 米，南北垣墙长 283 米，陵垣平面接近正方形，周长 1220 米。云陵邑城在云陵西北 500 米处。城廓平面呈南北向长方形，东西城墙各长 700 米，南北城墙各长 370 米，城周长 2140 米。北城墙外 300 米处，发现有陶窑遗址。云陵、云陵邑的遗物，主要为建材。

另有铜镜、五铢钱等。铜镜上有铭文。

1761.陕西永寿出土的汉代铁农具

作　者：中国社会科学院考古研究所　刘庆柱
出　处：《农业考古》1982 年第 1 期

1974 年 10 月陕西省永寿县监军公社西村大队第九生产队在平整土地中发现一批汉代铁器，其中铁农具有：Ⅴ形铧冠、铧、铲形锄、凹口锸、刀形器等 32 件，还有正齿轮、铁权、六角承器、钩形器、曲形器、环器、铁箍、锛、辖形器和铁矛等 16 件。简报配以手绘图予以介绍。

据介绍，与上述铁农具共出的，与农具（或农业）有关的铁器还有正齿轮和铁箍。简报推断这批铁农具（包括共出的其他铁器）的时代应为汉代。

简报称，汉代铁农具近年来出土少，许多都是成批成组出土。各地出土的铁农具有耕具、起土器、中耕器和收割器等，既式样繁多，又规格统一。这说明了汉代铁农具生产的标准化、系列化和商品化，也反映了铁农具在当时农业生产中的广泛应用。

1762.陕西淳化县出土汉代铜镜

作　者：淳化县文化馆　姚生民
出　处：《考古》1983 年第 9 期

陕西省淳化县在农田修建和基本建设等项工程中，陆续出土了许多汉代铜镜，简报配以照片予以介绍。

据介绍，共计 11 件，有铭文者简报均录全文。按其纹饰变化、边缘形制、镜体厚薄和镜纽大小等特点，可以略分先后：素底弦纹四乳镜和曲线纹底四乳蟠螭镜年代较早，应在西汉中期以前；日光镜、宜子镜、方格涡圈纹镜当为西汉晚期作品，余皆西汉中期以后遗物。

1763.淳化县固贤村出土谷口宫铜鼎

作　者：淳化县文化馆　姚生民
出　处：《考古与文物》1983 年第 3 期

1976 年 7 月，淳化县城以东 25 公里的固贤公社医院施工过程中，于地表以下 2 米深处，发现铜鼎 1 件，灯 4 件，还有 20 余块汉代条砖和鼎、灯散置一处，其上为砖瓦残块和杂土。该地有何建筑，史无记载，民间无传。简报配以手绘图予以介绍。

据介绍，铜鼎口沿下铸篆书 8 字"谷口宫，元康二年造"。鼎通高 24 厘米、口径 21 厘米、耳高 7 厘米、耳宽 4.4 厘米。灯，其中 1 件为铜质，余皆铁质，形制大小相同，今仅存铁灯 1 件。鼎和灯的形制，均具汉代特点。谷口宫，史书无载。简报考证为地名，谷口当年有宫，并在汉宣帝（刘询）元康二年（前 64 年）铸造了这件"谷口宫"铜鼎。谷口宫当在谷口邑（县），亦即泾水出山之处的谷口附近。

《考古与文物》1983 年第 3 期发表有补正一文，称由于本人疏忽，未能详查文献著录，文中写了"谷口宫，史书无载"等语。已故陈直教授著《三辅黄图校证》卷四《苑囿》"汉上林苑"条引《关中记》总叙上林宫观一段，载有谷口宫。

1764.陕西淳化县出土汉代陶棺

作　者：淳化县文化馆
出　处：《考古》1983 年第 9 期

1980 年 8 月、1981 年 4 月，陕西淳化县铁王公社铁王大队两次发现陶棺，共 11 具。同时出土的还有陶俑、陶器等，考古人员随即进行了清理。简报配以拓片、手绘图予以介绍。

据介绍，铁王大队南距县城 10 公里，是 1 个南北狭长、宽约 2.5 公里的塘。其东约 1 公里，有冶峪河，其北约 15 公里，是汉代的甘泉宫遗址。陶棺出于铁王大队西北，呈东西向排列，东、西两端相距 46 米。东端陶棺最大，埋的最深，距地表 4.5 米，棺外有砖砌的墓室，编为 M1。其余十棺无砖砌墓室，皆距地表 2.7 米，自东至西依次编为 M2 ~ M11。陶棺均被淤土填满，未见骨骼及其他物件。其中 M3 ~ M10 未见随葬品。M1 有红褐釉陶壶 2 件。M2 有红褐釉陶壶 1 件、绿釉陶壶 2 件、绿釉陶俑 2 件、绿釉陶马 2 件、黑釉陶熊 1 件、五铢钱 7 枚。M11 有红褐釉陶壶 4 件、铁剑 1 件、铜剑饰 2 件。

这批陶棺墓的时代，简报推断为东汉初期。

1765.长陵建制及其有关问题——汉刘邦长陵勘察记存

作　者：石兴邦、马建熙、孙德润
出　处：《考古与文物》1984 年第 2 期

1970 ~ 1976 年，考古人员对传说中的周亚夫墓进行了全面的发掘。这个墓是长陵的陪葬墓之一。在发掘工作进行过程中，在长陵附近作了些调查研究，对长陵本身建制作了重点了解，发现了一批文物古迹。1982 年，孙德润等先生对长陵作了实地勘察，探查出许多重要迹象，这里一并发表。简报分为四个部分予以介绍，有手绘图。

据介绍，长陵是刘邦和他的皇后吕雉的合葬茔地。按汉代制度，帝后合葬，"同茔不同陵"，所以有两个陵冢，刘邦的在西边，吕雉的在东边，两陵冢相距约 250 米。

简报称，汉代陵邑制度，从刘邦起开始实行。就是在陵墓附近设置县城，迁天下豪族诸侯居，以奉陵寝。继刘邦之后的 6 个皇帝的陵墓都设陵邑。在咸阳原上的有 5 个（即长陵、惠帝安陵、景帝阳陵、武帝茂陵和昭帝平陵），历史上著名的"五陵原"就是这样得名的。长陵陵邑，设在陵北。它的南墙与陵园北墙重合。根据实测，陵邑呈长方形，南北长，东西窄，北略偏西方向。南、北、西 3 面有墙，东面没墙。这和《关中记》所记的"长陵城有南、北、西 3 面城，东面无城，随葬者皆在东，徙关东大族万家，以为陵邑"完全相符。陵邑城墙，大体保存完好。保存最好的是西墙南段，南墙西段，北墙西段。墙宽 10 米（墙基），高 2 ~ 6 米不等，夯筑特别坚实。据《三辅黄图》记载，城周围是 7 里 180 步，现存遗迹比记载略大。

1766.一枚罕见的西汉五铢金币

作　　者：陕西省博物馆　陈　颖
出　　处：《考古与文物》1984年第4期

1980年，西安市太乙路六院刘东阳送交陕西省博物馆1枚五铢金币。据刘称，此金币是在咸阳市平整土地来往运土的道路上拾到的。简报配以拓片予以介绍。

据介绍，金币重9克，经化验，金成色为95%。其形制与常见的西汉铜五铢相同。此类金币古称上币，供作礼物、赏赐馈赠之用。简报经考证认为，这枚横廓五铢金币的铸造时期当在西汉武帝元狩五年（前118年）之后至宣帝神爵四年（前58年）之前。流传不多。

1767.咸阳西汉墓清理简报

作　　者：咸阳市博物馆
出　　处：《考古与文物》1984年第5期

1982年10月，陕西省第一纺织机械厂在建厂房时，发现1座古墓。考古人员对该墓进行了清理发掘。简报分为：一、墓葬形制，二、出土器物，三、结语，共三个部分。有手绘图、照片。

据介绍，该墓位于咸阳市西北10公里的陕西省第一纺织机械厂生产区，距地面7米。墓为长方形砖砌墓，无墓道。随葬器物主要放置在墓室的前半部。墓门内偏东处放1块带有半孔的圆形土块，棺椁放在墓室后半部靠东侧，已朽烂。随葬品共计72件，以陶器为主，多为生活用具，彩绘非常鲜艳。还有铜镜、铁剑。简报推断墓主为男性，身份不明，该墓时代为西汉后期。

1768.陕西淳化县出土汉代铜量器

作　　者：姚生民
出　　处：《考古》1985年第11期

1981年春季，陕西淳化县润镇乡西坡村砖瓦厂，掘土时于地表下2.5米处发现一批陶器，有壶、罐、灶、钵等，共20余件。随这批陶器一起出土了3件铜量器，还有棺木朽痕和骨骼残节，表明这里是1座古墓葬。发现的铜器和陶器，是这座古墓葬的随葬品。这座墓葬虽被该厂工人挖毁，陶器已捣碎，部分器物是从留存的残件中复原辨定的，但这并不影响考古人员判断该墓的时代。出土的陶器，是常见汉墓中随葬的同类明器的形制；3件铜量器，同陕西省扶风县召公公社1972年4月收购的汉代铜量器式样完全一样（罗西章《从扶风出土的汉代铜量器谈有关秦汉量制问题》，《陕西省文博考古科研成果汇报会论文选集》1981年），与中国历史博物馆藏后汉"一分圭"相似，简报推断这是1座汉代墓葬。简报配以手绘图、照片予以介绍。

据介绍，发现的3件铜量器，形制相同，只是大小有别。淳化县西坡村出土的3件铜量器，正好为1套四进位的汉代小量器。

1769.茂陵发现的西汉四神纹玉铺首

作　者：朱捷元
出　处：《考古与文物》1986年第3期

1975年在陕西兴平县西汉武帝刘彻茂陵陵园的外城范围内，发现1件四神纹玉铺首，现珍藏在茂陵博物馆。这件玉质建筑构件，不仅具有一定的历史价值和艺术价值，也是研究我国古代琢玉工艺的实物资料。

据介绍，这件玉铺首是用1块完整的苹果绿色的玉块雕琢而成，正面雕成兽面纹，张目卷鼻，牙齿外露，形象甚为凶猛。高34.2厘米、宽35.6厘米、厚14.7厘米，重10.6公斤。原应是在门扉上镶嵌的装饰品。整个铺首显得器形厚重，图案生动，琢工精致，是1件极为罕见的大型的汉代琢玉工艺品。

1770.秦都咸阳汉墓清理简报

作　者：咸阳秦都考古工作站　陈国英、尹申平
出　处：《考古与文物》1986年第6期

1980～1982年，在发掘秦宫第二号（原编号乙）和第三号（原编号甲）建筑遗址时，发现埋葬于秦宫建筑遗址中的中、小型汉墓多座。考古人员清理了其中的16座。简报分为：一、墓葬形制，二、随葬器物，三、结语，共三个部分。有手绘图、拓片。

据介绍，16座墓葬中，甲M2为瓦棺，其余15座为洞室墓。随葬器物有陶器、铜器、铁器、货币、玉石器以及文字符号砖共6类，总计1912件，其中货币1555枚。墓砖上有文字及图案的36块，计有纪年砖块（永平十三年）1件、吉祥语砖2件、计数砖7件、飞禽砖1件、男女性器及交欢图11件等。简报认为男女生殖器图等应为墓中"压胜"之用。

简报称，16座墓葬中，甲 M10 出土有"永平十三年"（70 年）纪年砖 1 块，据此可确定其绝对年代。其余 15 座，可分为 3 期，分别为西汉中晚期、新莽、东汉前期。简报称，这批汉墓的下葬时间是在西汉中期以后。由此推测，秦都咸阳废弃以后，西汉前期似还有人在此活动，部分建筑还被修缮利用。至西汉中期以后，这里就成为汉代及其以后的墓葬茔地了。

1771.长武发现汉代石磨

作　者：阎志和

出　处：《文博》1986 年第 2 期

1983 年，长武县彭公乡杨家河村和高家坡村农民，在修庄基、挖窑洞取土时，发现了 2 合汉代石磨。简报配以照片予以介绍。

据介绍，石磨直径 50 厘米，厚度 8 厘米（单扇），磨眼直径 20 厘米，磨眼、铁堤均为 2 厘米。磨盘上扇有规整的磨纹，下扇为鳞状坑窝。石磨上的眼、桩和利用铁铸成的堤窝保存尚好，铁堤窝甚至无明显锈斑。从整个磨齿纹看，当时只能磨出较粗的面粉。

石磨现藏长武县文管所。

1772.龚家湾一号墓葬清理简报

作　者：孙德润、贺雅宜

出　处：《考古与文物》1987 年第 1 期

龚家湾位于秦都区渭城乡，西南距咸阳城区 5 公里，西北距汉元帝渭陵 2 公里余，东北距汉哀帝义陵 2.5 公里。墓葬就在龚家湾七队，咸阳北的头道原上，共有 6 个土冢。1983～1984 年对其中的一号墓进行了清理。简报分为：一、墓葬形制，二、摹线画与画像石，三、随葬器物，四、结语，共四个部分。有照片、拓片、手绘图。

据介绍，该墓系砖石结构的积石、积沙墓。墓葬方向 87°。墓由封土、墓圹、墓道、甬道和墓室 5 个部分组成。筑法是先挖"甲"字形墓圹，再构筑墓室、甬道和墓道，在墓室与甬道的两侧及顶部上面填以沙石，以防盗掘。顶部以重达 2 吨左右的卵石垒 3 层，石与石间填充沙子。在沙石上面再填土夯实。葬具为木棺椁，已朽，人骨已朽。该墓曾 6 次被盗，但仍出土有车马饰、漆器附件等铜器 115 件及石器、玉器、金器等。该墓年代，简报推断为王莽时期。墓葬的规模比起王一级墓葬虽然较逊色，但不亚于个别的侯。简报认为该墓之主，不是侯封，也是略低于侯的三公九卿一级官吏。

简报称，一号墓为大型砖石结构墓，尤其是画像石，是关中地区西汉墓葬中首次发现，不仅填补了关中地区的空白，也为研究关中地区的西汉墓葬提供了新的材料。发现的地面建筑残迹，有助于解决汉墓上有无建筑的争论。

1773.咸阳塔尔坡汉墓清理简报

作　者：张　蕴、叶延瑞
出　处：《考古与文物》1987 年第 1 期

1985 年，咸阳塔尔坡砖厂在取土中先后发现 3 座古墓。考古人员对这 3 座墓葬进行了清理。简报分为"一号墓""二号墓""三号墓""结语"，共四个部分予以介绍，有拓片、手绘图。

据介绍，咸阳塔尔坡砖厂 1966 年曾发现过 9 座秦墓，1980 年曾发现过 9 座西汉中下层墓。此次又清理的 3 座汉墓，证实这一片应为汉代墓葬区。

简报称，M1 虽经盗扰，出土器物仍较其他两墓丰富，除去西汉晚期墓中所特有的黄绿色釉陶器外，还有金器、玉器作为随葬品，而且墓室建筑较宽大、整齐、坚固，这些都表明墓主人身份绝非一般庶民，可能是乡绅富户一类。弩机部件的出现，说明墓主人可能为男性。据出土铜币，简报推断 M1 的年代在西汉宣、平之时或略晚。

M3 出土的器物仅有 1 枚"大泉五十"，其具体年代大约应在王莽时期，该墓的突出特点是积沙积石，即不用砖砌，只用大块河卵石和沙子填充墓室、墓道。这种形制在咸阳地区发现较多，如 M1 也是积沙墓，在其墓室、墓道内发现大量沙子。但在关中地区及全省范围内却并不多见，成为一种特殊形制。M3 顶上废墟中所出带字砖 1 块，内容应释为"二十五日取米一斗"。由此看来乃是制砖工人所记流水账，另 2 块只刻有 1 ～ 2 个字，其用意不明。在墓中发现如此内容的带字砖是极少见的。

M2 由于破坏严重，具体年代难做定论，但墓葬形制和随葬品残片及铺地砖规格都可说明该墓为西汉晚期墓葬。

1774.汉长陵邑清理瓦窑一座

作　者：时瑞宝
出　处：《考古与文物》1987 年第 1 期

1981 年 1 月，咸阳市秦都区怡魏村村民挖地基时发现窑址 1 座。窑址位于韩家弯乡怡魏村东部，西距长陵邑西垣约 510 米。此窑呈东西向，窑门向西。除窑顶和北壁遭破坏外，其他部位均保存良好。简报配以照片予以介绍。

据介绍，窑室顶部毁后被弃作灰坑。灰土中包含有秦末汉初风格的瓦当及筒瓦、板瓦残片，还有此铁器碎片。瓦当为深灰色，边轮与当面系复合制成。《汉书·高后纪》记载：长陵邑始建于高后六年（前 182 年）六月。此窑即为长陵邑手工业作坊之一部分，它的存续年代当为西汉初期，且时间较短。

又，据《考古与文物》1987 年第 5 期，汉长陵陪葬墓曾出土陶马。陶马出土于长陵东北 3.5 公里的徐家寨老村，村内原有 3 座墓冢，呈东西排列。1972 年这里曾发现过陶马残片。1982 年全村已南迁，考古人员对老村址进行了部分钻探和清理，发现陶马出土于从葬坑。

据介绍，共发现 5 排陶马，有红色、有黑色。马后原有 1 木车，已朽。关于这批陶马的时代，因陶马多残破不全又无其他出土遗物，具体年代不能确定。但从陶马的造型与制法分析，相对时代可能不晚于西汉晚期。

1775.咸阳程家砖厂汉墓出土的几件铁器

作　　者：张德臣
出　　处：《文博》1987 年第 6 期

咸阳市秦都区马泉乡程家砖厂 1986 年 5 月在 1 座已被毁坏的汉墓中清理出了几件铁器和一部分钱币。这批铁器数量不多，但保存完整，形状各异，尤其是铁提梁暖炉造型美观，工艺熟练，是首次发现。简报配以照片予以介绍。

据介绍，计提梁铁暖炉 1 件，重 8 公斤。铁戟 1 件，重 0.75 公斤。铁刀 2 件，每件重 1.25 公斤。铁镜 1 件，重 0.5 公斤。

简报称，马泉乡过去曾出土过一些汉代遗物。程家砖厂距汉昭帝平陵约 1.5 公里。这几件出土铁器，对于进一步探讨汉代冶铁业的发展和铸造技术都有一定价值。

1776.西汉鲁王虎符

作　　者：时瑞宝
出　　处：《考古与文物》1988 年第 3 期

1981 年 11 月，咸阳博物馆征集到 1 件鎏金铜虎符，系咸阳原上周陵乡南贺村农民于 1976 年在田间掘得。简报配以照片予以介绍。

据介绍，出土地点在南贺村东约 100 米处，东南距汉哀帝陵约 1 公里，且位于汉元帝渭陵陪葬墓区所谓"二十八宿"的边缘。符上文字分脊文和肋文两部分。脊文由首至尾共 7 字，皆为半字，字尚可辨识，文曰"汉与鲁王为虎符"；肋文 3 字，文曰"鲁左五"。10 字皆错银篆体。由符文结合出土地点，此符为西汉之物似无可疑，与王国维《观堂集林》卷十八所述汉符形制亦无出入。应是景帝二年（前 155 年）复置鲁国时鲁共王刘余所为。

简报称，截至目前，考古发现和文献著录的西汉虎符多为太守符，诸侯国王的虎符极为罕见。鲁王虎符的发现，对了解西汉虎符的有关制度无疑具有不可低估的价值。

1777.陕西淳华县下常社秦汉遗址

作　者：姚生民
出　处：《考古》1990 年第 8 期

1978 年秋季，考古人员在下常社村小学校向师生宣传文物保护管理政策时，该校小学生交献出 1 件卷云纹瓦当，下常社遗址从此发现。1980 年、1984 年、1986 年，对下常社遗址又进行了几次调查，采集到不少砖瓦标本，遗址面貌大体摸清。简报分为：一、采集遗物，二、小结，共两个部分。有照片、手绘图、拓片。

据介绍，采集遗物大多数为砖瓦残块。简报推断，下常社遗址经历了秦汉 2 个时期，大约是秦代宫殿经汉代修葺沿用；遗址内秦代遗物居多，或因秦代使用时间较长，建筑规模较大。下常社遗址采集到两种书写形式不同的带"宫"字云纹瓦当，表明它是秦汉时期的 1 处宫殿建筑遗址。简报据《淳化县志》卷十一和《三辅黄图校证》中所引，认为下常社遗址在秦汉林光宫和甘泉宫遗址所在的淳化县铁五乡凉武帝村偏东直线约 25 公里处，在武帝置甘泉宫范围之内，遗址当为"苑中起宫殿台阁百余所"之属，或为汉建元中增广之的甘泉宫"有宫十二台十一"的附属建筑之一。

1778.咸阳汉墓清理简记

作　者：刘晓华、景明晨、王　瑛
出　处：《考古与文物》1990 年第 1 期

1988 年 4 月底，考古人员在咸阳市任家嘴村咸铜铁路东 100 米处的白灰窑附近，清理汉墓 1 座。

简报介绍说，出土的器物有铜镜、弩机、带钩、陶器、玉器及"大泉五十"钱等。

另外，出土的器物还有铜管、残破铜器杂件及残铁长剑、空心砖等。简报配以照片予以介绍。

此墓出土有王莽时的"大泉五十"，简报推断将该墓时代定于西汉晚期（含王莽时期）较为妥当。

1779.汉景帝阳陵南区从葬坑发掘第一号简报

作　者：陕西省考古研究所汉陵考古队　王学理、王保平、尚志儒、段清波
出　处：《文物》1992 年第 4 期

阳陵是西汉景帝刘启和王皇后合葬的陵园，位于陕西省咸阳市渭城区正阳乡张家村北的黄土塬上，地跨咸阳、高陵和泾阳市县境。它是埋葬在咸阳原上 9 座西汉诸帝陵墓中最东的 1 座。陵园呈四棱台体，2 陵各有垣墙，四阙犹存。1991 年为配合公路建设进行了清理，在陵园南部发掘了 1 处从葬坑。简报分为：一、陵园南区从葬坑，二、出土文物，三、初步认识，共三个部分。有手绘图、照片。

据介绍，从葬坑位于王皇后陵正南 300 米处，东西跨度 320 米，南北 300 米，占地范围 96000 平方米。在此区域内分布着 24 个俑坑，自东向西依次编号为 91Y·K1 ~ K24，坑作南北向的长条形和"中"字形。由东向西排作 14 行，行距 20 米。每行坑数不一，最少 1 个，最多 6 个。坑宽一般为 4 米，个别坑也有宽 10.5 米的。深度约 7 ~ 8 米。坑长度不等，可分为长、中、短 3 段。长度在 120（K10）~ 291（K6）米的有 8 个，长度在 68.7（K2）~ 86.8（K19）米的有 3 个，长度在 25.3（K22）~ 50（K20）米的有 13 个。总面积 12500 多平方米。这组从葬坑均作地下隧道式木框架结构。此从葬坑曾被盗扰，但坑内仍有彩绘陶俑、陶制动物模型、兵器、车马器、衣饰、铜钱等，共 3500 余件。

简报称，坑内有明器，但却脱胎于当时的实用之物。出土为数不少的木车马、木俑、木箱、漆木器、陶侍卫俑、粮秣、炊器和从葬设施，为研究汉代丧葬礼制、社会生活、科学技术等提供了重要资料。

1780.陕西淳化程家堡村汉洪崖宫遗址

作　者：姚生民
出　处：《考古与文物》1992 年第 4 期

程家堡遗址位于淳化县铁王乡程家堡村西。遗址东西有两条沟道，塬面宽约 2 公里。东端是武家山沟，沟宽约 150 米，沟的东畔是红崖村；遗址西为小池沟，此

沟与武家山沟在遗址区南 0.5 公里处的小池咀村汇合后，南流注入冶峪河。遗址北 2
公里即著名的甘泉宫遗址。程家堡遗址在隆起的塬面中央，西至小池沟东畔，东至
程家堡村中部，东西宽 300 余米；遗址区南北两端大体与今程家堡村的南北两端等齐，
长约 400 米，辖区约 12 万平方米。历年农耕和其他动土中，此地出土了大量的建筑
砖瓦残件，有的地段残砖瓦深埋在地下 3 米，田埂路旁多有瓦砾堆积，近年常被拉
运铺垫公路。1979 年以来，考古人员先后 5 次踏查了程家堡遗址，采集各种标本数
十件。简报配以照片予以介绍。

据介绍，程家堡遗址出土文物丰富，主要是陶建筑材料，如砖、瓦、水管道等，
皆灰色；也发现少量铜器。简报认为此处应即汉代洪崖宫之所在。其地望与《三辅黄图》
《长安志》《关中胜迹图志》等所记略同。

1781.三原县三胜村汉墓清理简记

作 者：王玉龙
出 处：《考古与文物》1993 年第 2 期

1990 年春，考古人员为了配合三（原）铜（川）公路的工程建设，对于三原段
内的文物分布情况进行了调查。位于陵前乡的三胜村，三铜公路从其西侧通过，此
村原名"五冢巷"村，至于 5 冢因汉因唐、孰人孰冢、具体地点等诸问题，在调查
之前尚是个谜。通过对村周围几个月的调查，初步可以得出这样的结论，此村周围
是个面积较大的汉墓群，数量上远远超过了原来以为的 5 个冢。简报分为：一、墓
葬形制，二、出土文物，三、葬式葬具，共三个部分。有手绘图。

据介绍，该墓是 1 座带有二层台的长斜坡砖构多室墓。该墓曾被盗，葬具、葬
式不清，人骨及随葬品几乎不存。仅出土陶器 21 件、铜钱 220 枚，小铜饰、玉饰各
1 件。墓中有马骨，似是殉马或用马祭祀。该墓的年代，应是东汉末年即桓帝、灵帝时。

1782.陕西省 185 煤田地质队咸阳基地筹建处东汉墓发掘简报

作 者：陕西省考古研究所配合基建考古队 马志军、姜 杰
出 处：《考古与文物》1993 年第 5 期

1989 年，陕西省 185 煤田地质队咸阳基地筹建处在进行基本建设时，发现一批
古墓葬。考古人员于同年 5 月及 7 月分 2 次发掘清理了墓葬 10 座。其中东汉墓 3 座
（编号 M2、M3、M5），近代（明清）墓 7 座（编号 M4、M6～M10）。简报分为：
一、概况，二、墓葬形制，三、葬具葬式，四、随葬器物，五、结语，共五个部分。

先行介绍了3座东汉墓，有拓片、照片、手绘图。

据介绍，这3座墓形制相同，为长斜坡墓道的土圹墓。均由斜坡墓道、甬道及墓室组成。3墓均为合葬墓，葬具为木棺，葬式为仰身直肢。3座墓共出土随葬器物89件，以及铜币160余枚，铁棺钉若干枚。随葬器物主要为陶器，计73件。仅有少量铜器、铁器及石器等。简报认为3墓应属同一家族，时代为东汉中期偏晚。

简报称，此3墓有些情况值得讨论，如M2中女性尸骨是否为殉葬？M5墓道中为何用建筑废墟残砖瓦块填充？

1783.西汉"横山宫"铜灯

作　者：王晓谋

出　处：《文博》1993年第2期

1984年2月，兴平县东南约10公里的田阜乡猴村农民在挖土时发现1盏有铭文的汉代铜灯。灯体为浅圆盘状，口微侈，中心有一锥柱，盘的一侧向外伸出曲形叶状手柄，柄端上阴刻篆书"横山宫"3字。此灯应为"横山宫"用灯。简报配以照片予以介绍。

据介绍，"横山宫"，金文及文献未见，简报疑即汉代之黄山宫。黄山宫，据《汉书·地理志》等史料、文献，在兴平县西南马嵬坡一带。然而，近年来，"横山宫"灯出土地的猴村曾陆续出土汉云纹瓦当、空心砖等建筑材料，表明这里无疑是1处汉代建筑遗址。此灯在猴村发现，也许是因历史缘故使器物移动，或者黄山宫遗址就在猴村附近。诚如是，则黄山宫原不在兴平县西南，而在县之东南。这一看法，还有待以后考古发掘工作的证实。

简报称，"横山宫"灯的发现，为研究汉代文字、深入了解汉黄山宫的地理位置提供了宝贵的实物资料。

1784.汉景帝阳陵南区从葬坑发掘第二号简报

作　者：陕西省考古研究所汉陵考古队　王学理、王保平等

出　处：《文物》1994年第6期

汉景帝阳陵南区从葬坑于1990年5月发现，1991年正式发掘，前一段的工作成果已经公布。简报分为：一、地层关系，二、第20和21号坑的形制与布局，三、出土文物，四、几点收获，共四个部分，配以照片、手绘图，介绍了第20～23号坑的发掘情况。

据介绍，第 20、21、22、23 号坑位于阳陵南区从葬坑的西侧第 14 排，由南向北依次排开，坑间距 11 米。出土有陶器、陶俑、铜器、铁器、铜钱等，反映了西汉景帝、武帝时期的物质文明状况，具有很高的研究价值。

1785.咸阳织布厂汉墓清理简报

作　者：咸阳市文物考古研究所　孙德润、贺雅宜
出　处：《考古与文物》1995 年第 4 期

咸阳织布厂位于兴平县西吴乡齐家坡村南。东距茂陵镇 1.5 公里，东北距豆马村 1.5 公里，西北距汉武帝茂陵 3 公里。该厂于 1988 年扩建整理车间和细纱车间，发现汉墓 16 座。考古人员于 1988 年 5 月进行清理。简报分为：一、墓葬分布情况，二、墓葬形制，三、随葬品，四、结语，共四个部分。有手绘图、照片、拓片。

据介绍，16 座墓有竖穴墓道土洞墓、平顶空心砖墓、砖券墓等。随葬品有陶器、铜器、铁器、货币和其他种类，共 416 件，其中货币 248 枚。墓葬的年代，简报推断第一期 14 座墓的时代为西汉中、晚期；第 2 期 2 座墓的时代为新莽时代。齐家坡一带，简报认为很可能是豆马汉代遗址的墓葬区。

1786.陕西省礼泉县出土汉代铁权

作　者：礼泉县文物旅游局　李浪涛
出　处：《文物》1998 年第 6 期

1993 年 11 月，在陕西省礼泉县裴寨乡石坡扶村东 500 米处的雒武君果园内，出土 7 件汉代铁权。这些铁权出土于地表以下 80 厘米处，呈"一"字形东西堆放，上层 3 件，下层 4 件。根据在同一文化层内夹杂的灰陶片及竖绳纹筒瓦推知，这里曾是 1 处汉代村落遗址。简报配以照片、拓片予以介绍。

据介绍，7 件铁权造型稍有差异。02、06、07 号略呈圆柱形，上铸半环形鼻（粗壮）；01、04 号略呈扁半圆体，上铸拱式桥形鼻；05 号略呈半圆体，上铸半环形鼻（稍小）。其中06、07 号各有四字铸铭，06 号铭文为"上右禾石"，07 号铭文为"正里禾石"。7 件铁权经实测，最轻者30.9 公斤，最重者32 公斤。一次出土这么多汉代铁权，在我国实属少见。简报推断这批铁权的年代为汉高祖初至王莽时期。

简报列有"礼泉县裴寨乡出土西汉铁权一览表"和"河北、山东、山西、江苏、陕西出土秦权一览表"。

1787.陕西第二针织厂汉墓清理简报

作　者：解　峰、陈秋歌
出　处：《文博》1999 年第 3 期

　　陕西第二针织厂位于咸阳市茂陵镇，西距汉茂陵 3.5 公里，东北距汉平陵 4 公里。1995 年在厂北区二道原畔开挖家属楼时发现汉墓 12 座，由于汉墓均用空心砖砌筑而成，故称其为空心砖汉墓。施工造成的破坏十分严重，考古人员进行了抢救性清理。简报配以照片予以介绍。

　　据介绍，12 座墓可分竖穴土洞墓（M10）、竖穴墓道空心砖筑平顶墓室墓（10 座）、竖穴墓道空心砖砌筑人字形墓顶墓 1 座（M1）3 类。随葬品可分陶器、铜器、铁器、玉石器、货币等几大类。12 座墓的时代，简报认为可分 2 期：1 为西汉中期偏早（M4、M12），2 为西汉中晚期。

1788.汉景帝阳陵考古新发现（1996～1998 年）

作　者：陕西省考古研究所阳陵考古队　焦南峰、王保平、马永赢、李　岗
出　处：《文博》1999 年第 6 期

　　阳陵为汉景帝下葬之地，汉景帝在位 17 年，崩于后元三年（前 141 年），在位 17 年。简报分为：一、阳陵的历史地理概况，二、阳陵的发掘研究历程，三、阳陵考古发掘新收获，四、几点收获，共四个部分。有照片。

　　据介绍，对阳陵进行现代考古学意义上的科学勘查是从 20 世纪 70 年代开始。1972 年，陕西省历史博物馆的专家发现、试掘和确定了阳陵刑徒墓地；1978 年，咸阳市博物馆的考古工作者对阳陵陵园进行了考古调查，勘测了帝陵、后陵、门阙、部分陪葬墓，发现了德阳庙、阳陵邑等遗址；20 世纪 80 年代，中国社会科学院考古研究所的专家对阳陵进行较全面的调查，取得了较大收获。20 世纪 90 年代以来，进行了几次发掘，成果曾被评为 1992 年"全国十大考古发现"之一。

　　简报称，通过多年钻探和发掘得知：阳陵陵园平面呈不规则长方形，东西长近 6 公里，南北宽 1～3 公里，面积 10 多平方公里。由帝陵、后陵、南北区从葬坑、刑徒墓地、陵庙等礼制建筑、陪葬墓及阳陵邑等部分组成。帝陵坐西面东，居于陵园的中部偏西；后陵、南区从葬坑、北区从葬坑、一号建筑基址等距分布于帝陵四角；嫔妃陪葬墓和德阳庙位于帝陵南北 2 侧，左右对称；刑徒墓地及 3 处建筑遗址在帝陵西侧，南北一字排列；陪葬墓园棋盘状分布于帝陵东侧的司马道两侧；阳陵邑则设置在陵园的东端。帝陵、后陵均为"亚"字形，坐西面东。帝陵东南西北各有 1

条墓道，东墓道最长，最宽，是主墓道。"亚"字形大墓的探明，在西汉 11 陵考古中是第 1 次。这次的发现基本解决了学术界关于汉陵面南还是面东这一长期争论不休的难题，否定了汉代帝陵依照昭穆制度进行布局的论点，为研究汉代帝陵制度乃至中国古代帝陵制度提供了重要的材料。

简报指出，阳陵陵园以内、封土四周钻探发现的 81 座从葬坑，排列密集，整齐划一。其内涵在钻探试掘过程中已有部分了解，有仪仗骑兵、武士和各类战车；还有兵器、车马器、生产工具、生活用具、食品库等。种类齐全，数量极多。在此之前，长陵、霸陵、阳陵、茂陵、杜陵等都发现过数量不等的从葬坑，但均位于帝、后陵园以外。

1789.咸阳马泉镇西汉空心砖墓清理报告

作　者：咸阳市文物考古研究所　刘卫鹏
出　处：《文博》2000 年第 6 期

2000 年 5 月，位于咸阳市秦都区马泉镇的陕西省石化建设公司在其院后的土塬边取土时，发现古墓 3 座。当文物部门赶至现场时，古墓上部大多数已被推掉，经过钻探得知地下仅余 2 米多深。7 月，考古人员对其进行了清理。简报分为：一、壹号墓（M1），二、贰号墓（M2），三、叁号墓（M3），四、结语，共四个部分。有手绘图、拓片。

据介绍，M1、M2 为空心砖墓，二者在墓葬形制、随葬器物等方面有诸多相似之处。简报推断：M1 的时代为西汉中期稍偏晚阶段，M2 的时代属西汉中期偏早阶段，M3 的时代为西汉晚期。

此次发掘的两座空心砖墓未被盗扰，保存完好，使得可以清晰地看到当时随葬器物的陈列位置及一些习惯做法。M1 的墓室共使用了六种型号的空心砖，修造讲究，形体高大，是单室平顶空心砖墓的一个典型代表，其完整的葬制和丰富的随葬品为关中空心砖汉墓的研究提供了一份翔实、科学的新资料，具有重要的参考价值。

1790.咸阳东郊汉墓出土的钱币

作　者：张德臣
出　处：《文博》2001 年第 6 期

咸阳市东郊一村民取土时，从 1 座已毁的汉墓中捡到 5 枚钱币及 1 方铜印。5 枚钱币均为方孔圆钱，其中有大泉五十、五铢和货泉。简报配以拓片予以介绍。

据介绍，此次所捡钱币数量虽少，但品样和成色不同，各有特色。"大泉五十"始铸于王莽居摄二年，终于莽亡，是新莽朝使用时间最早、流通时间最长的货币，在新莽货币中居主导地位。"大泉五十"多以铜材为主。西汉虽有铁半两、铁五铢，但严格地讲，法令规定禁铁为币，王莽时期也不允许铸造铁币。由于盗铸之风比较严重，一些地方不但偷偷铸铁币，且作为货币流通使用。中华人民共和国成立以来，王莽时期的铁钱屡有出土。此次出土的1枚"大泉五十"钱是1枚少见的独特的铜铁合铸"大泉五十"，丰富了新莽同类钱品内容，也为研究新莽时期铜铁合金技术提供了新的实物。而五铢钱在我国古代货币史上占有重要地位，自汉至隋沿用了739年。此墓所出五铢不多见，钱文风格与武帝五铢接近。货泉铸造工艺精美，正面穿双郭，增加了制作的难度，这可能是王莽防止盗铸的一项技术措施。从形制和重量看，这些钱币为西汉晚期所铸，最晚应在王莽天凤元年（14年）以前。5枚钱币中，除I型五铢和货泉外，其余可能为私铸或未经修整流通的钱币。

1791.西汉安陵调查简报

作　者：陕西省考古研究所　孙铁山、苏庆元、马明志、张俊辉
出　处：《考古与文物》2002年第4期

咸阳地区为开发旅游资源，修建一条连接西汉帝陵的五陵原旅游公路。所谓五陵原，是指茂陵、平陵、安陵、长陵、阳陵5个带有陵邑的西汉帝陵所在的咸阳北原。其实除霸陵、杜陵外，其余西汉九陵均在此公路旁。在进行路基钻探时发现了一批战国、秦、汉墓葬（简报另文发表），同时在公路穿越安陵时发现有夯土遗迹，陕西省考古研究所随即派人对墓葬及夯土遗迹进行了清理。

在发掘了安陵夯土遗迹后，考古人员认为此夯土应为秦汉时城墙的墙体。安陵陵邑城墙的地面遗迹较多，并可辨出其大致轮廓。而安陵陵园墙过去未曾发现过。这片夯土位于安陵西北，呈南北方向。这为寻找安陵陵园的西墙提供了一条重要线索，为此对整个安陵作了较为全面的地面调查，重点放在安陵陵邑和陵园的调查上，并为配合调查作了必要的钻探。

安陵是西汉第2代皇帝惠帝刘盈及其皇后的合葬陵园。位于今咸阳市渭城区韩家湾乡白庙村。调查和钻探的结果，简报分为：一、安陵邑，二、安陵陵园，三、其他遗迹，四、发掘，五、结语，共五个部分。有照片、拓片。

据介绍，在已公布的有关安陵的资料及相关的文章、专著中皆言没有发现安陵陵园。此次安陵的考古调查钻探，发现和确定了安陵陵园及其范围。这是对惠帝安

陵及西汉帝陵资料的重要补充。经反复调查核实的安陵邑平面形制与前人资料中的安陵邑平面存在较大的差异。安陵邑平面大致为"口"字形，而非长方形，这一点裸露于地表的陵邑东墙遗迹足以证实。另外陵邑北墙外发现一段壕沟，这又是一个新的发现。是否以此表示双重城郭这一问题，简报认为有待进一步探讨。

1792.咸阳窑店出土的东汉朱书陶瓶

作　　者：咸阳市文物考古研究所、秦咸阳宫遗址博物馆　刘卫鹏、李朝阳
出　　处：《文物》2004 年第 2 期

2001 年 8 月，一学生在咸阳市渭城区窑店镇聂家沟村北捡到陶瓶残片若干，送交秦咸阳宫遗址博物馆，经修复拼对，为 1 件陶瓶的三分之二。据悉，该陶瓶原本出于一座汉墓，该墓已被毁坏，遗物无存。简报配以手绘图予以介绍。

简报称，这种朱书陶瓶集星图、符篆、文字于一体，为研究汉代人的生死观念及道教文化提供了重要的实物资料。简报推断其年代为东汉时期。

1793.陕西咸阳市北郊杜家堡新莽墓发掘简报

作　　者：咸阳市文物考古研究所　刘卫鹏、岳　起
出　　处：《考古与文物》2004 年第 3 期

中国兵器工业部第二〇二研究所位于咸阳市渭城区以北头道据南端杜家堡界内，西邻铁道部第二十工程局，北端隔路同咸阳市教育学院相望。1997 年 9 月，二〇二所拟在其院内建造家属楼，经钻探于楼基下发现古墓 2 座，考古人员于同年 9 ~ 11月对其进行了发掘，清理了西汉中期小型墓和新莽时期墓葬各 1 座。简报分为：一、墓葬形制，二、随葬器物，三、结语，共三个部分，配以手绘图，先行介绍了新莽时期墓葬。

据介绍，M1 由墓道、耳室及"凸"字形墓室 3 部分组成，水平总长 25.7 米，最深 10.5 米。墓道西部原有 1 个因盗洞塌陷形成的大坑，中间填满村民倾倒的垃圾。因被盗严重，仅在墓室发现零星人骨、朽木及铁棺钉，葬式、葬具不明。随葬器物大多被盗，仅余铜熏炉、带钩、釉陶瓷、鼎、铁刀、铜钵、玉器等器物及残件。共计 33 件及铜钱 62 枚。简报称，该墓规模较大，形制奇特，墓主人应为新莽时期州一级官员。

1794.陕西咸阳杜家堡东汉墓清理简报

作　者：咸阳市文物考古研究所　刘卫鹏等
出　处：《文物》2005 年第 4 期

杜家堡位于咸阳市渭城区东北部，咸阳师范学院便坐落在杜家堡村北的文林东路北部，这里是汉唐墓葬的密集区。1998 年 10 ～ 12 月，为配合咸阳师范 7 号家属楼的基本建设，考古人员在此进行了考古发掘，发掘东汉墓 1 座。简报分为：一、墓葬形制，二、随葬器物，三、结语，共三个部分。有照片、拓片、手绘图。

据介绍，该墓由墓道、封门、甬道、墓室 4 部分组成，墓室又由前室、后室、北侧室、南侧室组成。地表原有封土，20 世纪五六十年代平整土地时被平。出土有陶器、玉器、漆盒、水晶佩饰、琥珀兽等 71 件，另有铜钱 20 枚。简报推断该墓年代为东汉中期。

简报称，此墓墓室后室，可能是夫妻合葬，南北侧室各葬 1 名男子，可能是其子或孙。这种子孙祔葬的做法，实际是魏晋南北朝时期才流行起来的。

1795.陕西咸阳二〇二所西汉墓葬发掘简报

作　者：咸阳市文物考古研究所　苏庆元、杨新文
出　处：《考古与文物》2006 年第 1 期

陕西咸阳二〇二所于咸阳市渭城区文林路以南的张家堡村新征一块土地，2003 年 1 ～ 4 月，考古人员对基建中发现的 9 座汉唐墓葬进行了抢救性清理。简报分为：一、墓葬形制，二、随葬器物，三、结语，共三个部分，配以手绘图、拓片、照片，先行介绍了其中西汉时期的 5 座墓葬。

据介绍，5 座墓葬均为洞室墓，根据墓道形制可分为竖穴墓道洞室墓和斜坡墓道洞室墓两种。葬具为木棺，已朽，葬式为仰身直肢葬。这 5 座墓均有随葬器物，按质地可分为陶器、铜器、铁器、铅器、金银器、玉石器、骨器等。5 墓中有 2 墓（M4、M6）曾被盗。据简报推断，M5、M9 的时代为西汉中期；M2、M4、M6 的时代为西汉晚期。

1796.黄山宫遗址出土罕见的踏步砖

作　者：张海云
出　处：《考古与文物》2005 年第 5 期

1992 年，配合修建西宝高速公路时，在兴平市田阜乡侯村黄山宫遗址中发现了

许多建筑材料，其中有一种虎纹异型砖前所少见。砖表面虎纹上有明显踩踏磨损的痕迹。简报配以手绘图、照片予以介绍。

据介绍，以前在大型秦汉宫殿遗址中出土有几何纹、回纹、龙纹、凤纹、云纹、太阳纹、树叶纹等各种类型的长方体空心砖，但却很少见到用曲尺形砖做宫殿踏步的。

简报介绍，兴平侯村曾是西汉黄山宫所在地，是汉皇赴上林苑打猎途中的行宫，是供帝王们游猎时休息的场所，它比不得皇帝处理军国要务的朝宫那么重要，其建筑方式比起朝宫来说要简易一些，在有些地方的用料上也可能趋于简化。简报推测曲尺形的踏步砖在这里使用也正是适应了这一需要。

据以往的考古资料看，虎纹砖盛行于汉武帝时期，所以这种侧面为曲尺形的虎纹踏步砖纹饰与汉武帝茂陵出土的虎纹砖相似，简报推断亦应为汉武帝时期的建筑材料。它的发现，也为研究西汉宫殿踏步增添了新资料。

1797.西汉昭帝平陵钻探调查简报

作　者：咸阳市文物考古研究所　岳　起、刘卫鹏
出　处：《考古与文物》2007 年第 5 期

西汉昭帝平陵位于陕西省咸阳市秦都区大王村至互助村之间。1978 年和 1980 年进行过调查。2001 年 6 月，国务院将汉昭帝平陵等 8 处西汉帝陵公布为第五批全国重点文物保护单位。2001 年 7 月 9 日至 10 月 26 日，考古人员又进行了钻探调查。简报分为：一、陵墓，二、陵园外陪葬坑，三、建筑遗址，四、陪葬墓，五、平陵邑，六、结语，共六个部分。有手绘图。

据介绍，平陵和上官皇后陵分称东、西陵。东陵封土、陵园、陪葬墓远比西陵要高、要大、要多。陪葬墓估计有上百座，此外还在陵园外发现陪葬坑 26 座，其中属于东陵的 21 座，西陵 5 座。简报称，此次钻探调查的最大收获，在于明确了帝、后陵的位置，工业区边的应是昭帝平陵，西边的是上官皇后陵。

1798.汉武帝茂陵钻探调查简报

作　者：咸阳市文物考古研究所　刘卫鹏、岳　起
出　处：《考古与文物》2007 年第 6 期

汉武帝刘彻的茂陵，位于兴平市南位乡张里村、策村和道常村之间，1961 年被列为全国重点文物保护单位。1962 年，考古人员对茂陵进行了钻探调查，取得了初步的成果。为了准确地划分西汉帝陵的保护范围，考古人员于 2003 年 6 月 23 日开始对茂陵

及其周围遗迹进行了大规模的钻探调查，2003年12月30日结束，历时6个多月，顺利完成了对茂陵陵园、陵园内外陪葬坑、建筑遗址、陪葬墓的钻探调查，明确了茂陵各个遗迹的具体范围和大体形制，并且发现了茂陵邑，解决了困扰学界多年的茂陵邑问题。简报分为：一、茂陵，二、李夫人陵，三、建筑遗址和陶窑，四、陵邑，五、陪葬墓，六、采集标本，七、结语，共七个部分。有手绘图、拓片、照片。

据介绍，通过对茂陵及其周围遗迹的钻探，且从茂陵的大体布局包括陵园形制、陪葬坑的设置、陪葬墓和陵邑的安排等方面来看，茂陵多沿袭阳陵建制但又有较大突破，帝陵的中心地位格外突出，具体地表现为墓葬封土的高大、陪葬坑数量的增多、陵邑形状的变化等方面，这同汉武帝时期中央集权的加强、儒术的独尊息息相关，也同武帝在位日久、国力强盛有关。茂陵的建制应该是代表了西汉帝陵设计和建设的高峰，它既是集以前西汉帝陵的大成，又深刻影响着其后西汉帝陵的规划和布局。简报称，由于各种因素的限制，考古人员的这次钻探调查只是一个大致的轮廓，更加全面和深入的认识还有待于以后的工作。

1799.汉阳陵帝陵东侧 11 ～ 21 号外藏坑发掘简报

作　者：陕西省考古研究院　焦南峰、王保平、马永嬴、李　岗、杨武站、
　　　　曹　龙

出　处：《考古与文物》2008 年第 3 期

阳陵是西汉第四位皇帝景帝刘启和王皇后"同茔异穴"合葬之陵园，位于咸阳原东端，是咸阳原上9座西汉帝陵中最东端的1座，地跨咸阳市渭城区、泾阳县、西安市高陵县3个县、区。阳陵陵区主要由阳陵陵园、陪葬墓区、阳陵邑3大部分组成，此外还有修陵人墓地等其他建筑遗址等。

汉景帝陵园位于阳陵陵园的中心位置，由围墙、门址、排水系统、封土、墓道、墓室及外藏坑等部分组成，布局合理，排列有序，具有严密的规划设计。从1998年开始，考古队对汉景帝陵园进行了详细钻探，除探明帝陵的4条墓道外，还在帝陵陵园内、封土四周发现了86座外藏坑，其中东侧21座、南侧19座、西侧20座、北侧21座，其余5座分布在陵园的东北部。为了解这批外藏坑的内涵和性质，从1998年7月开始，先后试掘了帝陵封土东侧的11 ～ 21号共11座外藏坑。简报分为：一、地层堆积，二、形制结构，三、坑内木结构，四、内涵与布局，五、出土遗物，六、结语，共六个部分。有手绘图、照片。

据介绍，从这11座坑的位置均处在阳陵帝陵陵园之内，紧贴阳陵帝陵封土，且均有斜坡或台阶式通道通向帝陵这些迹象来看，帝陵周围的86条坑全部应是阳陵帝

陵的组成部分，是帝陵外藏坑。从地层和出土器物分析，这 11 座坑的时代无疑为西汉景帝时期，简报确定为前元五年（前 152 年）至后元三年（前 141 年）。

简报称，这次发掘出土了大量的印章和封泥，如此多的印章和封泥的出土在西汉帝陵的调查和发掘中尚属首次。这些文字资料的出土不仅为推定这些外藏坑的性质提供了确切资料，同时对进一步研究西汉帝陵的外藏制度乃至西汉职官制度具有重要价值。K16、K14 出土多种铜质构件，形制不一，制作精良，是研究西汉机械制造加工乃至西汉科技史的珍贵资料。

1800.陕西咸阳市西汉成帝延陵调查记

作　者：刘卫鹏、岳　起

出　处：《华夏考古》2009 年第 1 期

考古人员于2002 年对西汉成帝延陵及其周围遗迹进行了大规模的钻探调查，基本上明确了该陵的分布范围，并对延陵的后妃陵墓提出己见。简报分为：一、延陵陵园封土及墓道，二、延陵的后妃陵墓，三、陪葬墓园，四、陪葬墓，五、采集遗物，六、结语，共六个部分。有照片、拓片、手绘图。

汉成帝刘骜，汉元帝之子，3 岁时被立为太子。竟宁元年（前33 年）五月，汉元帝崩，六月，刘骜即皇帝位。以其舅王凤为大司马大将军，领尚书事。绥和二年（前7 年）三月丙戌，成帝崩于未央宫；四月乙卯，葬延陵。成帝20 岁即位，即位26 年，享年46 岁。延陵位于今咸阳市渭城区周陵镇严家沟村西北。考古人员于2002 年11 ～12 月对延陵及其周围遗迹进行了大规模的钻探调查，历时50 天。调查发现，延陵陵园平面呈南北较长的长方形，四面垣墙现地面基本没有保存。经钻探，垣墙宽6 ～8 米，东西墙长500 米左右，南北墙长400 米左右。找到了1 条墓道及寝园，东南部发现建筑遗址1 处，是否为祠堂待考。简报还介绍了延陵后妃陵墓的具体地点及外戚重臣陪葬墓的情况。采集的遗物有陶质的生活器皿罐、盆、瓮口沿残片，以及券砖、条砖、铺地砖、下水道、瓦当、板瓦和筒瓦等建筑材料。

1801.汉武帝茂陵考古调查、勘探简报

作　者：陕西省考古研究院、咸阳市文物考古研究所、茂陵博物馆　岳　起、
　　　　马永赢、赵旭阳、杨武站、王　东、曹　龙

出　处：《考古与文物》2011 年第 2 期

茂陵是西汉武帝的陵园，位于陕西省兴平市南位镇策村。1949 年后，于1962

年、1981年及20世纪90年代，作过5次调查，钻探出外藏坑119座，发掘了陪葬墓1座。2006～2008年，为配合国家大遗址保护工作，又进行了详尽的调查、勘探。新发现了茂陵陵园外围墙、外壕沟、帝陵的4条墓道、多座建筑遗址、数百座外藏坑及陪葬墓，确认了茂陵邑、修陵人墓地的位置和范围，并对陈王村南侧面临破坏的修陵人墓地进行了抢救性试掘，取得了重大的研究成果。简报分为：一、地层关系，二、陵区布局，三、采集文物，四、几点认识，共四个部分。有照片、手绘图。

据介绍，茂陵陵区由茂陵陵园、茂陵邑、陪葬墓区及修陵人墓地四大部分组成，分布范围东西约9.5公里、南北约7公里。茂陵陵园位于陵区的中央，茂陵邑位于陵区的东北部，陪葬墓分布在茂陵陵园的四周，其中东侧墓葬较为集中，等级较高，修陵人墓地则位于陵区的西端。此次调查与钻探采集到的文物有建筑材料、陶器、玉器及陶俑残块等，共35件。建筑材料有铺地方砖、空心砖、板瓦、筒瓦及瓦当，陶器有盆、备，玉器有玉圭、玉璧等。建筑材料及陶器多为泥质灰陶，陶质细密，烧制火候高。此次调查再次证实，茂陵是西汉帝陵中规模最大的陵园之一，具有重大研究价值。

1802.汉阳陵帝陵陵园南门遗址发掘简报

作　者：陕西省考古研究院　王保平、马永赢、肖健一、徐雍初、李　岗、杨武站
出　处：《考古与文物》2011年第5期

1997年3～7月和2000年10～12月，考古人员两次对汉阳陵帝陵陵园南门遗址进行了科学发掘。发现大型建筑遗址1组，出土了以各类建筑材料为主的陶、铁、铜质文物700余件，取得了较为重大的科研成果。简报分为：一、概况，二、地层关系，三、形制结构，四、出土遗物，五、结语，共五个部分。有照片、手绘图。

据介绍，阳陵是西汉第四位皇帝景帝刘启和王皇后"同茔异穴"合葬陵园，地跨咸阳市渭城区、泾阳县、高陵县3县区。阳陵陵区由包含中部的帝、后陵园，西北、东南的外藏坑群，南部的礼制建筑群等组成的阳陵陵园和位于陵园北侧、东侧的陪葬墓群，东部的阳陵邑及西北侧的刑徒墓地4大部分组成，东西长约6公里，南北宽约1～3公里，总面积约12平方公里。1990～1994年，考古人员为配合西安—咸阳国际机场专用公路的修建，开始对阳陵西、南两侧的部分地区进行了较大规模的考古勘探和发掘。几年来，先后发现大型从葬坑两组48个，建筑遗址多处，发掘出土彩绘陶俑、各式兵器、车马器、生产生活用具及货币等各类文物2万多件（组），为汉阳陵的考古学研究提供了大批珍贵的实物资料，并被评为"1990年全国十大考古发现"之一。1997～2000年，又对陵园南门遗址进行了发掘。经过发掘

得知，汉景帝陵园南门遗址东西全长134米，南北宽10.4～27.2米，总面积2380平方米。南门遗址由门道、门道东西两侧对称的建筑群及廊道、散水等组成。正中门道长27.2米，宽5米。共出土各类遗物773件，其中板瓦、筒瓦、瓦当、铺地砖等建筑材料占绝大多数，另外还有铁器、货币及其他器物等。据《汉书》记载，阳陵的营造时间在公元前152年至公元前141年。从发掘情况看，似不是一次完成，有的可能是元鼎三年（前114年）起火后补建的。

1803.汉哀帝义陵考古调查、勘探简报

　作　　者：陕西省考古研究院、咸阳市文物考古研究所　赵旭阳、马永嬴、杨武站、
　　　　　　曹　龙、王　东、程根荣
　出　　处：《考古与文物》2012年第5期

义陵是汉哀帝与傅皇后的合葬陵园，位于陕西省咸阳市渭城区周陵镇南贺村东南。有双重陵园，即义陵陵园和其内的汉哀帝、傅皇后各自的陵园。帝陵的墓葬形制为带四条墓道的"亞"字形，后陵为只有1条南向墓道的"甲"字形。另外，还发现了6处建筑遗址，17座外藏坑，23座陪葬墓，多条陵区道路。简报分为：一、地层关系，二、陵园分布，三、采集文物，四、结语，共四个部分。有拓片、手绘图。

据介绍，汉哀帝刘欣（前35年～前1年），元帝庶孙，定陶恭王刘康之子。因成帝无嗣，刘欣得承汉室，公元前7年至前1年在位，死后葬义陵。义陵位于今陕西省咸阳市渭城区周陵镇南贺村东南，东眺惠帝安陵，西临元帝渭陵。自20世纪80年代以来做过不少考古工作。2009～2010年，又进行了全面调查和重点勘探。基本弄清了义陵陵区的范围、布局、结构等，为保护义陵提供了依据，为汉陵研究也提供了资料。

1804.汉元帝渭陵考古调查、勘探简报

　作　　者：陕西省考古研究院、咸阳市文物考古研究所　王　东、马永嬴、赵旭阳、
　　　　　　杨武站、曹　龙等
　出　　处：《考古》2013年第11期

渭陵位于咸阳市渭城区周陵镇新庄村西南，1949年后，曾开展过3次较大的考古调查与钻探工作。2008年11月～2009年6月，考古人员再次进行了大规模的调查、勘探工作，简报分为：一、地层关系，二、陵区遗迹及布局，三、采集遗物，四、结语，共四部分，介绍第四次即2008～2009年这次调查、勘探工作，有彩照、大幅折页手绘图。

据介绍，这一次调查、勘探，基本确定了汉元帝、王皇后陵及傅昭仪墓的墓葬形制，新发现了渭陵陵园的道路系统、建筑遗址、外藏坑等。

1805.汉平帝康陵考古调查、勘探简报

作　者：陕西省考古研究院、咸阳市文物考古研究所　马永赢、杨武站、赵旭阳、
　　　　王　东、曹　龙
出　处：《文物》2014 年第 6 期

康陵是西汉最后 1 位皇帝汉平帝与王皇后的合葬陵园，位于陕西省咸阳市渭城区周陵镇大寨村东。2008 年 3～11 月，陕西省考古研究院与咸阳市文物考古研究所联合组成汉陵考古队，对汉平帝康陵进行了全面调查和勘探。本次调查、勘探面积约 5 平方公里。确定了汉平帝和王皇后陵的墓葬形制，探明了康陵陵园、汉平帝陵园、王皇后陵的两重陵园、"围沟"及相关遗迹，还发现了 10 处建筑遗址、7 座外藏坑。简报分为：一、地层堆积，二、陵区布局，三、采集文物，四、结语，共四个部分。有拓片、手绘图。

据介绍，考古勘探发现，康陵有双重陵园，即康陵陵园和其内的汉平帝陵园。与其他西汉帝陵相比，康陵的陵园方向改为坐北朝南，陵区规模也大幅缩小。此外，王皇后陵也有单独的两重陵园，在王皇后陵园和汉帝陵园之外还有一条围沟。简报称，这种特殊的陵园面貌应当是在汉末至新莽时期的特殊历史背景下形成的。

渭南市

1806.潼关吊桥汉代杨氏墓群发掘简记

作　者：陕西省文物管理委员会
出　处：《文物》1961 年第 1 期

陕西省文管会于 1959 年第四季度在潼关吊桥发掘了 7 座汉墓，墓群东距潼关约 5 公里，西至吊桥镇和亭东村的中间，南距陇海铁路约半里，北紧靠渭河河岸。据墓前明万历元年（1573 年）修复汉太尉杨先生茔记碑：这里有汉太尉杨震的墓。简报分为"墓葬形制""葬式和葬具""随葬器物""结语"，共四个部分。有照片、手绘图。

据介绍，共 7 座汉墓。东西一字形排开，前有享堂，应为明代所建。除 M1、M2 上尚有封土外，其他各墓封土已不明显，有的还低于地表。各墓均发现两具以上人骨，出土遗物多已扰乱。计有陶器 185 件、钱币、铁器、石器等。M5 出土有一陶罐，上有朱书"杨氏"字样，可证此处确为杨氏家族墓地，各墓均受到严重破坏。杨震墓是哪一座，只能推测，无法定论。

杨震，《后汉书》有传，字伯起，弘农郡华阴县人，延光三年（124 年）为太尉，疾恶奸臣嬖女，自杀于西阳亭（今河南陕县城外），顺帝时，承认杨震为忠臣，以礼改葬于华阴潼亭，即今潼关吊桥。据记载明、清两代均预修茸，并立碑述其事。据明万历碑讲，明代时原来墓前所立汉碑已不见，只留有 7 个大冢。

1807.陕西韩城芝川汉扶荔宫遗址的发现

作　者：陕西省文物管理委员会　王玉清
出　处：《考古》1961 年第 3 期

1960 年 5 月，考古人员到韩城县作考古重点调查时，县文化馆张汉杰介绍：韩城前文物管理委员会主任委员杨一鹤（芝川镇人，1958 年逝世），抗日时曾在芝川镇南城门外拾到"宫"字瓦当和一些带字残砖块，现保存在文管会。考古人员当即邀请张汉杰先生一道前往原地调查。从这次调查获得的和杨先生以前所拾到的文物来看，知道这是西汉时扶荔宫的旧址。简报配以拓片、手绘图予以介绍。

据介绍，扶荔宫的位置是在芝川镇南门外约 300 米韩渭公路的东侧，北临芝水河，群众把这处地方叫北寨（南边有南寨）。这个汉代遗址又是 1 个新石器时代遗址，地面全为生土，断崖上灰层灰坑显著，红陶片遍地皆是。这次调查未作钻探，遗址原范围不详。发现有代表性的文物标本有残筒瓦 1 件、瓦当 12 件、砖 16 件、陶水管 2 件、豆盘 1 件。简报认为扶荔宫位于冯翊夏阳县，汉武帝时尚未建。此地距汉长安城四百余里，交通极为不便，建宫时间可能不会太长。废毁于何时尚待考古发掘。同刊同期有陈直先生《韩城汉扶荔宫遗址新出砖瓦考释》一文，可参阅。

1808.陕西韩城县芝川镇东汉墓

作　者：陕西省文物管理委员会　王玉清
出　处：《考古》1961 年第 8 期

1960 年 5 月，考古人员在韩城县西门外正西约 100 米处发现了 1 座东汉墓。简报分为：一、墓室结构，二、遗物，共两个部分。有手绘图、照片。

据介绍，这是1座大型砖室墓，室内几乎填满淤土。墓已被盗掘，甬道顶砖残缺零乱，封门砖顶部也不完全。人骨架已腐朽，只在淤土中偶尔有碎骨块发现。但从棺钉和铜镜等器物分布情况看，为1个合葬墓，棺木位置应1在后室、1在前室的北端。随葬物品有陶器、铜器2类，此外还有琉璃耳坠1件。根据墓形、货泉和尚方镜三者推断，墓的年代上限不会早过新莽，该墓应为东汉墓葬。随葬的鱼、蛙和鳖等动物模型，是西安附近地区东汉墓中罕见的。

1809.陕西蒲城永丰发现汉龙首渠遗迹

作　者：张瑞苓、高　强
出　处：《文物》1981年第1期

蒲城县永丰位于洛水左岸、商颜山北坡，汉属重泉县治。这一地区发现了汉代井渠工程遗迹，考古人员进行了初步的调查和试掘。简报配以照片予以介绍。

据《史记·河渠书》，西汉武帝年间修凿有龙首渠。据调查，龙首渠自今澄城县北头村附近引洛水入渠，南流十余里，越过大峪河，进入永丰境内。由河城塬到温汤的缓坡地带，为第一段井渠，总长度约2600米；由王武至大荔县义井，为商颜山的山脊地带，为第二段井渠，总长度约4300米。考古人员重点调查了第一段井渠，共发现竖井7个。7个竖井依自南向北的次序编号，2~3、5~6号井间距都是160米左右。1号井北距2号井224米，南距出水口260米。7号井北距入水口也为260米。这可能是因为水口附近施工面较大，为便于活动，适当加大了井距。4号井与5号井相距仅11米，这可能是由于5号井在施工过程中出现了意料不到的情况而被废弃，又在附近新开了4号井。6号井与7号井相距甚远，可能是在调查中因受地形条件的限制，未能发现其间还有井的缘故。考古人员发掘了1号井，出土有板瓦、筒瓦及陶器残片。

简报指出，汉龙首渠修凿过程中首次应用井渠的办法施工，既解决了渠崖善崩、堵塞水道的问题，也收到了减少出土量、加快工程进度的效果。这是我国古代劳动人民对水利工程建设的贡献。

1810.蒲城县出土汉代玉雕水牛

作　者：蒲城县文化馆　陶仲云
出　处：《考古与文物》1981年第1期

1974年，陕西省蒲城县贾曲公社贾曲大队第六生产队农民在起土时，于1处汉代遗址旁发现玉雕水牛1头。现藏蒲城县文化馆。后来,这件玉牛调陕西省博物馆保存。

简报称,这头玉雕卧水牛,色泽晶莹,线条简洁古朴,酷似茂陵霍去病墓石雕的风格。应是1件西汉作品。玉雕卧水牛是利用1块上青下黑、底呈灰白色的玉石雕成的,因而背青、腿黑、腹白,形象十分生动,长10厘米、宽7厘米、高7厘米。

1811.汉华仓遗址勘查记

作　者:陕西省考古研究所华仓考古队

出　处:《考古与文物》1981年第3期

华仓遗址位于陕西省华阴县硙峪公社段家城村和王家城村北的瓦碴梁上,西距县城10公里。遗址北临渭河,离东北不远即是渭河流入黄河的河口,东有凤凰岭,南有白龙涧河。过白龙涧即孟塬及华山山地。遗址三面临崖,一面依山,处于渭河南岸第二阶地上,高出河床约50米。华阴,战国早期属魏,瓦碴梁因瓦碴多而著称。1980年考古人员进行了勘察。简报分为:一、遗迹,二、遗物,三、结语,共三个部分。有手绘图、拓片、照片。

据介绍,瓦碴梁上有汉代城址1座,大致呈长方形,东西长1120米、南北宽700米。还发现有水道、柱础石、道路等遗迹。遗物主要是新石器时代、战国、汉3个时代的。汉代最多,新石器时代次之,战国最少。简报认为战国时人们在这里办过一个规模不大的铜器作坊,似以生产戈、矛一类兵器为主。汉代在此筑过城。《汉书·王莽传》载,西汉末年农民起义爆发后,起义军曾在华阴争夺过京师仓,并发生过激烈的战斗。起义军对京师仓"数攻不下",可见那时京师仓里还储备有粮食,同时也证明京师仓的设防是相当坚固的。记载中的京师仓,应即是设在华阴的京师仓。

1812.陕西坡头村西汉铸钱遗址发掘简报

作　者:陕西省文管会、澄城县文化馆联合发掘队　崔汉林

出　处:《考古》1982年第1期

1979年9月24日,陕西省澄城县业善公社东白龙大队坡头村生产队在该村东北土壕取土时,发现西汉五铢钱铜范41件。10月6日,考古人员进行了调查勘探,并于1980年10月14日到11月3日,进行了发掘。简报配以手绘图予以介绍。

据介绍,坡头村西汉铸钱遗址,在该村东北200多米的地方,西北距澄城县城35公里。根据钻探得知,这个遗址的范围南北长220米,东西宽147米。在铜范出

土地点周围，采集到各种薄厚不等的粗、细绳纹板瓦残片和粗绳纹残砖块，灰陶罐的残口沿、指甲纹的陶片和镰形的残铁块。还采集到粗绳纹残筒瓦1件，红烧土色残砖1件，小灰陶罐1件，较大的残板瓦2件，残筒瓦2块。共清理发掘了4座陶窑，按编号：一号为烘范窑，二、三、四号为陶窑。一、二号陶窑，均遭严重破坏。三、四号陶窑基本保存完好。钱范有陶、铜、石3种质料。

简报称，澄城县坡头村西汉铸钱遗址的发现，五铢钱铜范的大量出土，意义十分重大。从出土铜范的数量上来说，在全国居首位。实属西汉中央铸钱厂，但在史书上没有记载。这次的重大发现，为中国货币史的研究增添了新的资料。几座陶窑比较完整，工具比较齐全，为我们研究西汉时期的铸钱工序和生产过程提供了十分重要的实物资料。简报认为坡头村在西汉属左冯翊，铸钱直接由西汉中央管理，该遗址的时代应在汉武帝元鼎四年（前113年）以后。

1813.汉华仓遗址发掘简报

作　者：陕西省考古研究所华仓考古队　杜葆仁、呼林贵、韩　钊
出　处：《考古与文物》1982年第6期

华仓遗址位于陕西省华阴县硙峪公社段家城和王家城村北的瓦碴梁上。

1980年考古人员对这1遗址进行了较为详细的勘察。勘察中除收获有不少"华仓"瓦当以外，还收获有"京师仓当"瓦当。可以确定华仓遗址即《汉书·王莽传》上所说京师仓的遗址，是西汉时期较为重要的1处粮仓遗址。

简报称，勘察工作结束后，开始对这1遗址进行发掘。第1次由1980年7月9日开始，至9月27日结束，发掘面积为710平方米，称为南区。第2次由1981年6月9日开始，至10月23日结束，发掘面积为2200平方米，称为北区。南、北2区发掘总面积为2910平方米。

两次发掘，先后挖出大型粮仓遗迹1座，编为1号仓遗址。汉代水井2眼，水沟1条，水池1个，窖穴4个，灰坑13个，仰韶文化房子1座。另外，还出土有砖、瓦、瓦当等建筑材料，铁铲、铁锄、铁凿、铁锯等生产工具，铁剑、铁戈、铁刀、铜镞等兵器，也有陶罐、陶瓮、陶甑等生活用具与各种货币等。所获汉代主要资料，简报配以手绘图予以介绍。

据介绍，华仓遗址发掘的最大收获是挖出了1号仓遗址。从遗迹观察，它是1座高大的木构架建筑，前后檐墙严实，室内没有架空地板，室外东面有披檐，层面复以板瓦和筒瓦，层檐还有瓦当，是1座构造比较复杂、能够通风防潮的大型仓房。简报推断1号仓的时代上限为武帝初年，下限为王莽末年和东汉初年。从1号仓遗

迹看，简报认为它是有意被人拆除的，其原因可能为：战争毁坏，政权中的转移和东汉时关中漕渠的废弃。

同刊同期有陕西省考古研究所华仓考古队《汉华仓遗址仓库建筑复原探讨》一文，可参阅。

1814.韩城芝川镇汉代冶铁遗址调查简报

作　　者：陕西省考古研究所华仓考古队　韩　钊、呼林贵、杜葆仁
出　　处：《考古与文物》1983 年第 4 期

芝川镇位于韩城县城南，北距县城约 9 公里，南距司马迁祠 2.5 公里。附近有西北流向东南的涺水和由西向东流的芝水所环绕，西面为起伏的丘陵。汉代冶铁遗址就在芝川镇北，隶属芝川公社芝西大队。简报配以照片、拓片、手绘图予以介绍。

据介绍，共采集陶范 55 件。其中有双镢范 2 件，双凿范 2 件，单镢范 10 件，铲范 6 件，锄范 6 件，削范 2 件，镰范 1 件，镢范芯 4 件，齿轮范 1 件，残范 21 件。还采集了瓦当、筒瓦、板瓦等遗物。冶铁遗址南北长 219 米、东西宽 194 米，总面积为 42.486 平方米。在遗址内的断崖上，暴露出许多炉渣、烧土和铁渣块，还有大量的陶范和一些炼炉及废弃水井等遗迹。简报称，汉代韩城名夏阳。据《汉书·地理志》记载，汉武帝刘彻于公元前 119 年实行盐铁官营，在全国设铁官 49 处，当时夏阳也设有铁官。韩城芝川冶铁遗址的发现，证实了其说不误。估计这一遗址可能就是西汉夏阳铁官所辖的一个作坊。

1815.渭南市田市镇出土汉代铁器

作　　者：郭德发
出　　处：《考古与文物》1986 年第 3 期

1984 年 7 月，陕西省渭南市田市镇东北场农民杨新田，在耕场面时从地表 60 厘米深处发现一批铁器，考古人员访问了发现者，经清理共有生产生活用具 73 件。简报配以照片予以介绍。

据介绍，计有三角形铧、铁犁、铁耧铧、铁镢、犁铧支架、铁锁、铁钩等。简报估计它们出自 1 个墓葬。这些铁器，多是生产生活日常用具，既有锻制的，又有铸制的，而且已经从铁口工具向全铁制器发展，说明当时冶铁业已相当发达。简报推测应为西汉中期遗物。

简报称，成批成组地出土汉代铁器，在渭南市境内还是第一次，有些器物在全国其他地方也是少见的，特别是配套的各种犁铧、配件、铁齿轮等。这一重要发现，为研究我国农耕农具、农田水利机械的发展历史，提供了十分有价值的实物资料。

1816.东汉司徒刘崎及其家族墓的清理

作　者：杜葆仁、夏振英、呼林贵

出　处：《考古与文物》1986 年第 5 期

1982 年 11 月，陕西华阴县岳庙公社油巷大队新村农民在村西修庄基时，挖出一批古墓。考古人员进行了抢救性清理。共清理了 5 座，出土有"刘崎之印"和"司徒之印章"，证明这一墓群是东汉刘崎及其家族的墓地。简报分为：一、墓葬形制，二、随葬器物，三、结语，共三个部分。有拓片、手绘图。

据介绍，这几座墓葬，地面上的封土已被夷平，为多室砖砌墓。有的已残，M2 等已被盗过。出土有陶器、石器、铜器、五铢钱等遗物。这几座墓的时代，简报推断为东汉晚期。

简报称，M1 出土有"刘崎之印"和"司徒之印章"，可以确定这座墓葬就是东汉司徒刘崎的墓。刘崎，字叔峻，弘农华阴人，汉顺帝永建四年（129 年）十二月进为司徒，到阳嘉三年（134 年）十一月罢司徒之职。刘崎在政治舞台上活动于汉顺帝刘保执政初期，被罢官后不久便死去，死后归葬故里华阴祖茔。《后汉书》有传。东汉司徒为三公之一。司徒刘崎的墓，规模大，结构复杂，虽经破坏，仍出土了许多珍贵文物，说明当初随葬品是相当丰富的，一般的小墓不能和它相比，这也反映了刘崎所具有的身份和他当时在社会上所占的地位。其他几座墓的墓主人，简报认为应是刘崎同辈人。刘崎子刘宽，东汉末太尉，死后葬在洛阳，不在此处。

今有邰俊斌《汉代三公犯罪研究》（九州出版社 2020 年版）一书，可参阅。

1817.韩城市东汉墓清理简报

作　者：崔景贤

出　处：《文博》1987 年第 4 期

1985 年 8 月 7 日，韩城市财税局基建工地在开挖地基时发现 1 座墓葬，考古人员赴现场进行了清理。简报分为：一、位置及结构，二、随葬器物，三、小结，共三个部分。有拓片、手绘图。

据介绍,这座墓位于韩城新市区财税局基建工地,距火车站东南约 1 公里,南靠太史路。此墓为东西向砖券墓,由甬道、前室、侧室、中室、后室组成。该墓曾被盗,人骨等已不在原处。随葬器物大部放置在中室,共出土陶器 38 件,铜镜 1 件,五铢钱 25 枚。该墓时代,简报推断为东汉时期。

1818.大荔县发现西汉五铢钱铜范

作　者：崔景贤

出　处：《考古与文物》1988 年第 5、6 期合刊

1986 年 11 月,大荔县汉村乡村民,在盖房取土中发现西汉五铢钱范 2 件。简报配以拓片予以介绍。

据介绍,钱范大小相同,出土时 2 块正面相合扣在一起。钱范带柄长 24.5 厘米、宽 7.6 厘米、厚 0.6 厘米。每排 7 枚,共 14 枚钱模。

简报称,这次出土的钱范与 1979 年澄城县坡头村出土的钱范,相近的地方很多,大概都是汉武帝到昭帝时之物。

1819.陕西韩城芝川镇东汉墓发掘简报

作　者：陕西省考古所　呼林贵

出　处：《考古与文物》1989 年第 3 期

1985 年当地百姓取土时发现,1986 年发掘,共计并列 2 墓,早年均曾被盗,仅余铜器、铁器、石器、陶器等。两墓应为东汉末同一家族同一辈人的墓葬。

1820.陕西华县梓里村汉墓清理记

作　者：西北大学历史系考古专业 77 级实习队　戴彤心

出　处：《文博》1989 年第 2 期

梓里村位于华县城西南杏林乡正西,距离陇海铁路华县站约 2 公里。1980 年 10 ~ 12 月,考古人员在梓里村 Ⅱ 区清理汉墓和古墓(M15)各 1 座;又在梓里村北至张家渠澜村间的断崖上,清理残汉墓 3 座。因 M15 没有任何随葬器物,墓葬填土中出土物很少,该墓葬的确切年代不能推定,故略去。简报分为:一、墓室形制结构、葬具和葬式,二、随葬器物,三、墓葬的年代,共三个部分,介绍了其余 4 座汉墓。有手绘图、拓片。

据介绍，4 座汉墓中，除 M4 保存完好外，其余 3 座都被严重破坏，随葬器物仅残存了一部分。出土有陶器、铜镜、铜货币等。简报推断 4 墓时代为西汉晚期，大致包含宣、元、成、哀、平诸帝，最晚应在王莽时稍前。

1821.浦城县发现汉澂邑漕仓遗址

作　者：蒲城县志办公室　赵　可、刘珠明
出　处：《考古与文物》1994 年第 4 期

1992 年 5 月，考古人员在洛河沿岸进行秦汉遗址调查，发现汉澂邑漕仓遗址。简报配以拓片予以介绍。

据介绍，遗址位于蒲城县县城东北 30 公里的西头乡西头村东，洛河右岸第二阶地，东西约 1000 米，南北约 1500 米。遗址内散布大量的汉代绳纹砖瓦、回纹砖、云纹瓦当及陶片，从陶片看有瓮、碗、罐、盆、壶等。采集到 4 块上有"澂邑漕仓"的瓦当，其中 1 块保存基本完整。按右上、右下、左上、左下顺序排列，另外 3 块残缺。在遗址南部经钻探发现在距地表 0.7 米处有 1 个东西长 25 米、南北宽 10 米的夯土基址，内有石柱础，简报推测可能为漕仓基址。在遗址北部的断崖上发现 5 个汉代窑址。

简报称，澂邑漕仓遗址的发现，不但为确定汉代澂邑（今陕西省澄城县）位置提供了线索，而且为研究汉代的仓址和洛河下游的漕运提供了新资料。

1822.陕西洛河汉代漕运的发现与考察

作　者：彭　曦
出　处：《文博》1994 年第 1 期

1992 年春，考古人员在洛河考察战国秦简公"堑洛"遗迹时，发现了汉代漕运遗迹。遗迹主要有漕仓遗址的位置、人工开挖的漕河。漕河上游完全利用洛河的自然河道，而下游为人工开挖的河道。简报分为"漕仓遗址的位置""漕河遗迹"等几个部分予以介绍，有照片、手绘图。

据介绍，漕仓位于蒲城县东北 28 公里的西头乡西头村。自西头乡顺河而下，至蒲城县钤铒乡北城南村东约 450 米处的漕河引水口。总长 60 多公里，利用自然河道。自引水口至渭南县孝义镇的单家崖，全长 32 公里，为人工开挖河道，自然河道加人工河道，全长实测 96±3 公里。漕河的开挖时间，不会晚于西汉武帝时期。从全河沿岸的遗迹看，在西头乡以北和其南的黎起、平乐、钤铒等地，都发现了秦汉时期的

遗址，面积都在0.5～1.5平方公里，最大者约2平方公里。说明洛河自白水以下，两岸开阔的平坦沃土自古就是宜于农耕之区。至两汉，这里可以说是京师至关重要的供食粮仓。这一漕河的使用年限，也比漕仓的时间要久。东汉以后，至隋唐期间，漕河的效用可能仍然存在。简报称，对这条漕河的继续考察和研究，仍有大量工作要做。

延安市

1823.陕西安塞县出土银错铜卧牛

作　者：姬乃军
出　处：《文物》1981年第3期

1972年，陕西安塞县郝家坪公社桥坪村的1座古墓内，出土了1件银错铜卧牛。身上肌肉突出，前胸、后臀丰满，尾巴卷曲于身底，犄角短小。通身有银质斑点，系嵌入银丝，经过磨制而成。简报介绍时配有照片。

简报称，安塞县在秦末汉初曾为翟王董翳的都城高奴所在地，境内的汉墓群很多。这件银错铜卧牛可能是1件汉代手工艺品。

1824.东汉鹿纹画像砖

作　者：姬乃军
出　处：《文物》1982年第4期

1981年，在陕西甘泉县劳山公社王台村发现了1座古墓。简报配以照片予以介绍。

简报介绍，墓室券洞两侧及前后壁上，镶嵌着鹿与花卉画像砖。砖长24.2厘米、宽19.2厘米、厚6厘米，质地坚硬如石。鹿身涂成墨色，点以白色纹斑。具有陕北东汉画像石的刀法和韵味。

1825.黄陵县上畛子汉墓清理简报

作　者：黄陵文管所、陕西省文管会　杨元生、赵怡元
出　处：《考古与文物》1983年第1期

1981年10月进行文物普查时，在陕北黄陵县的上畛子，发现1处汉代墓群。墓

地位于沮水河南岸，西距上畛子村1公里，离奉直道不远。考古人员对其中已暴露出地面的3座进行了清理，3座墓葬早年均遭盗掘。简报配以手绘图予以介绍。

据介绍，3墓均为长方形砖室墓，葬具、人骨保存不好。出土有铜钱、铜弩机、银质鸟状饰物、铜管、车马器1件、釉陶器、残破铜器杂件等，还有一些彩绘漆器残片及绿色釉陶残片。3墓的年代，简报推断为东汉早期。

1826.陕西黄龙发现四十四字铭文的汉镜

作　者：刘在时

出　处：《文物》1985年第7期

陕西省黄龙县文化馆于1982年8月收藏铜镜1面，简报配以照片予以介绍。

简报介绍，合纽座十二地支共有铭文44字。外圈包括五层环带，分别饰栉齿、锯齿、双线曲折纹。这一铜镜是当地工人姜太良在修房时发掘所得，伴出的有"货泉"两枚。简报推断，应是西汉间遗物。

1827.陕西洛川发现西汉文字方砖瓦当

作　者：左　正

出　处：《考古与文物》1987年第5期

1983年5月洛川县黄丈公社田尧科村村民在村北挖出西汉"人生长寿"方砖两块，残片数块。"长乐未央""长主毋敬家"瓦当各1块。简报配以拓片予以介绍。

据介绍，汉武帝刘彻北征匈奴，曾过洛川，在烂柯山筑有"拜仙台""望仙台"。黄丈为当时驿道，相传武帝曾在此纳妃筑宫。黄丈周围五六里遍地布满汉代瓦砾，北有田尧科窑址，西南有尧头村窑址，均有筒瓦、大板瓦、方砖等出土。

1828.陕西黄龙县发现汉墓

作　者：齐鸿浩

出　处：《考古与文物》1988年第4期

陕西黄龙县地处黄龙山区，历史上从未有过行政建置，1940年始设黄龙区设置局，中华人民共和国成立后设县。1986年春，三岔乡梁家山砖厂在基建中发现1座汉墓。该墓是黄龙县首次发现的古墓葬。简报配以手绘图予以介绍。

据介绍，墓为东西向，分前后室，前室比后室宽30厘米。条砖"人"字形铺底和墙，子母砖券顶。部分砖上有黑细线纹，系烧前所画，线条零乱极不规则。

1829.陕西黄龙县梁家山砖厂汉墓

作　者：齐鸿浩
出　处：《考古》1989年第3期

黄龙县梁家山砖厂汉墓系前后室券顶砖墓，前室系放置随葬品之处，后室安放棺木。墓室系采用长方形条砖铺底和起墙，子母榫楔形砖券顶。简报配以拓片予以介绍。

据介绍，出土器物有五铢钱、铜镜、铁剑、蝉形玉含、陶樽、陶灶、陶博山炉和一些陶器残片。梁家山砖室墓从形制和出土器物看，简报推断均系西汉晚期遗物。

1830.洛川发现"契刀五百"钱范

作　者：刘忠民
出　处：《考古与文物》1996年第1期

1992年9月洛川县电力局王建忠在古鄜城遗址内（今土基镇鄜城）采集到"契刀五百"钱范一件。上交洛川县博物馆。简报配以拓片予以介绍。

据介绍，该钱范为砖质，青灰色，呈长方形。钱范正面是一阴纹"契刀五百"钱图案，上部边沿有一月牙形残迹，是铸钱时防止错范而特别制作的子母扣，此月牙形为子扣残迹。下部边沿连接刀刃处有一个三角形缺口，是灌铸铜水的流口。背面平光，四边有削杀。钱范中部断裂。是王莽居摄二年（7年）首次货币改制时与"金错刀"同时铸行的。

鄜城，是秦汉时期的古城，是当地经济、文化、交通比较发达的地方。简报认为这一钱范可能是地方私铸钱币留下的遗物，填补了陕北地区没有出土王莽钱范的空白。

1831.田尧科村汉墓清理简报

作　者：刘忠民
出　处：《文博》1997年第2期

1993年4月，陕西省洛川县田尧科村一村民家在打院墙时发现1座墓葬，考古人员进行了清理。简报配以照片予以介绍。

据介绍，该墓位于村西南侧，距地表 1.3 米。为砖箍券顶单耳室墓。无墓道，墓室深 3.6 米、宽 2 米、高 1.84 米。棺木、人骨已朽。墓中共清理出各类陶器 17 件（组），铁刀 1 把，玉质刀饰物 1 件。简报推断该墓为王莽到东汉早期的平民墓葬。

简报称，这次出土的三足陶盘和漏形器，以前未见报道过，当属首次发现。其定名、用途还有待进一步考证。

1832.陕西甘泉县发现汉代"冢"字云纹瓦当

作　者：甘泉县博物馆　王勇刚、赵文琦
出　处：《文物》2004 年第 9 期

1996 年 8 月，甘泉县博物馆在县城北的鳖盖峁采集到形制相同的 4 块"冢"字云纹瓦当。瓦当为泥质灰陶，在边轮内单线弦纹将当面括成一个圆，中部为方格，格内篆书一"冢"字。方格四角伸出界隔线与四乳钉相连，四分当面，每格内各饰一形状相同的蘑菇形卷云纹。当背旋切，切痕明显。残筒瓦纹饰相同，表面饰粗绳纹，瓦里面饰麻点纹。简报配以拓片予以介绍。

据介绍，鳖盖峁是 1988 年文物普查时发现的汉墓群，位于县城北的较高台地上，西临洛河，地表零星可见表面饰绳纹和里面饰布纹或麻点纹的板瓦、筒瓦残片。1991 年陕西省考古研究所对该墓群进行了清理，其中 18 号墓是 1 座西汉早期的木椁墓，也是该墓群中规模最大的 1 座墓。从瓦当的出土地点在该墓附近的情况看，"冢"字云纹瓦当应为该墓地表祭祀性建筑所用。

汉中市

1833.陕西城固县的东汉李固墓

作　者：陈显远
出　处：《文物》1974 年第 12 期

李固墓在陕西省汉中地区城固县柳林铺公社小营大队李固庙村，该村是李固的故乡，因李固庙而得名。李固墓在村北约 50 米处 1 个坡度约 30°、高约 40 米的高原上。简报配以照片予以介绍。

据介绍，李固历仕东汉顺帝（刘保）、冲帝（刘炳）、质帝（刘缵），为太尉。李固庙在墓北约 30 米处，为 1 所四合院屋宇。始建于何时，待考。现存神道碑 1 通，正中隶书"汉忠臣太尉李公神道"。碑铭早已不存。宋"乾道六年（1170年）闰月乙巳"立石。墓碑1通，为清毕沅所书。正中隶书"汉太尉李公固墓"，清乾隆丙申（1776年）立石。

1834.陕西勉县出土一批西汉铜器

作　　者：勉县武侯墓文管所　郭清华
出　　处：《考古与文物》1980年第2期

1978年2月23日，勉县周家山公社红卫二队农民在大地梁坡劳动时，在距地表约1米深的黄土中挖出一批铜器。据当时在场的人反映，这批铜器南北向并排放置。4个大铜钫在前，3个小铜钫在后，鼎、鍪、盆依次排列，最北边的是陶盆、铁刀、弩机和五铢钱。简报配以拓片等予以介绍。

据介绍，计铜钫7件、鼎4件、鍪4件、勺1件、盆2件、弩机1件、五铢钱27枚及灰陶盆1件、铁刀1件。铜器均未见铭文。简报推断此墓当属于西汉初期，其下限应在昭帝以前（前86年以前）。这批西汉铜器的出土，为研究陕南汉代文化的发展提供了实物依据。

1835.陕西勉县老道寺四号汉墓发掘简报

作　　者：郭清华
出　　处：《考古与文物》1982年第2期

1978年12月3日，老道寺公社五星大队第四生产队农民在川陕公路以南，北距公社驻地约500米的田里取土时，在距地表55厘米的深处发现1座古墓，考古人员对此墓进行了清理发掘，编号为78B.D.W.M4。简报分为：一、墓葬结构，二、随葬器物，三、结语，共三个部分。有手绘图、拓片。

据介绍，此墓为南北向的砖券墓，由甬道、主室、侧室组成。此墓主室、侧室多出棺钉，有腐朽棺木与朱漆片，料珠多为妇女所用，铜泡、铁刀为男子所用，简报推断此墓为夫妻合葬墓，主室为男，侧室为女，均系朱漆棺葬。从墓内出土大量的绿釉陶器和剪边五铢钱看，都是东汉时期的产物，简报推断该墓下葬应是东汉时期。

简报称，此墓所出土陶陂池、冬水田模型，应是浅山丘陵地区陂池、水田的缩影，为研究陕南地区水利与农业生产的发展提供了珍贵的实物资料。陶楼阁也为陕南地区汉墓中首次发现。

1836.陕西汉中市清理两座西汉前期墓

作　者：赵化成

出　处：《考古与文物》1982 年第 2 期

1979 年 2 月，安中机械厂扩建厂房，发现西汉墓数座，汉中博物馆随即派人前去对现场进行钻探，探明这里是 1 处汉代墓地，现已探出土坑墓 20 余座，并对其中的两座进行了清理。简报配以照片予以介绍。

据介绍，两墓的形制均为长方形竖穴，人骨架均已朽，从出土的板灰及残漆片可知葬具为彩绘单棺。花纹是西汉前期棺椁上流行的流云纹图案。M1 出土铜蒜头壶 2 件、铜鍪 1 件、铜钱数十枚。M2 出土铜蒜头壶、铜鍪、铜鼎、铜钫、铜盘、陶鍪、陶罐各 1 件，铜钱数十枚。2 墓中出土的铜钱均为西汉前期所铸。

这两座墓的年代，简报推断在文景时期，不会晚于武帝以后。另外，铜蒜头壶上所系的棕绳保存完好，至今仍有韧性，说明陕南用棕的历史是相当久远的。

1837.陕西勉县红庙东汉墓清理简报

作　者：唐金裕、郭清华

出　处：《考古与文物》1983 年第 4 期

1972 年 6 月，勉县红庙公社红光一队农民，在新修的稻田里发现 1 座古墓，考古人员对此墓作了清理。简报分为"墓葬结构""随葬品"等几个部分予以介绍，有手绘图、照片。

据介绍，该墓为砖室墓，应为夫妇合葬墓。分墓室、甬道两部分。墓室呈长方形，长 6.9 米、宽 1.82 米、高 2.89 米。随葬品的位置因墓室、甬道内积满了水和淤泥，未能详细记录，在墓室后部棺床上出土有铜盆、铜釜、铜镜、铜钱、带钩、铁剑、金镯子、银戒指、铜顶针、摇钱树、陶罐等。墓室前部出土有陶灶、釜、甑、井、鸡、鸽、独角兽等。甬道内出土有铜豆、铜案、耳杯、铜盘等，出土时铜耳杯置于铜案的三个角内。铜盆底部有"元兴元年堂狼作"铭文。元兴元年（105 年）为东汉和帝年号，"堂狼"当即指今云南省东川市一带的古螳螂县。

1838.陕西勉县金寨新朝墓葬

作　者：郭清华

出　处：《文物》1984 年第 4 期

1978 年 3 月，勉县红庙公社金寨大队五队农民在该队川陕公路以北 1500 米左右的疙瘩坡上 1.5 米深的黄土层中，发现 1 座砖室墓。简报配以拓片、手绘图予以介绍。

据介绍，此墓为长方形单砖券顶墓，棺木、骨架已不存。随葬品多置于墓室前部，包括陶器、铜器、铁器 27 件及铜钱 99 枚。

此墓年代，简报推断为王莽新朝。

1839.陕西勉县老道寺汉墓

作　者：郭清华

出　处：《考古》1985 年第 5 期

1978 年，勉县老道寺公社的五星大队（沙家庄）在农田基建中，先后发现了 4 座汉墓。考古人员于 1 月 16 日至 12 月 3 日陆续对这批汉墓进行了清理，编号为 78B.D.W.M1～M4。M4 的材料已发表（《考古与文物》1982 年第 2 期）。M1～M3 的发掘资料，简报分为"一号墓""二号墓""三号墓""结语"，共四个部分予以介绍。有手绘图、照片、拓片。

据介绍，M1 出土的货币中，有三分之一是"建武五铢"，三分之二是东汉中期"五铢"。出土器物中的水田模型，与四川西昌礼州东汉墓（M2）所出的陶田相似。墓葬形制和所出陶坛及绳纹罐，又与本县红庙红光东汉元兴元年（105 年）墓相同。因此，简报推断 M1 的时代当属于东汉中期，即公元 100 年左右。

M2 出土器物较多，褐釉陶器的造型、釉色具有本地新朝时期的特点。但是，红陶器多于灰陶器，又是陕南东汉早期墓的基本特点。洗和耳杯，也是东汉早期常见器物。所出土的货币，又全是东汉早期的"建武五铢"。因此，简报推断 M2 的时代当属东汉早期，其下限不超过公元 50 年左右。

M3 的器物多灰陶，而且与 M4 一样出现了堡垒式的楼阁建筑。大量的货币为东汉后期"五铢"，还发现了剪轮"五铢"，简报推断 M3 应属东汉晚期墓。

今有石俊志先生《五铢钱制度研究》（中国金融出版社 2011 年版）一书，可参阅。

1840.勉县出土稻田养鱼模型

作　者：陕西勉县博物馆　郭清华

出　处：《农业考古》1986 年第 1 期

稻田养鱼，是淡水养鱼的重要组成部分，有着悠久的历史。但是，关于我国稻田养鱼的资料却十分贫乏。

《魏武四时食制》载："郫县子鱼黄鳞赤尾，出稻田，可以为酱。"魏武，指三国魏武帝曹操。郫县，指今四川成都边上的郫县。子鱼，即小鱼。黄鳞赤尾，是指鲤鱼。是说四川郫县的小鲤鱼出于稻田，可以作酱。这一段记载，是反映稻田养鱼的最早史料文献，所以，我国的稻田养鱼也就因此多被认定为始于三国时期的四川郫县一带。

1978年，考古人员在勉县老道寺清理发掘了一批古墓葬。其中，一号东汉中期墓中，出土有规整的红陶水田模型1件，是本地平川地带典型的两季田模型。出土时，两块田面中放置有18件泥制红陶的小型水生植物与水生动物，计有荷花、荷叶、莲籽、菱角、浮萍、鳖、鱼等，其中草鱼、鲫鱼4条，鳖2只。在四号的三国蜀墓中，出土有绿铅釉红陶冬水田模型1件，田内有5条不规则式田埂，将田面分为大小不等的6个田块。在这些田块中，分布有青蛙、螺蛳、菱角等，其中鱼类有4条。

从上述考古资料而知，稻田养鱼早在公元100年前就已出现在汉中盆地勉县的两季田中，出土文物本身只把文献记载的我国稻田养鱼历史提前了两百年，而冬水田的养鱼史至少有1700年之久。勉县的出土文物不但对历史文献有所突破，而且填补了我国稻田养鱼史上的实物资料空白。正因为如此，考古资料发表后，即引起了有关学者的关注。这两件文物也随其他珍品赴日本巡回展出，至今未归。就目前而言，在没有其他更新资料问世以前，简报认为，我国的稻田养鱼不是始于三国时期的四川郫县，而是始于东汉中期之前的汉中勉县一带。冬水田里养鱼，最早也应在汉中勉县一带。

1841.陕西南郑龙岗寺汉墓清理简报

作　者：陕西省考古研究所汉水考古队　杨亚长
出　处：《考古与文物》1987年第6期

1983年秋至1984年冬，考古人员在龙岗寺发掘新石器时代遗址时，发现并清理了4座汉墓。简报分为：一、概况，二、M1的形制、葬式与随葬品，三、M3、M4的形制、葬式与随葬品，四、小结。共四个部分予以介绍，有拓片、手绘图。

据介绍，4墓中M1为竖穴土坑墓，其他3座均为砖室墓。除M1外都曾被盗过，M2被盗最为严重。出土有青铜器、钱币、铁器、料珠等。M1为西汉文景时期墓，M2时代不早于或即东汉中期。M3、M4为东汉晚期墓。

简报称，龙岗寺两汉墓葬的发现无疑将会为陕南汉水上游地区的汉墓研究又增添了一份新资料。

1842.城固出土的汉代桃都

作　者：王寿芝

出　处：《文博》1987 年第 6 期

1957 年，陕西省城固县第一中学修建理化实验室时，于 1 座古墓内发现 1 株铜树，造型美观，刻工精致，对研究汉代铸造工艺、透雕艺术以及道家思想有重要价值。简报配以照片予以介绍。

据介绍，铜树通高 1.04 米，底座为陶制的山（残）。桃都下半节是人间，表现了女主人生前过的荣华富贵的生活；桃都上半节是天界，呈现了女主人死后升天，与天鸡、阳鸟、神鬼为伴的场景。简报推断为汉代遗物。

1843.陕西勉县出土一套罕见的东汉四合院建筑群模型

作　者：郭清华

出　处：《考古与文物》1988 年第 3 期

1978 年，考古人员在勉县老道寺乡五星大队清理发掘了一批东汉墓葬，出土各类文物 200 余件。其中，M7 中的东汉中期陶四合院建筑群模型，是这次发掘中的重要发现。简报配以照片予以介绍。

据介绍，这套四合院模型，全为细泥灰陶，共由 19 个单体建筑组合成平面为 126 平方厘米的以宅门、院墙、左厢、右厢、正楼为单元的主体四合院和以偏门、佣人房、家畜家禽圈为单元的偏院等 1 整套四合院，最高建筑是明 3 层、暗 4 层的四阿式重檐三滴水的主楼，高达 75 厘米。出土时破碎零乱，多达近千块碎片，经过反复分析与研究，终使这组整体组合复原，再现了这套建筑群的原貌。就这套模型的总体而言，其建筑形式多样而主次分明，组合形式层叠有序、错落有致，堪称为高墙重楼，深宅大院，十分壮观。

1844.勉县出土"大泉五十"铜钱母范

作　者：欧德录

出　处：《文博》1988 年第 1 期

1987 年春，勉县农民在汉江淘金时，发现 1 件铜质"大泉五十"钱母范。简报配以拓片予以介绍。

据介绍，"大泉五十"铜钱母范，为铸"大泉五十"铜币所用。该钱母范，属王莽新朝时期，制作于公元 7 年。据有关资料载，王莽从公元 7 年摄政到新莽统治 10 余年间，托古改制，进行了四次币制改革，先后实行了 37 种不同质地、不同样式、不同单位的货币。"大泉五十"是王莽摄政后所实行的第 1 种货币。

1845.陕西汉中市铺镇砖厂汉墓清理简报

作　　者：汉中市博物馆　何新成
出　　处：《考古与文物》1989 年第 6 期

1985 年施工中发现并清理，共 7 座墓，除 M6 外均为长方形带甬道"凸"字形砖券墓。出土有陶器、铜器、铁器等 100 余件。时代为西汉晚期到东汉。墓主人有武官（M1、M2）、地方官吏、中小地主。应为 1 处家族墓地。

1846.陕西南郑苏家山汉墓发掘简报

作　　者：陕西省考古研究院、汉中市文物考古工作队　左汤泉、王　良、宜红卫、
　　　　　汤毅丁、阎毓民
出　　处：《文博》2012 年第 2 期

为了配合西（安）汉（中）高速公路的建设工程，2003 年 3 ～ 4 月，考古人员在陕西省南郑县苏家山村发掘了 5 座古代墓葬。通过整理，确认 3 座属东汉墓葬，2 座为清代墓葬。简报分为：一、基本情况，二、墓葬形制，三、出土遗物，四、结语，共四个部分。有拓片、手绘图。

据介绍，苏家山村位于南郑县大河坎镇西南，北距汉中市 25 公里、西南距县城 8.5 公里。山麓背风之处，屡见今人坟茔，古墓选址位置，全部高于今人坟茔。墓葬编号 M1 ～ M5，简报重点介绍了 M2、M4、M5。经过发掘，3 座砖室墓均有不同程度破坏。共出土器物 41 件，质料有陶、铜及银等。另有铜摇钱树残片、铜钱、铁棺钉未计其中。陶器为大宗，计 33 件。简报推断该墓为东汉晚期墓，墓主人当为中小地主。

榆林市

1847.米脂东汉画像石墓发掘简报

作　　者：陕西省博物馆、陕西省文管会写作小组
出　　处：《文物》1972 年第 3 期

东汉画像石墓位于陕西北部米脂县城西 2.5 公里无定河西岸台地上的官庄村，修梯田时发现的。1971 年 4 月进行了清理。简报配以手绘图等予以介绍。

据介绍，这次清理的画像石墓 4 座，都是用当地出产的岩石经过加工后砌成。墓内淤满泥土，随葬物早年均遭盗掘，仅余几件陶罐和石灶，但画像石保存尚多完好。四号墓画像石刻有"永初元年"的纪年。其余 3 座墓画像作风与四号墓相似。因此，这几座墓应都是东汉安帝永初元年（107 年）及其前后建造的。画像石内容有牛耕图、西王母图、伏羲女娲图等。四号墓前室顶部置太阳刻石，太阳染成红色；后室顶部置月亮刻石，月亮染成黑色。太阳和月亮周围饰以蔓草花纹。这是象征墓中有日月照临，也可能是日月合璧的意思。古人认为日月合璧是祥瑞。

今有李林先生等编著《陕北汉代画像石》（陕西人民出版社 1995 年版）一书，可参阅。

1848.陕北清涧、米脂、佳县出土古代铜器

作　　者：戴应新
出　　处：《考古》1980 年第 1 期

简报配以拓片、照片，介绍了陕北三地出土的古代铜器。

一是清涧县解家沟公社解家沟生产队，1962 年在村旁耕地时发现一批商代铜器，送交县文化馆收藏。计尊 1 件、簋 1 件、觚 1 件、盘 1 件、卣 1 件。

二是 1965 年佳县坑镇公社羌沟大队出土了一群汉代铜器，其中 1 件鼎上有铭文，经西北大学陈直先生辨认有"延寿"2 字。延寿宫，为汉武帝北巡时行宫，此器似为汉武帝中期之器。

三是米脂县收集到的提梁壶 1 件、鼎 1 件，简报推断为秦代遗物。

1849.陕西绥德汉画像石墓

作　者：绥德县博物馆　吴　兰
出　处：《文物》1983 年第 5 期

1982 年 3 月绥德县苏家岩公社苏家圪坨生产队发现 1 座古墓，考古人员于同年 6 月进行发掘。简报分为"墓室结构""出土器物""画像石"等几个部分予以介绍，有照片、手绘图。

据介绍，苏家圪坨生产队在县城东南35 公里处。墓地位于村南台地上，背靠王家堰头，面临无定河水，四周没有其他墓葬遗迹。由墓门、前室、过洞、后室组成，墓葬为长条石砌成，有盗洞。出土有陶器、陶俑、五铢钱等不多的随葬品。由中柱石刻铭文，知此墓建于东汉永元八年（96 年），是陕北少见的有确切纪年的画像石墓。

1850.陕西绥德县延家岔东汉画像石墓

作　者：戴应新、李仲煊
出　处：《考古》1983 年第 3 期

陕西省绥德县辛店公社延家岔村在无定河东岸台地上，南距县城 10 公里，东依山原，村西紧临米（脂）绥（德）公路。画像石墓位于村北 50 米。1972 年该大队修造梯田时发现，1975 年作了发掘清理。从发现到发掘时隔 3 年，不断有人进入，受到严重破坏。简报分为：一、墓葬形制，二、画像石刻与石灶，三、几点认识，共三个部分。有照片、手绘图。

据介绍，这座墓上面的土层早被挖去，墓顶暴露；墓门外因削筑田埂，墓道遭到破坏，详情不明。墓室用石块砌成，石板的层次属自然形成，颜色为灰蓝或灰红，质较软。画像石亦用这样的石材来雕刻。墓由墓门、前室、后室、左右 2 个耳室组成。随葬品仅剩 1 个石灶，尸骨已碎，所葬人数不知，但此种墓一般是同一家族多人合葬墓。墓主人可能是地方官吏或一方富豪。

1851.陕西子洲出土东汉画像石

作　者：吴　兰、张　元、康兰英
出　处：《考古与文物》1985 年第 3 期

1968 年、1975 年先后在子洲县淮宁湾公社后湾生产队发现 3 座画像石墓。均为四角攒顶式砖室墓。除一号墓画像石未收回外，二、三号墓画像石已部分收归县文化馆。简报配以照片、拓片予以介绍。

据介绍，二号墓收回3块石刻画，三号墓征回8块石刻画。简报称，近30年来陕北东汉墓葬石刻画，多在绥德、米脂沿无定河岸陆续出土，又在子洲淮宁湾发现，确系一可喜收获。这3座墓葬形制、画像画的风格与绥德四十铺、苏家圪坨出土的十分接近，简报推测其年代应在东汉和帝至顺帝时期。

1852.陕西靖边县发现大量王莽币

作　者：王邦福
出　处：《考古与文物》1985年第5期

靖边县杨桥畔大队第七生产队农民于1982年初在村旁水坝退水处发现大量古货币，共计400多斤，5万余枚，主要是货币、货泉两种，另有少量的汉五铢、布泉、大泉五十、小泉直一等。简报配以拓片予以介绍。

据介绍，这批古货币出土地点在靖边县城东25公里处。这里曾是西汉时的宥州城，城墙遗迹尚清晰可见。每年春天风沙过后，地面上时有一些古货币、铜印章、铜箭头及陶片等遗物发现。推测这批货币原为窖藏，由于水流冲刷而散露出来。

1853.陕西绥德发现汉画像石墓

作　者：绥德县博物馆　吴　兰
出　处：《考古》1986年第1期

绥德县城西约1公里大理河南岸有一段台地，古名老坟梁，1942年前后被开垦种植，1962年划作经济作物区，当地人把它叫作葡萄梁。1983年在这里发现1块明宣德五年（1430年）的墓志，称这一带坟地为"黄家塔"。1983年由农民集资在这里修筑窑洞，从南坡到北顶顺势而起，顶部地势平缓，古坟较多，在东段、中段、西段各发现一座墓，随即由工人挖毁，取出筑墓砖、画像石和随葬器物，而后夯实于施工地段，考古人员闻讯后征回画像石，对发掘情况和墓室结构进行了调查补记。简报配以照片、拓片、手绘图予以介绍。

据介绍，一号墓为砖室墓，墓室中柱上有"汉羽林郎"字样。有盗洞，出土有画像石、大理石猪等。二号墓有画像石、绿釉红陶樽等。三号墓有画像石出土。

1983年8月，在二号墓东北22米处又发现四号墓，相继在东西130米、南北

50米的施工范围内发现9座汉墓。有使者持节护乌桓校尉王威墓（四号墓），有永元十六年（104年）王圣序墓，有辽东太守王君墓（七号墓）。简报称，此地应是一处墓葬集中、排列有序的汉墓群。

1854.陕西神木柳巷村汉画像石墓

作　　者：吴　兰、帮　福、康兰英
出　　处：《中原文物》1986年第1期

陕西省神木县柳巷村位于县城正南70公里处的秃尾河北岸，1982年春在该村北面发现汉画像石墓1座。简报配以照片予以介绍。

墓室坐东北向西南。分前、后室。墓室内壁由细錾出面的砖形石料错缝平砌，石缝用石姜和软石粉调和黏结。墓室中有棺木痕迹及1人头骨。安置中柱的部位，多刻纪年铭文。陕北汉墓纪年石有刻阴文、阳文、篆隶文体的，有在柱石上刻小篆铭文配斗拱图案的，有刻小篆铭文配如意云纹的，有文字两旁配以绶带穿壁图案的，也有用墨色写成的，以独幅绶带穿壁图充当纪年石的还是首次发现。同年，该村农民又挖毁了汉墓1座，距此墓60米，发现画像石5块。该墓西北30米处，发现灰陶瓶2件，周身竖绳纹。据农民反映这一带出土陶器频繁，并不引人注意。简报称，神木柳巷发现的这批画像石，年代当在东汉早期章帝和安帝前后。

1855.神木县出土一件铜彩绘鹅鱼灯

作　　者：榆林地区文管会、神木县文管会　张钟权
出　　处：《文博》1986年第6期

神木县店塔村位于县城北50里处的半山坡上，西为宽约500米的冲积平原，窑野河由此向南流过。这一代古墓很多，出土文物不少，当地人把这一带墓葬区称之为"葬湾"。

据介绍，1985年8月，该村一位农民在其窑院南壁新打洋芋窖时，挖出1件中空的铜制彩绘鹅鱼灯。灯通高54厘米、长33厘米、宽17厘米、重4.25公斤，由鹅鱼的头及上颈与连身下颈、2块铜瓦、带曲錾圈足灯盘共4部分组成。随同鹅鱼灯出土的有铜钟、铜釜、铜甑（残）、带盖铜鼎（残）、肖像形印各1件，西汉三官五铢28枚，还有铜泡、铜环、四叶形铜饰件、铁剑（残）、鹿头形的金箔残片、耳杯（残）、漆器（残）、蚌壳、棺板朽木及铁钉等。

由三官五铢简报推断墓葬当为西汉时期墓葬，鹅鱼灯亦应为西汉之物。简报称，

这一件珍贵文物不仅是一件精美的艺术品，而且为研究当时的铸造工艺提供了宝贵的实物资料。此灯为神木县文管会收藏。

1856.陕西米脂县官庄东汉画像石墓

作　者：吴　兰、学　勇

出　处：《考古》1987 年第 11 期

1980 年秋，陕西省米脂县官庄村的农民在施工中发现镶嵌有画像石的古墓1座，当即停工保护。1981 年8 月，考古人员对该墓进行清理。简报配以手绘图予以介绍。

据介绍，官庄村距米脂县城西2 公里，该墓位于村南台地上。整个墓圹用石块错缝平砌，由前室、后室、右耳室及甬道4 部分组成。墓门及前室四壁全部镶嵌画像石共5 组，计16 块。画像内容中除了仙禽神兽、伏羲女娲等外，1 幅拾粪图值得注意。该墓早年被盗，3 具人骨已被拉离原位，随葬品所剩无几。该墓的年代，简报推断为东汉时期。

1857.陕北靖边县出土窖藏莽币

作　者：张　泊

出　处：《考古与文物》1987 年第 5 期

1982 年冬，陕北靖边县杨桥畔乡龙眼水库排洪沟内冲出一批大型新莽钱币。简报分为"窖藏的数量和种类""窖藏年代及其有关问题的探讨"，共两个部分予以介绍。有拓片、手绘图。

据介绍，出土地点靠近当地人称"瓦碴梁"的1 处古城遗址。这处窖藏的实际数量已无法确切考查，因洪水发于深夜，被冲开的钱币与泥沙俱下，仅在天明后才为人所发觉，被捞取的仅仅是这处窖藏的极少部分。尽管如此，收回钱币总数达25850 枚。钱币共有六种：计货布1420 枚、货泉23800 枚、五铢430 枚、大泉五十80 枚、布泉50 枚、半两70 枚。当为新莽时钱币。不远处古城为西汉古城，如此多的钱币，似不是私人贮藏。考古人员还发现了钱范残块，当地村民也告知曾挖出过类似钱范的砖，或许此处是一私铸钱币之处。

1858.神木县瑶镇汉代建筑遗址调查记

作　者：王建新

出　处：《考古与文物》1987年第5期

陕西神木县东约40公里处的瑶镇，有1处汉代建筑遗址。1984年考古人员前往调查。简报配以拓片予以介绍。

据介绍，遗址位于秃尾河上游东岸、瑶镇北的一处高地上。在方圆约500米的范围内，散布着许多瓦当、筒瓦和板瓦等汉代建筑材料遗物。遗址的西半部，已在近年平整土地时用推土机推过，故而遭彻底破坏。遗址的东面和北面已被沙丘湮没，南面紧靠瑶镇。整个遗址只有位于高地最高处的东半部方圆约200米的范围内，保存较好。在遗址上采集了若干瓦当、筒瓦和板瓦标本，有的上有铭文。现均存于神木县文管所。简报认为此处应为一座汉代城址。

1859.绥德发现一件铜炼式提梁烘炉

作　者：马润臻

出　处：《考古与文物》1988年第3期

1984年9月20日，在绥德城西的黄家塔汉墓群东侧约35米的台地上，农民修建窑洞时发现1件铜提梁烘炉。简报配以照片予以介绍。

该墓原貌已毁，从残存痕迹看，为1座竖穴土墓。墓顶距地表3.2米，内有脱位散乱的男性骨骸1具。随葬品有：铜饰3件、铜鍪铜镜、铜洗、提炼炉、铜偏壶、绳纹夹砂灰陶罐和陶盆各1件。大都残破，唯此炼炉完好。通高14厘米、长26厘米、宽15厘米。这件提炼炉，是墓主人生前放置木炭取暖的生活用具。炉体呈横长方形，四兽足。不留锻、压、缚、焊的任何痕迹。是采用一种或者几种工序制作，很难分辨。更奇妙的是：4个炉足的底平面上，装有4个活动的暗轮，便于移动。清理了土锈之后，轮子仍然活动自如，极其灵活。

1860.陕西绥德黄家塔东汉画像石墓群发掘简报

作　者：戴应新、魏遂志

出　处：《考古与文物》1988年第5、6合刊

黄家塔东汉画像石墓群位于绥德县城郊，大理河右岸台地上。在基建中陆续发现的这处墓群，共12座，编号M1～M12。1984年秋，考古人员发掘清理了其中的

一部分。简报配以手绘图等先行介绍其中的 M6、M9、M11、M12 四座墓。

据介绍，这处墓群之上的地面是平坦耕地，坟堆早被挖去。该四座墓各由斜坡墓道和石砌墓室组成，均遭盗扰。墓道填五花土，质较硬。墓门朝北，门口竖大石板封闭，墓内淤满泥土，门道和墓室地面平铺石板。因被盗，葬具、葬式已不太清楚，随葬品也仅剩少量玉器、铜器、陶器、钱币等。M6 有明确纪年的铭文题刻，墓主王圣序虽不见于史传，属"庶民"身份，然却是有"声色犬马之娱"的殷实之家。永元十六年为公元 104 年。简报推断其他几座墓也应是公元 100 年左右的墓。

简报结合现场情况推测画像石的制作过程为：采石，打磨石面，用墨笔勾画起稿，刻镂画像把图案以外部分挖去，使要表现的部分的轮廓突出在一个平面，然后在该突起的画像上加施色彩。

简报认为勾画起稿可能有"模板"之类的图样作底稿的，这"模板"也许是用薄木片制作或裱糊纤维织物剪裁而成，酷似现代皮影戏的制法。

1861.陕西绥德延家岔二号画像石墓

作　者：李　林

出　处：《考古》1990 年第 2 期

延家岔村南距绥德县城 10 公里，是辛店乡较大的一个村庄，东依月梁山，西临西（安）榆（林）公路。1972 年在村北曾发现过一号画像石墓（《陕西绥德县延家岔东汉画像石墓》，《考古》1983 年第 3 期）。1976 年在一号墓北 86 米处发现了另 1 座画像石墓（编为二号墓），1977 年 7 月榆林县文化馆对该墓进行了配合清理。简报配以手绘图和拓片予以介绍。

据介绍，陕北画像石墓圹均为以墓人小挖凿包括墓道在内的井窖式地穴。延家岔画像石墓从形制结构和画像石镶嵌的布式以及画像石的刻绘作风看，近似王得元墓葬。所以延家岔二号墓的年代，简报推断在东汉章帝、和帝时期，即公元 100 年前后。若因袭旧俗，以家族墓群估计，则二号墓的下葬年代略早于一号墓。

1862.清涧出土战国封泥筒

作　者：清涧县文物管理所　白共和

出　处：《考古与文物》1990 年第 4 期

1985 年春，陕西清涧县师家园则乡鲍家沟村鲍万江在地里劳动掏土时，挖出战国封泥筒 1 件。简报配以照片予以介绍。

据介绍，器成圆筒形，有盖，盖为子母口，盖上有1桥环纽，筒上部2侧各有1兽首衔环耳，与"8"字形环系相连，提梁为双龙首相连衔环系，平底，器足分别是3个牛头矮蹄足。根据器形、铜质与盖上纹饰，简报推断该器似为战国之物。现已被清涧县文物管理所收藏。

1863.绥德呜咽泉村画像石墓

作　者：吴　兰

出　处：《文博》1992年第5期

陕西绥德县城内最高处为疏属山，山巅有秦始皇长子扶苏墓。城南1公里呜咽泉村传说为扶苏接李斯、赵高矫遗诏引颈自裁之处。1986年3月，呜咽泉村民在村南山坡取土时发现1座汉画像石墓。简报配以手绘图予以介绍。

据介绍，绥德自从1953年王得元画像石墓（永元十二年〈100年〉）发现以来，差不多连年都有画像石出土，而大多数又是因为水土流失或人为破坏引起的，其画像石题材雷同、刻制风格相近，下葬时间约在东汉和帝及顺帝前后。少量的墓室内留有铭刻在石壁上的纪地名、纪造墓年月、纪墓主人姓名和官职的文字，有粗体字、隶字、篆体字等字形。在通常刻别纪年文字部位刻出伦理吉庆语辞的铭题，这还是首次发现。另外在横额中庭安置阁楼的图像是经常发现的，但以羊狗充占庭室显著部位的图像也是首次发现。简报称，它为研究陕北汉代画像石增添了新的珍贵资料。

1864.绥德辛店发现的两座画像石墓

作　者：吴　兰、志　安、春　宁

出　处：《考古与文物》1993年第1期

陕西绥德城东1公里为辛店乡裴家峁村，1984年村民在老爷庙东修筑窑洞时发现了一座石棺墓的后室，1987年平整院落中揭取了这座墓前室的顶盖。简报配以拓片等予以介绍。

简报称，绥德自从1953年王得元画像石墓（永元十二年〈100年〉）发现以来，几乎每年都有画像石的出土，而绝大多数又是因为水土流失或人为的破坏引起的，其画像题材与刻绘风格相近，下葬时间约在东汉和帝及顺帝前后。少量的墓室内留有铭刻在石壁上的纪地名、纪茔瘗年月、纪墓主人姓名和官职的文字，有细体字、隶字、篆字、鸟虫形字等字体。在通常门壁或刻纪年文字部位刻出如此吉祥语辞的铭题还是首次发现，但此次以羊狗充占庭室显著部位的图像也是首次发现，它们为研究陕北汉代画像石增添了新的珍贵资料。

1865.绥德寨山发现汉画像石墓

作　者：李　林

出　处：《文博》1996 年第 4 期

陕西省绥德县城北15 公里处为寨山村，村舍坐落在山腰沟道间，咸榆公路与无定河流经村西。1980 年6 月农民延某在该村平整山顶土地时，离地表30 厘米下发现1 座古墓葬，墓室内陈置1 副黑漆木椁，椁内套置2 具棺木。考古人员赶到现场时，棺椁已被拉出墓室，遗骨亦被另处掩埋。简报配以拓片、手绘图予以介绍。

据介绍，此墓系用石料砌成，最大收获就是 5 块画像石。5 块画像石均由浅减底刻剔而成，画面上没有神仙怪异内容，均为现实生活中习见的形象，只在门扇等处串用了镇宅辟邪及象征四方的物象。

1866.陕西神木大保当第 11 号、第 23 号汉画像石墓发掘简报

作　者：陕西省考古研究所、榆林地区文物管理委员会

出　处：《文物》1997 年第 9 期

神木县地处陕西省北端，东南临黄河，北与内蒙古自治区接壤。长城自西南向东北斜贯县中。大保当位于县城西南约 50 公里的毛乌素沙地中，黄河支流秃尾河从其东流过。墓地在乡政府西约 2.5 公里的高地上，榆（林）府（谷）公路从墓地中部穿过。大保当墓地是 1986 年全省文物普查时发现的，1996 年夏末，为配合陕京天然气管道建设，考古人员对管道穿越墓区的地域进行了勘察，并对整个墓地发现的26 座墓中的 24 座进行了考古发掘。简报分为：一、第 11 号墓，二、第 23 号墓，三、结语，共三个部分。有彩照。

据介绍，发掘出土画像石 50 余块，其中大部分保存尚好，另有陶器、骨器、小铜器等出土。简报推测 M11、M23 的年代，均应在公元 100 年前后。M11 出土人骨经鉴定，分别为 1 位 35 ～ 40 岁男性和 1 位 30 ～ 40 岁女性，可能为夫妇合葬。另外，M23 出土的 B 型陶罐上刻 1 "羌" 字，为篆书，不知这是否与侵扰西河、上郡的羌人有关。

简报称，M11 出土的人首、人身、鸟足、兽尾画像，文献中未见记载。M23 的画像色彩保护较好，画面明快醒目。这都是研究中国美术史的难得资料。

1867.陕西绥德县四十里铺画像石墓调查简报

作　者：榆林地区文管会、绥德县博物馆　康兰英、王志安
出　处：《考古与文物》2002 年第 3 期

1997 年 7 月 16 日，绥德县四十里铺农民李君旗修建住宅窑洞挖土时，发现 1 座东汉画像石墓。时隔半年之余，绥德县博物馆方获悉，即派人专程前往调查。惜墓葬已回填夯实，仅将李君旗拆取的画像石 9 块和石灶、陶罐（残破为数块）各 1 件以及 20 余枚钱币征集回博物馆收藏。考古人员于 1998 年 4～5 月两次专程前往画像石出土地调查访问。进一步就墓葬的有关情况与李君旗进行了调查核实，对墓葬周围的地形地貌及已往画像石出土地与该墓的关系进行了实地踏勘、考察。同时，根据墓内出土的文字刻石中提到的"圜阳富里""葬县北驹亭部大道北高显冢茔"地名与位置，对墓葬周围方圆 10 公里之内徒步进行了考古调查，期望找到汉代城址遗存以提供圜阳的确切位置，终未发现任何蛛丝马迹。仅就两次调查的有关情况，简报分为：一、墓葬情况，二、出土器物，三、画像石，四、结语，共四个部分。有拓片。

据介绍，该墓位于绥德县四十里铺后街。从实地踏勘、调查情况看，此处应是东汉时期墓地。田鲂墓为其中之一，墓主人田鲂系圜阳富里人氏，永元四年（92 年）闰三月卒于上郡白土县，五月廿九日葬"高显冢茔"。简报认为此墓时代为东汉无疑。据汉代归葬故里之习俗，今绥德四十里铺即汉代圜阳地，墓葬位于圜阳县北驹亭部大道东，名曰"高显冢茔"。据此，圜阳县的位置应在今绥德县四十里铺南。墓中柱石铭文中，提到 6 处地名，对于研究历史地理会有帮助。

1868.陕西定边县郝滩发现东汉壁画墓

作　者：陕西省考古研究所、榆林市文物管理委员会　吕智荣、张鹏程
出　处：《考古与文物》2004 年第 5 期

陕北靖边至王圈梁高速公路，是陕西省 2003 年重点建设工程之一。考古人员对该公路沿线进行了考古调查、勘探和发掘。四十里铺东汉墓群，位于定边县郝滩乡四十里铺村西北，南距郝滩乡政府约 2.5 公里，距四十里铺村约 0.5 公里。墓地位于 1 条土梁的北侧，面积约 12 万平方米。高速公路从墓地的北部东西穿过，公路的南北两侧被征用为公路的服务区，该墓地是 2003 年 4 月 13 日在服务区施工取土时发现的。这次共发掘墓葬 20 座，有砖室墓和土洞室墓 2 类，部分墓葬带有耳室，墓葬均有斜坡墓道。砖室墓均为前后室，前室为穹窿顶，后室为拱形顶。土洞墓有拱形顶和平顶 2 类。这批东汉墓绝大多数被盗掘，出土随葬品不太丰富，其中陶器有壶、

罐、盆、灶、灯等80余件；铜器有铜镜、铜钱、印章、车马饰等200余件（其中铜钱居多）。在墓地中，还出土有筒瓦、板瓦和涂有红彩的云纹瓦当，其中有的筒瓦、板瓦上印有"家"和"冢"字。这说明此墓地是一座家族墓地，而且墓地中建有享堂一类的建筑。在砖箍墓的条砖中，发现有"秦子""三十""四十"等刻划的文字。在这批墓葬中，M1是1座壁画墓。该墓位于墓地的中部，坐南向北，是1座带有斜坡墓道的土洞墓葬。简报配以照片，介绍了该墓的发掘情况。

据介绍，该墓在汉代已被盗掘，墓主人头骨被移至墓室口左侧。随葬品仅剩陶灯1件、铜饰1件、铁镢1件等。但用黑、白、红、蓝4色绘制的壁画尚保存完好。有夫妇并坐图、庭院图、农作图、狩猎图、车马出行图、升仙图、西王母饮乐图、星宿图等。简报称，该壁画墓保存之完整、颜色之艳丽、场面之宏大、绘画技艺之娴熟，在迄今为止所发现的东汉壁画墓中尚不多见。郝滩东汉壁画墓的发现，为研究中国古代天文史、绘画艺术、道教思想和陕北地区的古代经济、文化、历史及生态环境的变迁，具有重要的学术价值。

简报还介绍了较石膏加固揭取法成本高但更利保存的新技术。

1869.陕西靖边县张家坬西汉墓发掘简报

作　者：陕西省考古研究所、榆林市文物考古研究所　李增社

出　处：《考古与文物》2006年第4期

为配合陕北安塞至靖边高速公路建设，考古人员于2004年在靖边县天赐湾乡张家坬沙嘴峁进行了考古发掘。共清理西汉墓葬12座，其中M3出土有精美随葬品。简报分为：一、墓葬形制，二、随葬器物，三、结语，共三个部分。有手绘图、拓片。

据介绍，M3为斜坡墓道土洞墓，平面呈"凸"字形，由墓道、壁龛、墓室3部分组成，未见葬具，从遗迹看应有木棺。人骨架保存尚好，1男1女，男约27岁，女约30岁。未见盗洞。共出土器物63件，按质地分为陶器（包括彩绘陶和普通陶两种）、鎏金铜器、铜器等。墓主人应在汉宣帝时或稍后下葬，应非一般平民。

1870.陕西靖边东汉壁画墓

作　者：陕西省考古研究所、榆林市文物保护研究所、靖边县文物管理办公室　王望生等

出　处：《文物》2009年第2期

2005年6月，陕西省考古研究所、榆林市文物保护研究所、靖边县文物管理办

公室联合对发现于陕西毛乌素沙漠靖边县杨桥畔 1 处取土场中的墓葬群进行了抢救性发掘，取得了重要收获。简报分为：一、墓葬概况及随葬器物，二、墓室壁画，三、结语，共三个部分。先行介绍其中的东汉壁画墓 M1，有彩照、手绘图。

据介绍，该墓为土圹斜坡墓道砖室墓，由墓道、封门、前室、后室组成。墓室内器物散乱，未见人骨。仅出土陶器、钱币少许。墓室内有壁画。壁画绘制精美，内容有现实生活、历史故事和神仙等。该墓年代，简报推断为东汉时期。

1871.陕西靖边老坟梁汉墓发掘简报

作　者：榆林市文物保护研究所、靖边县文物管理办公室　姬翔月等
出　处：《文物》2011 年第 10 期

老坟梁墓地位于陕西省靖边县杨桥畔镇东 7.5 公里的芦河南侧，是陕北地区 1 处规模较大的汉代墓葬区，目前已发现汉墓 100 余座。简报分为：一、M1，二、M2，三、M3，四、M4，五、M5，六、M6，七、M7，八、结语，共八个部分。配以彩照、手绘图，介绍了其中的 7 座墓。

这 7 座墓是 2005 年抢救性发掘的。7 座墓中有 4 座砖室墓和 3 座土洞墓，墓室结构均较简单。随葬器物以彩绘陶最具特色，种类有鼎、盒、壶、钫等仿铜陶礼器以及罐、熏炉、仓、灶、鸡、牛、羊等陶器。7 座墓的年代，简报推断为西汉中晚期至东汉早期。老坟梁墓地的发掘，为研究汉代北方边疆地区的墓葬分期和文化面貌提供了实物资料。

1872.陕西神木大保当东汉画像石墓

作　者：西北大学文博学院、陕西省考古研究院、榆林市文物考古勘探工作队、
　　　　　神木县文物管理办公室　肖健一、康宁武、程根荣、尚爱红等
出　处：《文物》2011 年第 12 期

2008 年秋季，在陕西省榆林市神木县大保当镇发掘汉墓 1 座（M2）和汉代画像石墓 2 座（M1、M3）。3 座汉墓位于大保当镇西南任家伙场村砖厂南约 300 米的沙丘地带，当地人称"倒崂梁"。出土画像石 10 块。简报分为：一、地理位置与地层堆积，二、墓葬形制，三、出土器物，四、画像石，五、结语，共五个部分。有照片、手绘图。

据介绍，早在 1996～1998 年，在陕西省神木县大保当镇就曾发现了 26 座东汉墓葬和 1 座汉代城址，其中 14 座墓出土了精美的画像石。此次在大保当镇又发掘了 3 座

汉墓，其中2座墓（M1、M3）出土了画像石计10块。画像石均为浅浮雕，局部涂有黑色和红色，内容主要有车马出行、神仙羽人、祥禽瑞兽等。简报推断这3座墓的时代应为东汉早中期。简报认为，该墓地与在大保当镇老米圪台发现的汉代城址有密切关系。这些墓葬可视为城址中不同身份、不同家族的墓地。关于老米圪台城址，刘庆柱先生曾指出，该城址不算很大，但已达到了三级郡治县城的规模。从城址规模、周围墓葬群以及出土画像石推测，此说完全正确。

安康市

1873.陕西旬阳发现一枚汉代银印

作　　者：徐信印、鲁纪亨
出　　处：《文物》1985 年第 12 期

1980 年 6 月，陕西安康地区旬阳县小河北砖厂工人，在烧砖取土中发现龟纽银印 1 枚，立即送交文物主管部门。简报配图予以介绍。

据介绍，印含纯银 90% 以上。正方形，印文为阴文篆书"使掌果池水中黄门赵许私印"12 字，清晰可辨。银印为汉人赵许私印。查阅有关资料，均未见"使掌果池水中黄门"这一官职。简报据《后汉书》考证，此枚赵许私印亦冠以官衔"使掌果池水"，果为果园，池殆为鸿池。属少府。

1874.陕西安康地区出土的几方汉印

作　　者：李启良
出　　处：《考古与文物》1985 年第 6 期

安康地区博物馆和旬阳县博物馆共收藏8 方汉印，其中7 方为1980 年文物普查以后陆续征集入藏，1 方为地区博物馆旧藏。简报配以照片、拓片予以介绍。

据介绍，此 8 印中官印3 方，私印5 方。官印有"军曲侯印""军司马印""部曲将印"。私印有"杨常安印""庄细夫印""高志□印""赐字印""高志□印"等。

今有罗福颐先生《增订汉印文字征》（故宫出版社2010 年版）上下两册，可参阅。

1875.陕西旬阳汉墓出土的石砚

作　者：旬阳县博物馆　张　沛

出　处：《文博》1985 年第 5 期

1983 年 11 月中旬，考古人员在旬阳县城北佑圣宫后坪，清理了 1 座被扰乱了的汉墓。从墓葬形制和随葬器物分析，大约葬于西汉末年至东汉初年。随葬物中有 1 件附有研石的石砚颇引人注目。石砚为长方形细沙石片。素面。正面磨光，形制规整。通体呈灰黑色。长 8.5 厘米、厚 0.4 厘米。研石，状如柱础。质地与砚相同，亦呈黑灰色。下部为正方形，上部为圆柱形。简报配以照片予以介绍。

据介绍，砚是书写绘画研磨色料的用具，砚已经是当时读书人的必需品了。不过东汉以前，由于墨的形状尚未改为模制墨锭，而系小圆块，不能直接拿在砚台上研磨，必须用研石压着来研，因此，每方砚都附有 1 块研石。目前所见最早的砚和研石，都出自秦墓。旬阳汉墓出土的石砚和研石，不仅为该墓的断代提供了较为可靠的证据，也为我国古代砚、墨的发展史增添了又一实物资料。

1876.陕西旬阳出土新莽量器

作　者：徐信印、鲁纪亨

出　处：《考古与文物》1986 年第 1 期

1984 年 4 月中旬，在旬阳县城关镇小河北佑圣宫后坪修建变电所，施工取土中发现 1 座砖室古墓。简报配以照片予以介绍。

据介绍，此墓为长方形拱券砖室墓，由于早年破坏比较严重，难以恢复原貌。该墓出土的文物主要有：形制相同、大小不一的 2 件量器和制作精细的釉陶灶、博山炉、钟、陶豆、陶鼎以及其他常见的铜器、铁器，共 100 余件；王莽时期的五铢钱 150 余枚。2 件铜制量器最为重要：1 为铜角，圆筒形，直口平底，一侧有环首柄，容水 10 毫升；2 为铜撮，形制与铜龠相同，容水 1 毫升。简报推断为新莽时期遗物。

1877.安康出土一批新莽货泉

作　者：李厚志

出　处：《考古与文物》1986 年第 4 期

1984 年 8 月 21 日,安康铁路分局基建队在中渡台施工过程中,发现一批新莽铜钱。这批铜钱集中埋在地下 0.8 米深处,总重 105 公斤,计 20681 枚。铜钱字迹清晰可辨,有明显的穿绳痕迹。现藏安康地区博物馆，简报配以拓片予以介绍。

据介绍，这批铜钱除了 1 枚东汉五铢外，其余全部为新莽货币。这批货泉从制作形态上看，直径和重量基本接近西汉五铢的标准，据此可知是新莽第 4 次变革币制期间，应是光武五铢。因此，这批铜钱的出土，证实了莽亡之后，新起的刘秀政权还来不及整顿币制，直到建武十六年（40 年），还未除莽钱。在这段时间，货泉钱作为权宜之计，继续沿用。

1878.石泉县首次发现汉鎏金蚕

作　者：李域铮

出　处：《文博》1986 年第 2 期

1985 年 9 月 23 日，陕西省石泉县池河区前池乡潭家湾村农民潭福全向陕西省博物馆送交鎏金蚕 1 件。据讲这条鎏金蚕是 1984 年 12 月，在石泉县前池河淘金时，在距沙土面约 2.5 米深处挖出。据说在周围还发现有五铢钱。简报配以照片予以介绍。

据介绍，这条鎏金蚕实长 5.6 厘米、腹围 1.9 厘米、胸高 1.8 厘米，全身首尾共计 9 个腹节，胸脚、腹脚、尾脚均完整，体态为仰头眠或吐丝状，制作精致，造型逼真。经初步鉴定，简报认为是汉代遗物。据《石泉县志》，此地古代就是养蚕盛地之一，由于当时养蚕之风盛行，加之鎏金工艺的发展，因此，有条件以鎏金蚕作纪念品或随葬品。

简报称，古代丝绸织物及残片，目前各地博物馆尚有收藏，但对我国古代家蚕实物形体的收藏，除各地出土的一些玉蚕之外，像汉代这样以红铜铸造，然后施以鎏金的蚕体，在全国还是首次发现，且仅有一条，弥足珍贵。鎏金蚕的发现，为研究我国蚕桑丝织的历史及汉代鎏金工艺的发展状况，均提供了珍贵的实物资料。

1879.陕西旬阳县出土的汉代铜尺和铜钟

作　者：旬阳县博物馆　张　沛

出　处：《考古与文物》1987 年第 2 期

汉代铜尺、铜钟，系在旬阳县 1 座汉墓中出土。简报配以照片予以介绍。

据介绍，铜尺长 23.6 厘米，简报推断为东汉铜尺。铜钟上有铭文"旬阳重七斤"。旬阳县始建于西汉，东汉省入西城（治今安康县城西北 2 公里汉江北岸），可知铭文刻于西汉。据旬阳出土的这一西汉铜钟自铭所示（重 7 斤），每斤合 250 克，它比西汉前期满城汉墓14件刻有计量铭文的铜器的实测平均数（1斤合244克）要大，而又比西汉后期西安"上林"铜器群17件刻有计量铭文的铜器的实测平均数（1斤合254克）要小，故可推定其为西汉中期的遗物。

1880.旬邑出土鳖座雁足灯等一批文物

作　者： 关双喜

出　处：《文博》1987年第2期

1985年，陕西省博物馆在旬邑马栏农场征集到一批文物。这批文物共11件，其中1件为战国铜鼎，其余10件均在1座墓出土。马栏农场曾多次发现文物，这次是在马栏农场修砖窑时发现，大部在施工时被损坏。简报配以照片予以介绍。

据介绍，计战国云雷纹铜鼎1件、鳖座雁足灯1件、铜鼎2件、铜蒜头壶2件、铜钫1件、铜盆1件（残）、铜碗1件（残）、陶茧形壶2件。简报介绍除战国时遗物1件外，其他均出自1座西汉墓葬。

1881.陕西旬阳发现东汉青铜制鱼钩

作　者： 陕西省旬阳县博物馆　张　沛

出　处：《农业考古》1988年第2期

1980年元月8日，陕西省旬阳县小河北雪茄酒厂基建工地出土了1件青铜鱼钩。简报配以照片予以介绍。

据介绍，钩呈Ｃ形，钩尖内侧有一倒刺，钩柄扁平，近柄端内曲下折，柄端略微凸起。此青铜鱼钩出土于1座东汉时期的墓葬内，与鱼钩同时出土的还有铜尺、陶甑、陶灶、陶井模型及数十枚剪轮五铢和綖环五铢。简报推断为东汉时的渔具。简报称，此鱼钩器形特殊，与日本名古屋大学渡边诚先生《中国古代的鱼钩》所列的各种鱼钩形态均不相似，为研究中国古代青铜鱼钩提供了重要资料，具有一定的历史和科学价值。

1882.陕西旬阳出土的汉代陶溷厕

作　者： 陕西省旬阳县博物馆　张　沛

出　处：《农业考古》1988年第2期

简报配以照片，介绍了旬阳县出土的三组汉代陶制溷厕合一模型。

所谓"溷厕合一"，就是猪圈与厕所合一的建筑。这3件模型的出土，说明至少在东汉时已采用了这种养猪积肥的方法。今日秦岭、巴山深处，至今仍有此遗俗。

1883.陕西旬阳出土汉代煤精狮

作　者：张　沛
出　处：《文博》1988年第6期

1986年12月，陕西旬阳县城汉墓中出土了1枚煤精石雕琢的狮子。简报配以照片予以介绍。

据介绍，器呈墨黑色，狮为卧姿。刀法娴熟，形态逼真。腹间横穿一圆孔，可供佩带。长2厘米，高、宽各1.7厘米。保存完好。据郭守华《我国出土的煤精制品述略》一文统计，我国古墓、遗址所出之雕作狮形的煤精制品，仅见于辽宁盖县汉墓及四川昭化南北朝崖墓两处。

1884.饶家坝遗址发掘简报

作　者：陕西省安康地区水电站库区考古队
出　处：《考古与文物》1989年第4期

1985年发掘，共清理汉代砖室墓1座、瓮棺葬7座，发现灰坑10座、残陶窑1座。出土铁器、石器、陶器31件。应为1处汉代居住地。反映出汉代当地生产力仍十分落后。

1885.安康新城清理一座汉墓

作　者：徐信印
出　处：《文博》1989年第1期

1985年6月13日，安康新城的东部与江南电影院遥遥相望的安康地区农机公司修建水塔取土时，在距地表1.6米深处发现砖室古墓1处，考古人员赴现场进行考察清理。

简报分为：一、墓葬形制，二、随葬器物，共两个部分。有拓片、手绘图。

据介绍，此墓位于安康地区农机公司东南部，墓坐西向东，结构为长方形砖室拱券顶墓，墓长3.5米，墓宽1.46米，墓深1.75米，拱券高0.5米。随葬品有釉陶器 9 件、铜钱 78 枚。该墓时代，简报推断为东汉时期。简报称，这批制作精细的釉陶在安康出土，具有重要的研究价值，陶器施加浓釉这一西汉中期以后才在关中逐渐发展起来的新技术，在东汉时期不但已经传播到汉水安康，而且工艺很高，制作美观，纹饰协调。它为研究当时汉水流域的经济、文化，提供了重要实物资料。

1886.汉阴出土一批汉代铜器

作　者：丁义前

出　处：《文博》1989 年第 1 期

1985 年陕西省汉阴县月河北滨李家台汉代遗址西北约 3000 米处发现 1 座古墓，考古人员进行了清理。简报配以手绘图予以介绍。

据介绍，计有铜鼎 5 件、铜钟 1 件、铜蒜头壶 3 件等。简报称，汉阴县之史料在魏以前基本处于空白状态。由此可见，上述这批汉代青铜器，对探讨和研究汉阴历史是极其难得而珍贵的实物资料。

1887.旬阳汉墓出土的漆器鎏金铜饰

作　者：张　沛

出　处：《考古与文物》1990 年第 1 期

近年来，陕西旬阳县城周围的汉墓中陆续出土了一批漆器鎏金铜饰，有的还刻镂花纹，镶嵌宝石，极为珍贵。这些器物多为施工中偶然出土，未及科学清理。简报配以照片予以介绍。

据介绍，这批器物有：

漆案鎏金铜饰，1978 年 9 月 14 日旬阳县城北门外草棉社出土。漆案胎质部分腐朽无存，仅余案足及案面周栏的包角。

漆尊鎏金铜饰，1980 年 12 月 6 日旬阳县城北小河北古墓群出土。漆尊胎质部分全朽，仅见器纽及器足。

漆耳杯鎏金铜扣，1980 年 6 月 16 日旬阳县城北小河北古墓群出土。漆器胎质部分腐朽无存，器形不明，仅见器盖铜扣 2 件、器底铜扣 3 件。

简报称，旬阳汉墓出土的这些漆器鎏金铜饰同其他珍贵文物一样，具有较高的历史、科学和艺术价值，是研究汉代汉水中游地区经济文化的重要资料。

1888.汉代"章威猥千人"龟纽铜印

作　者：张　沛

出　处：《文博》1992 年第 5 期

1986 年 11 月，旬阳县平安乡出土汉代"章威猥千人"龟纽铜印 1 枚。简报配以照片、拓片予以介绍。

据介绍，印面为正方形，印面为阴文篆书，文曰"章威猥千人"。此印与印谱中所见白文"折冲猥千人"汉印的格式、布局完全相同，简报推断为汉代遗物。

简报称，据《汉书·百官公卿表》《汉书新证》等史料记载，可知汉代千人是位在司马、侯之下的低级军官。"章"与"彰"通，"章威猥"当与"折冲猥"一样，系为千人的军职所加的美称。"章威猥千人"印在《汉书》及有关史籍及印谱中无载。简报认为，它的发现，为研究汉代官制提供了新的资料。

1889.陕西平利县发现汉画像砖墓群

作　者：李启良、施昌成

出　处：《文博》1993 年第 2 期

1990 年 4 月初，考古人员在平利县老县区进行文物调查，发现了 1 处汉代画像砖墓群。简报配以照片予以介绍。

据介绍，该墓群分布于锦屏乡县河西岸的山湾处。自 1978 年以来，农民多次挖出汉代砖室墓和空心画像砖，出土遗物多被遗弃。考古人员在遗弃的断砖中发现了一些空心画像砖残片，并采集 1 块画面较完整的"龙虎斗"纹空心砖。这块空心画像砖颜色青灰，长 75 厘米、宽 26 厘米，厚不详，似为供筑墓时固定砖体所用。大侧面和小侧面皆施粗绳纹，其中 1 个大侧面有阴线纹，刻划极浅细，内容不明。画像内容为龙虎斗。在画像砖墓附近约 1 公里范围内，发现有大量汉代砖券墓，过去曾出土模印的鱼、龙、虎、豕画像砖和"始建国"纪年铭（另文介绍），以及大量的菱纹砖。简报推断此地的画像砖墓构筑于东汉时期。

1890.陕西紫阳白马石汉墓发掘报告

作　者：安康水电站库区考古队　王炜林、孙秉君、李原志等

出　处：《考古学报》1995 年第 2 期

白马石村位于陕西省紫阳县城西北约 35 公里的汉江左岸，东依凤凰山，西南隔

汉江与大巴山相对。20 世纪 70 年代初，国家决定修建安康水电站，该村许多沿江的小台地将会被淹没。1984 年，考古人员进行了调查，在白马石村西北约 100 多米处的沿江台地上发现新石器时代至夏商时期的古文化遗存，确定了白马石遗址。1985年 10 月至 1986 年 10 月，考古队对白马石遗址进行为期 1 年的抢救性发掘（遗址发掘报告见《陕南考古报告集》）。发掘中发现一批汉墓打破该遗址，是为本报告所称的 I 区汉墓。考古人员在遗址周围进行了大面积钻探，发现遗址西北约 1 公里的沿江缓坡处也分布着一批汉墓，此为本报告所称的 II 区汉墓。2 墓区之间有 1 条小沟相隔。简报分为：一、墓葬形制及其他，二、随葬器物，三、分期与年代，四、结语。共四个部分，介绍了这两区汉墓的全部资料，有照片、手绘图。

据介绍，白马石村两墓区所发现的 37 座墓葬都是中小型墓，绝大部分为土坑竖穴墓。从残存人骨看，基本为单人仰身直肢葬。其中 I 区 22 座，II 区 15 座。随葬器物 276 件（不含铜钱）。以陶器为主，铜器、铁器、石器、骨器较少。年代从西汉初年或略早，到西汉中晚期，再到新莽时期，贯穿整个西汉时期。

简报指出，从发掘情况看，白马石汉墓既带有楚文化的习俗（如土坑墓内有的填青膏泥及用泥五铢随葬等），又有一些秦文化的遗风（如随葬品中的陶釜、陶鍪、铜洗、铜鍪等），同时还具有浓厚的本地特有的文化因素（如成为该墓地分期标型器的 A 型、B 型陶罐和独具特征、目前尚未见于他地的双火门陶灶等）。可以说，它是在当地文化的基础上吸收了秦、楚等文化因素后形成的一种独具特色的汉代文化，这种文化的形成是有其历史渊源的。陕南地区在战国初年属楚，秦惠文王更元九年（前 316 年），秦起兵伐蜀，灭其国，得其地，楚为防御秦的侵略，在西城（今安康市）设立汉中郡。到秦惠文王更元十三年（前 312 年），秦又遣大将魏章率兵进攻楚国，于丹阳（今河南丹水之北）大败楚军，向西夺取汉中，于是重建汉中郡。可见，至少在战国时期陕南就形成了秦楚杂居的局面。陕南以东的江汉地区，由于后来秦将白起拔郢建立南郡，秦在较长的时间内占据了这一地区，从而形成较强大的秦文化势力集团。同时，又因为这里曾是楚国苦心经营四百余年的腹心地带，受这些特殊的时间和空间环境的影响，在文化方面表现的秦楚杂居的情况更为强烈。大量资料表明，在墓葬形制、出土器物及其组合等方面，既有独特个性的秦文化，又有一定程度的楚习孑遗，这种情况后来首先影响到江陵地区的汉墓，进而向西影响到曾是楚故地的陕南安康为中心的地带。在这个大的范围内，秦文化与楚文化彼此影响，相互融合，这一地区西汉中期以前的汉文化便承袭了这种关系。在中国历史进程中，就秦汉关系而言是"汉承秦制"，而在以江陵为中心的汉水中下游地区乃至陕南安康附近的地区，仅就墓葬而言，在一定程度上，汉不仅承袭了秦制，而且还存在着楚制，这或许是我们能在这个较大范围内的汉代墓葬中看到秦、楚遗风的原因所在，而这种影响在安康以西的汉中地区似乎没有这么强烈。

简报认为，汉中地区汉代考古过去做了一些工作，但仍感资料不足。从这一角度看，白马石汉墓的发掘，就显得尤其有价值了。

1891.陕西旬邑发现东汉壁画墓

作　者：陕西省考古研究所　尹申平
出　处：《考古与文物》2002 年第 3 期

旬邑县原底乡百子村东汉壁画墓位于陕西北部黄土高原南缘。2000 年 10 月至 2001 年 6 月，陕西省考古研究所和旬邑县博物馆对位于该村砖厂的东汉墓地进行发掘。其中 1 号墓为壁画墓。简报配以照片予以介绍。

据介绍，1 号墓为长斜坡单天井墓道砖室墓，由甬道、前室、东侧室、西侧室及后室构成。该墓早年被盗，出土器物有铜器、铁器、玉器、琉璃器、釉陶器、云母等。壁画分布于甬道、前室四壁及顶部、后室东西两壁及北壁、东西侧室两壁。

简报称，1 号壁画墓壁画的发现，对于研究东汉政治、经济、文化、职官、意识形态、服饰及绘画艺术等具有极高的价值。

1892.旬阳县显神庙下坪东汉墓清理简报

作　者：陕西省旬阳县文物管理所、旬阳县博物馆
出　处：《文博》2012 年第 1 期

2010 年 8 月，旬阳县文物管理所接到甘溪镇河沿村村民电话，反映当地暴露出 1 座古墓，墓葬位于河沿村显神庙下坪西康铁路东 30 米处，因"7.24"特大暴雨袭击及达名湖水位上涨土坎浸泡坍塌所致。现场可见到墓室东北侧局部已经塌陷，暴露出墓室，大量墓砖散落于河沿。简报分为：一、墓葬环境，二、墓葬形制结构与葬式，三、随葬器物，共三个部分。有照片、手绘图。

据介绍，该墓葬位于旬阳县甘溪镇河沿村显神庙下坪旬河西岸一级台地上，沿途居民比较密集。因农耕生产封土夷平，旬河修筑达名湖电站水位抬升，阶地相当部分被水淹没。2008 年安康市第三次全国文物普查一分队发现此处墓群，定名为下坪汉墓群，面积约 2400 平方米。墓葬为竖穴单室砖券墓，墓门垮塌，式样不明；墓室长 3.3 米，宽 1.8 米，高 1.22 米。葬式为仰身直肢，应为男女合葬，葬具已不存。出土随葬品有陶俑、陶灶、陶猪、陶鸡、铜钱等。简报推断为东汉墓葬。

商洛市

1893.商南富水出土汉代"亭阙"画像砖

作　者：方　步、王子今
出　处：《考古与文物》1987 年第 5 期

富水镇位于商南县城东 10 公里，地处连接关中与河南南阳地区的武关道上，地面尚存大面积秦汉文化堆积。1984 年 4 月，考古人员在该镇东北王家庄后沙石岗对发现的汉墓群进行调查时，发现汉墓出土陶仓、陶水槽砖、纪年砖、画像砖等遗物。简报配以拓片予以介绍。

据介绍，纪年砖一为永元十年（98 年），一为"□初元年"，估计为永初元年（107 年）或元初元年（114 年）。可知该汉墓群为东汉早中期墓群。其中"亭阙"画像砖不多见，反映了当时富家宅院的豪华之势。

1894.陕西商县西涧发现汉墓

作　者：商洛地区文管会　王昌富
出　处：《考古》1988 年第 6 期

1986 年 6 月，陕西省商县西涧乡舒杨五队农民在平整屋后空地时，在距地面 10 厘米处发现 1 座古墓。地区文管会闻讯后派人前往清理。简报配以手绘图予以介绍。

据介绍，墓室全部挖毁，坑内已填土有 1 米多厚，墓口距墓室的砖砌甬道勉强可测。据现场观测，墓葬坐南朝北。根据了解得知，这是 1 座夫妇合葬墓，发现棺钉数枚，墓主头朝墓道口，出土随葬品共 19 件。简报推断该墓应是东汉晚期墓葬。

1895.陕西商州市发现汉代冶炼坩埚

作　者：王昌富
出　处：《考古与文物》1994 年第 3 期

1992 年 2 月，在商州市西背街地区电力局施工工地翻挖出的土方中，发现大量冶炼后废弃的坩埚和矿渣，其中还夹杂有汉代陶片。经现场观察，在地基北壁剖挖开 1 个由废矿渣填起的锅底状土坑，坑宽 2.1 米，下部尚未开挖到底，暴露深度 2.1 米。在距东壁 2 米、北壁 15 米的基坑右侧，有 1 个略呈椭圆形，直径 3.5 米，深 5 米多的竖坑，里面回填大量矿渣，渣里夹杂残断坩埚以及瓦砾和少量碎瓷片，并发现纪年瓷器残片。在东壁和北壁土层内夹杂残断坩埚、红烧土较多，西壁相对较少。但汉代陶片在这一侧分布较多。据分析，这里有 1 处汉代古遗址，所见到的灰陶板瓦，外施直细绳纹，内印布纹和麻点纹，有的沿部抹光，简报断定为汉代建筑遗物。其汉代陶片与冶炼遗存是被后人扰乱而混杂在一起的，应分属不同时期的遗存。断残坩埚等出土文物，简报配以照片予以介绍。

据介绍，这次发现的冶炼坩埚，一是数量多，表现出冶炼具有相当规模；二是体积小，当是用于贵重金属的冶炼，复原后通高为 40 厘米。从化验项目分析，冶炼的应是白银。简报据史料记载认为，此处毫无疑问应是众多银场中的一个。在唐、宋、明等时期的史料中，有关商洛采矿鼓铸的记载都较明确详细，简报称这次发现对揭示和深入研究商洛的冶炼史是极富意义的。

1896.商州市东龙山汉墓

作　　者：东龙山考古队　王昌富、彭　力、种建荣
出　　处：《文博》2001 年第 4 期

1999 年 10 月至 2000 年 9 月间，在商州市东龙山夏商遗址 III 区的考古发掘中，先后发掘清理汉代墓葬 3 座。3 座墓早年被盗掘，随葬器物所剩无几。基本在南北线上有序排列，相互间距在 4 ～ 6 米之间，形制结构各异，对于认识和研究商洛汉墓文化特征，具有一定意义。简报分为"M1（原编号 SD III 区 M59）""M2（原编号 SD III 区 M76）""M3（原编号 SD III 区 80）"，共三个部分予以介绍，有手绘图。

据介绍，M1 为斜墓道单室砖室墓，东西方向偏北，由墓道、甬道、墓室 3 部分组成。墓道为长方形，位于墓室西边，由于条件限制没有发掘。M2 为竖穴土高砖室合葬墓，东西方向偏北。由甬道、耳室和墓室 3 部分组成，墓口位于墓室西边。甬道偏于墓室南边一侧，不在墓室中心线上。西端不见封门砖，从甬道口土层上留有痕迹判断，墓口原有封门砖不存则与盗扰有关。M3 为竖穴土坑双室砖券墓，东西方向偏北。墓道位于西侧，由甬道、前室、过甬道和后室四部分组成，墓顶部全已坍塌。甬道偏于前室北边一侧，不与前后室中心线重合。

简报称，商洛地区处于几个大小文化圈的连接地带，墓葬表现出多样化倾向。这批汉墓，就是如此。

1897.商洛市东郊汉墓清理简报

作　者：王昌富、彭　力
出　处：《文博》2002 年第 3 期

2001 年 11 月，商洛市东郊市血站大楼基建工地发现墓葬，考古人员前往清理，共清理墓葬 2 座。简报分为：一、墓葬形制，二、随葬器物，三、小结，共三个部分。有手绘图。

据介绍，M1 为长方形竖穴单室砖墓，M2 为长方竖穴土坑墓。M1 出土陶器、铁器、铜器计 9 件，简报推断为东汉早期墓。M2 出土器物为 8 件陶器，简报推断 M2 的年代不出西汉晚期。

1898.商州陈塬汉墓清理简报

作　者：商州市博物馆　王昌富
出　处：《文博》2003 年第 7 期

2002 年 9 月中旬，陕西商州市商州区陈塬村砖厂在取土中发现 1 座墓葬，考古人员前往现场并及时进行了清理。在现场发现该墓的墓道大部分已被挖去，墓口暴露，之前有民工进入并有扰动，经当事人现场指认，对扰动器物进行了复位。北处是第一次发现墓葬，经现场勘查，这里可能为墓葬密集区，现将该墓编号为陈塬M1。简报分为：一、墓葬形制、二、随葬器物、三、结语，共三个部分。有手绘图。

据介绍，墓葬为竖穴墓道土洞砖室墓，南北方向，墓口前的竖穴墓道大部分被挖去，原貌无法复原，该墓顶部距现今地表2.5米，至墓底3.9米。从墓道底端的北壁向内掘成洞室，室内用砖筑成长方形单室墓。葬具、人骨已朽，可能是漆木棺。计出土陶器3件，铜器18件，银器9件，金器1件，铁器14件，料珠2颗，琥珀珠6颗。

简报推断该墓为东汉晚期墓葬。

甘肃省

1899.河西汉塞

作 者：吴礽骧

出 处：《文物》1990 年第 12 期

河西地区，开始是汉军与匈奴军鏖战的战场，后来成为汉朝抗御匈奴的前沿地域，更是通向中亚和西亚的交通要道。因此汉代在河西地区设郡驻防，构筑了一系列防御设施，至今保存有许多遗迹。过去把这些遗迹统统视为"长城"的遗迹，对其具体结构等方面缺乏细致的了解。自 1972 年以来，甘肃省文物考古研究所进行了大量调查工作，也进行了一些考古发掘，获得了有关汉代防御设施遗迹的走向、结构等方面的大量资料。简报分为四个部分予以介绍，有照片。

简报首先结合文献及汉代简牍，梳理了"塞"的含义。据《史记·秦始皇本纪》："白榆中并河以东，属之阴山，以为四十四县，城河上为塞。"又据《匈奴列传》："因河为塞，筑四十四县城临河。"可见利用黄河峡谷为自然屏障，筑城障设防，未筑墙垣，故称为"塞"。与长城完全是两个系统。简报略述了汉塞遗址，涉及汉塞位置、建筑、遗物等。对于了解汉塞系统，颇有帮助。

兰州市

1900.永登县汉代长城遗迹考察

作 者：甘肃省永登县文化馆　苏裕民、尚元正等

出 处：《文物》1990 年第 12 期

据史籍记载，汉武帝时为防范匈奴，曾在河西地区设置边塞亭障。但是走向和具体建置怎样，多年来史学界和考古界都存在着较多的争议，历史地图绘制者亦不敢贸然推定。自 1984 年以来，考古人员结合文物普查，多次对永登县境内的汉长城遗迹进行了实地考察。简报分为：一、永登地区对长城的习惯称谓，二、永登境内

汉长城的分布范围及走向，三、地形的选择与构筑方法，四、汉长城附近的其他遗迹，五、结语，共五个部分。有照片、手绘图。

据介绍，长城这个名称，各代有不同的叫法。秦谓"长城"，汉称"塞垣"，明叫"边墙"。它的筑造形式也是不同的。永登境内的庄浪河川至今保存较明显的长城，当地人称"大边墙"，此为明代所筑，已有定论。但在长城沿线居住的人们还保留着"小边墙"和"边壕"的叫法。在有"小边墙"的地方，人们不知有"边壕"；而有"边壕"的地方，人们多不知有"小边墙"。简报认为"小边墙"和"边壕"是长城的同一个体系，只是因其结构方式的不同而有着不同的叫法。如在柳树乡史家湾、大同乡马家坪一带，当地人多不知有"小边墙"的叫法，因为那里是边壕通过的地带。它就是我们所探寻的汉代长城遗迹。

另据调查，在永登发现的汉代墓葬，大多在汉长城的西侧，远则 1～2 公里，近则 30～50 米，并且从南到北，各处都有发现。这说明，在汉代，永登庄浪河流域不仅是民族聚居、屯田守边的重要地区，还是通往河西一带的交通要道。同时，也足以证明纵贯永登南北的这条"边壕"就是西汉王朝为保护通往河西的"丝绸之路"以及防备匈奴而在元鼎六年（前 111 年）修筑的边塞——长城。

1901.甘肃永登南关汉墓发现琥珀小猪

作　者：永登县文化馆　南元正、苏裕民
出　处：《考古与文物》1994 年第 4 期

1987 年 10 月，甘肃永登县河桥镇南关村某农民在住宅院内挖土时发现 1 座古墓，考古人员清理发掘，出土琥珀小猪及铜缶、铜镜等器物多件。简报配以照片、手绘图予以介绍。

据介绍，除以上几件器物外，还有陶壶、陶盆、陶罐、铜甗、铜釜等。根据对该墓的形制和随葬品的观察，简报推断该墓的时代在东汉晚期。

嘉峪关

1902.嘉峪关汉画像砖墓

作　者：嘉峪关市文物清理小组
出　处：《文物》1972 年第 12 期

在嘉峪关市东面 20 公里，位于新城公社以西 2.5 公里的戈壁滩上，跃进大队的农民发现了东汉晚期砖墓数座。考古人员于 1972 年 4 月对已暴露出来的 4 座墓葬作了清理。

简报分为：一、墓葬形制，二、画像砖与壁画，三、出土遗物，四、结语，共四个部分。有照片、手绘图。

据介绍，这 4 座墓，都有以黄砂土夯筑的封土，现高约 1~3 米。一号墓（二号墓为一号墓的侧墓）和四号墓的四周尚有围墙痕迹。4 墓均为砖砌多室墓，一般都由墓道、墓门、前室甬道、左右耳室或中室甬道、中室、后室甬道、后室几部分组成。都曾被盗，仅有少量陶器等出土，但二号墓所出骨尺 2 件以及丝织物都很珍贵。4 墓保存完好的画砖、壁画有 200~300 百幅，是此次发掘的重大收获。此 4 墓均为东汉晚期墓葬。

金昌市

1903.甘肃永昌乱墩子汉墓

作　者：武威地区博物馆

出　处：《考古与文物》1985 年第 1 期

乱墩子位于永昌县城东北 50 公里的水源公社胜利大队南部。由于地面现存土墩数十个，排列杂乱，无一定规律，故称乱墩子。1972 年，确认其为汉墓群，地面并有新石器时代马家窑文化遗物。遗址范围很大，东西长约 1.5 公里，南北宽约 0.5 公里，汉墓分布密集，现存夯土墩墓 40 余座，土墩有的高约 7~8 米，有的残高 1~2 米。1980 年 6 月，重点清理发掘了 8 座古墓。由于墓葬大部分被盗掘，破坏严重，出土器物共计 91 件。

简报分为：一、墓葬形制，二、出土遗物，三、结语，共三个部分。有手绘图。

据介绍，墓葬的形制、方向、大小都不相同。形制可分为土洞墓和砖室墓 2 种。砖室墓又有双后室墓、单后室墓和前后室墓之别。简报列举 M1、M3、M5 予以介绍。随葬品有陶器、釉器、五铢钱、铜戒指等。M5 还遗留有 1 件明代瓷碗，当为明代盗墓人留下的。简报推断这批墓为东汉晚期墓葬。

简报称，今乱墩子东南，相距汉墓群不远的地方，尚有 1 处古城遗址，可能就是汉代显美县（今永昌县东）故址。乱墩子墓地当为东汉显美县官僚贵族的墓地。

1904.甘肃永昌水泉子汉墓发掘简报

作　者：甘肃省文物考古研究所　吴　荭、张存良等

出　处：《文物》2009 年第 10 期

为配合国家重点建设工程，考古人员于 2008 年 8 ～ 10 月对甘肃省永昌县水泉子汉墓群作了抢救性发掘，共清理墓葬 15 座，取得了一定的成果。简报分为：一、历史沿革及地理位置，二、墓葬形制及葬具，三、随葬器物，四、小结，共四个部分。有照片、手绘图。

据介绍，永昌县位于河西走廊东部，祁连山北麓，地处丝绸之路要冲。《禹贡》记其为西戎地，秦穆公时属小月氏，汉初匈奴破月氏，为昆邪王、休屠王占据。汉武帝元狩二年（前 121 年）昆邪王杀休屠王，并率众降汉，汉置武威、酒泉两郡，河西入西汉版图。元鼎六年（前 111 年）在今永昌置鸾鸟县，隶属武威郡，此立县之始。东汉更名显美，初属张掖，继属武威。此次发掘的汉墓位于永昌县西北红山窑乡水泉子村。共发掘 15 座墓葬，有土坑墓 1 座、木椁墓 11 座、洞室墓 1 座、砖室墓 2 座，出土随葬器物 123 件（组）。简报推断其年代为东汉中期以后。

简报指出，从水泉子墓葬看，河西的墓葬形制存在一定的演变过程，即从简单的竖穴木椁墓、土洞墓向砖室墓发展，这种发展变化受到中原墓葬形制的影响，是在汉王朝开拓西北地区的大的历史背景下产生的，显现了汉文化及其葬俗对河西的影响。

白银市

天水市

1905.甘肃天水县发现蜀汉铜镜

作　者：刘大有

出　处：《文物》1979 年第 9 期

1970 年左右，甘肃天水县在农田基本建设中，出土了 1 面蜀汉铜镜。现收藏在县文化馆内。简报配图予以介绍。

简报介绍，该镜圆纽，围以蟠螭纹，纹外有一圈铭文。章武元年（221 年），即著名的赤壁战后 11 年，正是蜀汉昭烈皇帝刘备帝制初建。镜上铭文乃为颂扬之辞。

1906.甘肃天水县出土汉代铜灶、铜井

作　　者：天水县文化馆　毛慧明
出　　处：《考古》1986 年第 3 期

1983 年 7 月 20 日，甘肃省天水县街子乡街亭村社员张邓邓在其村东侧，稠泥河南岸的第二台地翻地时，于距地表 40 厘米深处发现一批铜器。其种类有铜灶、铜井以及汉代铜钱。简报配以照片、拓片予以介绍。

据介绍，与铜灶、铜井同时出土的还有汉代铜钱。除部分散失外，共收集 13 枚。其中西汉五铢 3 枚、王莽货泉 2 枚、东汉五铢 8 枚。从出土铜钱看，其最晚为东汉五铢。因此，简报推断这批铜器应为东汉遗物。

1907.甘肃省天水县出土的尚方铜镜

作　　者：建　德、振　翼
出　　处：《考古与文物》1987 年第 1 期

甘肃省天水县樊家城遗址，出土了 1 面汉代尚方神兽镜，保存尚好，但铭文已漫漶不清。简报推断为新莽前后产物。此地 1964 年前后也出土过汉代铜镜，其中 1 面已毁，另 1 面现藏甘肃省博物馆，为新莽时期乳丁纹神兽镜。

1908.甘肃天水市贾家寺发现东汉墓葬

作　　者：天水市博物馆
出　　处：《考古》1991 年第 1 期

1987 年 5 月 6 日，天水市秦城区贾家寺砖瓦厂施工取土时，发现古墓 2 座，考古人员进行了清理。简报配以照片予以介绍。

据介绍，墓葬位于天水市秦城区皂郊乡贾家寺王家崖二层台地上，东距天水市 10 公里。编号为 M1 和 M2。M1 在 M2 东南，两墓相距 1.3 米。墓形均为长方形砖室墓，拱形券顶，墓顶距地表 11.7 米。两座墓葬的后壁和墓门都有盗洞。葬具与人骨已朽，应为单人葬。两墓出土有陶器、铜镜、货币、铜饰杂件共计 80 余件。两墓年代，简报推断早不过天凤元年（14 年），晚可到东汉中叶。

1909.甘肃甘谷县发现三方汉代画像砖

作　者：天水市博物馆　张卉英
出　处：《考古》1994年第2期

1987年天水市四中教师刘大有同志去甘谷县出差时，在友人家中发现3方甘谷县城内出土的画像砖，雕刻精美、造型生动，在征得朋友的同意后，立即带回捐献给原天水市文化馆，这3方画像砖现由天水市博物馆收藏，分别编号03、08、09。简报配以照片予以介绍。

据介绍，03号画像砖为狩猎图，平面浅浮雕，稍残。砖长45.6厘米、宽26.9厘米、厚6厘米。整个砖面用连续方格凹窝纹横向隔成四栏，各栏纹饰内容相同，排列整齐。

08号画像砖质地为泥质灰陶，砖长32.1厘米、宽30.9厘米、厚3厘米。平面高浮雕，有纵向格线两条，右侧和底面边沿均为锯齿状。

09号画像砖长34.5厘米、宽30厘米、厚3.3厘米。砖的上沿为锯齿状，中间有横向格线两条，纵向格线一条，将砖面分成大小不等的六格。

汉代人将青龙、白虎、朱雀、玄武等供奉为天上神灵，也称四神。画像砖的内容、艺术造型、雕刻技法等，都具有汉代风格。因此这3方汉画像砖的时代，简报推断均应为汉代。

1910.甘肃甘谷汉模印画像陶棺

作　者：宋　琪
出　处：《考古与文物》1994年第4期

1959年，在甘肃省甘谷县渭阳乡七甲庄出土1具形制精美的东汉模印画像陶棺，这种陶棺在甘肃尚属首次发现。

据介绍，棺略呈长方形。长107厘米、高29厘米、边厚3.5厘米。棺宽由前而后，由下而上稍有收分。棺身的外壁四面、棺盖、棺内底部都满饰模印画像。棺盖和棺内底部亦有纹饰，内容和样式与外壁略同。简报推断：从棺长仅107厘米来看，此陶棺可能为小孩子的葬具，而陶棺满饰模印画像，所葬当为豪门子弟。从棺的纹饰与制作技法看，与四川东汉画像石棺相同。

武威市

1911.武威县发现大批汉简

作　者：甘肃省博物馆

出　处：《文物》1959 年第 10 期

甘肃省博物馆最近在武威县发现一批竹、木简。这批简总计 300 余支。其中木简占多数，而且都保存完整。每支简上有墨书 1 行，一般是 60 个字，最多者 80 个字，均为真楷汉隶，书法极为工正。简上编有号码。竹简很少，损害很严重，长度已不可计。字体与木简相同。简的内容经初步研究，是抄写的仪礼。这批简出土在 1 个长方形土洞墓里，墓"人"字形顶，有斜坡形墓道。墓内放置木棺两口，据说木简顺放在男尸的木棺上面。由于墓已破坏，无法了解其详细情况。同时，出土的有陶器、漆器、木俑、铜带钩和"大泉五十"钱币等。根据墓中出土物和简上文字，简报推断这个墓为东汉时代墓葬。

1912.甘肃武威磨咀子 6 号汉墓

作　者：甘肃省博物馆

出　处：《考古》1960 年第 5 期

1959 年 7 月间，甘肃省博物馆文物工作队，在武威磨咀子发现大批的竹、木简，完整的为数达 385 支，残片有 225 片。这批竹、木简出土于 1 座土洞墓内，是 1949 后在甘肃首次发现。这批珍贵的文物，为历史科学研究提供了重要的资料。简报分为：一、墓葬结构，二、随葬器物，三、结语，共三个部分。有手绘图、照片。

据介绍，武威位于河西走廊东部，早在公元前 2 世纪中叶，汉帝国开发河西，建立四郡，武威即是河西四郡之一，为当时欧亚交通要道和中西文化交流的盛地。磨咀子在武威县城南 15 公里，位于祁连山麓杂木河西岸。磨咀子墓葬，已陆续清理了 37 座。这些墓葬，均系土洞结构，具有斜坡墓道，墓顶呈拱形或"人"字形。出土器物中的木器、草编器、丝麻质铭旌等，均为一般汉代砖室墓内所少有的珍贵器物。尤其是 6 号墓内出土的大批竹、木简，更是不可多得的重要发现。铜币除莽钱外，绝大部分为东汉五铢，西汉的很少；铜镜有规矩镜、四乳四兽镜和日光镜。从已清理的墓葬的结构和出土器物的形制分析，简报推断磨咀子土洞墓葬的时代应属东汉时期。

1913.甘肃武威滕家庄汉墓发掘简报

作　者：甘肃省博物馆　宁笃学
出　处：《考古》1960 年第 6 期

1959 年 12 月，考古员在武威清理了 1 座汉代砖室墓葬。简报分为：一、墓葬结构，二、随葬器物，三、结语，共三个部分。有照片。

据介绍，这座墓的位置在武威县城西约 1.5 公里的滕家庄以南，距村庄约 100 米。该墓的建筑规模较大，但在早期已被盗过。地面上封土高度 1.8 米。该墓距地表深4.26 米，为斜坡形墓道的砖筑复室墓，有甬道、前室、双后室、北耳室。葬具已朽，骨架已乱。出土的器物以灰色陶器为主，但也有少数的绿釉陶器，共计 127 件。另外有铜剑、铜削各 1 件，铜弩机 4 件，残铜镜 1 件，铜钱 132 枚。该墓的年代，简报认为是东汉末年，或晚至魏晋时期。

1914.甘肃武威磨咀子汉墓发掘

作　者：甘肃省博物馆　陈贤儒
出　处：《考古》1960 年第 9 期

磨咀子位于武威县南 15 公里祁连山下，长约 300 米、南北宽约 200 米。1957 年在平整土地时曾挖出汉墓数座，清理了 5 座。出土物有漆器、木俑、毛笔、铭旌等。铭旌墨书隶体字 12 字，为"姑臧北乡阇道里壶子梁之［柩］"。1959 年 5 月又发现汉墓 1 座，出土物除陶器、木器外，还有完整的木简 504 枚，乃是《仪礼》的一部分。根据以上发现情况证明，这里是 1 处丰富的汉代墓群，地下文化遗物丰富，因于 1959 年 9 月 10 日至 11 月底又继续清理了墓葬 31 座。据现场观察，墓葬多围绕高低起伏的山丘，掘成斜坡形墓道，顺墓道向内作成土洞单、双室。这次所发掘的31 座墓，都已经露出了墓道或墓室。此次继前 2 次所清理的 6 座墓编号，自 7 号至37 号，共计清理了 31 座。其中 8、9、24、32、35、36、37 号 7 座墓，因为扰乱严重，没有清理出什么结果。简报分为：一、前言，二、墓室结构，三、葬具和葬式，四、随葬品，五、结语，共五个部分，配以手绘图等，介绍了其余各墓的材料。

据介绍，根据墓室结构和出土物，这次发掘的各墓与前次清理的 6 座墓，都是汉代的墓葬，不过时间上有早期和晚期的分别。这次发掘出土的随葬物品包括陶器、木器、漆器、铜器、铁器、草编器等共计 610 件；货币有五铢、货泉、小泉直一、大泉五十、半两等共 1199 枚；另有木简 10 枚、鸠杖 13 根。出土于 18 号墓的附系于鸠杖上的 10 简，记载了汉代尊老、养老情况。据此简可知汉代年满 70 的老人，给鸠杖（王杖）予以保护。从随葬品看，此处墓地墓主似非上层，有的是从内地迁移去的。铜器只有小件，铁器很少。出土的度量衡及粮食均待深入研究。简报认为除了 27 号墓为东汉晚期墓葬外，其余均为东汉中期墓葬。

1915.武威磨咀子三座汉墓发掘简报

作　者：甘肃省博物馆

出　处：《文物》1972 年第 12 期

磨咀子在武威县城南 15 公里祁连山下杂木河的西岸。考古人员过去曾 3 次发掘该墓群。1957 年 7 月清理了 5 座土洞墓；1959 年 7 月清理了有竹、木简等重要文物的 6 号墓；同年 8 ～ 11 月又清理了 31 座土洞墓。1972 年 3 ～ 4 月，为配合农业建设，又 1 次清理了磨咀子汉墓共 35 座，按顺序编号为 38 ～ 72 号墓。这次清理的墓中，出土了一批陶器、木器、漆器、丝织物及草编织物等随葬品。凡是较大型的墓葬，均已早期被盗，所以出土遗物不多，只有 48、62、49 号墓，随葬品还较为丰富，保存完整，出土的如大型彩绘铜饰木轺车（模型）、漆式盘、有铭文的漆耳杯、套色印花绢簏、六博俑、丝织物残片和毛笔等都是比较珍贵的文物。3 墓在时间上，属西汉末、王莽时期、东汉中期 3 个不同时期。简报分为：一、墓室结构，二、48 号墓，三、62 号墓，四、49 号墓，五、小结，共五个部分。有手绘图等。

据介绍，3 墓的结构大体相同，都是带斜坡墓道的长方形单室土洞墓，分墓道、墓门、墓室 3 部分。48 号墓为西汉末期墓，62 号墓为王莽时期墓，49 号墓为东汉中期墓。

根据 3 墓出土器物的分析，3 墓墓主人都是官僚士大夫阶层。出土文物种类极为丰富，特别是极易朽烂损坏的木器、漆器、丝织品等，虽有一些残损，但基本上保存良好。尤其是大型彩绘相车马、六博木俑、漆式盘、套色印花绢簏、绥和元年（前 8 年）漆耳杯、毛笔、砚台以及品种较多的丝织品（残件）的出土，为研究汉代的政治、经济、科学和文化艺术，提供了很有价值的新资料。

1916.武威雷台汉墓

作　者：甘肃省博物馆

出　处：《考古学报》1972 年第 2 期

雷台在甘肃省武威县城北 1 公里处，是原新鲜人民公社新鲜大队第十三生产队的所在地。1969 年 10 月，当地百姓在雷台底下发现了 1 座汉墓，考古人员闻讯赶赴现场进行了清理。简报分为：一、清理概况，二、墓葬形制，三、随葬器物，四、铭文考释和墓主人问题，五、墓葬年代。共五个部分予以介绍，有照片等。

据介绍，雷台是1处明代庙宇遗址，汉墓发现在雷台东南部的台基下。雷台台基南壁的东部已破坏（约被挖掉3米）。在这里暴露出汉墓的封土。汉墓封土和台基夯土界限分明，内含物又各不同，可见后代修造雷台台基时，乃是利用了这座汉墓的封土扩建而成的。在清理过程中，发现盗洞2处：1在中室东壁的上部，1在墓道中。中室的盗洞，直穿墓室砖壁而下，被打破的砖壁范围约长0.6米、宽0.4米。盗洞直达墓底，清理时，盗洞底部尚有微量的堆土。此盗洞后来曾作过修补，仍用被盗毁的墓砖填砌，略较原壁凹入。这种现象，估计是入葬不久被盗的。墓道中的盗洞位于墓门照壁前面近1米处，略作圆形，直径1.4～1.6米。盗洞向下斜行，通至墓门，然后揭掉封门砖，进入墓室。清理时，发现盗洞洞壁上水痕斑斑，墓门和甬道东部有较多的积土，推测是被盗以后，洞壁塌陷所致。墓门和甬道的积土上部为淤土，墓门处淤塞至顶，甬道中的淤土向西斜下，至墓室底部，厚约0.2厘米。这种现象说明，墓内曾经积水过。积水是由墓道盗洞流入的。墓室淤土很薄，说明积水时间不长，估计也是早期的盗洞。此墓为带有封土和墓道的多室砖券墓。从墓道出口处到墓后室西壁，全长40多米。从现存封土顶到墓室底深8.6米。墓室面积约60平方米。出土劫余的随葬品231件，其中铜器171件，铜车马十分少见。另有金器、漆器、陶器等。据铜车马上铭文，墓主人应姓张，该墓应为张姓"□□将军"夫妇合葬墓。这座墓应是东汉灵帝中平三年至献帝期间（186～220年）下葬的。

简报称，在8匹铜马上的刻文中，有2匹刻"守左骑千人张掖长"字样。张掖县和左骑千人官，并见于《续汉书·郡国志》的武威郡属。左骑千人官的建制不见于东汉以前，也不见于东汉以后，简报认为，这是东汉时代相当于县级的特有建制。

1917.武威旱滩坡汉墓发掘简报——出土大批医药简牍

作　　者：甘肃省博物馆、甘肃省武威县文化馆
出　　处：《文物》1973年第12期

1972年11月，武威县柏树公社下五畦大队在旱滩坡兴修水利工程时，发现1处汉墓。考古人员对该墓进行了清理。简报分为：一、墓葬位置和墓葬结构，二、关于出土简牍，三、关于简牍内容，四、结束语，共四个部分。有手绘图等。

此墓位于武威县南10公里之旱滩坡，紧依祁连山北麓。由此东南方向绵延25公里即为磨咀子，在这一带山坡和台地上，保留着许多汉代墓葬。1957年和1959年、

1973 年先后在这一带发掘了 40 余座汉代墓葬，其中出土有竹简，木简，织锦草篓，彩绘木俑，大型的木质辁车，完整的占卜式盘，丝麻铭旌，绚丽多样的绢帛丝织物，彩绘漆器，以及木斗、铜撮、竹尺等较珍贵的文物多件。

旱滩坡是 1 处较大的墓群，目前已露出墓道的汉墓就有 6～7 座，此墓系土洞单室，有墓道。内有 1 柏木棺，内有 1 男尸。出土遗物中最重要的就是简牍。这批简牍内容均为有关医学的记载。内容丰富，范围广泛，大多在简首标列医方名称，其下连书药味、药量、治药和用药方法、针灸穴位、针刺深度和留针时刻，以及针灸和服药等禁忌；亦有对疾病理疗方法的论述。经统计，其中现存较完整的医方有 30 多个，初步考订似分别属于针灸科、内科、外科、五官科和妇科等。该墓时代，简报推测武威医简墓是属于东汉早期的墓葬。大约在光武或稍后的明帝、章帝时期，距今 1900 余年。

1918.甘肃省武威县旱滩坡东汉墓发现古纸

作　者：武威县文管会　党寿山
出　处：《文物》1977 年第 1 期

继 1972 年 11 月武威县柏树公社小寨湾大队在旱滩坡东汉墓内发现大批医药简牍之后，1974 年 1 月，柏树公社桥儿大队第五生产队开挖金塔河干渠，又发现 1 座东汉墓，从中出土了一批东汉古纸。武威地区和武威县文化馆随即对该墓进行了清理。简报配以照片予以介绍清理结果。

据介绍，此墓位于祁连山北麓、武威县南 10 公里的旱滩坡东部。墓向正东，为带斜坡墓道的长方形单室土洞墓，有墓道、墓门、门道、墓室四部分。墓室内东西向置柏木棺两具，木棺齐头齐尾，前后高度大致相等，棺板用细腰接缝，木榫合盖，不用铁钉。棺内男女尸各一，仰身直肢，衣着已腐烂，仅存骨架。出土物计 30 件，其中有残纸若干片。此纸原作三层，用木条分别钉架在木牛车两侧边，并沿舆外侧栏至舆底，粘贴于辕轩上。出土时纸已裂成碎片。外观因长期老化而呈淡褐色，其中两片残存部分白色。淡褐色纸较脆，而白色纸较柔软。

简报称，出土的彩绘木屏风架，在武威也是首次发现。

简报指出，木牛车舆外侧栏上装订的东汉纸，更是此墓出土的重要遗物，特别值得注意。过去新疆、陕西所出的西汉麻纸纸质粗厚，表面纤维束较多，纤维组织松散，分布不匀，是一种原始纸。这次出土的东汉纸，纸质细薄，纤维组织较紧密，分布较匀，制造技术显然有了进步。这对研究我国造纸史是一项重要发现，已经引起人们的重视。

1919.武威县五坝山头发现龟形铜灶

作　者：孙廷成、李开俊

出　处：《考古与文物》1988 年第 3 期

1948 年 8 月，武威县韩佐乡在五坝山头修建砖厂时，在 1 座土洞汉墓中发现龟形铜灶 1 件。简报配以照片予以介绍。

据介绍，铜灶呈乌龟形，四腿着地，两眼向上目视，口大张。长 22.5 厘米、宽 15 厘米、身高 6 厘米。灶上分别置铜釜、铜甑和铜勺。很巧妙地利用龟头和脖颈当作烟囱，并用龟尾当作灶门，形象古朴大方，造型非常生动。当为东汉晚期之物。

1920.甘肃武威旱滩坡东汉墓

作　者：武威地区博物馆　钟长发等

出　处：《文物》1993 年第 10 期

该墓位于武威柏树乡下五畦大队旱滩坡，1989 年文物普查时发现。简报分为：一、木简，二、其他随葬遗物，三、结语，共三个部分。有照片、拓片、手绘图。

据介绍，此墓为土圹单室墓，有斜坡墓道（未清理），墓门用大砾石砌封。出土木简16 枚、陶器、铜镜、五铢钱等。从出土鸠杖看，死者当为一老者。年代简报认为是东汉中晚期。

1921.甘肃武威磨嘴子发现一座东汉壁画墓

作　者：党寿山

出　处：《考古》1995 年第 11 期

磨嘴子在武威市城南 15 公里，新华、古城两乡交界处的祁连山东麓，杂木河西岸。这里是一片高低不平的丘陵台地，在东西长约 700 米、南北宽约 600 米的范围内，分布有稠密的汉代墓葬。1957 年 7 月至 1972 年 3 月，考古人员先后 4 次共清理发掘汉墓 72 座。1989 年 7 月，又发现 1 座已暴露的土洞墓，随即进行清理，因墓葬早年被盗，墓内遗物无存。唯前室绘有壁画，有些剥落，部分画面受损，但大部分保存尚好。简报分为：一、墓葬形制，二、壁画，三、时代，共三个部分。有照片、手绘图。

据介绍，墓葬规模较大，为横前室双后室土洞墓，有斜坡式墓道。由墓道、墓门、前室、后室（2个）、甬道等组成。此墓因早期被盗，2个后室只发现部分零乱的人骨及少量棺板，随葬品都已散失。壁画绘制在前室后半部的墓壁与顶部的白灰面上。画面总共约16平方米。画面有天象图、杂技图、羽人图、大象图、仙人戏羊图等。该墓的年代，简报推断为东汉晚期。

1922.甘肃武威磨咀子东汉墓（M25）发掘简报

作　者：甘肃省文物考古研究所　赵吴成等
出　处：《文物》2005年第11期

甘肃省武威磨咀子汉墓群位于武威市城南15公里，这里不仅有丰富的汉代墓葬，而且还有新石器时代遗址。1959年曾出土过著名的《仪礼》等木简。磨咀子墓地土质非常坚硬且地处丘陵台地，加之这里气候干燥，具有保存地下文物的优越条件。2003年10～11月，考古人员对磨咀子汉墓群进行考古发掘，共发掘东汉墓葬25座。简报分为"墓葬形制""随葬器物""结语"，共三个部分，先行介绍其中的M25的发掘情况，有照片、手绘图。

据介绍，2003WMM25为长条台阶形墓道的单室土洞墓，由墓道、墓门（甬道）、墓室组成。棺内1人，仰身直肢，面朝上，头向墓门。以麻布裹尸，并用布带将身体上下交叉相系以覆面蒙脸，外卷草席。墓主为女性，保存较好。随葬品有陶器、铜器、竹草器、麻织鞋、发带、棉制覆面、琉璃耳珰等。简报推断年代为东汉中期。

1923.甘肃武威磨嘴子汉墓发掘简报

作　者：武威市文物考古研究所　朱　安等
出　处：《文物》2011年第6期

磨嘴子汉墓群位于甘肃省武威市凉州区新华乡磨嘴子村，20世纪50～90年代，在此进行过数次大规模发掘，共发掘清理西汉至东汉时期墓葬近百座，出土王杖、诏书令、册简等重要文物。2005年11月，考古人员在磨嘴子村的1座山坡上，抢救性地清理了1座被雨水冲刷而且坍塌的汉代土洞墓。简报分为：一、墓葬形制，二、随葬器物，三、结语。共三个部分，介绍了该墓（M1）的发掘情况，有彩照、拓片、手绘图。

据介绍，此墓为斜坡式墓道土洞墓，墓室平面呈长方形，中后部有1木棺，棺内墓主身上残留丝织品。墓主人应为女性。木棺上放置有红枣数枚，未解何意。该墓除44枚五铢钱外，还出土随葬器物30件，以木器为主。随葬器物主要放置在墓室前部及左侧，包括陶罐 1 件、陶壶 3 件、陶灶 1 件、木梳 1 件、木俑 9 件、木马 9 件、木牛 2 件、木鸡 2 件、铜镜 1 件、竹钗 1 件、丝袋 1 条、残镜袋 1 件。此外，还有漆木案、漆耳杯、漆碗等，出土时木胎均已腐朽为灰，仅剩残留的漆皮。这座墓葬的年代应为西汉末年至东汉初期，墓内出土的丝织品为研究汉代纺织技术提供了新资料。

1924.2003 年甘肃武威磨咀子墓地发掘简报

作　者：甘肃省文物考古研究所、日本秋田县埋藏文化财中心、甘肃省博物馆
　　　　魏美丽、赵雪野
出　处：《考古与文物》2012 年第 5 期

甘肃武威磨咀子遗址由中日联合考古队共同发掘，其中 2003 年度共发掘汉墓 25 座，墓葬均为带斜坡墓道的土洞墓。墓葬均由墓道、照墙、墓门、甬道和墓室组成。随葬器物有陶器（还有釉陶）、铜器、木器和漆器等。年代大概在新莽前后。简报分为：一、地理位置与发现概况，二、墓葬举例，三、结语，共三个部分。有手绘图。

据介绍，磨咀子遗址位于甘肃省武威市城东南约 12 公里处，隶属新华乡缠山村，面积约 35 万平方米。磨咀子墓地是 1956 年 3 月发现的，1963 年 11 月被甘肃省人民政府公布为省级重点文物保护单位。1956 年、1959 年、1972 年、1981 年经过先后 4 次发掘，共清理西汉末至东汉晚期墓葬 72 座，出土木简近 500 枚及各种文物 7000 多件，其中有国家一级文物 20 多件，因近年盗掘猖獗，才加快发掘。本次发掘的 25 座墓葬均为带斜坡墓道的土洞墓，由墓道、照墙、墓门、甬道和墓室 5 部分组成。墓室平面多为长方形，个别也有圆角长方形，墓道长度在 10 ~ 13 米、宽为 0.8 ~ 1.1 米之间，近墓门约 1 米坡度变缓，基本和地平面平行。仅 M3 以白灰涂抹四壁，且有壁画，其余墓穴未见有修饰。多为 1 男 1 女双人合葬墓，仅 M9 这座墓葬为 2 女 1 男的 3 人合葬墓，每座墓的主人下葬时间有先后，均为仰身直肢葬。葬具均为木棺，棺板之间由蝴蝶榫卯连接，大体反映了新莽时期武威地区的墓葬情况。

张掖市

1925.甘肃张掖汉墓出土绿釉陶砚

作　者：萧云兰

出　处：《考古与文物》1990 年第 4 期

1986 年 10 月张掖市黑水园汉墓群（又称西城驿）南城西北约 500 米处，有 1 古墓被水冲塌，暴露在外面，无法保护，经报请上级有关部门批准，张掖市博物馆进行了清理。墓为砖券双室墓。出土了绿釉陶罐、钟、鼎、尊、博山炉、莲花吊灯、庄院、鸡、井、灶等 31 件，五铢钱 10 枚和一块完整的绿釉陶砚，该墓属东汉墓。简报配以照片将绿釉陶砚予以介绍。

据介绍，砚呈圆形、三足，带盖，盖鼓起。砚的外部施绿釉，盘内不施釉。

这块砚的出土，在甘肃为首次，是一件不可多得的文物珍品。

平凉市

1926.甘肃灵台发现外国铭文铅饼

作　者：灵台县博物馆　刘得祯

出　处：《考古》1977 年第 6 期

1976 年 10 月 25 日，灵台县中台公社农民发现一批外国铭文铅饼。简报配以拓片等予以介绍。

据介绍，铅饼出土的地点，在县城南 2 公里蒲河川（又称南河川）康家沟生产大队枣树台生产队的一块台地上，西面靠山，东距蒲河约 250 米。铅饼埋藏在台地紧靠西山处，位于表土之下深约 1 米处，分上下两层，排列整齐。铅饼出土后略有散失。

据现在统计，出土铅饼总数为 274 枚，总重量为 31806 克，合 63.615 市。在出土地点四周，可以采集到汉代的瓦片，但没有发现其他遗物。铅饼的形制、图案和文字大致相同，一般直径 5.5 厘米、最厚处 1.2 厘米，重量在 110 ～ 118 克之间。正面为凸出的蟠螭，背面凹入，铸有外国铭文一周，并印有两个边长约 5 毫米的方形戳记。在这批铅饼中选取了两件标本，经中国社会科学院考古研究所化验室化验，确定其成分以铅为主，埋葬时间当为汉代。

1927.甘肃灵台发现的两座西汉墓

作 者：灵台县文化馆 刘得祯、朱建唐
出 处：《考古》1979 年第 2 期

1974 年 12 月和 1975 年 11 月，灵台县梁原公社付家沟生产队和新集公社陈家山生产队在农田基本建设中，先后发现 2 座西汉墓葬。考古人员进行了清理。简报分为两个部分予以介绍，有手绘图。

据介绍，付家沟在灵台县城西北约 65 公里的黑河（又叫盘沟河）中游。墓葬距黑河约 150 米，南距公路 10 米。系长方形竖穴墓，长 3.1 米、宽 1.7 米。人骨架 1 具，仰身直肢葬，骨架已朽。随葬器物 78 件。其中铜器 73 件，铁器 1 件，玉器 1 件，骨牌 3 件（有散失）。均置于死者头部，部分器物的位置被农民扰动过。

陈家山汉墓，在达溪河北岸，距县城 35 公里，南距河约 500 米，竖穴，东向，墓长 3.1 米、宽 1.5 米，人骨架已朽，仅留腿骨及 1 块颅骨，长 1.90 米、宽 1.05 米，墓底板灰厚约 4 厘米。出土器物 27 件，均置于死者头部及左右两旁。其中铜器 19 件，玉器 1 件，骨牌 7 枚。简报均推断以上 2 墓为西汉墓。简报称，灵台地处西北高原，是古代通往西域的要道和封建都城西部屏障。多年来灵台地区先后出土汉代文物几百件，出土西周文物 1000 余件，这反映出当时这一地区在政治、经济、军事、文化诸方面都是比较重要的。

1928.甘肃灵台县出土一件青铜圆盘连三釜

作 者：刘得祯
出 处：《文物》1981 年第 12 期

1979 年 11 月 11 日，灵台县独店公社中庆大队在饮马嘴修农田过程中，挖出青铜圆盘连三釜，简报配以照片予以介绍。

据介绍，盘和三釜用九块范组合一次铸成。盘下及釜底均有很厚的烟熏痕迹，盘下三釜靠外均铸有 4 厘米高的一块支撑台，台上残存铁锈。在出土地点附近进行了清理，发现是 1 座古代墓葬，墓为竖穴，东西向，已被破坏。在垫土内发现零星汉代瓦片及木板灰。根据墓葬结构、出土的汉代瓦片以及釜的造型特点，简报推断这是汉代早期遗物。

1929.甘肃灵台县沟门西汉墓清理记

作　者：刘得祯、朱建唐
出　处：《考古与文物》1982 年第 2 期

1980 年 12 月，灵台县百里公社古城大队沟门生产队农民发现两座古墓，考古人员进行了清理，M2 早在 20 世纪 40 年代初已遭破坏，这次仅清理出漆器残片和一些鎏金饰件。M1 较完整，出土器物多。简报配以手绘图予以介绍。

据介绍，M1 出土器物共计 41 件，除陶罐（已残破）外，其余均为铜器。沟门汉墓的形制、出土的五铢钱等与灵台付家沟汉墓相同（见《考古》1979 年第 2 期），这种五铢钱一般认为是武帝时期铸造的。该墓出土的铜镜，字体方正，铸造精细，常见于陕西西汉中晚期墓葬中。该墓的年代，简报推断为西汉晚期稍早。

1930.甘肃泾川发现一座东汉早期墓

作　者：刘玉林
出　处：《考古》1983 年第 9 期

1977 年 6 月，泾川县城关公社水泉寺大队发现砖券墓 1 座。简报配以手绘图、照片、拓片予以介绍。

据介绍，水泉寺大队位于泾河北岸，南距县城约 4 公里，是汉置安定古城遗址。

墓葬位于古城址内西北部的山脚下，封土无存，距地表深约 3 米，为子母砖券顶单室墓。墓砖已大部分被拆去，铺地砖为"人"字形排列。单棺无椁，尸骨已朽。出土铜镜、鎏金铜花帽、陶灶等 8 件，殉狗、殉鸡各 1 件。简报推断该墓时代为东汉早期。

1931.灵台县出土的安定郡库鼎

作　者：史可晖
出　处：《考古与文物》1992 年第 1 期

1972 年 5 月，甘肃省灵台县灵百公路施工中，挖出汉代铜鼎等器物几件，全部散失在民工之中，后经县博物馆多方调查，拣选回铜鼎 1 件。简报配以照片予以介绍。

据介绍，铜鼎为球面盖，上有 3 个菌顶环形纽，通高 20.2 厘米。鼎盖上及口沿下有阴刻铭文一组。经实测，鼎盖重 1100 克，容小米 815 毫升；鼎身重 3400 克，容小米 2960 毫升。此鼎从造型和铭文风格来看，年代应为西汉初至中期。鼎身与鼎盖记重、记容刻铭，为研究西汉度量衡提供了资料。据实测数据，汉代每斤折合今 250 克，每斗折合今 1.888 公斤，1 升合今 188.75 毫升。

酒泉市

1932.酒泉下河清第 1 号墓和第 18 号墓发掘简报

作　者：甘肃省文物管理委员会
出　处：《文物》1959 年第 10 期

下河清位于酒泉县城东 40 多公里，属酒泉县清水乡所辖。1956 年地方国营下河清农场在开荒平地时，掘出了 8 件灰色陶器，考古人员到达该县后，于 3 月 18 日作了初次调查，从 4 月 14 日到 6 月 22 日，发掘了东部和北部的两处新石器时代遗址，清理汉代墓葬 24 座，汉代烧砖窑址 5 座。简报分为：第 1 号墓，第 18 号墓，共两个部分予以介绍。有手绘图、照片。

据介绍，第 1 号墓位于农场场部东面约 3 公里的二支渠东头，恰顺置于渠中。墓葬构造分前、中、后 3 室，为双层砖砌墓，墓有头道门、二道门、三道门，墓道在修渠中已被挖毁。在后室内，顺置两棺，均已朽，左棺盛男骨，右棺盛女骨。随葬品有陶器、铜器等。此墓内共有彩绘砖 64 块，墓内有多幅壁画。

第 18 号墓位于农场场部东约 4 公里，东干渠东旁 26 米，第 1 号墓的东南部，相距约 1 公里。为 1 座双室砖墓，随葬品有铜器、银器、五铢钱、松香饰物等。

根据两墓的构造、葬式、随葬品和壁画等情况，简报推断此墓系东汉时代的墓葬。18 号墓或略早于 1 号墓。1 号墓出土彩绘砖，为甘肃境内中华人民共和国成立以来的初次发现。

1933.甘肃酒泉县下河清汉墓清理简报

作　者：甘肃省文物管理委员会　倪思贤
出　处：《文物》1960 年第 2 期

1956 年 4 月 14 日至 6 月 22 日，管委会兰新铁路工程地区文物清理组，配合酒泉县下河清地方国营农场开荒平地工作，清理了 24 座汉墓。

下河清位于酒泉县城东 40 公里，直辖于该县清水乡，是一片荒芜未经耕种的地区。

甘新公路从中横贯而过，把农场分为南北两半。如以农场场部为准，可划成如下区域：北部靠肃南裕固自治区有 1 处细石器文化与甘肃仰韶文化（主要是马厂文化的遗物）共存的遗址，东部有同样的一处遗址及汉代文化遗址，在此遗址周围暴露有同时代的砖窑群两处，约 20 个窑址。墓葬群集中的地方，也有 2 处 50 多座。砖窑和墓葬往往掺杂在一起，说明相互的关系。西部也有不少窑址和墓区，但没有东部那样集中。另外在农场极东部有 21 个板筑土堆，这次在 1 个土堆下发现了 1 座子母砖券顶双室墓。与此相同的土堆，在公路南也有 12 个，应都是古代巨冢。

在清理的 24 座汉墓中，除 2 号墓在西部外，其余均分布在农场东部两个较集中的地区。简报配以照片、手绘图予以介绍。

据介绍，计有砖室墓 21 座，瓮罐墓 2 座、土坑墓 1 座。砖室墓又可分为四类：第一类砖券拱形单室墓，10 座。第二类前、中室复斗形，后室拱形多形墓共 7 座；第三类子母砖拱形双室墓，1 座；第四类砖圹墓，3 座。瓮罐墓是 1 个灰陶瓮上覆盖 1 个平底灰陶盆，作为葬具，内盛小孩骨髓和蛋壳。土坑墓 1 座，发现 1 件灰陶盂和人骨架，仰身直躯，没有明显的坑壁。简报推断这批墓葬总的看来都是东汉时期的。

1934.甘肃酒泉汉代小孩墓清理

作　者：甘肃省博物馆　陈贤儒
出　处：《考古》1960 年第 6 期

1957 年 6 月，考古人员在酒泉城东关南稍门外发现瓮棺葬 1 处，后又发现砖造墓室和残砖壁等。共计小孩墓葬 7 座，成人墓 1 座，仅墓 3、墓 6 两座小孩墓保存完整。简报分为"第 3 号墓""第 6 号墓""结语"，共三个部分。有手绘图。

简报称，瓮棺葬、小孩与成人合葬等情况，在过去的考古工作中虽亦发现过，但对另造小型砖室墓，内置随葬器物的小孩墓还是不多见的。7 座墓内全未现木屑和板灰，推测这种砖造圹穴和拱形墓室，就是代替葬具木棺的。时代暂定为东汉晚期。

1935.敦煌甜水井汉代遗址的调查

作　者：敦煌文物研究所考古组、敦煌县文化馆　马世长、樊锦诗
出　处：《考古》1975 年第 2 期

1964 年 8 月，据反映在敦煌甜水井附近，发现古代钱币、箭头等遗物。考古人员前往该地进行了初步调查。简报分为：一、遗址概况，二、遗物，三、结语，共

三个部分。有手绘图。

据介绍，甜水井位于敦煌县与安西县之间、敦煌城东北约60公里处。遗址在疏勒河以南、甜水井以北的戈壁滩上，居东者编为甜水井Ⅰ号遗址（以下简称Ⅰ号遗址），居西者编为甜水井Ⅱ号遗址（简称Ⅱ号遗址）。Ⅰ号遗址在甜水井北约8公里处，Ⅱ号遗址在甜水井西北约7公里处。Ⅱ号遗址在Ⅰ号遗址西南，两者约距3公里。两处遗址均似一座不大的城堡。采集到的遗物有大量铜镞、弩机零件等。这些兵器的发现，表明两处遗址都是军事上驻守用的。而在遗址内与武器一起发现了农具，如铁镰、锸头等，则又表明此遗址兼营农业生产。据此，简报推测这两处遗址，可能是进行屯田的戍卒居住的城堡。简报指出，汉代在河西一带屯垦的情况，文献已有记载，居延汉简中也有这方面的材料。甜水井遗址的发现，提供了汉代军屯情况的新资料。

今有刘光华先生《汉代西北屯田研究》（兰州大学出版社1988年版）一书，可参阅。

1936.居延汉代遗址的发掘和新出土的简册文物

作　者：甘肃居延考古队　初仕宾、任步云
出　处：《文物》1978年第1期

甘肃省北部额济纳河流域，古代泛称"居延"或"弱水流沙"，绵延300公里，遍地沙碛，气候极其干旱。由于东西两侧巴丹吉林沙漠和北山山脉的天然遮挡，使额济纳河两岸成了我国西部的一条重要的南北通道。其下游和居延海一带，远控大漠，近屏河西，东西襟带黄河、天山，而且水草丰美，宜于农收，在汉代，乃是中央王朝与匈奴领主激烈争夺之地。史书记载，西汉武帝时，在这里曾大规模修筑军事设施，进行屯戍，频繁活动一直延续两个世纪之久。居延至今仍保存着当时的大量城郭烽塞等遗迹。1930～1931年间，前西北科学考察团曾在这个地区作过试掘，发现汉代木简1万多枚。1972～1976年，多家单位组成甘肃居延考古队，对居延汉代遗址进行初步发掘，取得了重要的成果。考古队按照第一步计划，完成了下列工作：1972年秋，沿额济纳河南起金塔双城子、北至居延海的踏察；1973～1974年夏、秋季，对破城子等3处遗址的试掘；1976年夏、秋，在布肯托尼以北地区的调查。简报分为三个部分，配以照片、手绘图，介绍了这三处遗址的发掘情况。

据介绍，试掘重点是3处不同类别而面积较小的遗址：北部地区的甲渠候官（在破城子，发掘代号EP）、甲渠塞第四燧（EPS4）和南部的肩水金关（EJ），总发掘面积4500平方米。夏季戈壁的气温经常超过40℃，地面温度达到60℃以上，特别是无休止的风暴和流沙，不断地扰乱、掩没甚至破坏发掘现场，工作是艰巨、复杂的，发掘常常被迫中断或重复。发现有鄣、坞、烽台、关等军事设施。出土有简册等文物，其中纪年简1222枚。

简报称，此次发掘，弄清了候官、鄣、关3种军事建筑群、建筑方法、军事性能等一些问题。发现一批军事建筑、设施的新实例，丰富了古代建筑史和军事建筑学的内容，补充了史书记载的不足，也解决了一些疑难。这对于研究我国古代的军事防御工程体系诸如万里长城，以及发掘、探讨古代的城池、关隘等遗址，都有重要的参考价值。出土的大量珍贵文物，包括2万余枚汉简，是我国历来发现古代简牍最多的1次。新获的居延简，本身就是一部非常宝贵的汉代编年档案史料集。这些文物为研究汉代政治、经济、军事、民族以及社会生活情况，又提供了一批难得的新资料。积累的丰富的第一手资料和宝贵的工作经验，为今后的居延考古提供了更有利的条件，并有助于对旧居延简牍的整理。

今有张瑛、肖从礼先生的《汉代居延地区社会生活史研究》（兰州大学出版社2018年版），孙占鳌、张瑛先生的《河西汉简所见汉代西北民族关系研究》（社会科学文献出版社2019年版），均可参阅。

1937.敦煌马圈湾汉代烽燧遗址发掘简报

作　者：甘肃省博物馆、敦煌县文化馆　岳邦湖、吴礽骧
出　处：《文物》1981年第10期

1979年，甘肃省博物馆文物队与敦煌县文化馆组成汉代长城调查组，于6～7月完成敦煌县境69座烽燧遗址的调查，同年10月又对马圈湾烽燧遗址进行试掘，取得了重要的成果。敦煌汉代长城烽燧遗址调查报告，尚待整理。简报分为三个部分，配以照片、手绘图，先行介绍马圈湾烽燧遗址的试掘情况。

据介绍，马圈湾遗址位于敦煌县西北95公里，发掘了烽燧、堡、牲畜圈等遗址。出土有低级士吏、戍卒长期使用后抛弃的实物337件，如点火用的苣、麻纸、麻布鞋等。出土简牍1217枚，绝大多数为木简。内容除了诏书、奏记、檄、律令、品约、牍书、爰书、符传、簿册、书牍、历谱术数、医药等，主要与日常戍守活动有关，如出入玉门关的记录等。最早的纪年为西汉宣帝本始三年（前71年），最晚纪年为王莽地皇二年（21年）。

简报称，从烽燧遗址的保存情况及简牍内容来看，马圈湾遗址的屯戍活动，以西汉宣帝时期最为兴盛，人员众多，来往频繁，建筑规模较大。其后遗址规模日渐缩小，至王莽时，仅有烽燧南侧的一间小房及周围的数间附属建筑，亦即目前发掘所揭示

的遗址晚期的状况。大约在王莽地皇二年（21年）以后，被全部废弃。

简报称，马圈湾烽燧遗址的发掘，是近数十年来，在敦煌首次严格按照科学要求进行的烽燧遗址发掘。通过这次调查与发掘，对敦煌地区的汉代都尉、候官、候长、燧长与城、鄣、坞、燧的关系，对汉代的塞墙、天田与烽燧的规模、布局、结构、建筑方法和职能等，都有了更进一步的明确认识。马圈湾遗址出土的汉简，不仅在数量上超过了以往的总和，而且在层位、断代上，有了更确切的科学依据，因而为敦煌汉简的深入研究，提供了一批新的丰富的科学资料。

今有赵兰香、朱奎泽《汉代河西戍吏卒衣食住行研究》（中国社会科学出版社2015年版）一书，可参阅。

1938.甘肃敦煌汉代悬泉置遗址发掘简报

作　　者：甘肃省文物考古研究所　何双全等
出　　处：《文物》2000年第5期

1990年10月至1992年12月，甘肃省文物考古研究所对敦煌甜水井附近的汉代悬泉置遗址进行了全面清理发掘，弄清了遗址的建筑布局和结构以及性质与作用，获得了以简帛文书为主的大量文物。其中有简牍、帛书、纸书、墙壁题记等。此外还获得了家畜骨骼、丝麻织品、纸、文房用品等一大批文物。此遗址被评为"1991年十大考古发现"和"八五"期间全国十大考古发现之一。1993年开始进行整理工作，目前已完成了简牍文书的记录、登记、编号建档、文字考释、照片拍摄和其他出土器物的分类整理。简报分为：一、地理位置与沿革，二、调查发现与发掘过程，三、建筑遗址与遗迹，四、出土文物，五、结语，共五个部分，配以彩照，先行介绍基本情况，详细资料以今后发掘报告为准。

汉代悬泉置遗址位于甘肃省酒泉地区西部的敦煌市与安西县之间的交界处，为两地的交通要道。现归敦煌市五墩乡辖区。附近有汉、晋、清3个时代的烽燧遗迹。汉代遗址由坞院、马厩、房屋及其附属建筑构成。发掘出土了大量生活、生产用具，有陶器残片、纸、皮革、丝织品、漆木器、铁器，以及马、牛、鸡等家畜禽类的骨骼，特别是出土了数量很大的简牍，帛书、纸文书、墙壁题记等。简报认为此遗址应为汉代烽燧线上主管传递信件的一个单位。常住人员除各种官吏和工作人员外，也有驻军即戍卒守卫，隶属宜禾都尉府管辖。还有刑徒从事体力劳动，由效谷县狱丞管理。从行政体制上看，该置受敦煌郡和效谷县两级政府领导，郡府负责一切重大事务，县府则侧重于后勤供给。其主要任务是传递各种邮件和信息，迎送过往使者、官吏、公务人员和外国宾客，是丝绸之路上的枢纽，起到了重要作用。

但汉代文献中未见此地记载。直至唐代《元和郡县图志》中，才有关于此地的记载。

同刊同期发表有《敦煌悬泉汉简内容概述》一文，称悬泉汉简总计 2.3 万余枚，主要包括：邮置、邮书，过所与乘传（出行者的身份证明以及用车制度），诏书与各种官府文书，律、令等司法文书，各种簿籍，信札，以及其他关于西域、边塞军事机构、人口、水利建设、自然灾害等内容。

1939.我国古代生态保护资料的新发现

作　者：华南农业大学　王福昌

出　处：《农业考古》2003 年第 3 期

新近在敦煌悬泉发现的 1 件名为《使者和中所督察诏书四时月令五十条》的汉代诏书，保存基本完整。文首是太皇太后诏文，次为和中下发郡太守的例言，主体部分是月令 50 条，按春夏秋冬的顺序，布告令文，分上下两栏，上栏是纲目，下栏是具体解释。其中春季 20 条，夏季 8 条，冬季 10 条。结束部分为安汉公王莽的奏请和逐级下达文书的格语，最后是敦煌太守的发文告语。据诏文，元始五年（5 年）五月开始颁行，八月发至敦煌。元始五年十二月平帝死，此时王莽为安汉公，居摄朝政，政自莽出。刘歆为主和。《汉书·平帝纪》载："五年春，刘歆等四人使治明堂、辟雍，太仆王恽等八人使行风俗。宣明德化，万国齐同。"这件诏书应是此时的文物。诏书 50 条中关于生态保护的有 16 条，堪称是我国古代生态保护资料的新发现。

据介绍，此汉简体现了最高统治者对生态保护的高度重视，对野生动植物禁伐、禁捕时间甚长，保护的动植物品种甚多，相关规定也颇为合理。不过简报也指出这与王莽托古改制有关，诏书内容大多与《礼记》《吕氏春秋》《淮南子》相关。

1940.甘肃马鬃山区考古调查简报

作　者：西北大学文化遗产与考古学研究中心、甘肃省文物考古研究所　王建新、
　　　　李永宁、席　琳

出　处：《考古与文物》2006 年第 5 期

2004 年 7 月 29 日至 8 月 28 日，考古人员对马鬃山镇所属范围内的岩画资料进行调查，同时对和岩画密切相关的墓葬及古代居住遗址也进行了调查记录。简报分为：一、马鬃山区自然地理环境，二、马鬃山区古代文化遗迹分布，三、各类遗迹，四、

结语，共四个部分。有手绘图等。

据介绍，在以马鬃山镇为中心的山北近 4 万平方公里的区域内发现岩画点 35 处，有岩画的岩石 301 块；墓葬点 20 处，墓葬 53 座；古代居址点 13 处，居址 20 座；汉代城址 1 座；特殊石筑遗迹点 19 处，遗迹 50 座。岩画内容丰富，包括各种动物形象，以马、羊、骆驼为主；各类人物形象，如骑者、猎人、牧人、舞蹈者、人面像等；其他内容，如水井、车辆、房屋、盾牌、图案化符号等。题材多样，包括狩猎、放牧、舞蹈、祭礼、生殖崇拜等方面。墓葬形制以圆形石筑墓为主，其次为方形石筑墓和石板墓。其中，圆形石筑墓和方形石筑墓在新疆东部也有普遍发现，石板墓则主要流行于贝加尔湖周围和蒙古高原地区。居住遗址以方形石围居址为主，这与新疆北部古代游牧文化的居址基本相同。岩画、墓葬、居址在一定区域内有规律地交错分布，这在甘肃西北部到新疆北部的古代游牧文化遗存中都是基本相同的。

简报指出，本区域调查发现的均为中小型遗址，未发现大型游牧文化遗址。简报称，战国秦汉时期自然环境虽然比今天要好一些，有一些河流和湖泊，周围草场亦应较好，但维持游牧民族较大部落的长期生活仍存在一定问题。这一地区作为交通要道，来往人群较多，但长期生活人群较少，文化面貌较为复杂。其中汉代城址遗迹应是汉代攻打匈奴时留下的，是至今发现的最西的汉代城址。

1941. 甘肃肃北马鬃山玉矿遗址 2011 年发掘简报

作　者：甘肃省文物考古研究所　陈国科、王　辉等
出　处：《文物》2012 年第 8 期

马鬃山玉矿遗址位于甘肃省肃北县马鬃山镇西北约22公里的河盐湖径保尔草场。2011 年 10～11 月，考古人员对此遗址进行了调查和发掘，发现古矿坑 100 余处，在第一地点发现防御性建筑 11 处，发掘面积为 150 平方米。清理遗迹 17 处，其中矿坑 1 处、防御性建筑 2 处、作坊址 2 处、灰坑 12 个。简报分为：一、地层堆积，二、遗迹，三、出土器物，四、结语，共四个部分。有照片、手绘图。

据介绍，清理的遗迹有矿坑、防御性建筑、作坊、灰坑，出土陶器、石器、金属器、玉料及毛坯等200 余件。从发掘资料看，简报推断遗址的年代下限为汉代，该遗址是目前在西北地区发现的年代最早的玉矿遗址。简报称，此次发掘为研究骟马文化提供了新资料，出土的玉矿原料为研究马鬃山玉矿的矿物成分、矿藏成因等提供了重要的实物资料。

庆阳市

1942.甘肃庆阳野林汉墓

作　者：庆阳地区博物馆　许俊臣、李红雄
出　处：《文物》1984 年第 4 期

1982 年 11 月，庆阳县董志公社野林大队农民在住宅附近挖土时发现 1 座土坑墓，考古人员进行了清理。简报分为"墓葬形制""随葬器物""结语"，共三个部分。有手绘图、照片。

据介绍，该墓由墓道、墓室组成。墓道因挖残，长度不明。墓室为券顶土洞式，平面呈长方形。紧靠四壁竖立一圈直径 11 ～ 12 厘米的原木，似为加固墓室之用，墓室顶部破坏，情况不明。棺木已朽。棺内骨架已朽，仅下肢骨尚存。葬式为仰身直肢。出土有陶器、铁刀、铜蒜头壶、铜鼎等。该墓年代，简报推断为西汉前期。

简报称，此墓出土的铜鼎有记重、记容刻铭，为研究西汉度量衡提供了新资料。据鼎盖实测数据，每汉斤折合 247.6 克，每汉升折合 208.3 毫升。据鼎身实测数据，每汉斤折合 246.4 克，每汉升折合 207.6 毫升。专家介绍说，西汉度量衡的演变分为三期，以文帝、景帝、武帝为前期。前期 1 斤合今 250 克，1 升合今 200 毫升。"彭阳"鼎实测的重量、容量数据与此接近。"彭阳"2 字，应是指当时的彭阳县而言。据汉代史籍，彭阳县始置于西汉武帝元鼎三年（前 114 年），彭阳县故址即今镇原县彭阳公社之所在地，至今古城犹存。"彭阳"鼎出土地点距彭阳古城址约 10 公里。

1943.甘肃环县曲子汉墓清理记

作　者：庆阳地区博物馆　刘得祯、何　翔
出　处：《考古》1986 年第 10 期

曲子汉墓位于甘肃环县曲子乡双城队，北距县城 45 公里。墓葬位于环江东岸第二台地上，距河床 300 米。1984 年秋，当地农民萧玉瑞挖 1 孔窑洞深到 10 米处时发现了此墓的照墙，他拆除了照墙，沿着甬道一直向里挖，又清除了前室约三分之一的淤土。墓室南侧 1 具完整的人骨架，亦被挖出遗弃。11 月考古人员进行了清理。简报分为：一、墓葬形制，二、出土器物，共两个部分。有手绘图。

据介绍，此墓由甬道（包括照墙）、前室、后室和侧室四部分构成，全以青砖建筑。斜坡式墓道，距地表最深处 6.3 米。出土有陶器、铜带钩、鎏金铜饰等不多的几件随葬品。该墓年代，简报推断为东汉末年或稍晚。

1944.甘肃庆阳发现三座汉墓

作　者：庆阳地区博物馆　何　翔
出　处：《考古与文物》1988 年第 4 期

1976 年冬，庆阳县王家湾干校在修建校舍挖窑时，发现了 1 座古墓，惜墓室被毁，考古人员只带回了全部随葬器物。1982 年和 1985 年 7 月，庆阳县彭原乡村民在修窑时又先后发现了 2 座汉代墓葬，但墓室都被自行拆除，墓主人骨架也被抛弃，器物经过征集基本收回。这 3 座墓的形制结构基本相同，都是单室券顶砖墓，所出土的器物都是东汉典型的器物，因此这 3 座墓的时代应同属东汉。王家湾与彭原两地相距约四五十公里。庆阳地区自 1975 年开始进行文物普查以来，发现了不少古墓葬，其中汉墓最多，唯有上 3 座墓的器物比较完整，特别是王家湾墓出土的铜弩机和铜量器，以及彭原墓出土的釉陶扁壶在其他汉墓中均为少见。简报配以拓片等予以介绍。

据介绍，计出土铜镜、铜弩机、铜量器共 6 件，钱币 12 枚，陶器 13 件，虎印 1 件。

简报称，庆阳原为禹贡雍州之地，周时称北幽，春秋为义渠国，秦汉改置北地郡，各类文化均有大量遗存。特别是到了汉代，此地已非常兴盛，遗存的汉代墓葬到处可见，此 3 座墓的发现为研究汉代经济文化丰富了资料。

1945.甘肃环县发现一处汉代陶钱范遗址

作　者：庆阳地区博物馆、环县博物馆　刘得祯、许俊臣
出　处：《考古》1991 年第 7 期

钱范遗址发现于环县城西北一座民居窑洞顶上，1987 年 5 月进行发掘。挖出了残缺不全的陶钱范 100 余块和一批汉代板瓦、筒瓦残片，伴出的有牛骨、羊骨、鸡骨。在附近断面的文化层内均含有残钱范。清理出的钱范，没有 1 块完整的。钱范有 2 种：1 种是大钱钱范，出土有子范、母范；1 种是小钱钱范，出土子范 1 件。两种钱范大多数是未成品的废弃物。简报称，由于没有钻探试掘，究竟此陶钱范遗址面积有多大，有没有铸钱的场地等问题，只好有待今后进一步发掘考察。

定西市

1946.甘肃定西巉口两座墓葬发掘简报

作　　者：定西地区文化局　苟惠迪、何　钰
出　　处：《考古与文物》1982 年第 2 期

1980 年 6 月，考古人员在定西县巉口村东发掘了 2 座墓葬（编号 DCM1、DCM2）。这两座墓葬南距定西县城约 20 公里，在巉口汉代墓群的范围之内，墓群的西面是巉口村汉代遗址，祖历河（关川河）流经遗址西边，陇海铁路及西兰公路都经过这里。遗址上暴露的汉代绳纹瓦片及灰陶器残片十分丰富，在遗址北面不远的坡地上，25 年出土了 10 件著名的新莽权衡。简报分为：一、墓室结构，二、随葬物，三、结语，共三个部分。有手绘图。

据介绍，2 座墓相距约 60 米。M1 与 M2 都是砖券墓室，由甬道及前后室组成，平面呈十字形。由于 2 墓早期被盗，随葬器物及人骨架扰动严重。M2 内器物多被打碎，从 M1 内清出骨架 3 具，1 男 2 女；M2 内清出骨架 2 具，1 男 1 女。均系男女合葬，葬式不明。2 座墓共出土泥质绿釉陶器 36 件，灰陶器 10 件，红陶器 2 件，灰陶鸡、狗各 1 件，漆器残片及马头、猪骨、羊骨、狗骨、猫骨、鸡骨等。简报推断，这 2 座墓的时代似在东汉晚期到魏晋之间。因墓中未出土铜镜和铜币，故其确切年代尚难判断。

陇南市

1947.甘肃徽县出土一批窖藏铜钱

作　　者：熊国尧
出　　处：《考古》1982 年第 2 期

1980 年，甘肃徽县农机学校基建工地的工人在院内翻土时发现了一批古铜钱。考古人员前往现场察看调查，得知这批铜钱埋在距地表约半米的土层中。出土时铜钱是用绳索穿连，一串串堆放在土坑中的。因为年代久远，绳索已经腐烂，一部分铜钱因锈蚀而黏结在一块。周围没有发现其他遗物和人骨，很可能是窖藏货币。现

已收藏在徽县文化馆。简报配以拓片予以介绍。

据介绍，这批铜钱经过整理，绝大部分完整，重50多公斤，有1万余枚。钱文清晰，钱币均为西汉、东汉货币。年代简报未提，似为东汉末年埋藏。

临夏州

1948.甘肃临夏大何庄汉墓的发掘

作　者：黄河水库考古队甘肃分队　郑乃武
出　处：《考古》1961年第3期

大何庄属临夏市莲花人民公社，位于黄河的南岸，在村的西南约500米处，有一块近方形的台地，当地群众都称它为"大台子"。1959年5～11月间，考古队在此发掘齐家文化遗址时，于台地的西南部发掘区内，先后清理了9座汉墓。简报配以手绘图予以介绍。

据介绍，9座都是竖穴土坑墓，其中合葬墓2座，余者皆为单葬墓。部分墓有清楚的椁痕，葬式一般是仰身伸直葬。出土陶器共38件，皆泥质灰陶，制法以轮制为主，模制仅见于灶面上各种凸起的装饰以及部分器物的附件上（如鼎足和铺首等）。器形以罐为最多，其他皆少见。上述墓葬，都是竖穴墓，并且以单人葬居多。

简报推断这些墓葬的年代，可能属于西汉晚期。

甘南州

1949.八角城调查记

作　者：李振翼
出　处：《考古与文物》1986年第6期

1981年9月初，考古人员至夏河县甘加公社八角城大队所在地，对八角城进行了考古调查。简报配以手绘图予以介绍。

据介绍，八角城位于夏河县城北35公里，这里自古有大道通往临夏（即古河州）。八角城在开阔的高台地上，外掘沟壕，内建城堡，筑垒劈山，引水护城，内城外廊。内城呈"亚"字形，外郭略呈不规则多边形，其间壕沟绕环城周，利于防守，是1

座屯兵驻防的古城堡。1981 年被列为甘肃省重点文物保护单位。八角城外廓现存残垣全长 1080 米，由东南经东北至西北，断断续续，尚可勾出它的轮廓。出土有瓷片、王莽铁币等。简报推断为汉代古城。

简报称，八角城以它特有的城垣结构，为我们展现了古代屯田点上设防城市的风貌。此城凭山依水，居高临下，内城外郭，设隍置险，八角呼应，首尾相顾，成为 1 座防御性的塞上城堡。特别是内城 20 个面角，角角呼应，克服了一般城堡在防御时不可避免的死角。正反映了汉武帝以来在甘青边境广设烽燧、亭障、驿站等防御工事的这一事实。

青海省

1950.青海布哈河畔的青铜器墓葬

作　者：顾文华

出　处：《考古》1978 年第 1 期

1971 年 8 月，青海省地质局水文地质队在青海湖西岸布哈河三角洲上发现了 2 座古墓葬。它们位于布哈河北岸的二级阶地上，在水文站的附近，距青海湖约 9 公里。墓葬里出土人骨、陶器、铜器和石、牙、贝等装饰品。这一发现对于研究青海湖畔古代人类的活动历史，具有一定的参考价值。简报配以手绘图予以介绍。

据介绍，1 号墓距地表深 1.78 米，仰卧伸直葬，头向西南，据头骨鉴定为 40 余岁的女性。由于随葬器物不多，比较难于准确判断其文化性质和时代。根据陶罐的质料和器形及出土器物特征对比和这里多孔管状铜器的发现，简报认为可以证明它们属于青铜器时代的墓葬，是一种汉代以前活动在青海湖畔的少数民族的文化遗存。

西宁市

1951.西宁哆吧乡指挥庄村汉墓

作　者：青海省文物管理委员会

出　处：《文物》1959 年第 2 期

1957 年 4 月，因修渠工程在西宁市哆吧乡指挥庄村清理了汉墓 1 座。简报配以照片予以介绍。

简报介绍，这是 1 座砖室券顶墓，方向正南北，分墓门、前室、后室 3 部分，全部用青砖砌成。墓门在北面，用砖封堵，略呈"人"字形。券顶大部已残破。两室交接处残存有砖墩，贴近墓壁。据过去挖过墓的人谈，此处原系一砖券门，因取砖被挖掉了。清理时大部分券顶塌入墓室，个别砖上划有记号。此墓早年曾被扰乱、火烧，人骨均成碎块，葬式不明。前室淤土内有棺灰痕迹，有的棺木上还残存鲜艳的黑底朱红花纹。随葬品有灰色绳纹陶罐2件、灶砖1件、陶灶1件、装饰品2件、五铢钱20枚、铁器1件。

据出土遗物及墓室结构，简报推断此墓时代不会晚于汉代。

1952.西宁市南滩汉墓

作　者：青海省文物管理委员会　高东陆
出　处：《考古》1964年第5期

1960年6月，在西宁旧城的东南角一高台上，发现砖室墓葬1座，考古人员进行了清理。墓葬中棺盖被墓顶砖下塌砸毁，骨架和部分随葬器物也曾在发现后被扰动，但大部尚保存原来状态。简报配以照片予以介绍。

据介绍，该墓为长方形券顶砖室墓，顶距地表面约0.4米。葬具为柏木棺，葬式为仰身直肢葬。此外，在墓室东北角处，还有一堆凌乱的人骨。随葬器物放置在棺前靠近墓门处，有陶器4件和木器3件。

简报推断为东汉墓葬。

1953.青海大通上孙家寨的匈奴墓

作　者：青海省文物管理处考古队　赵生琛
出　处：《文物》1979年第4期

大通县后子河公社上孙家寨汉墓群是青海省公布的文物保护单位。1977年底，已发掘汉代及以后的墓葬127座。其中1座匈奴墓（编号乙区M1），简报配以照片、拓片、手绘图予以介绍。

据介绍，上孙家寨在西宁北约17公里处，东靠大通河（由北向南注入湟水），在村西的旱台上，有南北并排的两个墓冢，当地群众叫双疙瘩，南面的一座即匈奴墓。该墓为砖室冢，分前、后室，为双穹隆顶的墓室结构。随葬品有陶器、铜器、铁器、玉器、石器、漆器6种，共77件。简报推断该墓的时代为东汉晚期。

简报称，特别值得注意的是"汉匈奴归义亲汉长"铜印，墓主人属于统治阶级的一员，并且是匈奴族。墓室结构和随葬仓、井、灶等明器，虽与中原地区稍有差异，但基本上是雷同的。可以作为研究古代青海地区民族之间亲密关系和设立行政机构的实物资料。

1954.青海大通县上孙家寨一一五号汉墓

作　者：青海省文物考古工作队　刘万云等
出　处：《文物》1981 年第 2 期

青海省大通县上孙家寨，南距西宁市14 公里，北距大通县城21 公里，湟水支流北川河从北向南在村东流过。在村的西北部有1 片汉代墓地。1973 年以来，配合基建工程，对该墓地的部分墓葬进行了发掘。到目前为止，共发掘汉墓178 座。其中一一五号汉墓出土一批残断木简，记载了汉代的功爵等级制度、军队编制和标志等，引起考古界的重视。简报将该墓发掘清理情况分为三部分予以介绍，有手绘图、拓片、照片。

据介绍，1978 年夏季发掘的一一五号汉墓，早年被盗，扰乱严重。该墓为竖穴土坑木椁墓，单椁双棺。墓室为长方形。木棺2 具，人骨架2 具，已移在棺外，但较完整，皆为成人，估计在尸体尚未腐烂之前即被盗，从骨骼观察，一号棺内死者是男性、二号棺内是女性，似夫妇合葬。随葬品均已零乱，有陶器、铜器，另有少量铁器、石器等。墓内出土的铜钱皆为武帝、昭帝、宣平时期的五铢钱，未见莽钱。所出四乳四螭纹镜，属西汉晚期器物。结合土圹木椁结构及铜车马饰、明器等情况看，简报推断该墓年代应是西汉晚期。

简报称，所出木简是重要发现。木质经鉴定为云杉属。这批木简为研究西汉时期的军事制度等方面提供了珍贵的资料。西宁在古代是湟水流域的统治中心，汉以后历代都设郡一级统治机构，是重要的边防城镇，宣帝时赵充国在湟中屯田，设破羌县和临羌县。大通县一带也是驻军地区，一一五号汉墓墓主，很可能是当地驻军的一位官员。

海东地区

1955.青海省互助土族自治县东汉墓葬出土文物

作　者：许新国等
出　处：《文物》1981 年第 2 期

1979 年 6 月，省文物考古队同互助县文化部门，在互助土族自治县丹麻公社征集了一批文物，这批文物出自泽林大队二队村西山脚下1 座土洞墓中。简报配以照片予以介绍。

据介绍，这批文物为陶罐1 件、青铜饰牌1 件、带扣多件。

简报称，所出的灰陶罐与青海省东汉墓葬同类器物相似。所出的青铜饰牌，与青海省海南藏族自治州共和县出土的 1 件相同。这种饰牌是身上的装饰品，在欧亚大陆仅见于斯基泰——匈奴文化。继大通上孙家寨发现匈奴墓后，又在互助丹麻泽林和海南共和发现了这种随葬青铜饰牌的墓葬，绝不是偶然的。这些资料有助于探索青海境内匈奴文化的面貌。

1956.青海民和县东垣村发现东汉墓葬

作　者：青海省文物考古研究所　贾鸿键
出　处：《考古》1986 年第 9 期

墓葬位于民和县川口镇东垣村南、湟水南岸第二台地的民和县二中校院内，北距湟水 1.5 公里。1984 年 12 月民和县二中在校院内搞基建时发现此墓，考古人员进行了清理。简报分为三个部分予以介绍，有照片、手绘图。

据介绍，该墓为双室单券顶砖墓，墓门朝东，墓室由墓道、墓门、前室、甬道、后室组成，全长 6.25 米、宽 2.92 米、高 2.28 米。该墓曾被盗，劫余物品有陶器、弩机、兽牙饰件、玻璃饰件、五铢钱等。简报推断为东汉中期墓葬。

1957.平安县发现一枚汉代铜印

作　者：许显成
出　处：《文博》1994 年第 3 期

1991 年 10 月 9 日，青海省平安县文物管理所在平安镇东村进行文物调查时，于该村百姓孙明禄家征集到 1 枚铜印。据本人回忆，铜印于 20 世纪 70 年代末在东村砖瓦厂内出土，此处原为 1 处汉代墓葬群，曾出土汉代陶器、铜器等文物，考古人员从部分群众中征集到陶灶、陶甑、陶罐、陶盒、铜印等文物 10 多件。简报配以拓片予以介绍。

据介绍，这枚铜印质地系红铜所铸，造型呈正方形，桥形纽，重 96 克。印文为阴文篆刻"别部司马"。经查有关历史资料得知，"别部司马"为汉代领军武军。平安地区曾在历史上一度设置过安夷县，即汉宣帝神爵二年（前 60 年）设置，直至南北朝时北魏孝明帝孝昌二年（526 年）被废除，共历时 586 年之久。安夷县是西汉王朝在河湟流域设置较早的县之一，在漫长的历史长河中对治理河湟起过重要作用。简报认为，这枚铜印无疑就是当时所留遗物。简报称，目前类似的铜印在国内发现甚少，它对研究汉代军事及官职的设置提供了翔实的珍贵史料。

1958.青海民和县胡李家发现汉墓

作　者：民和县博物馆　何克洲、张德荣等
出　处：《考古》2004 年第 3 期

胡李家隶属青海省民和县中川乡光明村。胡李家遗址位于黄河与大马家河交会的三级台地上，北部有民和至甘肃临夏的公路，东侧为大马家河，西侧为胡李家村。胡李家遗址周围的海拔高度为 1800 余米，是青海境内黄河谷地东端的一个山间小盆地。1999 年春、夏，中国社会科学院考古研究所和青海省文物考古研究所在民和县博物馆的配合下，对胡李家遗址进行了发掘，发现庙底沟时期丰富的文化遗存以及马家窑文化、齐家文化遗存和汉代墓葬。简报分为：一、墓葬形制，二、出土遗物，三、结语，共三个部分，先行介绍在该遗址清理的 3 座汉墓情况，有手绘图。

据介绍，遗址内的汉墓较多，在发掘区内已经编号确定的汉墓有 7 座，有的带有窄长墓道。此次清理了其中的 3 座，编号为 M2、M4、M5，墓葬均为规模较小的长方形竖穴土坑墓，单人葬，有木棺作为葬具。出土遗物有陶器、漆器、铜钱等。简报推断为西汉晚期墓葬。

简报称，M2 和 M5 的葬具结构颇具地方特点。在长方形木棺中以隔板将棺内空间分为两部分，一部分作为头厢放置随葬品，一部分用来敛尸。棺中设置头厢专门放置随葬品的现象在青海汉墓中尚属首次发现，M2 人骨口中含五铢铜钱 4 枚。胡李家汉墓无疑为青海汉代考古增添了一些新资料。

简报指出，胡李家所在的官厅地区是古代丝绸之路和唐蕃古道的必经之地，大河家渡口是黄河上游重要古渡之一，是汉文化进入青海地区的重要门户，胡李家汉墓的发现就是重要例证之一。这几座墓葬为研究青海东部历史文化的发展提供了珍贵资料。

海北洲

1959.青海海晏的汉代石虎

作　者：赵生琛
出　处：《文物》1959 年第 3 期

青海海晏县属海北藏族自治州，在西宁市西 190 里处，有 1 处古城遗址，当地人称"三角城"，遗址中出土 1 件石虎，应为汉代遗物。简报配以石虎照片予以介绍。

据介绍，石虎身长 132 厘米、高 46 厘米，石座长 137 厘米、宽 115 厘米、高 65 厘米，石座正面凿有篆书铭文 3 行，文为"西海郡始建国口河南"9 字。座两边各凿有长 13 厘米、宽 8.5 厘米的方洞两个，可能是原来搬运时系绳用的。石虎及座系用整块花岗岩雕成，虎作蹲伏状，昂首张口，形象生动，有很高的艺术价值。

黄南州

海南州

果洛州

玉树州

海西州

宁夏回族自治区

银川市

1960.宁夏灵武横城发掘两座汉墓

作　者：李进增、耿志强
出　处：《文物》1994 年第 5 期

为了配合自治区金水旅游开发区和横城园艺场的建设，考古人员于 1993 年 7、8 月间，在横城园艺场西部发掘了 2 座汉墓。这 2 座墓地表尚存封土，直径 20 余米，高 3 米多。墓道长都在 20 米以上，宽 2 米多，分多层台阶逐渐向下收聚，保存完好。这种规模和形制的墓道，在宁夏的考古工作中还是首次发现，使我们对宁夏汉墓的结构与形制有了更新、更全面的认识。

石嘴山市

吴忠市

1961.宁夏盐池县古城遗址三次成批出土西汉铜钱

作　者：陈永中
出　处：《考古与文物》1981 年第 4 期

宁夏回族自治区盐池县柳阳堡公社张家场生产队附近有 1 座被流沙埋没的古城废墟，在古城遗址附近，曾 3 次出土大批西汉铜钱。简报配以拓片、手绘图予以介绍。

据介绍，第 1 次是在 1955 年，铜钱出土于古城东边，共 200 斤左右，全是王莽当政时铸造的货币。第 2 次是在 1960 年 7 月，铜钱亦出土于古城东面不远的地方，约数万枚，共 400 斤左右。当时这些铜钱埋在相连的 2 个土坑中。坑口上距地表仅数十厘米。出土时铜钱排列有序，钱纹还清晰可辨，其中以"货布"最多。第 3 次是在 1979 年 4 月 29 日，铜钱出土于古城东北，距古城东北角约 100 米。铜钱约 3000 多枚，共重 78 斤。铜钱出土时，盛放在上下相扣的铁釜之内，埋藏在地表下约 1.6 米处。发现铜钱和瓦当的古城废墟，大部分已埋在流沙下面，只有西城墙的极小部分还清晰可辨。经测量北城墙长约 1200 米，西城墙长约 1000 米。

简报称，这座古城很可能就是汉代北地郡属下的昫衍县旧址。

1962.宁夏吴忠县关马湖汉墓

作　者：宁夏博物馆关马湖汉墓发掘组　许　成
出　处：《考古与文物》1984 年第 3 期

关马湖位于吴忠县城以南 18 公里的牛首山（又名金积山）北麓。自 1972 年以来，当地在建厂建房与平整土地中，屡有汉墓发现。经初步调查，这里是 1 处汉代墓群，墓葬分布在关马湖周围 5 公里许的范围内，据不完全统计，有 200 座左右，考古人员对其中的 45 座进行了清理。

简报分为：一、墓葬的种类与形制，二、随葬器物，三、关马湖汉墓与汉富平县故城的关系，共三个部分。有手绘图、拓片、照片。

据介绍，有土洞墓和砖室墓两种。土洞墓，共清理 9 座。以墓道形制的不同可分为 2 种类型：1 种为斜坡式墓道；另 1 种为竖井式墓道，即先打 1 竖井，然后横向掏 1 个洞穴做墓室。其中有的为单室，有的则在墓室的侧壁掏进 1 壁龛做耳室，用于放置随葬品。砖室墓计 36 座，有双室、三室、四室之分。清理的 45 座墓葬，都遭到程度不同的破坏，除自然塌陷外，凡砖室墓均被盗扰。劫余遗物有陶器、铜器、铁器、铅器、玉器、石器、琉璃器，还有丝织品痕迹和漆片等。简报推断该墓地的时代为西汉末至东汉。简报认为，关马湖墓葬区，应是汉代北地郡富平县城的墓地。而富平县故城址，亦应在距墓葬区不远的关马湖二中队附近。墓葬的分布范围、规模以及埋葬制度，从一个侧面反映了富平县故城的兴起与发展，在一定程度上也反映了汉代西北边疆地区政治、军事与经济的状况，以及与中原地区的一致性。

1963.宁夏同心县倒墩子汉代匈奴墓地发掘简报

作　　者：宁夏回族自治区博物馆、同心县文管所、中国社会科学院考古研究所
　　　　　宁夏考古组　钟　侃、乌　恩、李进增
出　　处：《考古》1987 年第 1 期

　　1983 年秋，同心县倒墩子村农民在耕地时发现陶罐和其他文物，遂将此情况报告县文管所，文管所及时采取了保护措施。1983 年冬，考古人员对墓地进行了试掘，发掘墓葬 5 座，出土了透雕铜带饰和五铢钱等文物，初步确认为汉代匈奴墓葬。1985 年秋，对墓地进行了系统的调查和发掘工作，共清理墓葬 27 座，出土文物1000 余件。1985 年发掘的主要收获，简报分为：一、墓葬形制与葬俗，二、随葬品，三、结语，共三个部分。有手绘图、照片。

　　据介绍，倒墩子墓地这样的遗存，在宁夏境内尚属首次发现。墓葬形制以土坑墓为主，头端有小龛，死者头向基本一致，均为单人葬，葬具有木棺。随葬品以陶罐、铜带饰、五铢钱、海贝及珠饰最为常见。偏洞室墓形制较特殊，这类墓葬除殉葬牛、羊的头和蹄外，随葬品也较丰富，显然墓主生前的社会地位较高。这里出土的陶器主要是罐。简报根据器物的类型和墓中发现的五铢钱均为西汉五铢等情况推断：该墓地的年代大体相当于西汉中晚期，这批墓葬很可能是西汉时期降汉之匈奴之墓地。

1964.宁夏同心倒墩子匈奴墓地

作　　者：宁夏文物考古研究所、中国社会科学院考古所、同心县文物管理所
　　　　　乌　恩、钟　侃、李进增等
出　　处：《考古学报》1988 年第 3 期

　　倒墩子村位于宁夏回族自治区同心县王团乡东北约 8 公里。墓地分布于村东南1.5 公里的坡地上，当地百姓称之为兔头嘴。1983 年秋，该村农民在耕地时发现陶罐和其他遗物，随后报告县文管所。县文管所及时采取保护措施。同年冬，考古人员对墓地进行了调查和试掘，发掘墓葬 5 座，出土透雕铜带饰、五铢钱等遗物，初步确认为汉代匈奴墓葬。1985 年 8 月 30 日至 9 月 21 日，对墓地进行了发掘，共发掘墓葬 27 座。出土遗物千余件，1987 年曾简要报道。简报分为：一、墓葬形制，二、随葬器物，三、结语，共三个部分。介绍了 1985 年发掘的全部资料，有照片、手绘图。

　　据介绍，发掘的 27 座墓葬绝大部分为土坑墓。单人葬，仰身直肢，上肢放于躯干两侧，头向北，大部分骨架足高头低。成人墓均有木质葬具，木质已朽，留有清晰的板灰痕迹。少量偏洞室墓道内有牛、羊的头和蹄，显然墓主身份要高于土坑墓

墓主。随葬器物 1500 余件，包括陶器 20 件，铜器 58 件，五铢钱 689 枚，铁器 39 件，珠饰 309 件，海贝 379 件，金器 3 件，石器 4 件，骨器 4 件，其他 6 件。其中陶器、漆器、铁器、五铢钱等，显然来自中原。

这批墓葬的时代，简报推断为西汉中晚期。简报认为墓主人是降汉的匈奴人。简报指出，倒墩子墓地的发掘，有助于对汉代匈奴文化内涵的认识。以往对我国境内匈奴文化的内涵和特征不甚清楚，特别是匈奴和鲜卑文化遗存难以鉴别。倒墩子墓地的发掘，有助于这个问题的解决。这里出土的陶器、装饰品及葬俗，与蒙古、外贝加尔地区汉代匈奴墓的面貌一致，而与完工、扎赉诺尔、兴隆山、老河深、南杨家营子等地鲜卑墓不同。这就为鉴别汉代匈奴与鲜卑文化、确定汉代北方少数民族文化遗存的族属，提供了重要的实物资料。

1965.宁夏同心县李家套子匈奴墓清理简报

作　者：宁夏文物考古研究所、同心县文管所　钟　侃、乌振福
出　处：《考古与文物》1988 年第 3 期

1983 年 4 月，宁夏同心县城关乡李家套子发现古代墓地 1 处，收集文物数十件。同年 12 月，考古人员对这处墓地 5 座墓进行了初步清理。简报配以手绘图予以介绍。

据介绍，李家套子村位于同心县西北约 9 公里处。这次共清理 5 座墓葬，均在挖渠过程中受到破坏，只有 3 座还基本保留着形制和遗留有随葬品。3 墓中 1 为土圹竖穴木椁墓（M1），1 为长方形多砖室墓（M2），1 为石棺墓（M3）。出土有铜器、漆器、骨器、陶器、海贝、铁器和钱币等。墓主人应为匈奴人。以地望推之，今同心县即当汉之三水属国都尉范围，多为置降汉之匈奴人居地。

简报称，但从李家套子墓地所反映的埋葬习俗看，在这一段时间，由于匈奴和汉人杂居，在汉族文化的影响下，降汉匈奴人的生活习俗起了很大的变化，墓葬形制由单一的竖穴土坑演变为木椁、石椁、砖室等多种结构，随葬品中透雕带饰减少，增加了和汉人墓葬随葬品相似的铜车具、剑、漆奁、耳杯等器物。这种变化反映了降汉匈奴人和汉族的融合过程，提供了重要的材料。

1966.西汉武士驱车铜带饰

作　者：马振福
出　处：《文物》1995 年第 4 期

这件铜带饰长 10.7 厘米、宽 4.7～6.8 厘米，1985 年出土于宁夏回族自治区同

心县王团乡汉匈奴墓，现藏同心县文物管理所。简报配以彩照予以介绍。

据简报介绍，在带饰的刀把形边框内塑造了一组复杂的图像：一侧为驾牲双轮车，车上立一犬；另一侧为执剑的骑马武士抓获战俘的形象，武士手抓战俘头发，另有一犬立起扑向战俘。带饰图像具有浓厚的草原民族特点，生动地反映了草原民族的社会生活。

固原市

1967.宁夏固原县出土文物

作　者：宁夏博物馆　钟　侃

出　处：《文物》1978 年第 12 期

简报分为：一、匈奴遗物，二、草庙公社发现"伏波将军章"，三、古城公社发现错金银铜羊，共三个部分。介绍了宁夏固原县 20 世纪 70 年代出土的一些文物。

据介绍，出土的匈奴遗物有二：一为杨郎公社出土的匈奴铜牌。出自杨郎公社杨郎大队养猪场内发现的 1 座土坑竖穴墓，死者盆骨附近发现两件铜牌。两件铜牌形制完全相同，长 13.7 厘米、宽 8.2 厘米，厚 1～3 毫米。1 件有长方形镂孔，另 1 件一端中部有凸出的喙形鼻纽。铜牌图案都是 1 虎噬 1 驴，具有古代游牧民族的独特风格。这两件铜牌可能作为带扣用。时代定为战国至汉代的匈奴遗物。在黄河以南，地处黄土高原的宁夏固原县出土这种铜牌，还是第 1 次。二为西郊公社出土的匈奴器具。1973 年秋，西郊公社鸦儿沟大队在断山头南坡上，发现几个相距不远的土坑，出土了一批金属器具，坑内还发现人骨和马骨。断山头是 1 座东西横亘的孤立土山，西北约 2 公里，有秦长城遗迹。出土的器物计有：银器 3 件及秦量器。秦量器实测 2500 毫升，是已发现的秦量器中最小的 1 种。"伏波将军章"出自一坍塌古墓旁，应为东汉初印。古城公社农民在挖窑洞时，发现 1 件错金银铜羊。羊体用铜铸成，蹲卧，长 8 厘米，高 5.5 厘米，重 665 克。从鼻梁过脊梁至尾端纵贯 1 条金线。两侧用卷曲的金银线镶错成弯曲的毛状图案，花纹纤细，是 1 件精致的工艺品。因为在铜羊出土地点附近发现汉代墓葬，所以时代暂断为西汉。

今有余英时先生《汉代贸易与扩张：汉胡经济关系结构研究》（上海古籍出版社 2005 年版）一书，可参阅。

1968.宁夏固原发现汉初铜鼎

作　者：固原县文物工作站　韩孔乐、武殿卿
出　处：《文物》1982 年第 12 期

1979 年 8 月，宁夏固原县古城公社古城大队二队农民在黑土梁取土时，从距地表不到 2 米深处，挖得 1 件铜鼎。

据介绍，此鼎失盖，素面，腹部饰凸棱纹一周。鼎身刻有铭文 3 段，简报录有全文，并指出从其内容、文字结构等分析，应是 3 次所刻。从形制和字体看，简报推断鼎的年代当为西汉初。

简报称，这件铜鼎原置于朝那使用，后移于乌氏。朝那、乌氏均为汉代安定郡属县。出土地点与文献所载两地相近，为确定汉朝那、乌氏故址提供了重要线索。

1969.宁夏固原汉墓发掘简报

作　者：宁夏固原博物馆　郑克祥
出　处：《华夏考古》1995 年第 2 期

1983 年秋，考古人员对固原县城和古城乡（今属彭阳县）2 处共 4 座汉墓进行了发掘。这 4 座汉墓中，3 座位于固原北郊，因这里地势较高且平坦，当地人称为"北塬"。3 座墓呈东西向排列，编号从西至东为北塘 83M1、M2、M3。其中 M1、M2 相邻，M3 距 M2 约 50 米。另 1 座位于固原古城乡北面的山梁上，编号为古城 83M1。简报分为：一、墓葬形制，二、出土器物，三、小结，共三个部分。有照片、拓片、手绘图。

据介绍，这 4 座墓均残存有封土，墓葬形制为带斜坡墓道的砖砌多室墓。其中主侧室有棺床的 2 座，前后室有棺床的 1 座，前后室带耳室且无棺床的 1 座。4 座墓中有 2 座为合葬墓、2 座为单葬墓。共出土陶器 33 件、铜器 52 件、铁器 7 件、玉器 2 件、骨器 2 件、货币 400 多枚。

简报推断北塘 M1、M2 为西汉晚期到东汉早期墓。M3 为王莽或以后的墓。古城 M1 为东汉早期墓。

简报称，汉武帝曾先后多次到过固原。汉朝初年，匈奴族不断对汉朝国都长安进行侵掠，固原是匈奴从西边入侵的主要通道。这样，固原就成为汉朝防御匈奴的主要门户。

此次发掘，为研究汉代固原提供了实物资料。

1970.宁夏固原北原东汉墓

作　者：宁夏考古研究所固原工作站　耿志强

出　处：《考古》1994 年第 4 期

1992 年 5 月，西郊乡和平村农民在承包地内平地时发现砖室墓 1 座。考古人员闻讯后及时前往现场，对该墓进行抢救和清理。清理时间自 5 月 13 日至 23 日。简报配以手绘图、照片予以介绍。

据介绍，墓葬位于固原县古城墙北 50 米处的北原平地。封土已被早年平整土地时铲平。墓室保存尚好。该墓由墓道、甬道、前室、后室、左耳室、右耳室六部分组成。随葬品位置均经扰乱，残存器物 40 余件，有陶器、铜器、铁器、鎏金器、漆器、五铢钱等。此墓距固原古城北墙 50 米，古城在汉代属高平城，为安定郡治所，也是当时的政治、经济、文化中心，特别在古代西北的军事防务上，占有非常重要的地位。东汉时期的墓葬遍布宁夏各地，在此地发掘的汉墓以砖室墓为主，墓室有单室、前后二室等。随葬品品种繁多，除常见的壶、罐、井、灶外，还有镜、矛、刀、铁剑、货币、车马具等，反映出东汉时期社会生活在固原地区的丰富多样。但从墓葬的结构形制和随葬器物等方面的情况分析，简报推断该墓的年代应属东汉中晚期。

1971.宁夏固原城西汉墓

作　者：固原博物馆　郑克祥等

出　处：《考古学报》2004 年第 2 期

固原博物馆坐落在宁夏回族自治区南部固原城西，汉高平城旧址西城墙外。1999 年 3 月，固原博物馆在陈列楼北侧建文物库房时，发现了 5 座汉代墓葬。墓葬距汉高平城旧址西城墙约 50 米，呈南北向排列，以发掘清理的先后，从南至北编号为 GBM1～M5。墓葬地表在 20 世纪 80 年代初为农业耕地，博物馆建馆时曾在这一地表上取土挖去 2 米多，后来又在这一地表进行多次平整，为基建工地使用。地表几次扰乱，原始堆积已不复存在。简报分为：一、1 号墓，二、2 号墓，三、3 号墓，四、4 号墓，五、5 号墓，六、墓葬年代，七、铜器制作工艺，共七个部分予以介绍，有照片、手绘图等。简报还详述了出土的铜钟、铜钫等的铸造工艺，认为工艺相当高超。

据介绍，1 号墓为方形土坑竖穴木椁墓，3、5 号墓为长方形土坑竖穴木椁墓。简报称，这都是西汉时期的主要墓葬形制。各墓的具体年代，据简报推断，1 号墓为西汉后期；3 号墓为西汉中期偏早；5 号墓均在成帝至王莽之间，不会晚于王莽时期；

4 号墓为 1 座长方形竖井式墓道土洞墓,为西汉后期至王莽时期墓;2 号墓为砖券结构长方形单室墓,约为王莽时期至东汉早期墓。

简报指出,固原为西北军事重镇,最大的 3 号墓又出土兵器饰件,推测 3 号墓墓主应为西汉时期当地的军事官员或官吏,5 号墓估计为 3 号墓墓主人的夫人,异穴合葬。

1972.宁夏固原市北塬东汉墓

作　者:宁夏文物考古研究所、固原市原州区文物管理所　樊　军等
出　处:《考古》2008 年第 12 期

固原市西北 1.5 公里的清水河上游西岸有汉高平城旧址。城址西侧为南北走向的古雁岭山脉,东侧的山前平原地带地势较为平坦、开阔,分布着许多古代墓葬。为配合城市基础建设,1999 年 7 月至 2000 年 8 月,考古人员在此地进行考古发掘,共发掘 10 余座汉代墓葬,其中编号简称 M1 和简称 M5 的汉代砖室墓保存较好,随葬遗物较丰富。简报分为:一、M1,二、M5,三、结语,共三个部分。有彩照、手绘图。

据介绍,2 墓均为带斜坡墓道、前室穹隆顶、后室券顶的多室墓。两墓均被盗过,出土遗物有陶器、铜釉陶器、铜器、骨器、玉器、琉璃器和钱币等。从墓葬形制和出土遗物看,M1 的时代为东汉早期偏晚,M5 的时代为东汉中期。简报认为 M1 墓主可能是卿大夫,M5 墓主可能是 600 石左右的官员,但也可能为地方豪强。

在劫余的随葬品中,摇钱树在宁夏尚属首次出土。简报指出,摇钱树是西南地区东汉至三国蜀汉时期墓葬中较为常见的遗物。西南地区出土的摇钱树由树座与树体组成,其中树座多为陶土烧制而成,造型多呈山峦形,上面烧塑出各种图案纹样。树干及树枝多为青铜质,其上雕刻的内容和题材多为当时流行的神话故事,除五铢钱外,图像内容主要为西王母崇拜体系的诸神灵图像以及仙花灵草等。从 M5 出土摇钱树的形制看,它的底座与树干均为青铜制作,且为整体铸造,这在现存的摇钱树资料中甚为罕见。再从摇钱树的图像看,除朱雀、四灵、乐舞杂技、仙人骑兽等神灵外,处于主尊位置的应为西王母。依汉代的丧葬理念,昆仑山是人类灵魂的归宿之地,蕴含着天国之意,摇钱树即是死者灵魂进入天国的桥梁和天梯。简报认为,摇钱树随葬在墓葬中,其实是这一区域内昆仑山仙境神话、升仙思想、金钱崇拜与祈求富贵观念的一种综合的物化表现,其核心寄托着墓主亡灵能够通过神树得道升天、羽化成仙,并在天国仙境继续享受荣华富贵。这一摇钱树的发现,为研究东汉中上层的丧葬理念提供了实物资料。

中卫市

1973.宁夏中卫县出土一件汉代博山炉

作　者：王凤菊

出　处：《考古与文物》2001 年第 5 期

1989 年 10 月，中卫县文管所在张家山清理 1 处汉墓群时出土了一批陶器，此博山炉是其中 1 件，时代为东汉初期，现藏于县博物馆。简报配以照片予以介绍。

据介绍，博山炉为夹砂灰陶。由炉盖、炉盘、柄、炉座四部分组成。通高 24 厘米。这件博山炉组合匀称，造型别致，装饰奇特，设计精巧，做工细腻，可谓独具匠心。简报称，就它的造型和工艺而言，它都可算是已出土博山炉中的佼佼者，尤其在中卫县是首次发现。它的发现为进一步研究汉代陶器的制作工艺及烧造技术提供了一件实物资料。

新疆维吾尔自治区

乌鲁木齐市

克拉玛依市

吐鲁番地区

1974.新疆吐鲁番艾丁湖古墓葬

作　者：新疆维吾尔自治区博物馆、吐鲁番地区文管所　李遇春、柳鸣亮
出　处：《考古》1982 年第 4 期

1980 年 5 月，艾丁湖公社团结三大队的两位农民发现了 1 片古代墓葬，并挖掘到红色彩陶器、铜器、金器等。经过深入调查和进一步清理，考古人员对 50 座已被扰乱的墓葬进行了编号、器物登记。简报配以手绘图等予以介绍。

据介绍，墓葬群位于艾丁湖公社西北 8 公里，西南距布干秃尔烽火台遗址约 5 公里。全为长方形竖穴土圹墓，一般长约 2 米，宽 1 米左右。均为单人葬。葬式为仰身直肢，头向西。出土的文化遗物共 165 件，主要是生活用具，有少量的生产工具和装饰品等，按质料可分为陶器、石器、铜器、铁器、金器五类。陶器有彩陶、素陶两种。这批墓葬的年代，简报推断为公元前 2 世纪至公元 1 世纪初，相当于中原地区的汉代。这些墓葬的墓主人，简报认为可能是姑师部族或车师前国时期人。

1975.新疆托克逊县英亚依拉克古墓群调查

作　者：吐鲁番地区文管所　柳洪亮、张永兵
出　处：《考古》1985 年第 5 期

1983 年 4 月下旬，托克逊县文化馆反映有人乱挖古墓。考古人员随即赶到现场，

只见墓地上坑穴累累，抛弃着被打碎的红色彩陶器、毛织品残块、皮革制品残块等出土物，封盖墓口的木棍、芦苇被掘得满地都是。考古人员按照掘开的墓坑收集了周围散置的出土器物，加以编号，并对整个墓群作了调查，简报配以手绘图、照片予以介绍。

据介绍，英亚依拉克古墓群位于托克逊县托台区喀格卡克大队英亚依拉克居民点南面约3公里处，西北距托克逊县城约27公里，是吐鲁番盆地西南部山前戈壁带与盆地中心黄土带交界的地方。整个墓群选择在戈壁滩稍凸起的高冈上，约有30座墓葬，分成数片聚集埋葬在一起。被破坏的9座墓多数没挖到底，M2下挖约1米深，为竖穴土坑墓，M4顶部破坏了一点。按墓坑收集遗物7件，经测定，结果M4距今2030±年，树轮校正年代为距今2000±95年，简报认为数据似稍微偏晚。

简报称，姑师人是见于史书记载最早活动在今新疆东部地区的土著居民之一，英亚依拉克古墓群的发现提供了姑师人分布区域的新资料，随着工作的进一步深入进行，将有助于探讨姑师文化及其民族的变迁。

1976.吐鲁番交河故城沟北1号台地墓葬发掘简报

作　者：新疆文物考古研究所　羊毅勇等
出　处：《文物》1999年第6期

1994年8～11月，考古人员在交河故城沟北调查并发掘了1片墓地。此墓地位于吐鲁番盆地西北部的绿洲地带，东南距吐鲁番县城约10公里，交通便利。沟北1号台地隔河与交河故城相望，平面为不规则形状，南北长约350米、东西宽35～37米。简报分为：一、墓葬形制，二、随葬器物，三、结语，共三个部分。有彩照、手绘图。

据介绍，墓地的基本葬式为仰身直肢，也有少量仰身曲肢。墓向基本为东西向，个别是正南北方向。所发掘的55座墓葬中，合葬墓有35座，占了一半以上。单人葬14座，其余6座不明。在合葬墓中，两人合葬的有20座，绝大多数为成年男女夫妇合葬墓。还有14座3人合葬墓，一般是成年夫妇与1个儿童的合葬墓。此外，还有少数单人墓和1座6人合葬墓。以大墓（M01和M16）为核心有两组附葬墓，环绕着主墓分布。其中，M01周围有15座附葬墓和22座殉马坑，M16有南北2座墓（M16①和M16②），周围有9座附葬墓和23座殉马（驼）坑。附葬墓内葬有2～3人，多是夫妇与1个儿童的合葬墓。这些附葬墓与墓主人的关系尚难以断定。出土遗物有金器、铜器、骨器及纺织品等。简报推断该墓地时代相当于西汉早期。按文化特征属于土著车师人墓地。

1977.新疆吐鲁番胜金店墓地 2 号墓发掘简报

作　者：新疆吐鲁番学研究院　张永兵　李　肖等
出　处：《文物》2013 年第 3 期

胜金店墓地位于新疆吐鲁番市胜金乡胜金店村南郊、胜金店水库与火焰山之间的坡地上，西距吐鲁番市 40 公里。现存墓地呈椭圆形，南北长 42 米、东西宽 23 米。墓葬分布均匀，排列有序，间隔 3～8 米，未见打破、叠压现象。少量成人墓旁有儿童祔葬墓。2007 年 10 月，考古人员对墓地进行了抢救性发掘，清理墓葬 31 座。出土了大量木器、骨器、皮革制品和毛织物，还有陶器、铜器、铁器、石器、玛瑙珠、玻璃珠等。在墓道或墓口填充物中，还出土了为数较多的小麦、黍、黑果枸杞、芦苇、香蒲、骆驼刺、稗子、虎尾草等植物。其中 2 号墓（M2）保存较好，且出器物较为特殊。分为三个部分予以介绍，配有照片和手绘图。

第一部分"墓葬形制"介绍说，M2 为竖穴偏室墓，墓内葬有 2 人，从竖穴内骨架下肢叠压在侧室内骨架之上的情形看，竖穴内人骨下葬较晚。人骨 A 位于竖穴底部，头向西北，面向东，仰身屈肢，头骨和四肢骨在外，其他骨骼包裹在毛毡内。人骨 B 位于偏室内，头向西北，面向上，仰身屈肢，为中年男性，头骨破碎，左下肢骨有病变——股骨、胫骨、腓骨、髌骨由于骨质增生，呈 70° 角长在一起，不能够活动。

第二部分为"出土器物"，除常见的陶器等外，值得注意的是有 1 件假肢。简报称系"用复合材料制作"。主体用 1 块厚木板加工而成，通高 90.2 厘米。上半部为固定板，长 52 厘米，刚好是使用者股骨的长度。板上部宽 8.8 厘米、下部宽 7.2 厘米．中间最厚处 2.5 厘米，向两边缘渐薄至 1 厘米。顶端中间竖排 2 个圆孔，用作皮条伸缩固定贴附在腿上，或固定把手便于左手支撑。两侧各有 7 个穿孔，孔中还残存皮绳，用以捆绑在大腿上。假肢中间是连杆，圆柱形，直径 3.6 厘米。连杆和固定板之间缠 3 圈用于加固的皮条，并用另 1 根皮条串联，以避免松动滑脱。底部为支脚，在连杆上套装 1 个经过加工成形的牛角，牛角套长 18 厘米，下半截较细，端头呈模状，利于抓地防滑。在牛角套上穿进 1 只小马蹄（或驴蹄），用作防陷装置。

第三部分"结语"首先肯定，"此次抢救性考古发掘工作取得重大收获"。简报特别强调胜金店墓地的碳十四测年数据为距今 2200～2050 年，约相当于西汉时期，当时这里居住的是车师人。

简报指出，M2 出土的假肢做工精巧，能确认它的用途实属不易。根据木板上部和边孔皮绳的磨损痕迹，可准确复原其使用部位和使用方式。这是到目前为止，在吐鲁番地区发现的唯一 1 件此类器物，在国内考古发掘中也属首次发现。

1978.新疆吐鲁番市胜金店墓地发掘简报

作　者：吐鲁番学研究院　张永兵、李　肖、丁兰兰、李春长等

出　处：《考古》2013年第2期

胜金店墓地位于新疆吐鲁番市胜金乡胜金店村南郊、胜金店水库与火焰山之间的坡地上，西距吐鲁番市40公里。该墓地发现于配合312国道吐鲁番一部善段复线工程建设而进行的考古调查。2006年5月，考古人员在公路北侧进行了首次考古发掘，资料尚未公布。2007年修路施工时，挖掘机在路边山坡上取土，挖出了人骨和器物，从而发现了公路南侧的墓葬。同年，考古人员在此进行了调查。2007年10月，对胜金店墓地进行了抢救性发掘。

简报分为：一、墓葬概述，二、墓葬形制与随葬品，三、结语，共三个部分进行了介绍。有彩照和手绘图。

据介绍，共发掘了30座墓葬。墓葬形制有长方形竖穴二层台墓、长方形竖穴土坑墓和长方形竖穴偏室墓三种。随葬品有木器、陶器、金属器、皮毛制品、丝质品，还出土了保存完好的古尸、小麦等。

根据墓葬形制、出土遗物以及碳十四数据分析，这批墓葬年代为西汉时期。

简报引称《汉书·西域传》，西汉中期以前，吐鲁番盆地周围居住的是姑师人，姑师人是新疆的土著居民之一，胜金店墓葬的墓主人或为姑师人。

简报指出，该墓地随葬品以木器和皮、毛质制品为主，还有陶器、铜器、铁器、石器、玛瑙珠、玻璃珠等。木器有碗、杯、盘、钵、豆、桶、刀鞘、簪、锥、扣、撅、纺轮、弓箭、拐杖、冠饰、假肢等。皮制品主要有皮靴、皮扣、扳指、护套、刀鞘、弓箭袋、绘有图案的羊皮画等。陶器主要有杯、碗、钵、壶、盆、双耳罐等。金属器物有铁刀、铁带钩、铜刀、铜耳环、金耳环、动物纹金饰件等。墓道或墓口填充物中有较多小麦、黑果枸杞、芦苇、香蒲、骆驼刺等植物。还出土了较多的羊、马骨等。根据随葬品的数量和种类可以推测当时仍以游牧经济为主。出土大量小麦则说明当时也从事农业生产。

简报特别强调，M2出土的假肢不只是在吐鲁番地区发现的唯一1件，在世界考古发现史上也较罕见。

哈密地区

1979.新疆巴里坤县东黑沟遗址 2006 ～ 2007 年发掘简报

作　者：新疆文物考古研究所、西北大学文化遗产与考古学研究中心　王建新、
　　　　张　凤、任　萌、亚合甫·江、于建军等

出　处：《考古》2009 年第 1 期

东黑沟遗址位于新疆巴里坤县石人子村南、东天山（巴里坤山）北麓。1957 年，在哈密进行文物普查时发现，1981 年 4 月复查时称之为"石人子遗址"。2005 年 7 ～ 9 月，考古人员对该遗址及其周围地区进行了较全面的调查和勘测，将之命名为东黑沟遗址。遗迹主要分布在东黑沟与直沟两条狭长的山谷内和山前坡地上，共发现石筑高台 3 座、石围居址 140 座、墓葬 1666 座、带画岩石 2485 块。由此确认该地为一处规模较大、内涵较丰富、具有代表性的古代游牧文化聚落遗址。

2006 年 6 ～ 9 月、2007 年 6 ～ 9 月，考古人员对东黑沟遗址进行了发掘，将遗址分为 4 区，本次发掘地点在东南部的 IV 区。简报分为：一、高台（GT1），二、石围居址，三、石圈遗迹，四、墓葬，五、结语，共五个部分。有彩照、手绘图。

简报称，东黑沟遗址的发掘，共清理石筑高台 1 座、石围居址 4 座、墓葬 12 座。高台的主要遗迹为 2 个使用面。墓葬均有圆形石封堆，有的有人牲和殉牲。出土陶、石、骨、铜质遗物和金银饰品等。墓葬年代约为西汉前期。

简报指出，古代游牧文化聚落遗址的考古发掘与研究，应是古代游牧文化考古研究的重要内容，但过去这方面工作做得较少。本次东黑沟遗址的发掘面积虽然有限，但对于古代游牧文化聚落遗址的考古研究却具有重要意义。对大型石筑高台的发掘在新疆属第 2 次，第 1 次是 20 世纪 80 年代对巴里坤兰州湾子遗址石筑高台的发掘。而对石围居址的发掘尚属首次。

简报认为，这批墓葬资料中最重要的发现是，既有墓主及其随葬品，又有被肢解埋葬用作墓祭的人牲及其随葬品。墓葬人牲和石圈遗迹内人牲的随葬品都为实用器，代表的应是一种在当地延续发展的土著文化。而墓主随葬品中的陶器多为火候较低、无使用痕迹的明器，与哈密地区公元前 1 世纪以来的土著文化的陶器形式明显不同。动物纹金银牌饰等其他器物，也非哈密地区的传统器形，应代表了一种新出现的外来文化。在这批墓葬中发现的以墓主为代表的外来文化和以人牲为代表的土著文化同时共存的现象，反映了当时征服者与被征服者的关系，值得重视。

和田地区

1980.新疆民丰县北大沙漠中古遗址墓葬区东汉合葬墓清理简报

作　者：新疆维吾尔自治区博物馆　李遇春

出　处：《文物》1960 年第 6 期

1959 年，考古人员在南疆一带配合工农业生产建设，进行普查和发掘工作。曾根据新疆石油局提供的线索于同年 10 月间由民丰县进入大沙漠，进行文物普查。普查时在 1 个古遗址附近，清理了 1 个部分露出沙面的"木乃伊"棺葬，发现了很多汉代锦绸服饰和其他随葬品。简报分为：一、发现经过，二、棺木及随葬品位置，三、随葬品，四、几个问题，共四个部分。有手绘图、照片。

据介绍，古遗址在民丰县以北大沙漠中，要从民丰县城骑骆驼走 6 天才到。斯坦因在 50 余年前，先后 3 次破坏过这个遗址。墓葬区在这个房屋聚集遗址的西北方向，距西北最远的几处房屋约 3 公里。那是在一望无际的流沙滩上，四周的范围约半里。但是绝大部分的墓葬，都被斯坦因破坏过了，棺木和人骨横七竖八地到处都是。被破坏过的这些棺葬，全是用一棵大树身，中间挖空成槽（状如马槽），盛以人尸，上盖木板。"木乃伊"棺葬即发现于这一带。棺内似 1 个有四条腿的矮长木箱，内有 2 具木乃伊，男、女各一。随葬器有木器、陶器、骨器、布绸等。简报认为此墓年代为东汉；木乃伊的族属，从男女服装式样，男尸鼻梁较高，女尸头发多辫等看，应为当地民族。

1981.新疆和田县买力克阿瓦提遗址的调查和试掘

作　者：李遇春

出　处：《文物》1981 年第 1 期

1977 年以来，考古人员两次到和田地区进行考古调查，其中去了买力克阿瓦提遗址。最近 1 次是 1979 年 9、10 月间，在遗址里进行了 1 次试掘。简报分为：一、调查发现，二、试掘结果，三、小结，共三个部分。有照片、手绘图。

据介绍，买力克阿瓦提遗址在和田县南 25 公里的玉珑喀什河西岸一片平沙地带。考古人员称四周已不见城墙痕迹，遗址也不呈方形，与黄文弼先生 1958 年考查时已不一样。遗址上的石础约数百个，遗址中央有 4 座陶窑废址，发现有窖藏钱币、小型原始佛像。简报推断此城址可能是汉代于阗国的城府。

阿克苏地区

喀什地区

克孜勒苏柯尔克孜自治州

巴音郭楞蒙古自治州

1982.楼兰城郊古墓群发掘简报

作　者：新疆楼兰考古队　侯　灿等
出　处：《文物》1988 年第 7 期

1980 年 3 月至 4 月，在楼兰古城进行考古调查时，考古人员在古城东北直线距离约 4.8 公里处，发现古墓群 1 处。此处为平台墓地，编号为 MA，发掘墓葬 7 座。在平台墓地东北约 2 公里、距古城约 6.9 公里处，又找到了 1914 年斯坦因挖掘命名为 LC 的墓地，称为孤台墓地，编号为 MB，发掘墓葬 2 座。

简报分为：一、平台墓地，二、孤台墓地，三、结语，共三个部分。有照片、手绘图。

据介绍，两处墓地共清理墓葬 9 座，出土器物 200 余件。据碳 14 测定，年代约相当于中原地区西汉晚期至东汉。考古人员选择发掘出的 6 个人类头骨进行测定，其中 5 个属欧洲人种，1 个属蒙古人种。这似乎表明楼兰当时居住的人种并不单一。

同刊同期载有《楼兰古城址调查与试掘简报》一文，介绍了中日专家为合拍"丝绸之路"电视片，组成考古队于 1979 ～ 1980 年 3 次深入楼兰古城一带进行考古活动的情况，可参阅。

1983.新疆和静县察吾乎沟口三号墓地发掘简报

作　者：中国社会科学院考古研究所新疆队、新疆巴音郭楞蒙古自治州文管所

丛德新、刘　辉、陈　戈

出　处：《考古》1990 年第 10 期

和静县察吾乎沟口三号墓地是与一、二号墓地同时发掘的。一、二号墓地的发掘简报已经发表，这里介绍三号墓地的发掘情况。三号墓地的地理位置和环境概貌在一号墓地的简报中已有所述，兹不重复。

三号墓地分为东、西 2 片，东片共分布墓葬 246 座，西片共分布墓葬 92 座。共发掘 20 座，其中东片 12 座、西片 8 座。简报分为：一、墓葬形制，二、随葬器物；三、结语，共三个部分。有手绘图。

据介绍，三号墓地的墓葬结构和葬具虽然有不同的形式，但它们的葬式是一样的，墓中一般都放马头、马腿或羊头、羊脊椎骨，随葬品也基本一致，所以它们的年代大体上也应该是一致的。简报推断三号墓地的年代为东汉前期，墓地也有可能是匈奴墓葬。

1984.新疆尉犁县营盘墓地 15 号墓发掘简报

作　者：新疆文物考古研究所　周金玲、李文瑛、尼加提、哈斯也提等

出　处：《文物》1999 年第 1 期

营盘是汉晋时期由楼兰向西沿孔雀河岸至西域腹地交通线上的 1 处枢纽重镇，东距楼兰故城近 200 公里，地处塔里木河下游大三角洲西北缘。这里分布有古城、烽燧、佛寺以及大面积的古代墓葬群。19 世纪末 20 世纪初，俄国人科兹洛夫，瑞典人斯文·赫定、贝格曼，英国人斯坦因曾先后考察过营盘遗址和墓葬区，获取铜镜、铜环以及玻璃杯等。斯坦因还根据《水经注》的记载，认为营盘遗址即"注宾城"。此后，营盘遗址不断出现在中外许多有关丝绸之路研究的论著中。1989 年 9 月，考古人员在营盘考古调查期间，清理被盗墓葬 9 座，采集了一批重要文物，并于 1995 年 11 ～ 12 月间对这处墓地进行了抢救性清理发掘。共发掘古墓葬 32 座，清理被盗墓 100 余座，出土、采集文物约 400 件。发掘资料表明：这是迄今罗布淖尔地区发掘面积最大、文化内涵极为丰富的 1 处墓地。这项重大收获及营盘遗址在丝绸之路交通上的重要地位引起了学术界的强烈关注。营盘的发掘成果，被评选为"1997 年度全国十大考古发现"之一。15 号墓是 1995 年营盘发掘墓葬中保存情况最好、最具特色的 1 座墓，其出土文物汇集了古代东西方不同的文化因素。对于研究当时丝绸

之路贸易、交通、中西文化交流都有着极为重要的学术价值。简报分为：一、墓葬的地理位置和概况，二、墓葬形制、葬式和葬俗，三、随葬遗物，四、结语，共四个部分予以介绍。有彩照、手绘图。

据介绍，营盘墓地位于新疆尉犁县东南约 150 公里处。出土遗物以纺织品最为珍贵。有鸡鸣枕、对禽对兽面纹绮面料、麻质面具、香囊、刺绣护膊等。M15 的年代，简报推断为东汉中晚期。

简报指出，M15 是营盘发掘墓葬中规格最高的 1 座，与其他墓葬相比，M15 使用箱式彩绘木棺，这在流行胡杨木槽形棺的营盘墓地十分罕见。M15 不见墓地流行的木器、羊骨等组合形式的随葬品。死者面罩面具、随葬冥衣、四肢缠帛等习俗也是独一无二的。墓主人服饰华丽，其外袍纹样带有浓厚的希腊化艺术风格。棺外覆盖具有异域特色的狮纹毯。M15 十分独特的资料，显示出墓主人生前的特殊身份。联系营盘在丝绸之路上的位置以及汉晋时期丝路沿线文化交流、贸易往来的历史背景，简报推测墓主人可能是一位来自西方的从事贸易的富商。

昌吉回族自治州

1985.新疆木垒出土古铁犁

作　　者：新疆昌吉州党委　戴良佐
出　　处：《农业考古》1999 年第 1 期

木垒哈萨克自治县新户古城遗址，位于新户乡新户牧业队坎尔孜村南 3 公里，距县城东北 15 公里。20 世纪 70 年代出土的铁犁铧件，舌形，残长 22 厘米、宽 15 厘米，厚 8 厘米，中部隆起，銎径 2 厘米。此遗址过去曾出土过夹砂红陶、红衣黑彩的彩陶、石磨盘与石作。从遗物初步推测为汉代的农业村落遗址，简报配以照片予以介绍。

据介绍，英格堡古城遗址位于木垒和奇台交界处，地处西吉尔乡英格堡破城子村。此古城当地人俗称唐朝城。1975 年，当地农民在平整土地时发现古铁犁铧 1 件。同时出土的有绿釉陶纺轮 1 件，铜镜 1 面，成堆的碎石，大量的牛马骨，腐朽的木桩，霉烂的粮食。城东北还挖出过糜子等。其遗址未经鉴定，根据遗物简报推断属汉或汉以前遗址。以上 2 件铁犁铧如果确属汉代，那么，以上 2 件铁铧的出土，对研究当时新疆古代的犁耕技术、分析新疆古代农业生产水平以及新疆和内地经济与文化的交流都有不可忽视的意义，说明当时内地的牛耕和铁制农具已推广到新疆，对发展边疆的农业起了促进作用。

博尔塔拉蒙古自治州

伊犁哈萨克自治州

1986.昭苏县古代墓葬试掘简报

作　者：中国科学院新疆分院民族研究所考古组
出　处：《文物》1962年第7、8期合刊

1961年第三季度，中国科学院新疆分院民族研究所考古组调查和试掘了伊犁地区的古墓葬群。调查的范围包括昭苏、特克斯、察布查尔、伊宁、霍城、绥定六县。在昭苏县试掘了2个墓葬。简报分为：一、古墓群的分布和基本特点，二、墓形葬制和结构，三、出土遗物，四、小结，共四个部分。有手绘图、照片。

据介绍，伊犁哈萨克自治州位于祖国的最西陲。昭苏县北距该州首府伊宁市约200公里（按公路里程计）。东接特克斯县，南越天山为南疆的阿克苏县，北邻察布查尔锡伯族自治县，西和西北与前苏联接壤。古墓葬群主要分布在昭苏附近的几个县境内，其中以昭苏和特克斯2县最多，察布查尔较少。在昭、特2县又集中在从特克斯河到天山的这片草原上，特别以昭苏县的下台山口和萨勒卧堡附近最为集中，初步估计下台地区的古墓葬即达200个左右。

简报称，墓葬的规模很大，说明当时生产力已相当发展，从墓葬群分布的自然环境和CSM2出土的兽骨和小铁刀来看，似反映当时已使用铁制工具。经济生活以游牧为主，但陶器的出现又反映一定的定居生活，可能意味着有一定的农业经营。墓葬有大、中、小3种不同的规模，以及随葬品的有无，明显地反映着墓主人身份的差别和财富的多寡。与发掘出土的遗物所反映的社会经济时代相符合。简报初步推测这种古墓群是古代乌孙民族或塞种的遗存。

1987.新疆新源巩乃斯种羊场石棺墓

作　者：新疆社会科学院考古研究所　张玉忠
出　处：《考古与文物》1985年第2期

1978年，考古人员在特克斯县的发掘工作结束后，于7月底到新源县调查。沿

巩乃斯河两岸，特别是河北的山前坡地上，一簇簇或一排排的大大小小的土墩和石头堆子，引起了考古人员的注意。为了摸清这些土墩和石头堆子的性质，在调查基础上，在县城以西约 70 公里的巩乃斯种羊场试掘了 10 座土墩，证明这是一片古代墓葬。次年 6 月，又发掘了其中的 7 座。先后共发掘古墓 15 座（编号 1 ～ 17，其中编号 8 和 15 经发掘不是墓葬）。简报分为：一、地理环境及墓葬形制，二、随葬器物，三、几点认识，共三个部分。有手绘图、照片。

据介绍，墓地位于巩乃斯河北岸的种羊场场部北约 2 公里处。这片墓地共有古墓 30 余座。其中最大的 1 座封堆高达 10 米以上，底周近 300 米，其余的封堆高度均在 0.5 ～ 2 米左右，封底直径约 7 ～ 24 米。不少墓葬在封顶铺 1 层石块或卵石，有的还在封堆底部以外嵌出 1 个圆形石圈，有似茔圈。因人力所限，此次发掘的都是中、小型封堆。这批墓葬的随葬品十分贫乏。共出土器物 22 件，均见于石棺墓中。有陶器、铁器、骨器、铜镜、铜泡。此批墓葬的时代，简报推断为汉代。

简报称，石棺墓中普遍用羊骨随葬，而陶器则甚少，反映了当时的经济生活是以游牧为主，畜牧业在经济生活中的比重是明显的。合葬墓的比例占半数以上，其中有的经鉴定是成年以上男女合葬墓，当时的社会形态应已进入阶级社会。

1988.新疆新源县七十一团一连鱼塘遗址发掘简报

作　者：新疆维吾尔自治区博物馆文物队

出　处：《考古与文物》1991 年第 3 期

1983 年七十一团在施工中发现铜器，1984 年进行了发掘，共发现灰坑 29 座及灶坑、灶面、围墙墙基等，发现有陶器、石器、骨器、铜器、铁器，有墓葬 6 座。简报认为此处应为乌孙人遗址，时代大致为西汉末到东汉。

1989.新疆新源县别斯托别墓地 2010 年的发掘

作　者：新疆文物考古研究所　阮秋荣

出　处：《考古》2012 年第 9 期

2010 年 10 月，为配合伊犁州新源县新源镇城市开发建设，新疆文物考古研究所考古人员对别斯托别墓地进行了抢救性考古发掘，发掘墓葬 3 座。简报分为：一、墓地概况，二、M1，三、M2，四、M3，五、结语，共五个部分。有彩照、手绘图。

据介绍，墓葬的地表有卵石堆成的封堆，墓室为竖穴土坑。随葬品有陶器、铜器、骨器、铁器、金器等。根据墓葬形制、出土遗物并结合测年数据，简报推断别斯托别墓地的时代大致在西汉前后。

塔城地区

阿勒泰地区

1990.新疆阿勒泰地区古墓葬发掘简报

作　者：新疆文物考古研究所　胡望林、吴　勇、于志勇等
出　处：《文物》2013 年第 3 期

墓葬位于新疆北部阿勒泰地区阿勒泰市阿拉哈克乡、哈拉希力克乡和布尔津县阔斯特克乡、杜来提乡境内北部山前洪积台地上。台地北高南低，地表多为戈壁角砾石堆积，植被稀少。这一地区共发现墓葬 35 座，墓葬分布零散，最少的地方只有 1 座，最多也不过 6 ～ 7 座。2010 年 5 月 15 ～ 31 日，考古人员对其中的 17 座墓葬进行了抢救性发掘。分三个部分进行了介绍，配有手绘图。

据第一部分"墓葬形制"介绍，此次发掘的 17 座墓葬中，除 2 座竖穴石棺墓外，其余 15 座墓葬地表均有封堆标志。按封堆构筑方法不同，可以分为石堆墓、石围石堆墓以及石堆石棺墓 3 种。其中石堆墓 13 座，石围石堆墓 1 座，石堆石棺墓 1 座。石堆由卵石、山石等堆积而成，平面多呈圆形或椭圆形，直径 2 ～ 13.5 米、高 0.2 ～ 1 米。石围石堆是在石堆的外围以卵石围砌一周，形成石围。石堆墓和石围石堆墓中只有 3 座墓葬封堆下有墓室。石堆石棺是先用长条形大石板在地面上围砌 1 座石棺，然后在石棺周围再堆放卵石形成石堆。

另外，17 座墓葬中有 11 座墓葬属于无墓室墓，只有 6 座墓葬有墓室。这 6 座墓葬按形制又可以分为竖穴土坑墓、竖穴木棺墓、竖穴石棺墓和地面石棺墓 4 种类型。

据第二部分"出土器物"介绍，此次发掘共出土器物 13 件，主要有陶罐、石罐、砺石、铜镞及金箔等。

第三部分为"结语"，指出新疆阿勒泰地区历史悠久，文物资源丰富。已发掘墓葬 200 余座，出土各类遗物百余件。而此次发掘的 6 座有墓室的墓葬均遭盗扰。墓室内埋葬人骨很少且不完整，均为二次葬。二次葬可以分为二次迁葬与二次扰乱葬两种。此墓的二次葬应属于二次迁葬。值得注意的是，从地表石堆、墓葬规模以

及殉人的葬俗上来看，M1均符合一座大墓的规格，但墓葬并无任何随葬器物，仅残存个别肢骨，这是一个值得思考的地方。

至于时代，简报认为，切木尔切克墓地青铜时代文化的年代为公元前2200～前1900年。初步推断以M12、M15为代表的石棺墓的年代也应在公元前2200～前1900年，相当于汉代或汉代以后。

石河子市

阿拉尔市

图木舒克市

五家渠市

香港特别行政区、澳门特别行政区、台湾省

参考文献

一、参考文献分为上编、中编、下编。

二、上编收录本书收录的考古核心刊物（以《北京大学中文核心期刊目录》2011 年版考古学科为准，略加调整）。中编系非核心刊物及以书代刊的连续出版物、某一地区考古成果汇编等举要。下编是面对非考古专业读者的相关书籍。

三、上编依《北京大学中文核心期刊目录》2011 年版给出顺序排列；中编依通行的省市自治区直辖市顺序排列。省市自治区下排列不分先后。

上 编

1.《文物》

创刊于 1950 年，国家文物局主管，文物出版社主办。初名《文物参考资料》，1959 年改为《文物》。1971 年曾停刊一年。现为月刊。

2.《考古》

创刊于 1955 年，由中国社会科学院考古研究所主办。1955～1959 年，用《考古通讯》的刊名，1955～1957 年为双月刊，此后改为月刊，1966 年 6 月至 1971 年 12 月停刊，1972～1982 年为双月刊，1983 年至今为月刊。有《考古（1955～1996 年）》《考古（1997～2003 年）》两张全文检索光盘出版。2007 年 3 月起，实行双向匿名审稿。

3.《考古学报》

创刊于 1936 年 8 月，由国立"中央研究院"历史语言研究所主办，刊名《田野考古报告》，列为专刊之十三。第二册（1947 年 3 月出版）更名为《中国考古学报》，至 1949 年共出版四册。第四册出版于 1949 年 12 月，由中国科学院历史语言研究所主办。1950 年 8 月 1 日，中国社会科学院考古研究所成立（当时为中国科学院所属研究机构），继续主办，于 1950 年 12 月出版第五册。自第六册（1953 年 12 月出版）更名为《考古学报》至今。1954 年变更为半年刊，1956 年变更为季刊，1960 年又变更为半年刊，1978 年起改为季刊，每年 1、4、7、10 月的 30 日出版。2007 年 3 月起，实行双向匿名审稿。

4.《考古与文物》

1980 年创刊，陕西省考古研究所主办，季刊。1982 年改为双月刊。该刊曾编有若干期《考古与文物》辑刊，多为研究性文章；还编有《考古与文物丛刊》，为不定期刊物，有少许发掘报告，但内容较宽泛，古文字学、古人类学等方面文章均收。

5.《中原文物》

河南省博物馆主办，1977 年创刊时名为《河南文博通讯》，1981 年改名《中原文物》，季刊。2000 年改为双月刊。有《〈中原文物〉十五年叙录（1977～1992）》一书。

6.《北方文物》

黑龙江省考古研究所、考古学会主办，1981 年创刊，初名《黑龙江文物丛刊》，季刊。

7.《华夏考古》

河南省考古研究所、河南省文物考古学会主办，创刊于 1987 年，季刊。

8．《四川文物》

四川省文物局主办。1984 年创刊，双月刊。出版有《〈四川文物〉二十年目录索引（1984～2003）》。

9．《江汉考古》

1980 年创刊，先以不定期形式共出了五期（至 1982 年底为止）。从 1983 年第 1 期（即总第 6 期）起改为季刊，向国内外公开发行。1989 年第 3 期起，由湖北省文物考古研究所主办。

10．《农业考古》

1981 年创刊，为国内外唯一的专门发表有关农业考古学研究成果的大型学术刊物。原主办单位为江西省博物馆、江西省中国农业考古研究中心。1985 年由江西省社会科学院历史研究所和江西省中国农业考古研究中心主办；1994 年起由江西省社会科学院和中国农业博物馆联合主办；2003 年起由江西省社会科学院主办。双月刊。

11．《文博》

1984 年 7 月创刊，陕西省考古研究所主办；陕西省博物馆、秦始皇陵兵马俑博物馆参办。双月刊。

《文博》虽未列入 2011 年版《北京大学中文核心期刊目录》，但考虑到该刊的质量及陕西省作为文物大省的地位，此次仍然予以收录。

中　编

1. 北京市

《考古学社社刊》

北京燕京大学考古学社编，1934 年创刊，1937 年停刊。

《考古学集刊》

中国社会科学院考古研究所主办，1981 年创刊，科学出版社出版，年刊。自第 16 期开始以专业论文为主。

《考古学研究》

北京大学考古文博学院、中国考古学研究中心编，16 开平装，科学出版社、北京大学出版社不定期出版。

《北京文物与考古》

1983 年创刊。

《北京文博》

北京市文物事业管理局主办，1995 年创刊，季刊。

《北京考古》

北京市文物研究所编，北京燕山出版社 2008 年始不定期出版。

《三代考古》

中国社会科学院考古研究所夏商周考古研究室编，16 开平装，科学出版社不定期出版。

《中国道教考古》

线装书局不定期出版。

《中国古陶瓷研究》

紫禁城出版社出版的连续出版物。

《石窟寺研究》

中国古迹遗址保护协会石窟专业委员会编，文物出版社不定期出版。

《中国大遗址保护调研》

中国社会科学院考古研究所文化遗产保护研究中心编，科学出版社 2011 年始不定期出版。

《文物研究》

科学出版社连续出版物。

《九州》

商务印书馆连续出版物。

《古脊椎动物学报》

中国科学院古脊椎动物与古人类研究所主办。1957年创刊时为英文版，季刊，1959年创刊中文版。1961年英文、中文版合并，1966年停刊，1973年复刊。

《文物资料丛刊》

《文物》编辑委员会编，文物出版社不定期出版。

《古代文明》

北京大学中国考古学研究中心编，文物出版社不定期出版。

《古代文明研究》

中国社会科学院考古研究所、古代文明研究中心编，文物出版社不定期出版。

《中国盐业考古》

科学出版社不定期出版。

《科技考古》

中国社会科学院考古研究所编，科学出版社不定期出版。

《水下考古》

国家文物局水下文化遗产保护中心编，上海古籍出版社2018年出版第1辑。

《中国国家博物馆馆刊》

创刊于1979年，初名《中国历史博物馆馆刊》。原为半年刊，一年两本。1999年改名《中国历史文物》，2002年改为双月刊，2011年改为《中国国家博物馆馆刊》，并改为月刊。

《首都博物馆丛刊》

首都博物馆主办，北京燕山出版社2007年始不定期出版。

《中国文物报内部通讯》

1991年7月创刊，不定期出版。

《陶瓷考古通讯》

《玉器考古通讯》

《古代文明考古通讯》

以上三种"通讯"，均由北京大学文博学院主办。

《青年考古学家》

北京大学文物爱好者协会会刊，1988年创刊。科学出版社出版。每年一册。

《故宫博物院院刊》

故宫博物院主办，1958年创刊，双月刊。

《中国文物科学研究》

国家文物学会、故宫博物院主办，2006 年创刊。

《中国历史文物》

国家博物馆主办，双月刊。

2．天津市

《天津博物馆集刊》

天津博物馆编，天津人民出版社出版，1998 年第一辑出版。

《天津考古》

天津市文化遗产保护中心编，16 开精装，科学出版社不定期出版。

《天津博物馆论丛》

科学出版社不定期出版。

《天津文博》

天津市文物博物馆学会编，1986 年创刊。

3．河北省

《文物春秋》

河北省文物局主办，创刊于 1989 年，双月刊。

《河北省考古文集》

河北省文物研究所编，科学出版社不定期出版。

4．山西省

《三晋考古》

山西省考古学会、山西省考古研究所主办，1994 年创刊。年刊，现由上海古籍出版社出版。

《山西博物馆学术文集》

山西人民出版社不定期出版。

《晋中考古》

文物出版社不定期出版。

《运城地区博物馆馆刊》

运城地区博物馆主办。

《北朝研究》

中国魏晋南北朝史学会、大同平城北朝研究会编，16 开平装，科学出版社不定期出版。

《文物世界》

山西省文物局主管，1987 年创刊，双月刊。

5. 内蒙古自治区

《内蒙古文物考古》

内蒙古文化厅、内蒙古考古博物馆学会主办，1981 年创刊，半年刊。

《草原文物》

内蒙古自治区文化厅、内蒙古考古博物馆学会主办，1984 年创刊，1997 年由年刊改为半年刊。

《鄂尔多斯考古文集》

伊克昭盟文物工作站 1981 年创刊。

《内蒙古包头博物馆馆刊》

内蒙古包头博物馆主办，2000 年创刊。

6. 辽宁省

《辽宁文物》

辽宁省博物馆主办，1980 年创刊。

《辽海文物学刊》

1986 年创刊，辽宁省博物馆、文物考古研究所主办，半月刊。

《辽宁考古文集》

辽宁省文物考古研究所编，16 开平装，科学出版社不定期出版。

《辽宁省博物馆馆刊》

辽海出版社不定期出版。

《沈阳故宫博物院院刊》

沈阳故宫博物院主办，1995 年创刊，半年刊。

《沈阳考古文集》

沈阳市文物考古研究所编，科学出版社 2007 年始不定期出版。

《大连文物》

科学出版社不定期出版。

7. 吉林省

《东北史地》

吉林省社会科学院吉林省高句丽研究中心主办，2004 年 1 月创刊。

《博物馆研究》

吉林省博物馆学会、吉林省考古学会主办，季刊。

《边疆考古研究》

吉林大学连续考古研究中心编，科学出版社不定期出版。

《亚洲考古》

吉林大学边疆考古研究中心编，科学出版社出版。该刊为英文版。

8. 黑龙江省

《黑龙江文物丛刊》

1985 年创刊，季刊，现已改名为《北方文物》。

《昂昂溪考古文集》

科学出版社 2013 年版。

9. 上海市

《上海博物馆馆刊》

创刊于 1981 年，上海人民出版社出版。后改名《上海博物馆集刊》，年刊。

《上海文博论丛》

上海博物馆主办。2002 年创办，季刊。

《文物保护与考古科学》

上海博物馆主办，1989 年创刊，现为双月刊。

《出土文献》

清华大学出土文献研究与保护中心编，2010 年创办，每年一辑。

10. 江苏省

《东南文化》

南京博物院、江苏省考古学会主办，1975 年创刊时名为《文博通讯》，1985 年改为《东南文化》。

《南京博物院集刊》

南京博物院主办，文物出版社出版。

《无锡文博》

1990 年创刊，季刊，原名《无锡博物馆通讯》。

《扬州文博》

扬州市博物馆主办，1990 年创刊，1992 年停刊。

《江淮文化论丛》

扬州市博物馆编，文物出版社不定期出版。

《徐州文物考古文集》

徐州市博物馆编，科学出版社不定期出版。

《苏州文博论丛》

苏州市博物馆编，文物出版社不定期出版。

《文博通讯》

江苏省考古学会编。1975 年创刊，1985 年改名为《东南文化》。

《江阴文博》

江阴市文物管理委员会编，半年刊。

《常州文博》

常州市博物馆编，1993年创刊，半年刊。

11．浙江省

《东方博物》

浙江省博物馆主管，创刊于1997年，季刊。

《杭州文博》

杭州出版社不定期出版。

《浙江省文物考古所学刊》

科学、文物出版社不定期出版。

《宁波文物考古研究文集》

宁波市文物考古研究所、文物保护管理所编，科学出版社不定期出版。

《东方建筑遗产》

宁波报国寺古建筑博物馆编，科学出版社的连续出版物。

《绍兴市考古学会会刊》

绍兴市考古学会编，不定期出版。

12．安徽省

《安徽省考古学会会刊》

安徽省文物考古研究所、考古学会编，16开平装，1985年创刊，为科学出版社出版的连续出版物。

《安徽文博》

安徽博物院、安徽省博物馆协会主办，1980年创刊。年刊。

《徽州文博》

黄山市博物馆协会主办。

《文物研究》

安徽省文物考古研究所编，科学出版社不定期出版。

13．福建省

《福建文博》

福建省博物馆主办，1979年创刊，半年刊。

《东南考古研究》

厦门大学出版社不定期出版，涉及东南亚国家考古成果。

14. 江西省

《南方文物》

江西省文化厅主办，江西省博物馆、江西省考古研究所编辑出版。原名《江西文物》，1992年改称《南方文物》，季刊。

《江西省博物馆集刊》

江西省博物馆主办，文物出版社不定期出版。

15. 山东省

《东方考古》

山东大学东方考古研究中心编，16开平装，为科学出版社推出的连续出版物。

《齐鲁文物》

山东省博物馆编，科学出版社不定期出版。

《海岱考古》

山东省文物考古研究所编，科学出版社不定期出版。

《胶东考古》

《齐鲁文博》

齐鲁书社不定期出版。

《山东省高速公路考古报告集》

科学出版社不定期出版。

《济南考古》

济南市考古研究所编，为科学出版社的连续出版物。

《青岛考古》

青岛市文物保护考古研究所编，为科学出版社出版的连续出版物。

16. 河南省

《河南博物馆馆刊》

1936年创刊，河南博物馆编辑出版，16开，计已出版了11册。除了考古成果，还收录了动物、植物、矿物等方面的成果。

《中原文物考古研究》

大象出版社不定期出版。

《河洛文化论丛》

北京图书馆出版社不定期出版。

《动物考古》

河南省文物考古研究所编，文物出版社不定期出版。

《文物建筑》

河南省古代建筑保护研究所编，科学出版社不定期出版。

《郑州文物考古与研究》

郑州市文物考古研究院编，科学出版社不定期出版。

《郑州商城考古新发现与研究》

河南省文物考古研究所编，中州古籍出版社出版。

《洛阳考古》

洛阳市文物考古研究院编，中州古籍出版社出版的系列出版物，2017年以来已出版十余册。

《洛阳文物钻探报告》

洛阳市文物钻探管理办公室编，文物出版社不定期出版。

《开封考古发现与研究》

开封市文物工作队编，中州古籍出版社1998年出版。

《开封文博》

开封市博物馆主办，1990年创刊，半年刊。

《殷都学刊》

安阳师范学院主管，1980年创刊，季刊。

17. 湖北省

《楚文化研究论集》

荆楚书社不定期出版。

《荆楚文物》

荆州博物馆编，16开平装，科学出版社2013年始不定期出版。

《襄樊考古文集》

襄樊市文物考古研究所编，科学出版社2007年始不定期出版。

《鄂东北考古报告集》

湖北科学出版社1996年版。

《三峡考古之发现》

湖北科学技术出版社推出的连续出版物。

《湖北库区考古报告集》

国务院三峡工程建设委员会办公室、国家文物局编，科学出版社2003年始不定期出版。

《武汉文博》

武汉市文物管理处研究室编，1988年创刊，季刊。

《清江考古》

湖北省清江隔河岩考古队、湖北省文物考古研究所编，科学出版社 2004 年出版。

《湖北南水北调工程考古报告集》

科学出版社不定期出版。

《葛洲坝工程文物考古成果汇编》

武汉大学出版社出版。

《长江文物考古简讯》

长江流域规划办文物考古队编，1958 年创刊，月刊。

18．湖南省

《湖南省博物馆馆刊》

岳麓书社不定期出版。

《湖南考古辑刊》

岳麓书社不定期出版。

19．广东省

《广东文物》

广东省文化厅、广东省文物博物馆学会主办，1996 年创刊，半年刊。

《广东文博》

广东省文物管理委员会主办，1983 年创刊，不定期出版。

《艺术史研究》

中山大学艺术史研究中心编，中山大学出版社出版，每年一本。

《华南考古》

广州市文物考古研究所等编，文物出版社 2004 年始不定期出版。

《羊城考古发现与研究》

广州市文物考古研究所编，文物出版社 2005 年始不定期出版。

《广州文博》

广州市文物局等编，1985 年创刊，文物出版社不定期出版。

《珠海考古发现与研究》

广东人民出版社 1991 年版。

《深圳文博论丛》

深圳博物馆编，文物出版社不定期出版。

20．广西壮族自治区

《广西考古文集》

广西文物考古研究所编，文物出版社不定期出版。

《广西文物考古报告集》

广西壮族自治区文物工作队编，广西人民出版社 1993 年出版的一册汇集了 1950 ～ 1990 年的考古调查、考古发掘报告等。

21．海南省

《海南省博物馆研究文集》

科学出版社不定期出版。

《西沙水下考古》

中国国家博物馆水下考古研究中心、海南省文物保护管理办公室编，科学出版社不定期出版。

22．重庆市

《长江文明》

中国三峡博物馆主办，2008 年创刊，季刊。

《重庆库区考古报告集》

重庆市文物局、重庆市移民局编，科学出版社出版，大体每年一卷。

《大足学刊》

大足石刻研究院编，重庆出版社不定期出版。

23．四川省

《四川考古报告集》

文物出版社不定期出版。1998 年出版第 1 集。

《南方民族考古》

四川大学博物馆、成都民族文物考古研究所编，1987 年创刊，中间因故停刊，2010 年复刊。科学出版社不定期出版。

《成都文物》

成都文物管理委员会主办，季刊。

《成都考古发现》

成都市文物考古研究所编，科学出版社出版，大体一年一册。据称自 2001 年以来，20 年间发表了 425 篇报告。

《四川古陶瓷研究》

四川省社会科学院主办，不定期出版。

《川南文博》

四川省宜宾市博物馆主办，1985 年创刊。

24．贵州省

《贵州省博物馆馆刊》

贵州省博物馆主办，1985 年创刊，1988 年停刊，1992 年与《贵州文物》合并，改名《贵州文博》。

《贵州文物》

贵州省文管会主办，1982 年创刊，1992 年停刊。

25. 云南省

《云南文物》

云南省博物馆主办，1973 年创刊，1987 年停刊。

《云南考古文集》

云南民族出版社出版。

《茶马古道研究集刊》

云南大学出版社不定期出版。

26. 西藏自治区

《西藏文物考古研究》

西藏自治区文物保护研究所编著，平装 16 开，科学出版社 2014 年始不定期出版。

《西藏考古》

四川大学出版社 1994 年始不定期出版。

《西藏文物通讯》

西藏自治区文管会主办，1981 年创刊。

27. 陕西省

《周秦文明论丛》

三秦出版社不定期出版。

《西部考古》

三秦出版社出版的连续出版物。

《史前研究》

陕西省考古研究院、西安半坡博物馆主办，1986 年创刊，季刊。

《秦文化论丛》

西北大学出版社出版的连续出版物。

《陕西省历史博物馆馆刊》

西北大学出版社出版的连续出版物。

《陕西博物馆馆刊》

三秦出版社不定期出版。

《宝鸡文博》

1991 年创刊，不定期出版。

《秦陵秦俑研究动态》

秦始皇兵马俑博物馆主办，1986年创刊，季刊。

28．甘肃省

《敦煌研究》

《西北民族研究》

《陇右文博》

甘肃省博物馆主办，1996年创刊，半年刊。

《简牍学研究》

西北师范大学、甘肃省文物考古研究所编，甘肃人民出版社1997年开始出版。

29．青海省

《青海文物》

青海省文化厅主办，1988年创刊。

《青海考古学会会刊》

青海省文化厅文物处、青海省考古学会主办，1980年创刊，1985年停刊。

30．宁夏回族自治区

《宁夏社会科学》

《西夏学》

宁夏大学西夏学研究院主办，半年刊。

31．新疆维吾尔自治区

《新疆文物考古研究所丛刊》

《新疆考古》

新疆社会科学院考古研究所主办，后改为《新疆考古研究资料》，不定期出版。

《新疆文物》

《西域文史》

北京大学中国古代史研究中心、新疆师范大学西域文史研究中心合办，16开平装，由科学出版社不定期出版。

《吐鲁番学研究》

吐鲁番地区文物局编。

32．香港特别行政区、澳门特别行政区、台湾省

《香港文物》

香港古物古迹办事处出版。

《香港考古学会专刊》

《"国立"台湾大学考古人类学刊》

1953年创刊，年刊。

《台湾省博物馆季刊》

创刊于 1948 年，现存 4 期，已停刊。

《故宫文物月刊》

台湾"'国立'故宫博物院"出版，1983 年创刊。

下 编

欲了解最新的考古成果、考古文献，有两套书是必须知道的：一套是《中国考古学年鉴》，自1984年以来每年一册，欲了解上一年度（如2019年出版的年鉴，反映的是2018年的信息）的考古成果、考古书籍、考古论文等，这是最权威的工具书之一；另一套是《中国重要考古发现系列》，这套书的优点是图文并茂，反映的就是书名所示年度的重要考古发现。如2013年出版的《2012年中国重要考古发现》，说的就是书名所示2012年的事情。这两套书，均由文物出版社出版。

更深入一些的书籍，有三套书应该提到：

第一套是文物出版社出版的《中国文物地图集》，这套书按各省市自治区分册，如重庆分册、河北分册等。优点是将考古发现与地图结合，可以直观地看到某一地区考古发现的多少，但欲进一步了解，仅靠此套书是无法解决的。所以正确的使用方法是：将此书与其他书结合起来阅读。

第二套是《中国考古集成》（中州古籍出版社2006～2007年版），此书实际上就是将散见各处的考古文献汇集一处，这对使用者而言当然是极为便利。不过窃以为如改为《中国稀见考古文献集成》，或许更实用一些。

第三套是《中国考古学》，此为集中全国专家编写了十余年之久的国家项目，专业性较强。计划分为9卷，目前"新石器时代卷""秦汉卷""两周卷""三国两晋南北朝卷""夏商卷"等册已出版。全套书要出齐恐怕尚待时日。《考古》杂志2011年第7期有相关书评，有兴趣的话可以找来看看。

如果没有时间去浏览这些大套书的话，先看一些概述、综述性质的书是一个不错的选择。这里仅介绍国家文物局主编的《中国考古60年（1949～2009）》（文物出版社2009年版）一书。这部书是按省市自治区分开叙述的，囊括了1949年后几乎全部重大考古发现，有文有图，执笔者多为各省（自治区、直辖市）的考古专家，文简意赅，缺点是没有给出参考文献，无法以此为线索扩大阅读。当然，依照以往的惯例，可以预料日后会有《中国考古70年（1949～2019）》一类的书出版，希望那时会有所改进。文物出版社2009年出版的《中国文物事业60年》一书，或可视作《中国考古60年（1949～2009）》一书的姐妹篇，也可参阅。书中除了港澳台以外，各省（自治区、直辖市）均列有专节。另外，国家博物馆编、中华书局2012年出版的《文物史前史·彩色图文本》等，已出齐10册，几可视为中国考古的图片专辑。

陈淳先生的《考古学研究入门》（北京大学出版社2009年版）、李朝远先生的

《青铜器学步集》（文物出版社2007年版）、刘凤翥先生的《遍访契丹文字话拓碑》（华艺出版社2005年版）等，当为比较专业的"入门"类书。四川文物考古研究院编过一本《少儿考古入门》（文物出版社2013年版），那是明言给中小学生看的。其实，一些大家写的集子，可读性颇强，不妨也当作入门书来读。如严文明先生的《足迹：考古随感录》（文物出版社2011年版）、苏秉琦先生的《中国文明起源新探》（辽宁人民出版社2009年版，三联书店2019年新版）、李零先生的《入门与出塞》（文物出版社2004年版）、赵青芳先生的《赵青芳文集·考古日记卷》（文物出版社2011年版）、罗宗真先生的《考古生涯五十年》（凤凰出版集团2007年版）、石兴邦先生的《叩访远古的村庄》（陕西师范大学出版社2013年版）、杨育彬先生的《考古人生——杨育彬回忆续录》（科学出版社2021年版），等等。一些考古工作者亲力亲为的记载，也十分生动有趣。如王吉怀先生的《禹人絮语——考古随笔记》（中国社会科学出版社2017年版）、罗西章先生的《周原寻宝记》（三秦出版社2005年版），等等。事实上，此类书几乎已成为近几年的一个出版热点。如《了不起的文明现场：跟着一线考古队长穿越历史》（三联书店2020年版）、《我在考古现场：丝绸之路考古十讲》（中华书局2021年版）、《考古中国——15位考古学家说上下五千年》（中信出版集团2022年版）等，均很受欢迎。

这里要特别推荐李伯谦先生《感悟考古——写给青年学者的考古学读本》（上海古籍出版社2015年版）一书，这是考古大家唯一一本明言写给青年学者的考古学入门读本。另外，李学勤先生的《李学勤讲演录》（长春出版社2012年版），也是深入浅出的大家之作。陈洪波先生《中国科学考古学的兴起：1928～1949年历史语言研究所考古史》（广西师范大学出版社2011年版）、《中国文物研究所七十年（1935～2005）》（文物出版社2005年版）、《记忆：北大考古口述史》（北京大学出版社2012年版）、《考古研究所编辑出版书刊目录索引及概要》（四川大学出版社2001年版）等是众多考古机构类书籍中最值得推荐的几本。读此会对中国最高考古机构及最早的考古教育院系有一个基本了解。文物出版社2010年还出版过一本《春华秋实：国家文物局60年纪事》，读一读，对中国大陆最高文物考古行政部门，也会有所了解。学术史、研究史方面的书自也不应忽视。这方面的书籍应提到陈星灿先生的《中国史前考古学史研究：1895～1949》（三联书店1997年版）、《20世纪中国考古学史研究论丛》（文物出版社2009年版）、黄继秋先生的《百年中国考古》（江苏人民出版社2013年版）、李学勤先生的《20世纪中国学术大典·考古学、博物馆学》（福建教育出版社2007年版）等。最新的书籍，当然是王巍先生主编的《中国考古学百年史（1921～2021年）》（中国社会科学出版社2021年版）共12册，据称共有276名专家参加了此书的写作。

有几部书较有特色，但很难归类：一是国家文物局第三次全国文物普查办公室编的《三普人手记：第三次全国文物普查征文选集》（文物出版社 2009 年版），可一见奋战在文物普查一线的文保工作者的酸甜苦辣；二是中国文物保护基金会编的《天职——从"文保市长"到"文保书记"》（文物出版社 2009 年版），可了解地方官员的无奈与奋争；三是何驽先生的《怎探古人何所思：精神文化考古理论与实践探索》（科学出版社 2015 年版），不是讲考古的思想史，而是从考古材料出发研究思想史；四是《梁带村里的墓葬：一份公共考古学报告》（北京大学出版社 2012 年版），它是从一个村庄微观角度，讲述考古学。

最后应介绍文献学及工具书方面的书籍。首先应提到张勋燎、白彬先生编著的《中国考古文献学》（科学出版社2019年版）。至于工具书，有《中国考古学文献目录（1949～1966）》（文物出版社1978年版）、《中国考古学文献目录（1971～1982）》（文物出版社1998年版）、《中国考古学文献目录（1983～1990）》（文物出版社2001年版）等，虽说尚未构成一个完整的考古文献"数据库"，但总算有胜于无。期待着国家文物局相关数据库建设早日完善。还有一些小型的更专业的书目，如叶骁军编的《中国墓葬研究文献目录》（甘肃文化出版社1994年版）、赵朝洪先生的《中国古玉研究文献指南》（科学出版社2004年版）。这些书目都很不错，但如不及时修订容易过时。史前方面，还有几部研究史和文献目录应该提到：吕遵谔先生的《中国考古学研究的世纪回顾——旧石器时代考古卷》（科学出版社2004年版）、严文明先生的《中国考古学研究的世纪回顾——新石器时代考古卷》（科学出版社 2008 年版），是很好的研究史专著。缪雅娟先生的《中国新石器时代考古文献目录（1923～2006）》（中州古籍出版社 2014 年版），为我们提供了该领域的专业目录。后两书的内容，从时代看有的已进入夏商甚至更晚的时期。

辞典方面，仅介绍三部：一部是上海辞书出版社2014年出版的《中国考古学大辞典》，由中国社会科学院考古研究所所长王巍先生主编。条目拟定者多为相关领域专家，历时7年编成。正文收有条目5000余条，附录中有"中国考古学大事记（1899～2012）"等也都很实用。这部辞典，可以看作是考古学领域的"牛津双解辞典"，颇具权威性。另一部是罗西章、罗芳贤父女二人编著的《古文物称谓图典》（百花文艺出版社2013年版）。李学勤先生在序中称此书"别出心裁，与众不同，是一部新颖又有重要应用价值的著作"。共收录各类文物（图）3553件（组），下分20大类，再依时代排列。此书的图片印制等尚有提升空间，期盼第三版时会更臻完善。第三部是文物出版社2012年出版的《常见文物生僻字小字典》，很实用。

报纸方面，应提到国家文物局主办的《中国文物报》周报。当然，最快捷的还是互联网。较权威的有中国社会科学院考古研究所的中国考古网（http：//kaogu.

cn）、中国考古网微信（zhongguokaogu/ 中国考古网）、中国考古网新浪微博
（http：//e.weiho.com/kaoguwang）。

各地区也有一些不错的考古史及考古丛书等。

如北京市，推荐宋大川先生主编的《北京考古发现与研究（1949～2009）》一书，
科学出版社 2009 年版，上、下两册。如觉此书太厚，可参见同一作者的《北京考古
史》（上海古籍出版社 2012 年版）一书。另外，上海古籍出版社 2011 年出版的《北
京考古工作报告（2000～2009）》，计 12 册，可视为北京考古事业的一个大型文
献数据库。《北京考古集成》（北京出版社 2005 年版）15 卷也已出齐。

河北省，推荐河北省文物研究所编著的《河北考古重要发现 1949～2009》（科
学出版社 2009 年版）一书。分旧石器时代、新石器时代、夏商周、秦汉、魏晋北朝、
隋唐五代、宋辽金元明，共七个部分进行介绍。另有《河北文物考古文献目录》（河
北人民出版社 2020 年版）。

山西省，山西是文物大省。相关书籍不少。从非专业人员阅读兴趣考虑，首先
推荐《发现山西：考古人手记》（山西博物院、山西省考古研究所编，山西人民出
版社 2007 年版）一书。该书 16 开一册，仅 175 页厚，插图 213 幅，记叙了山西省
芮城县西侯度、清凉寺，吉县柿子滩、沟堡，绛县横水墓地，曲沃县羊舌墓地，黎
城县西周墓地，侯马市西高祭祀遗址，大同市沙岭北魏壁画墓，太原市北齐徐显秀
墓的考古发掘始末。读此一书，对山西省比较重要的考古发现，都会有一个初步的
印象。《有实有积：纪念山西省考古研究所六十华诞集》（山西人民出版社 2012 年版）
也可参考。

内蒙古，有《辽西区青铜时代考古文献选编：回眸药王庙、夏家店遗址发掘
六十周年》（科学出版社 2020 年版）一书，把相关的考古发掘报告及研究论文集中
于一书，使用起来当然很方便，何况收入的考古发掘报告又做了修订。

黑龙江省，可参阅黑龙江省文物考古研究所编《考古·黑龙江》（文物出版社
2011 年版）。

上海市，张明华先生《考古上海》（上海文化出版社 2010 年版）、上海博物馆编《上
海市民考古手册》（北京大学出版社 2014 年版）等均可一阅。

浙江省，可参阅浙江省文物局编《发现历史：浙江新世纪考古新成果》（中国
摄影出版社 2011 年版）一书。马黎先生的《考古浙江：历年背后的故事》（浙江古
籍出版社 2021 年版），用浅白有趣的文笔，讲述了近十年来浙江省的考古工作，
正好可与上一本书在时间上衔接起来。《浙江考古（1979-2019）》（文物出版社
2020 年版）汇集了相关最新成果。

安徽省，可参阅《流金岁月——安徽省文物考古研究所 50 年历程》（安徽省文

物考古研究所 2008 年版）。

山东省，山东省文物考古研究所编《山东 20 世纪的考古发现和研究》（科学出版社 2005 年版），可作为了解山东省考古事业的一部入门书，但缺点是缺少近十年来的内容。

河南省，河南省是文物大省。可以推荐的书不少。如文物出版社 2011 年出版的《历程：洛阳市文物工作队三十年》，读来并不枯燥。同类书尚有《岁月如歌——一个甲子的回忆》《岁月记忆：河南省文物考古研究所 60 年历程》，均由大象出版社 2012 年出版。国家图书馆出版社 2009 年出版的《洛阳古墓图说》一书，以图解方式介绍了新石器时代至明代的古墓。《河南文博考古文献叙录（1986～1995）》（中州古籍出版社 1997 年版）、《河南新石器时代田野考古文献举要（1923～1996）》（中州古籍出版社 1997 年版），虽稍显过时，但仍不失为两部有价值的文献目录。

北京图书馆出版社 2005 年始陆续出版的《洛阳考古集成》，为 16 开多卷本，已出版"原始社会卷""夏商周卷""秦汉魏晋南北朝卷""隋唐五代卷"及"补编"等，汇集了近五十年来相关考古资料，可视为考古重镇洛阳的一项大型文献基本建设。

湖北省，楚文化研究会早在 20 世纪 80 年代即编有《楚文化考古大事记》，可作为工具书使用。

湖南省，文物出版社 1999 年出版有《湖南省考古五十年》一书，可参阅。

广东省，广东省文物局编《广东文物考古三十年》（暨南大学 2009 年版）一书，附有"广东省文物考古调查发掘简报、报告目录（1978～2008）"，可以视作广东省考古文献的入门目录之一。文物出版社 1999 年出版的《广东省考古五十年》一书也可参看。

近年来，不少经济大省纷纷推出本省文物、考古的集大成丛书，广东省自然也不例外。科学出版社近年所出《广东文化遗产》，下分"古墓葬卷""塔幢卷""石刻卷""近现代重要史迹卷""古代祠堂卷"等，广东相关文献，几乎全部囊括在内。

广州市文物考古所有《广州考古六十年》（广东人民出版社 2013 年版）一书，可了解广州市考古工作的情况。

重庆市，文物出版社 1999 年出版的《重庆市考古五十年》一书，可作为入门书来看。此后的考古发现，可参阅《重庆文物考古十年》（重庆出版社 2010 年版）。

四川省，比较值得推荐的有《巴蜀埋珍：四川五十年抢救性考古发掘纪事》（天地出版社 2006 年版），此书为四川省文物考古研究院编著，读者阅后对四川省 1949～2005 年间重大考古发现会有一个总体的印象。

贵州省，今有贵州民族出版社 1993 年版《贵州田野考古 40 年》一书，可参阅。

西藏自治区，夏格旺堆先生的《西藏考古工作 40 年》（文物出版社 2013 年版），是了解西藏自治区考古工作的一部综述类著述。

陕西省，陕西省是我国文物大省，从出版角度看，2006年成立的陕西省考古研究院在全国各省市自治区中可以说是做得最好、最有规划的。该院已出版的丛书计有：

——"陕西省考古研究院田野考古报告丛书"，已出版五六十部；

——"陕西省考古研究院学术专题研究丛书"；

——"陕西省考古研究院专家学术研究丛书"；

——"陕西省考古研究院文物精品图录丛书"；

——"陕西省考古研究院译著丛书"。

陕西省考古方面的书籍众多，在此仅介绍《三秦60年重大考古亲历记》（三秦出版社2010年版）一书，此书16开，554页厚，收文71篇，图文并茂，还有一些专业名词解释等小贴士，便于初学者阅读。读后对20世纪50年代的半坡遗址，60年代的蓝田猿人、70年代的秦兵马俑坑和周原遗址，80年代的法门寺地宫、汉唐帝陵和陪葬墓，90年代的汉阳陵陪葬坑、周公庙遗址、梁带村芮国墓地等均会有所了解。文章中不乏考古人员的发掘过程、生活细节、真实想法等，读来颇为生动、形象。陕西省文物局、考古研究院编《留住文明：陕西"十一五"期间基本建设考古重要发现（2006~2010）》（三秦出版社2011年版）当然是更专业的综述了。尹申平、焦南峰先生主编的《薪火永传：纪念陕西省考古研究院50周年（1958~2008）》（三秦出版社2008年版），读后对陕西省考古最高学术机构陕西省考古研究院会有一定了解。罗宏才先生的《陕西考古会史》（陕西师范大学出版社2014年版），也可参阅。

工具书方面，《陕西考古文献目录（1900~1979）》仍有一定使用价值。《陕西文物年鉴》（陕西人民出版社）是少数几个出版有文物年鉴的省、市中最为实用的。

甘肃省、青海、宁夏，有李怀顺、黄兆宏著《甘宁青考古八讲》（甘肃人民出版社2008年版），介绍了甘肃、宁夏、青海从旧石器时代到明代的考古情况。另有《青海考古50年》（青海人民出版社1999年版）一书，也可参阅。

新疆维吾尔自治区，2015年由新疆美术摄影出版社、新疆电子音像出版社、美国克鲁格出版社联合出版《西域文物考古全集》一书，共有"研讨与研究卷""精品文物图鉴卷""不可移动文物卷"三大卷39分册，是新疆维吾尔自治区文物局完成的对近万处文物资料的整理汇编，是以新疆88个县、市的不可移动文物资料为基础，融汇了多年来新疆文物考古取得的主要成果。按照古遗址、古墓葬、古建筑、石窟寺及石刻、近现代重要史迹及代表性建筑、文物等类别的体例依次汇编。这些细致的工作，不仅为新疆不可移动文物保护规划的制定、进一步的考古发掘提供了科学依据，更为西域古代文化的研究提供了全面和系统的资料。

香港特别行政区，商志（香覃）、吴伟鸿先生的《香港考古学叙研》（文物出版社2010年版）在回顾香港考古发现、考古发掘的过程中，不时加入自己的研究观点，可作为了解香港特别行政区考古事业的首选书。

澳门特别行政区，郑炜明先生的《澳门考古史略》（澳门理工学院2013年版）是了解澳门特别行政区考古事业的一部好书，只是在中国内地不太好找。

台湾省，有陈光祖先生主编、臧振华先生编著的《台湾考古发掘报告精选（2006～2016）》。又有李匡悌先生编著的《岛屿群相：台湾考古》（台湾"中央研究院"历史语言研究所2018年版）一书，分章叙述了台湾的考古学史、史前考古、田野考古、环境考古、科技考古、动物考古、历史考古、水下考古等。

中国考古学会有《中国考古学年鉴》，已如前述。河南等地考古机构也有《考古年报》，一年一册。博物馆方面，有《中国国家博物馆年鉴》《中国博物馆年鉴》。

后 记

　　考古发掘报告，包括前期的勘察报告、调查报告、钻探报告、航拍报告、试掘报告，中期的清理报告、发掘报告，后期的实验报告、整理报告、保护报告等，是我国几代考古工作者辛勤劳动的结晶，是我们认识考古学术成果的唯一文字凭证。考古发掘报告，反映的是祖先留下的珍贵遗产，而考古发掘报告本身，也已成为一座取之不尽、用之不竭的学术宝库。这座宝库，应该说不仅仅属于考古学界，甚至应该说不仅仅属于学术界，而应属于全体国民，属于人类文明。

　　然而，令人遗憾的是，多年以来，国人对考古发掘报告的了解和利用实在是太有限了。考古学"是 20 世纪中国学术界成绩最突出，对人类历史贡献最大的学科之一"。（陈星灿著《考古随笔（二）》，文物出版社 2010 版，第 251 页），历史学号称与考古学的关系"特别密切和重要"（赵光贤著《中国历史研究法》，中国青年出版社 1988 年版，第 29 页），但《中国古代史史料学》（安作璋主编，福建人民出版社 1994 年版，第 91 页）一书，对古代陵墓、建筑遗址、遗迹及相关实物等考古材料不还是以一句"因涉及考古学的专门知识，这里不再作介绍"交代了吗？究其原因，主要在于考古发掘报告专业性强，佶屈聱牙。考古学家俞伟超先生甚至说，他当年对斗鸡台的考古报告都"很难看得懂"，直至 1954 年"在陕西宝鸡发掘时，在当地琢磨才明白的"（曹兵武编著《考古与文化续编》，中华书局 2012 年版，第 330 页）。考古名家尚且如此，遑论其他？唯其如此，如果有一部通俗易懂而又信息量大的集中介绍考古发掘报告的工具书，不是多少能解决点问题吗？我个人以为，这一工具书最好是有提要的，仅仅是一部考古发掘报告的书目、篇名目录，对"数据"的"发掘"程度是不够的。人们需要了解：在哪儿、什么时候、发现或发掘出什么、这些遗迹或遗物有何特别之处、有何重要意义等基本信息。只有通过对这些基本信息的揭示，人们才会对考古发掘报告有一个大体了解，才谈得上去进一步利用。但这么多年了，却未见这样的工具书问世。诚如章培恒先生所言："要踏踏实实地、系统地研究某一门学问，非有这方面的较为完整的目录书指示门径不可。倘若没有呢？那就得自己动手去编。"（《日本现藏稀见元明文集考证与提要·序》，岳麓书社 2004 年版）这，也正是我们编纂《中国考古发掘报告提要》这一工具书的初衷和目的。如果说，《四库全书总目》囊括了大部分古典文献；那么，《中国考古发掘报告提要》则涉及主要的考古发现与考古发掘，只有既掌握了古典文献的基本内容，又了解了考古发掘的基本事实，才有可能真正融会贯通，将王国维先生的"二重证据法"落到实处。从这一角度看，将《中国考古发掘报告提要》视为"地下的《四库全书总目》提要"似无不可，尽管二者的作者水平与学术地位不可相提并论。

在工作开始之前，征求了多位不同学科、不同专业的专家、学者们的意见。有意思的是，持反对意见的人主要集中在考古圈内，考古圈外的人却大多表示赞同。反对的意见主要出自三点考虑：

一是"网上都有"。的确，不少刊物现已在网上可查全文。但经过逐刊、逐年、逐期的查寻发现，并非"网上都有"，有的刊物网上查不到，有的刊物缺年少期。更重要的是，仅在网上浏览，是无从享受纸本工具书的解说、集中、分类、检索等功能的。从务实的角度说，上网查询，毕竟是要产生费用的，有时一篇文章反复翻阅，既不方便，也不经济。这时恐怕即使是考古圈内的人，也会想要有一部工具书，有个基本了解后再有目的地上网查找相关文献，线上线下，相辅相成，岂不是事半功倍？

二是"大多知道"。这里所说的"大多知道"，是指某一地区的考古人员，对本地区的考古文献是很熟悉的。比如北京市的考古人员，对北京市这一亩三分地都挖出过什么，可以说是如数家珍。即便如此，仍然会让人产生以下推论：一是就算是对本地区的考古文献烂熟于胸，有一部工具书辅助查寻，又有什么坏处呢？二是谁真能保证当地考古人员人人都能对本地区的考古文献十分熟悉呢？三是考古这门学问和别的学科一样，少不了比较，仅仅是熟悉本地考古文献，是做不了什么大学问的。王巍先生不就讲过："考古资料如汗牛充栋，不仅业外人士很难了解其全貌，就连从事考古学研究的学者，对自己研究领域之外的考古成果也往往知之不多。"（《中国考古学大辞典·前言》，上海辞书出版社 2014 年版）四是考古圈以外的人，当然不可能做到"大多知道"。

三是"量太大了"。认为考古报告成千上万，编起来不胜其烦。其实不正是因为太多太繁，才有必要编纂相关工具书吗？马云讲未来的资本不是土地，不是金融，而是"大数据"。从做学问的角度讲，只有掌握了某一门学科的"大数据"，才有可能做出大学问。

与考古圈内形成鲜明对比的是，考古圈外的人却大多表示赞同，认为有这么一部工具书，对于查找和理解考古发掘报告是颇有益处的。北京大学李零先生早就谈到：考古圈内人"除了'报告语言'就不会说话"，而"圈外人看考古报告又如读天书，不知所云，不但不知道怎样找材料，也不知道怎样读材料和用材料"（《说考古"围城"》，载《读书》1996 年第 12 期）。复旦大学葛兆光先生则说："当外行人读他们的报告时，要么觉得他们的话让人难懂，要么觉得他们是在自言自语。""考古可以不断地挖出新的遗址，发现新的文物，但是无论如何，这只是学科内的事情。"（《槛外人说槛内事》，载《读书》1996 年第 12 期）其实这些学者，还是很关注考古发掘的。例如文献学家周勋初先生，就说他"喜欢看考古发掘方面的介绍"（《艰辛与欢乐相随——周勋初治学经验谈》，凤凰出版社 2016 年版，第 3 页）。但喜欢是一回事，能否真正看懂又是一回事。许宏先生不就讲过："考古学给人以渐渐与世隔绝的感觉。甚至与这个学科关系最为密切的文献史学家，也常抱怨读不懂考古报告，解读无字天书的人又造出了新的天书。"（王巍主编《追迹：考古学人访谈录 II》，上海古籍出版社 2015 年版，第 170 页）如果说，《四库全书总目》提要让人们对那些陌生的古代文献有了一个基本了解；那么，《中国考古发掘报告提要》也不过是想让人们对这些号称"天书"的考古发掘报告有个大致印象，仅此而已。

对于编纂《中国考古发掘报告提要》的看法不同，或许也是因为考古圈内、圈外对于考古发掘报告的关注点不一样：

首先，考古圈内更关注的是相关考古报告何时发表，是否规范。如郑嘉励先生指出："就考古工作者的职业道德而言，积压的考古资料必须适时发表。"（《浙江汉六朝墓报告集·后记》，科学出版社 2012 年版）张文彬先生也谈到："在我看来，客观、完整、及时将重要的考古资料公布于世，让学界鉴赏、研究，这是文物、考古工作者的天职，也是文物考古界的职业道德。恪守这个职业道德，对于我国考古学研究水平的提高乃至整个考古事业的发展，都是十分重要的，切不可等闲视之。"（《鹿邑太清宫长子口墓·序》，中州古籍出版社 2000 年版）而考古圈外更关注的，主要是已出版、发表的考古发掘报告如何利用。

其次，考古圈内更关注史前及夏商周三代考古，现在不少大学还是史前、三代考古各设一个教研室，其后的各朝各代统设一个"汉唐宋元考古教研室"。这是因为中国考古学诞生于 20 世纪 20 年代那个落后、屈辱的时代，"中国考古学一开始的主要工作，就是要寻求中国人类繁衍不息，中国文化源远流长，中国文明连接不断的证明"（王煜主编《文物、文献与文化——历史考古青年论集·序言》第一辑，上海古籍出版社 2017 年版）。以求重建民族自尊心和自信心。加之中国考古学源自欧洲，而欧洲"考古学要解决的主要是人类起源、农业起源、文明起源这三大问题"。（同前引文）不要说中世纪及近现代考古，就是古希腊、古罗马，在很长一段时间都"显然不是欧洲考古学的主要阵地，甚至更多的关注来自艺术史的学者"（同前引文）。这对中国考古学不可能没有影响。所以考古圈内不少人对战国以后的所谓"历史时期考古"兴趣不大。而考古圈外呢，自然更关注与自己搞的那一段所谓"断代史"有关的史料。

这么说，并不是说考古圈内的人都反对这个事，考古圈外的人都赞成这个事——不是这样的。考古圈外有的也颇不以为然，考古圈内的人也有的认为很有必要。如老考古人苏秉琦先生神骥出枥，指出考古学"新趋势的特点是向多学科、大众化发展。考古学的发展需要多学科素养的人来参加，社会上各行各业的人都能从这门学科中找到他们感兴趣的知识或材料，事实上还远远没能做到这一点，这主要是由于我们的工作还有许多薄弱环节"（《苏秉琦文集》（三），文物出版社 2009 年版，第 113 页）。苏秉琦先生这里所说的"我们"，应该是指考古学界。而自说自话、外人难读的考古发掘报告，理应属于"薄弱环节"之一，既然是薄弱环节，当然就有待改进和提高了。否则的话，就如同另一位老考古人张勋燎先生所指出的："如果搞其他学科史的人感到我们的历史时期考古对解决他们的问题完全没有帮助，那我们就是在玩古董，而不是研究考古了。"（《中国历史考古学论文集》下册，科学出版社 2013 年版，第 261 页）

不过，考古圈内和考古圈外在一个问题上的看法却惊人地一致：那就是都认为考古发掘报告花费了这么多的时间、精力和金钱，不好好利用，实在可惜。李伯谦先生曾讲过："我深知一部考古报告的诞生十分不易，从田野调查、发掘到室内资料整理、编写报告，一环扣一环，不知有多少人为此付出了辛劳和汗水。"（《大冶五里界·序》，科学出版社 2006 年版）。郭德维先生也曾谈到："凡整理过报告的人都知道，这是一项极其繁杂、十分琐碎的工作，既费神又费力，且短期难以完成，如果不是有很强的事业心，不下狠心用很长时间坚持做，是绝对做不好的。"（《随州擂鼓墩二号墓·序》，文物出版社 2008 年版）。宋建忠先生则感叹："常言道：巧妇难为无米之炊，但考古工作的现状常常是'好米难遇巧妇'，现在是物欲横流的时代，考古发现层出不穷的时代，人心浮躁不安的时代，现实的情况往往是'发掘抢着做，报告无人理'。因此，即使是一个重要的考古发现，报告的出版也常常是遥遥无期"。（《汾阳东龙观宋金壁画墓·序》，文物出版社 2012 年版）安金槐先生更直言："考古报告的出版是个大问题""编一本考古报告是要费大劲的""所以编考古报告要有点吃亏的精神"（曹兵武编著《考古与文化续编》，中华书局 2012 年版，第 359 ~ 360 页）。考古发掘详报时隔一二十年甚至更长时间才得以出版的例子比比皆是。如张忠培先生在《元君庙仰韶墓地》一书封三上写道："一九五九年写成初稿，二十四年后才贡献给读者。"（高蒙河《张忠培先生六十年学术论著要目编纂札记》，载《庆祝张忠培先生八十岁论文集》，科学出版社 2004 年版）王益民先生在《丁村旧石器时代遗址群》一书后记中，开篇即说此书费时 20 年。然而，好不容易有人不计名利将报告写了出来，又费尽千辛万苦申请到了经费，总算幸运地得以出版，命运又如何呢？除了图书馆、博物馆采购一些外，大都流往图书大集，成了打折书。北京大学陈平原先生讲："就拿我来说，明明知道正在削价出售的考古报告很有学术价值，可就是没有勇气把它们抱回家，原因是读不懂。"（《文学史家的考古学视野》，载《读书》1996 年第 12 期）季羡林先生也曾讲道："往往有这种情况，中国考古工作者发掘的某个地方，经过艰苦的劳动和细致的探索，写出了发掘报告，把发掘的情况和发掘出来的实物都加以详尽、准确、科学的描述，有极高的水平，但是往往不把这些发掘结果应用到历史研究上来。结果给外国的历史学家提供了素材。他们利用了这些素材，证之以史籍，写出了很高水平的历史专著。"（转引自张保胜《张懋夫妇合葬墓·序》，科学出版社 2017 年版）然后国内学界再"出口转内销"。这实在是一件令人深感悲哀的事情。

说完了考古圈内外关于考古发掘报告及《中国考古发掘报告提要》的看法，再来说说考古发掘报告本身。关于这一问题，比较令人感触的有两点：一个是"量"与"质"，一个是"繁"与"简"。

先说"量"与"质"。先说"量"。自 20 世纪 20 年代至今，究竟有多少考古发掘报告，谁也说不清楚。不仅考古圈外的人说不清，考古圈内的人也说不清，王巍先生曾谈到，1949～2009 这 60 年，"公开出版的考古发掘报告已达 300 余部"（《新中国考古六十年》，载《考古》2009 年第 9 期）。可也有人说如今"每年出版的考古报告多达百册以上"（《新世纪的学术期刊的繁荣发展——纪念〈考古〉创刊 50 周年笔谈》，载《考古》2005 年第 12 期）。以书的形式出版的考古详报并不算多，都有不同的数字，更不用说以文章形式发表的考古简报了。

《中国考古发掘报告提要》收入的考古发掘报告，从收录标准看是偏宽的，不是仅收狭义的"考古发掘报告"，从篇幅来看，既收动辄几十万字的考古详报，也收几千字上万字的考古简报，还有几百字的所谓"微简报"。之所以连"微简报"也尽量予以收录，有两个原因：一是考古发现（发掘）本身就比较简单：或许只是发现了一件青铜器，或许就是发掘出一处窖藏；二是正是因为考古发掘过程简单，很大可能仅有此一介绍，除此再无音讯。但即使是这种"微简报"，也有可能蕴藏着丰富的信息（如某种文化的"边疆"在哪）。金泥玉屑，不可小视。

《中国考古发掘报告提要》收录了以书的形式出版的考古详报和在核心期刊（以《北大中文核心期刊目录》2011 版考古学科为准，略加调整）发表的考古简报、微简报共计 13000 多种。在非核心期刊和以书代刊的考古文献上发表的考古报告，估计还有四五千种，公正地说，这部分发掘报告的学术价值大多略逊一筹，计划日后以《中国考古发掘报告提要·补编》的形式出版。如此，仅是 20 世纪 20 年代末至

2015 年，已出版和发表的考古发掘报告，就几近 20000 种，差不多是《四库全书总目》所收书的一倍了。这个数字看似可观，其实仍只是我们这个五千年文明古国考古成果中的一部分。众所周知，祖先留下的遗迹、遗物，已发现的只是其中的一部分；对这一部分进行了清理、发掘的又只是其中的一部分；已发掘的这一部分中，写有考古发掘报告的又仅是其中的一部分；写有考古发掘报告能正式发表的，又只是其中一部分。不是有学者指出，"十个考古发掘项目中，只有四五个发表了简报或者报告"吗？甚至一些名列"全国十大考古新发现"的考古发掘，也尚未发表考古报告。（张庆捷《考古发掘报告积压的问题》，载 2011 年 9 月 23 日《中国文物报》）所以我们今天能够看到的考古发掘报告，看似珠渊瑶海、宏富之极，其实已是经过层层递减，实在是弥足珍惜。

再看"质"。既然是中国考古发掘报告，自然和别的事情一样，必定会带有中国特色。其表现之一，就是质量参差不齐。不像发达国家，考古报告的整体学术水平相对比较整齐。质量不一的一个重要原因，是时代造成的。张在明先生曾讲过："我们干考古时间长了，也有一种自豪感，我们是文科里边，理工科因素最多，科学性最强、最严谨的一门学科。比起哲学、文学、历史，还是比较自豪的。"（张在明《科学的态度，历史的真实——在全国文物普查培训班上的发言》，载《文博》2008 年第1 期）但从事这一"科学性最强"的人又如何呢？不去提中华人民共和国成立初期留用的盗墓人员（参见《长沙砂子塘西汉墓发掘简报》，载《文物》1963 年第 2 期），也不提"大跃进"时由 8 位刚从中学毕业的姑娘组建的"刘胡兰"考古队（参见《河南南召二郎岗新石器时代遗址》，载《文物》1989 年第 7 期），"文化大革命"后期和改革开放之初的"亦工亦农学员"（参见《河北磁县东魏茹茹公主墓发掘简报》，载《文物》1984 年第 4 期），就是到了 20 世纪 80 年代末 90 年代初文物普查时，张在明先生不还在说，"中国就是这样的现实，大部分普查队员就是这样一个业务水平。当时陕西省上了 1000 多人，省上真正业务好的，懂考古的，上的人并不多"，甚至出现"照出来的胶卷大部分废了"，因为有时"镜头盖没打开，照完了，回来一冲是空的"，以致陕西省"90% 以上文物点都没有照片"（同前引文）。文物大省陕西省尚且如此，别的省区可想而知。近一二十年，考古队伍中的高学历人员多了许多，考古报告的质量有所提升，但仍然存在诸多问题。比如董新林先生谈到的"有意无意加以取舍，不按单位发表资料，使得资料零散"的问题，恐怕就不在少数（"期刊建设与考古学的发展暨纪念《考古》创刊 500 期学术研讨会"纪要，载《考古》2009 年第 5 期），而"资料完整不完整，是评判考古报告的质量高低的第一标准"（李伯谦《郑州大师姑·序》，科学出版社 2004 年版）。看来，的确如张忠培先生所言："中国考古学的成长史，离不开整个社会条件的制约。"（《中国考古学：走近历

史真实之道》，科学出版社 1999 年版，第 43 页）

应该指出，考古发掘报告在近年来有很大的进步，从量来说，取得国家专项资金支持得以出版的考古发掘详报越来越多，当然印量都不高，甚至有的书已出，考古圈内都不太了解（参见《考古》2011 年第 7 期载《中国考古学》一书书评），从质来说，海外学者曾批评："中国大陆在考古研究上不会问问题，即使问，也问得有限。有资料与有问题是两回事，如果只有资料而没有或问不出好的问题，资料也失去意义。"（许倬云《历史分光镜》，上海文艺出版社 1998 年版，第 297 页）而近年来出版的考古发掘报告，应该说已越来越善于问问题了。

再说"繁"与"简"。早在 20 世纪 80 年代，尹达先生就曾提出考古发掘报告"太简化，简化到史学家不能使用的程度"（《尹达同志谈考古学研究》，载《中原文物》1982 年第 2 期）。黄宽重先生则抱怨：考古发掘报告"偏重于墓葬结构、形制、出土陪葬物品的种类式样，如漆器、瓷器、石器等，特别着重于器物、墓室形制的描述，并讨论其意义。报告中虽然也注意到买地券，以及考订墓葬年代等等问题，却多忽略墓志资料"（《宋代的家族与社会》，国家图书馆出版社 2009 年版，第 15 页）。而墓志又恰恰是治史之人最需要的，着实令人恼火。王益人先生也指出已发表的旧石器时代考古发掘详报："可读的信息量实在太少，一个遗址出土几千件标本，读者只能看到十几件甚至一两件石器标本的插图和照片。难道这些标本就能代表这个遗址的所有信息吗？这绝不是我们想要的，也不能再走这样的老路了。"（《丁村旧石器时代遗址群：丁村遗址群 1976～1980 年发掘报告·代后记》，科学出版社 2014 年版）如此看来考古发掘报告似乎是越全、越厚越好。而当下 80、90 后的网友，又大多认为如今的考古发掘报告太过繁琐，不忍卒读。如有一位名叫王悦婧的网友提到初读考古发掘报告的印象："在刚开始阅读时，我深刻体会到了阅读的艰难，很多专业术语一知半解，而且有很多的疑问和不理解。"（王悦婧《阅读考古发掘报告的几点心得体会》，载 http：//www.do-cin.com/D-8333.6897.htm1）似乎考古报告越通俗，越简单为好。

那么，考古发掘报告的量与质的问题、繁与简的矛盾是否能有一个兼顾呢？我个人认为，撰写提要，恰恰就是一个比较好的解决方案。只有通过撰写提要，才能为考古发掘报告算一总账，知道还有哪些重大考古发掘迟迟未出报告，以致国家文物局不得不将其列入"限期整理"名单（参见《长治分水岭东周墓地》文物出版社 2010 年版，第 4 页）；只有通过撰写提要，才能分辨出哪些报告已不堪使用，需要出版修订本、增订本（参见霍东峰、华阳《也谈考古报告的编写》，载《内蒙古文物考古》2007 年第 2 期）；也只有通过撰写提要，才能使"繁"与"简"的矛盾得以平衡，需要更多信息的读者，可以沿着提要的线索去查找更多的资料；需要一般了解的读者，或许阅读几百几千字的提要就得以了解相关信息了。

尽管考古发掘报告尚存在着这样那样的问题，但诚如有学者指出："从某种意义上说，现今研究中国的古代历史和文化，如果离开考古学及其研究成果，是很难进行的。"（张之恒主编《中国考古通论》南京大学出版社 2009 年版，第 38 页）而对考古学成果的利用，抛开考古发掘报告，也是不现实的，同样是很难进行的。《輶轩语》曰："无论何种学问，先须多见多闻，再言心得。"欲了解考古成果、考古材料，一本一本、一篇一篇地去读考古发掘报告，当然是一个办法，但先行阅读考古发掘报告提要，也应不失为一种事半功倍的选择吧？如袁珂先生所言："积累应当说是做学问的基础，没有积累，任何学问也做不起来。"（《袁珂神话论集·代序》，四川大学出版社 1996 年版）《中国考古发掘报告提要》，只能说是考古发掘报告"提要学"的最初一点积累吧。也算是为贯彻习近平总书记提出的"建设中国特色、中国风格、中国气派的考古学"的指示，所做出的一点努力吧。

至于编纂此书的难处，先抛开编者的学术水平等主观因素不说，客观上的困难至少有三：

一是几无借鉴。此书的编纂属于首创，考古发掘报告的提要怎么写，谁也不知道；这么多提要依照什么原则进行编排，谁也没干过。只能是摸着石头过河，摸索着干。王杰先生曾指出："万事开头难，前人没有做过，第一次来做此事，自然就难。"（《楚都纪南城复原研究·序》，文物出版社 1992 年版）确是深知甘苦之言。而只要是首创之举，恐怕都难称完美。这在目录学史上不乏其例。比如《书目答问》，被称作是首部"面向广大读书人的，把书目与读者的密切关系放在首位"的杰作，但"《答问》体例不一，仓促之迹比比皆是"（《增订书目答问补正·前言》，中华书局 2011 年版）。这里要提到张在明先生在谈及考古文物普查图集时曾引用过的一个外国笑话，说是一个火车站火车老晚点，旅客们埋怨说，要列车时刻表有什么用？站长说，没有列车时刻表，你怎么知道列车晚点多少？张先生说："可是我们 50 多年了，连个列车时刻表都没有。文物事业的火车，就是在没有时刻表的情况下，跑了 50 多年。"（同前引文）蠡测其意，张先生意思是说，文物普查图集，也是类似列车时刻表这么一项基本建设。而《中国考古发掘报告提要》，不也应算是一项基本建设吗？何况是出于编者少数人之力，错讹肯定是还要超过文物普查图集，但正如张先生所言，"有了文物图集至少有了靶子，有靶子可打呀，没有文物图集，你连靶子都没有"（同前引文），编者不揣简陋，编纂《中国考古发掘报告提要》，实在是任重才轻，操刀伤锦；也不过是想给学界提供一个"靶子"吧，甚望高明缺者补之，误者正之，日后也有类似《四库全书总目提要补正》《中国丛书综录补正》一类专著问世，使其更趋完善，更便使用。

二是工程浩大。工作量有多大，可有个参照。《〈中原文物〉创刊十五年叙录（1977～1992）》（河南省博物馆 1993 年 6 月自印本）一书收录了 1500 余条 25 万字，每条都有提要。该书前言称："《中原文物》编辑部的全体同志，在完成自己繁重的本职工作之余，为编写这本书，不辞劳苦，牺牲了业余时间，经过一年的艰苦努力，克服经费上的困难，自筹资金，终于使此书出版发行了。"《中国考古发掘报告提要》所收是《中原文物》提要数倍，且参编人员也均为利用业余时间工作，这么一对比，其工作量之大，即可思过半矣。

原稿堆积如山

三是经费紧张。《中国考古发掘报告提要》是在未及申报任何项目，没有一分钱科研经费的情况下干起来的，经费之紧张自不待言。中国科学院院士叶大年先生常常开导学生们，要记住拿破仑的名言："先投入战斗，然后见分晓。"（日新编著《听大师讲学习方法》，天津社会科学出版社 2004 年版，第 126 页）这件事也是"先投入战斗"，困知勉行，干起来再说。

或许正是因为有这些难处，才会留下诸多遗憾：

从"量"来说，未能一步到位，收录的书籍肯定有遗漏，收录的文章更是缺少了非核心期刊和以书代刊这一块。估计还会有几千种。计划仿照《四库全书存目丛书》的先例，以补编形式出版。

从质来说，未能更臻完善。记得曾在《北京晚报》上看到北京大学考古系的同学写的文章，将发掘的先民住宅用今天的"两居室""三居室"来打比方。我们这部提要虽说也尽量往"浅白有趣"努力，但似乎尚无法做到如此直白。另外，不少重要的学术信息，也实在是无暇一一查找对应到位，这都只能是留下遗憾了。

这么一部有着诸多遗憾和不足的资料，为什么仍要野人献曝、布鼓雷门呢？这实在是因为我坚信考古发掘一定会有着学界急需的营养。诚如陈星灿先生所言："考古学是一门让人难堪的学问。它的发展日新月异，足以动摇被世代奉为金科玉律的东西。"（《考古随笔（二）》，文物出版社 2010 年版，第 149 页）不要说三星堆、红山、陶寺等足以改写上古史的考古发现，就是中古史，不少考古发现也一样会促使我们重新思考以往的一些"定论"。比如胡宝国先生就注意到："根据传统史料，到处都是豪族，到处都有豪族的影响，但在造像记中，我们又几乎看不到豪族的踪影。"（胡宝国著《将无同：中古史研究论文集》，中华书局 2020 年版，第 383 页）这至少会促使我们重新审读以往的文献记载，以求更加贴近历史真相。

还有几点需要特别说明一下：

一是大的原则是依时间排列。征求了不少人的意见，都愿意从最便利的途径得知某一朝代（如汉代）已发现了多少手工业遗址，已发现了多少皇陵。《中国考古学》系列，倒是依时间排列的，但那是考古学的专业书，圈外人看起来还是费力，何况还未出齐。

二是附录中的"参考文献"，列举的是一些最基本的书刊，注明的也是一些考古界最熟知的事实，算是照顾考古圈外的普通读者吧。

三是总主编刘庆柱先生统筹全局，负责大政方针的把控，已是千钧重负，尽管先生向来虚己以听，闻过则喜，但作为后学，已然兼葭倚玉，何忍再让先生推功揽过，分损谤议。故而收录之遗漏、分卷之可议、校读之疏忽等种种具体问题，理应由本人引咎自责，抉误补阙。

四是本《提要》总索引，待《补编》《续编》《外编》等出齐后，再统一编一个涵盖整个《提要》系列的总索引。

最后想说的是：编纂过程虽然充满艰辛，但好在有许多前辈、朋友的支持和帮助，大家一起来克服困难。要感谢中国社会科学院考古研究所、北京大学文博学院、北京大学图书馆、首都师范大学图书馆、文物出版社、科学出版社、中国大百科全书出版社、中华书局以及河南、山西、陕西等地考古部门的支持与帮助，要感谢傅璇琮前辈的肯定与提携，要感谢中国文史出版社的各位领导，各位编辑、印制、发行老师和项目负责人窦忠如先生，要感谢关心此书出版的范纬女士、卢仁龙先生，还有许多师友，恕不一一列举大名了。没有大家的支持和鼓励，这件事情是不可能做成的。

丁晓山
2016 年 8 月于首都师范大学
2021 年 10 月改定